Le grand cirque 2000

Lecture passionnante
pour Charles.

Avec toute mon
affection.

Armand

PIERRE CLOSTERMANN

Le grand cirque 2000

Mémoires d'un pilote de chasse FFL dans la RAF

RÉCIT

« Officiers français, soldats français, marins français, aviateurs français, ingénieurs français, où que vous soyez, efforcez-vous de rejoindre ceux qui veulent combattre encore. »

Général de Gaulle,
BBC Londres le 24 juin 1940.

Né au Brésil en 1921 d'un père alsacien, diplomate, et d'une mère lorraine, Pierre Clostermann fait ses études à Paris, passe ses bacs. Trop jeune pour rentrer avant septembre 1941 à l'École de l'air, il rejoint en attendant ses parents à Rio de Janeiro. Brevet de pilote le 17 juillet 1937 à l'Aéro Club du Brésil, part ensuite aux États-Unis, au CALTEC – Ryan College – obtenir un diplôme d'ingénieur aéronautique ainsi qu'un brevet de « *commercial pilot* », PL de l'époque.

Il s'engage dans la France Libre en 1941, suivant l'exemple de ses parents, et est incorporé dans les Forces Aériennes Françaises Libres dans les premiers jours de 1942. D'abord pilote au *squadron* 341 « Alsace », il sera ensuite détaché à la Royal Air Force, au *squadron* 602 « Ville de Glasgow », puis successivement au 274, au 56, puis au *squadron* n° 3 comme commandant d'escadron. Il survivra à un nombre record de missions – 400 – et remportera de nombreuses victoires qui le classent parmi les premiers « as » alliés !

Démobilisé, couvert d'honneurs, il est élu député d'Alsace à 25 ans en 1946. Plus tard, rappelé sous les drapeaux, il combat 18 mois en Algérie comme PCA de la chasse. De cette expérience est sorti son livre *Appui-feu sur l'oued Hallaïl*, témoignage unique et impartial sur les opérations dites « de maintien de l'ordre ».

Il sera élu et réélu huit fois au Parlement. Il démissionnera à la mort du général de Gaulle. Industriel de talent, il créera une usine, Reims-Aviation, où il construira plus de 5 000 avions de tourisme. Vice-président aux USA de la Cessna, premier producteur mondial d'avions légers, il sera également administrateur de Renault et des Avions Marcel Dassault.

Pour son action en Algérie, le général de Gaulle l'élève à la dignité de grand officier de la Légion d'honneur. Aujourd'hui, grand-croix de la Légion d'honneur, compagnon de la Libération, médaillé militaire avec ses très nombreuses citations de la Croix de guerre, de la Valeur militaire et décorations étrangères, il est le Français le plus décoré. Marié, il a trois fils. L'aîné, après avoir été pilote de chasse sur Mirage, est commandant de bord à Air France. Le second est officier de marine, et le troisième ingénieur informaticien de haut niveau.

Les autorités de la Royal Air Force et Pierre Clostermann

« *As a fighter pilot and junior commander with a record of 420 operational sorties, first in the famous "Alsace" Squadron of the Free French Air Force in Great Britain, then with Royal Air Force Units, Pierre Clostermann was second to none.* »

Signé : Maréchal Sir John Slessor CCB DSO MC Commandant en chef RAF

« Comme pilote de chasse et commandant d'unité, avec un record de 420 missions de guerre, d'abord dans le fameux *squadron* français libre "Alsace" en Grande-Bretagne, puis dans les *squadrons* de la RAF, Pierre Clostermann n'a pas été surpassé. »

« *Squadron leader P.H. Clostermann DFC and Bar, 30973 FF, is an exceptional fighter pilot who was in his third tour of operational flying at the cessation of hostilities. Apart from his personal victories recorded below, he is an extremely capable leader, whilst on the ground, his wide experience make him an invaluable commander. He has been recommended for the award of the Distinguished Service Order.* »

Signé : Sir Harry Broadhurst KBE DSO DFC – AOC TAF fighter command

(Lettre adressée au général Valin, Chef d'état-major, le 1er novembre 1945 avec une liste de victoires de PHC.)

« Le *squadron leader* P.H. Clostermann DFC et Bar 30973 FF est un pilote de chasse exceptionnel qui était dans son troisième tour d'opérations à la cessation des hostilités. En dehors de ses victoires citées, il est un leader extrêmement capable tandis qu'au sol sa vaste expérience en fait un commandant de grande valeur. Il a été proposé pour la DSO. »

Air Ministry, Seaford House 37 Belgrave Square – London SW 11

August 26th 1944. AFL 3/1614/575 – S-lt P.H. Clostermann

The immediate award of the DFC to the above French officer was made and formally approved by the King on 7/7/44. The citation read as follow :

« This officer has displayed outstanding courage and devotion to duty through his operational career in the course of which he has destroyed at least 11 enemy aircraft and damaged other military objectives. »

« Cet officier a démontré un courage hors pair et sens du devoir durant cette carrière opérationnelle au cours de laquelle il a détruit au moins 11 avions ennemis et endommagé d'autres objectifs militaires (1reDFC). »

To FAF from Air Ministry – 128/AFL/3/6463 – May 28th 1945 – Lt P.H. Clostermann DFC FF 30973.

The above named officer on n° 3 Squadron RAF was granted an immediate award of a Bar to the DFC formally approved by His Majesty the King on 2/4/45 : The citation reads as follow.

— « *Since being awarded the DFC this officer has participated to 70 new operational missions during the course of which he has destroyed a further 12 enemy aircraft. Throughtout lieutenant Clostermann has displayed outstanding courage and ability and has proved to be an inspiration to all* ».

— « Depuis qu'il a reçu la DFC cet officier a participé à 70 nouvelles missions au cours desquelles il a détruit 12 nouveaux avions ennemis. Tout au long, le lieutenant Clostermann a démontré un courage hors pair et a prouvé être une source d'inspiration pour tous (2e DFC). »

La citation d'élévation au grade de commandeur dans l'ordre de la Légion d'honneur, décision n° 208 J.O. du 6/6/46 signée De Gaulle est la suivante :

« Officier pilote de chasse incarnant les plus belles traditions de patriotisme dont l'action au combat méritera toujours d'être citée en exemple. Détaché dans la RAF, a brillamment contribué à la grande renommée des ailes françaises. A conduit une escadrille puis un groupe d'avions Tempest avec une rare audace. Termine cette prestigieuse campagne âgé de 24 ans, totalisant 600 heures de vol de guerre, après avoir remporté 33 victoires aériennes ce qui lui donne le titre de Premier Chasseur de France. »

Signé : Charles de Gaulle

Pour mon vieux coéquipier Jacques Remlinger, en souvenir de nos deux cents missions ensemble dans la RAF. Pour mes amis Henri de Bordas et « Jaco » Andrieux, Compagnons de la Libération, glorieux pilotes de chasse de la France Libre. Face à Hitler, aux alliés et aux autres, avec les Forces Aériennes Françaises Libres vous avez porté, seuls, mille jours durant l'honneur de notre armée de l'air.
Je vous dédie ce livre dont vous avez vécu chaque ligne ! L'oubli tombe vite et notre histoire se perd dans la nuit des mémoires !

Henri de Bordas. Jacques Remlinger et Pierre Clostermann. Juillet 1944. Jacques Andrieux « Jaco ».

« Ils sont les derniers de la glorieuse tribu des Mohicans. Leurs os blanchiront dans l'oubli de leurs exploits. »

Fenimore Cooper, *Le Tueur de daims*. 1826.

AVANT-PROPOS

> « *Le guerrier ne fait que porter l'épée pour le compte des autres. C'est un seigneur, puisqu'il accepte encore de mourir pour des fautes qui ne sont pas les siennes, en portant le poids du péché et de l'honneur des autres...* »
>
> Alexandre SANGUINETTI

Quand je relis mes carnets, d'où furent extraites les pages du *Grand Cirque*, les mêmes sentiments et trop souvent les ressentiments d'alors se bousculent encore dans mon esprit.

Comment répondre de façon cohérente à ceux qui me posent des questions sur la guerre, toujours les mêmes, sur les ressorts et les raisons de mes actes ?

Lartéguy avait peut-être la bonne réponse :

« Il était comme un torero auquel des étrangers ignorants demandent de raconter son combat le soir même où il vient de le livrer, alors qu'il ne s'est pas encore débarrassé de sa peur, qu'il se sent plus près de la bête qu'il a tuée dans le soleil de l'arène que de ceux qui l'interrogent. »

Les Centurions

Fierté, chagrin et pitié, fureur, rage et honte sont les sentiments qu'évoque pour moi l'époque 1939-1945.

Fierté d'avoir participé à l'aventure de la France Libre qui n'a d'égal que l'épopée de Jeanne d'Arc et peut-être celle de Rossel. Romain Gary écrivait que sa patrie était la France Libre et ce fut aussi grâce à elle – donc grâce à de Gaulle – que nous n'avons pas été les mercenaires de cette légion étrangère anglo-saxonne, qu'imaginaient Jean Monnet l'Européen ou plus tard Murphy l'Américain. Ainsi, ce que nous avons pu faire au service de la Patrie fut porté au crédit de la France dans le grand livre des nations.

Chagrin et pitié d'avoir vu mourir dans les flammes et la fureur des combats aériens tant de mes frères des Forces Aériennes Françaises Libres et de mes amis de la Royal Air Force.

Le général Christienne, notre historien militaire, écrit dans son étude *Typologie et motivation des Forces Aériennes Françaises Libres*, publiée par l'Institut d'Histoire des conflits contemporains :

« Les pilotes des Forces Aériennes Françaises Libres semblables en de nombreux points aux autres Français libres, animés d'une motivation patriotique évidente, ardents à vouloir se battre, doivent cependant être classés à part dans la France Libre. Leur mode de combat, sa continuité, son intensité, les risques majeurs qu'ils courent en font une population très particulière. Très jeunes et se battant très tôt, ils se battent constamment. »

Cela signifie tout simplement que 69 pilotes des Forces Aériennes Françaises Libres sur 287 sont revenus vivants. 75 % de tués sont une proportion qu'aucune unité alliée n'a atteinte ou aurait pu même supporter. Par exemple, des 14 premiers pilotes FAFL du Normandie-Niemen qui commencèrent les opérations en URSS en avril, il n'en restait plus que 4 en octobre. Parmi eux, Roland de La Poype et Albert, tous deux élevés plus tard à la dignité de Héros de l'Union soviétique, rarissime honneur.

Ezanno, Andrieux, Fourquet, Bordas, Mathey, Poype, Albert, Leblond, Jacques Remlinger, Risso et quelques autres chasseurs et pilotes fameux sont encore aujourd'hui les témoins vivants du passé, comme ces rochers, restes d'un continent englouti qui émergent encore de l'Océan de l'oubli. Bientôt nous ne serons plus que quelques lignes dans un livre d'histoire.

Nous ne regrettons rien parce que, comme l'écrivit Baudin qui commanda l'école des cadets de la France Libre en 1940, ce fut « le temps de la pureté, de l'intransigeance et du choix qui engage à fond ». *C'est-à-dire jusqu'à la mort* !

Notre motivation était bien simple : « Les Allemands sont à Paris », un point c'est tout. Tout le reste n'était pour nous que littérature et raisonnement, contournant la conscience nationale ou servant d'alibi à l'inaction.

Fureur devant le gâchis immense de cette guerre 1939-1945, cette « guerre civile européenne » comme l'a un jour qualifiée le général de Gaulle. On nous a fait nous entre-tuer avec ces admirables pilotes de chasse allemands, si proches de nous par l'âge et la mentalité, l'amour de la vie, la passion du ciel que seules la couleur de l'uniforme et les cocardes sous les ailes différenciaient de nous. Tout cela, je l'écrivais déjà aussitôt après la guerre et j'avais de bonnes raisons malgré les injures et les incompréhensions. Je le répète aujourd'hui malgré les révisionnistes.

Je suis issu de la branche catholique d'une famille alsacienne et rhénane qui avait éclaté après la révocation de l'édit de Nantes, les protestants émigrant en Allemagne puis certains se subdivisant encore en luthériens et calvinistes, les uns partant pour les Pays-Bas, d'autres en Angleterre. Le Rhin n'était devenu deux siècles plus tard une frontière infranchissable que par la maudite faute de Bismarck d'abord, de Guillaume II ensuite et enfin de la folie hitlérienne.

Mais la réalité dépasse souvent la fiction.

Un jour de 1949, mon père reçut d'Allemagne une lettre de deux dames Klostermann – une religieuse et une vieille célibataire – lui annonçant que notre lointaine branche allemande s'éteindrait avec elles, leur neveu, pilote de la Luftwaffe ayant été tué à la guerre, son père ayant disparu en Russie et sa mère lors du monstrueux bombardement de Dresde par les Alliés, qui fit en une nuit plus de morts que la bombe de Hiroshima !

Trente-cinq ans plus tard, par les archives de la Luftwaffe, j'appris que le lieutenant Bruno Klostermann, pilote de chasse à la 2e de la IIIe du JG 300, avait été tué, âgé de dix-huit ans, le 14 février 1945 aux commandes de son Messerschmitt-109-G14, à 11 h 45, à l'ouest de Hambourg. Ce fut ce terrible vendredi noir de la Luftwaffe qui perdit ce jour-là 107 pilotes de chasse tués et 32 autres blessés ! Or, un quart d'heure plus tard, à 12 heures, à moins de 100 km de là, à quelques minutes de vol à peine, avec 4 Tempest du *squadron* 3 et 4 du *squadron* 86, nous interceptions une dizaine de Focke Wulf-190 de la IVe de la JG 3 de Gutersloh. Par quel miracle, je n'avais pas rencontré et combattu ce jour-là ce cousin inconnu de moi, mais dont les gènes portaient

Mon cousin rhénan tué le 14 février 1945
aux commandes de son Messerschmitt.

sans doute les mêmes signatures lointaines que les miennes ? Quelle absurdité !

Ce vendredi noir succédait au 1er janvier 1945 quand en une heure la Luftwaffe avait perdu 232 pilotes, y compris 2 *kommodoren* d'escadre, 6 commandants d'escadron et 28 chefs d'escadrille... Cela devait continuer à cette cadence infernale et inhumaine jusqu'au 8 mai 1945, transformant le nord de l'Allemagne en un gigantesque charnier d'avions et de pilotes !

Dans une lettre à André Gide, Saint-Exupéry donne une triste et méprisable définition du courage : « Un peu de rage, un peu de vanité, *un plaisir sportif vulgaire...* »

Je veux bien lui accorder la rage car je la connais, mais la vanité ? Serait-ce par vanité que Saint-Exupéry a tenu à partager notre combat en essayant de piloter un P-38 avec trois ans de retard pendant lesquels, porte-parole inconscient de Vichy, il expliquait aux USA que la France devait expier et à Roosevelt que De Gaulle serait un deuxième Hitler ! Plaisir sportif vulgaire ? Allons donc ! Quand il y a au bout du chemin la peur, la mort et la noblesse d'un sacrifice librement consenti ? Plaisir sportif vulgaire pour les pilotes argentins aux Malouines, déboulant à 600 nœuds au milieu de la flotte anglaise ? Plaisir sportif ? Que signifiaient ces mots pour le pilote japonais kamikaze de vingt ans qui vivait sa nuit des oliviers sachant que le soleil qui allait poindre à l'horizon éclairerait son dernier jour ?

Mots malheureux de la part d'un très grand écrivain, ou autojustification ? Paix à ses cendres, il a payé.

Je ne pouvais trouver meilleure introduction pour cette édition définitive du *Grand Cirque* que ce qu'avait écrit jadis le *wing commander* de la RAF, Peter Brother, ancien commandant de l'escadre de chasse de la base de Tangmere (cité par *Icare,* nº 213) :

« De toutes nos facultés la mémoire est la plus aléatoire. Les bons souvenirs restent, et les mauvais heureusement s'effacent. La chasse en 1940 signifie pour moi des jours de soleil sans fin, du sommeil volé sur la première chaise venue, la moindre remarque amusante donnant lieu à des rires quasi hystériques, l'ennui et la peur, toujours la peur, pendant les interminables attentes qui disparaissaient dans l'activité du décollage, la montée de l'angoisse suivant la panique après avoir été touché, la joie de voir mon tir atteindre l'avion de l'ennemi et mes remords quand son équipage ne pouvait s'en extirper, la perte des amis, la fatigue. »

J'ai souvent retrouvé dans mes cahiers de 1942 à 1945 le mot « peur » parce qu'elle est une constante que l'on ne peut ignorer dans l'action, dont dépend la vie ou la mort, et que rien dans notre existence qui a précédé la guerre ne nous a préparé à l'affronter. Pourquoi le cacher ? Alors essayons de définir la peur, la vraie et non pas la frousse des faibles, des anxieux et des inquiets. La peur est cousine germaine du courage. L'un ne va pas sans l'autre, c'est une évidence mais c'est aussi une question de proportion. J'ai souvent été interrogé sur la peur. Cela méritait une longue réponse à laquelle j'ai bien des fois réfléchi. Notre langue ne propose que des synonymes sans nuances du mot « peur ». Les Anglo-Saxons ont deux mots définissant chacun un stade et un aspect de la peur – le mot *fright* c'est-à-dire le choc immédiat et physique de l'événement inattendu, et le mot *fear* définissant la montée de l'angoisse qui étrangle, le lent processus psychologique qui détruit le raisonnement et paralyse le geste.

Un obus de 20 qui explose trente centimètres derrière votre tête sur la plaque de blindage dorsal, c'est un coup de poing au plexus, une bouche instantanément sèche avec cette horrible sensation d'étouffer dans le masque à oxygène, un voile rouge devant les yeux, les tympans traumatisés ne restituant à votre cerveau qu'un immense fracas.

C'est à cet instant que le contrôle sur soi doit prendre le dessus, nous ramener dans la normalité et continuer à combattre. Nous pouvons appeler cela le courage simple. L'action doit continuer empêchant toute réflexion, sans laisser le temps de peser le pour et le contre dans un désordre de l'esprit qui est parfois un début de panique. Souvent il faut instantanément décider – fuir ou agir. La fuite c'est parfois la peur qui n'ose pas dire son nom et se cache souvent sous le vocable de raisonnable. Pis encore, la peur peut engendrer une paralysie des réflexes bloqués par un cerveau choqué ne donnant momentanément plus d'ordres.

J'ai souvent été le témoin, l'acteur ou la victime du binôme courage-peur. Grâce au ciel je n'ai jamais été affligé comme certains de cette paralysie en combat aérien qui déclenchait plutôt en moi une poussée d'énergie et d'agressivité me faisant perdre, je l'avoue, toute prudence et tout respect de la discipline. Mes chefs me le reprochaient souvent, et c'est seulement, commandant à mon tour, que j'ai pu me libérer. Était-ce un réflexe abolissant toute prudence à la vue d'un Focke Wulf-190 ? Pouvait-on qualifier cela de courage alors que le déroulement éclair de l'action et l'injection brutale d'adrénaline ne laissaient aucune chance à la réflexion ? Par contre, les trente ou quarante minutes de vol vers un objectif redouté, comme mitrailler un aérodrome hyper défendu, sachant qu'il faudra pour remplir la mission traverser un rideau d'obus de petit calibre crachés à une cadence démente par les quadruples de 20, accordaient le temps de réfléchir. Cela permettait à l'appréhension d'abord, puis chez certains – moi compris – à une certaine forme d'angoisse de s'installer. Par contre une fois le piqué de l'attaque amorcé, le pilotage précis nécessaire en rase-mottes à la vitesse maxi, la recherche instantanée d'un objectif en balançant l'avion sans planter une aile dans un sol qui défile à 200 m/s la peur s'effaçait comme la craie par un coup d'éponge sur le tableau noir ! Puis enfin, plus tard, soulagé, c'était cette merveilleuse sensation de renaître, tandis que loin derrière, maintenant inoffensifs, les petits nuages blancs d'autodestruction de la *flak* (DCA) demeuraient accrochés en rangs serrés dans le ciel... J'avais été fusillé et manqué une fois encore, mais le soulagement devait masquer une nouvelle érosion du contrôle sur moi-même.

L'utilisation de tranquillisants et d'amphétamines dissimulait un certain temps les signes extérieurs de la peur, mais une fois le processus enclenché, seul l'arrêt total de l'activité qui en était la cause pouvait sauver. C'est pourquoi le rôle du chef comme celui du médecin de l'escadrille était primordial – détecter à temps les symptômes chez un bon pilote et l'expédier au repos sans délais. La RAF possédait d'ailleurs deux ou trois très belles propriétés à la campagne dans ce but.

Le courage n'est ni l'inconscience ni la bravade. L'inconscience se décèle moins facilement que la bravade qui saute aux yeux par un comportement constant, en mission comme à terre.

Tous ces commentaires par bribes perdues dans les trois cahiers rédigés par moi pendant la guerre s'appliquent à ce que je connais, à ce que j'ai ressenti, vu ou vécu chez les pilotes des escadrons dans lesquels j'ai fait la guerre.

Lord Moran, médecin particulier de la famille royale et de Churchill qu'il a accompagné dans tous ses déplacements, avait été chargé par le ministère de la Défense d'étudier le comportement des hommes au combat en 1917 comme en 1940. Il écrivit par la suite un essai intitulé *The Anatomy of Courage* (*L'Anatomie du courage)*.

Lord Moran s'était élevé en 1917 contre la pratique inhumaine du cachet LMF (*lack of moral fiber* – manque de fibre morale) apposé jadis sur le dossier des combattants dont les nerfs avaient lâché. Cette phrase infamante qui marquait l'officier au fer rouge existait depuis les campagnes des Indes et du Soudan et le malheureux n'avait alors en 1900 le choix qu'entre l'exil ou le suicide...

Lord Moran fut le premier à soutenir que la peur, à l'inverse du courage qui relève de la volonté, n'était qu'une réaction de défense d'un corps poussé à bout par les traumatismes visuels – les restes sanglants des camarades – et physiques du combat. En conséquence, ce que l'on appelait trop facilement « lâcheté » était dans la plupart des cas une maladie relevant de la médecine psychiatrique et non du conseil de guerre !

Pour étudier le courage, il avait surtout observé cliniquement les pilotes de chasse – il l'a fait aussi bien en 1917 qu'en 1940, surtout pendant la bataille d'Angleterre – considérant que c'était chez eux que le phénomène se présentait à l'état pur sans influence extérieure. Le chasseur dans son avion monoplace, que déjà les hautes performances rendent dangereux, est seul dans un vaste ciel pratiquement sans abri. Il doit décider de son propre sort, agir ou fuir sans témoin. La moindre blessure peut lui être fatale. Il n'a pas le réconfort du coude à coude avec ses voisins, le coup d'épaule des autres soldats de sa compagnie, l'aide au blessé, l'espoir de l'hôpital et de la survie, le combat sous le regard du chef. Le courage peut aussi être collectif, tout comme la peur qui se transforme en panique et en fuite du groupe, cela est bien connu !

Une phrase clé de l'essai de Moran mérite d'être citée :

« Quand j'écris sur la naissance de la peur, je pense à quelque chose qui va profondément blesser et qui n'est pas le trac qui passe une fois l'acteur sur scène. La vraie peur n'apparaît que chez les hommes qui ont affronté la mort ! C'est généralement – sauf rares exceptions – un long processus que j'ai observé chez les pilotes de la Royal Air Force. Cela commence généralement par un étrange sentiment d'invulnérabilité égoïste qui finit par se heurter brutalement à la réalité du feu et de l'écrasement. C'est la réalisation que la mort soudaine dans le poste étroit d'un Spitfire est possible, comme celle de ceux qui ne sont pas revenus. Alors on s'efforce de le cacher au plus profond de nous-même – et là on peut sans doute parler d'amour-propre au sens complet de l'expression, amour de son visage que l'on ne veut pas voir défiguré par le feu comme ceux de certains camarades, amour de son corps que l'on n'accepte pas écartelé dans un tas de ferraille fumante... »

Je voudrais ajouter à ces lignes que chez les pilotes de chasse allemands, il y avait par surcroît le fétichisme de la masculinité – le complexe « macho » comme nous dirions aujourd'hui – cet amour orgueilleux tudesque des armes, le snobisme d'appartenir à l'aristocratie apolitique des armées de la patrie, le refus général par exemple du salut nazi, même en présence de Hitler.

En conclusion, que dire ? La peur sera toujours une épée de Damoclès suspendue au-dessus de la tête de tout homme d'armes. Chaque épreuve, chaque combat singulier dans le ciel brise un brin de la corde qui la soutient. Une fois attaché à son siège, casque ajusté, parachute sanglé, verrière refermée l'isolant de son univers, pour le pilote quel qu'il soit c'est la solitude absolue du duelliste de jadis sachant qu'une fois le fer lié, il n'y a d'issue que dans une mort ! La sienne ou celle de l'autre.

Répétons que peu nombreux sont ceux qui, jadis au petit matin froid, étaient capables de fixer le reflet de l'acier dans les yeux de l'homme qu'il fallait tuer ou qui vous tuerait. Peu nombreux finalement sont ceux qui peuvent faire face, dans un ciel sans abri, à un avion ennemi rapide et silencieux comme

R. Hillary, auteur de l'admirable *Last Enemy*, avant et après avoir été abattu en flammes. Le feu était notre terreur.

une truite, dangereux comme un cobra. Le rare vrai courage séparera toujours le grain de la paille ! Il faut avoir vécu cette épreuve pour comprendre !

Plusieurs années durant, mes camarades chasseurs des FAFL et moi-même l'avons vécue. *Le Grand Cirque* en est l'histoire !

Le monde des pilotes de chasse est étrange, hors du temps, à la fois clos et sans frontières. Est-ce le privilège partagé de tuer ou d'être tué proprement qui les unit dans le vertige sans pareil des combats aériens ? Leur fraternité est-elle née de l'amour du vol et d'une passion professionnelle commune pour les avions à hautes performances, toujours la même du Spad au Mig-21, du Fokker-D-VII au Spitfire, du Messerschmitt-109 au F-105 ?

Ils sont les héros des bonnes causes, les vilains des mauvaises selon la couleur de l'encre des services de propagande et finissent trop souvent dans les débris fumants d'un avion au flanc d'une colline.

J'ai vu, trente ans jour pour jour, après mon arrivée au *squadron* 341 Alsace des FAFL à Édimbourg, mon fils aîné Jacques se sangler dans le poste de son Mirage 3-E de l'escadron 3/2 Alsace. Sur ce parking de la base de Dijon, dans le tonnerre des réacteurs Atar, je me suis revu dans mon Spitfire à la croix de Lorraine, frappé lui aussi sur son fuselage aux armes de l'Alsace, le cœur battant, deux doigts sur les boutons de démarrage du moteur Rolls Royce.

Dans son éternel recommencement, la roue de la vie avait tourné de 360 degrés. Je n'étais plus qu'un rescapé du passé et le *Grand Cirque* mon témoignage. C'est pourquoi j'ai voulu que les textes de cette réédition restent inchangés, exactement ceux de mes cahiers 1942-1945.

N'ont été ajoutées que toutes les pages inédites de ces cahiers, éliminées en 1947 pour cause de manque de papier, portant *Le Grand Cirque* de 1948 à 480 pages. L'avant-propos de 1947 se retrouve en appendice à la fin de cette édition complète.

Je voudrais « *brindar* », dédier, comme le torero, cette édition du millénaire à mes adversaires d'hier, morts ou vivants, amis d'aujourd'hui dont l'Allemagne, désormais notre alliée, peut être fière, et même l'Europe entière... Rudel, Galland, Gunther Rall, Priller, Barkhorn, Hartmann, Krupinsky et tant d'autres.

Je voudrais aussi que les jeunes lecteurs de ce *Grand Cirque* aient une pensée pour tous ces pilotes de chasse français de mai 1940, anglais de septembre 1940, américains des Philippines en janvier 1942, de la Luftwaffe en 1945 et d'Argentine en mai 1982. Sacrifiés, ils ont hérité des désordres des autres – hommes politiques pacifistes, généraux incompétents, peuples avachis. Cependant ils doivent les admirer sans les plaindre parce qu'ils ont pu dire, à l'ultime instant : « J'ai vécu dans mon avion ce que les autres ne connaîtront jamais. »

Pierre CLOSTERMANN
Janvier 2000

Après mes bacs et mes études à Paris, c'est au Brésil que j'apprends à piloter. Je fais de la voltige sur ce petit bijou de Bucker « Jungman ». Ce que mon moniteur allemand, Karl Benitz, m'a appris m'a probablement sauvé la vie plus tard. Il a été tué au-dessus d'Orel en 1943, pilotant un Me-109.

POURQUOI LA FRANCE LIBRE ?
« Pas d'armistice avant la victoire ! »

Octobre 1939. Je suis sur des charbons ardents. Octobre 1941 pour avoir l'âge d'entrer à l'École de l'air, c'est attendre un siècle. À San Diego je vole tous les jours, je m'entraîne à la voltige, mais un Ryan ST n'est pas un Curtiss ou le Dewoitine 520 dont je rêve... Encore dix-huit mois en principe avant de recevoir mes diplômes.

Juin-juillet 1940. Tout s'est écroulé. Un goût de cendre dans la bouche. Avec les nouvelles de la débâcle nous parvient vite, au travers de l'Atlantique, la honte. Cette honte que ressent la France dans le tragique poème de Claudel que De Gaulle plus tard citait avec fureur :

J'ai trop souffert, on m'en a trop fait
Tout cela, les coups, ce n'est pas cela qui compte
Je suis vieille, on m'en a fait de toutes sortes jadis
Mais je n'étais pas habituée à la honte.

Je ressens aussi cette honte, et cette défaite qui étouffe mon espoir d'avoir enfin la possibilité de servir la France. Je cherche à comprendre, les larmes aux yeux, le soir, dans ma chambre. Quel contraste entre l'incroyable courage de nos pères en 1914-

1918 et le pitoyable spectacle qu'offrent leurs fils en ce printemps de 1940. Sur mon lit sont étalées les pages de photos du supplément dominical du journal *San Francisco Post*, avec les images de l'interminable cortège de nos prisonniers engoncés dans leurs capotes anachroniques, leurs bandes molletières, traînant leurs musettes. Ce minable troupeau est surveillé par quelques gamins blonds, en short, calot et chemisette, mitraillette sous le bras. Dans ce bétail il y a ceux qui crânent ou qui ricanent parce que c'est fini : ils n'ont rien risqué, rien donné et croient qu'ils vont rentrer bientôt chez eux les braies nettes. J'ai retrouvé ces mêmes expressions à la Libération, quatre plus ans plus tard, sur le visage ignoble de ceux qui tondaient les femmes... Les autres ont le regard perdu et la tête basse d'une lâche résignation.

Le lendemain soir je vais au cinéma voir *Autant en emporte le vent*. Avant le film on passe les actualités, mi-US, mi-UFA. Là encore les prisonniers, tristes produits de la défaite, défilent par milliers au pied des cuisines roulantes allemandes où ils viennent chercher la pâtée que des soldats de la Wehrmacht hilares leur distribuent. Adossés à une barrière à vaches, indifférents à ce spectacle, gauloise pendante collée à la lèvre inférieure, képi de travers coiffé à la « voyou », *leggins* (jambières) astiqués, quelques officiers français, réservistes probablement, trop gras et trop satisfaits, persuadés que grâce à cette défaite ils rentreront vite démobilisés chez eux... À l'entracte la lumière s'allume et j'ai peur que quelqu'un – un de mes professeurs, un camarade de classe ou un spectateur – me tape sur l'épaule en me demandant si je suis Français et que toute honte bue je lui réponde que je suis Canadien ! Le coq chantera trois fois !

Pourquoi cette capitulation sans honneur de mon pays ? Pourquoi ? Pourquoi ? Je cherche à comprendre...

Je sais hélas, car je connais bien l'histoire de France contemporaine, que les conséquences démographiques et politiques de l'immense boucherie de 1914-1918 ont pesé lourd. Les quatre millions d'anciens combattants survivants, dont la plupart furent blessés, avaient acquis sous la IIIe République un profond sentiment antiparlementaire qui allait faire surface plus tard avec Vichy.

Le slogan « plus jamais ça » naquit chez les millions d'orphelins, les 62 0000 veuves de guerre, chez ces générations écrémées de leurs élites. Sur 800 élèves de Sciences Po en 1914 il n'en restait que 72 un an plus tard. À Normale Sup plus d'une centaine sur 211 furent tués à l'ennemi. C'est ainsi qu'une forme de pacifisme imbécile allait nous amener à cette nouvelle guerre subie et non assumée ainsi qu'inéluctablement au régime de Pétain.

Des écrivains de talent, Dorgelès, Barbusse, Genevoix, Paul Chack et bien d'autres y compris les Allemands traduits – *Les Croix de bois, Le Feu, Verdun, À l'ouest rien de nouveau* d'Erich Maria Remarque – ont contribué avec les Céline, Déat, Drieu et autres intellectuels à créer ce qui devint le patriotisme perverti et aveugle de Vichy. Cela, je l'ai compris plus tard. Perverti parce que contrairement à la propagande il tournait le dos à notre Histoire. Aveugle parce qu'enfin les uniformes allemands étaient partout dans le Paris occupé, et le drapeau nazi était bien visible sur l'Arc de Triomphe, et surtout à Strasbourg sur notre cathédrale. Pratiquement tout l'éventail politique ancien combattant a rallié Pétain – Bergery, radical socialiste, Doriot, maire communiste de Saint-Denis, Déat, député socialiste, Drieu, fasciste et tous ces parlementaires de gauche qui votèrent pour lui !

Conscience tranquille, la plupart de nos compatriotes vont s'installer dans la défaite, l'occupation et le rationnement, les prisonniers dans leurs stalags, les hommes politiques dans l'attentisme ou dans une résistance de façade, généralement littéraire, l'armée dans un cessez-le-feu permanent et la marine marinant dans sa haine des Anglais !

Ah ! S'ils avaient su que la guerre durerait si longtemps – les fils barbelés, les rutabagas, les demi-soldes désarmés, le sabordage sans gloire – tous ces gens sans nerf ni amour-propre qui avaient oublié la France, auraient peut-être réagi différemment, du moins peut-on l'espérer !

C'est alors que j'ai reçu de mon père une lettre par laquelle il me demandait de rechercher dans les hebdomadaires américains, *Life* ou *Time,* ou dans les quotidiens, quelque chose sur un certain de Gaulle appelant de Londres à continuer le combat. J'ai fini par dénicher dans la bibliothèque de mon université et découper dans le *Washington Post* un quart de colonne, avec une photo d'un personnage au visage triste et sévère, coiffé d'un képi de

Mon père à Fort Lamy, chez Leclerc

général à feuilles de chêne. Je lui ai envoyé à Rio où il était en poste. Un mois plus tard, une autre lettre de mon père m'apprend qu'il va rejoindre ce De Gaulle en Afrique ou à Londres, avec le commandant Valin, notre attaché de l'air au Brésil, qu'il me confie ma mère et madame Valin, et je suis chargé de les expédier vers Brazzaville devenue capitale de la France Libre. Quant à moi, et pour moi, mon père écrit que je suis maintenant un grand garçon, que l'on n'a pas souvent l'occasion de faire quelque chose pour son pays et qu'il espère bien que je le rejoindrai à Londres... Il ajoute que l'Histoire ne repasse pas les plats !

Assis sur la plage de Malibu, je relis cette lettre. La guerre, cela semble si loin, et je sais maintenant que je n'ai plus le choix. Je dois à mon père[1] d'y aller et à ma mère d'en revenir. Je suis fils unique, que doit-elle penser ? Elle est lorraine comme lui est alsacien. Ils ont l'habitude, de génération en génération, de ces sacrifices. Je pense à cette pierre, au bord de la route, près des usines De Dietrich à Niederbron que, petit garçon, on m'avait emmené voir, modeste ex-voto gravé à la mémoire d'un ancêtre, le lieutenant-colonel George Clostermann tué à Reichoffen chargeant avec la brigade Michel en 1870.

Je lis dans la presse les exploits de la Royal Air Force. Ma décision est prise : ce ne sera pas un Dewoitine 520 mais un Spitfire. Guynemer, Fonk, Navarre, ces souvenirs de mes lectures passionnées en étude à mon école les jeudis, à Paris, vont revivre pour moi, du moins je l'espère...

Ma décision est prise. Je demande une audience au Dean (recteur) du CALTEC, mon université, et je lui expose mon problème. Il m'accueille avec le sou-

1. Mon père, grand mutilé de la 1914-1918 – médaille militaire, Légion d'honneur, 3 citations.

rire, est étonné car il me croyait brésilien[1], et me fait part de sa sympathie pour les Anglais – il n'y a pas alors tant d'Américains comme lui – ajoute qu'il va consulter le conseil d'éducation afin de trouver une solution pour mon diplôme. J'ai d'ailleurs pratiquement tous mes « crédits » dans l'ensemble des matières, et accédé au « *dean's list* » l'année dernière.

Huit jours plus tard on me fait passer un sérieux examen oral. Le président du jury est Mr Hall, patron du Ryan College, section aéronautique du California Technical Institute. Hall est l'ingénieur qui dessina jadis le *Spirit of St. Louis* de Lindbergh, aujourd'hui mon professeur d'aérodynamique et de mécanique des fluides. Tout se passe bien et on me donne le parchemin m'accordant la qualité d'ingénieur aéronautique. Mon brevet de pilote commercial (le PL américain de cette époque) est également tamponné CAB, Civil Aeronautic Bureau, avec les 315 heures de mon carnet de vol.

Maintenant plus rien me retient ici. Il faut que je regagne vite Rio, ce qui n'est pas facile. Hall écrit à Lindbergh, vice-président de la Panam, et huit jours plus tard, la poste m'apporte un billet gratuit Miami-Rio, auquel est épinglée une carte de visite de l'illustre pilote avec les mots « *Good luck* ».

Les dés sont jetés. San Francisco-Miami en DC3 de l'Eastern, Miami, Panama, Natal-Rio de Janeiro en hydravion Sikorsky de la Panam. C'est un peu un saut dans le vide, vers quel avenir ?

Quatre mois plus tard j'ai organisé le départ des dames vers l'Afrique du Sud, d'où elles rejoindront Brazzaville. Je passe un triste Noël et finalement, après quelques péripéties, les Anglais me font

1. Né au Brésil, cela figurait sur mes papiers.

embarquer vers l'Angleterre, à partir de Montevideo, sur un paquebot néo-zélandais.

*

On m'a donc embarqué à bord du *Rangitata,* paquebot de la Compagnie anglaise du Pacifique aux deux célèbres cheminées jaunes.

Il n'y a pas encore de convois organisés, d'escorte ou de camouflage. C'est pourtant le début de la grande époque des U-Boots qui coulent déjà des centaines de navires alliés. Il y a aussi, dit-on, un ou deux navires marchands corsaires allemands et le commandant me dit que le *sister-ship* de notre bateau, le *Rangitiki,* a été coulé par le croiseur *Graf Spee* qui a fini dans le Rio de la Plata. Alors les Anglais, pour des bateaux rapides comme le nôtre, commencent à prendre des précautions d'itinéraires, comme passer, pour traverser vers l'Europe l'Atlantique Sud, plus bas que les 50° du cap Horn, puis plein est à la limite des icebergs antarctiques jusqu'à la pointe de l'Afrique pour remonter ensuite vers le nord le long du courant de Benguela que la marine sud-africaine patrouille en principe.

Je suis pendant quarante-cinq jours l'unique passager du *Rangitata* dont les cales sont remplies de blé et de viande en conserve. J'ai un appartement somptueux, le professeur de gymnastique n'a que moi comme élève et veut faire de moi un athlète olympique. Je nage dans la piscine d'eau de mer tiède et à la table du Pacha on sert une cuisine trois étoiles ! En un mot, une traversée de rêve.

La première escale en Afrique est Freetown, devenu port allié majeur sur l'Atlantique. Je suis dans une coursive quand j'entends tout à coup un ronflement cuivré. Mon cœur s'arrête. Mon Dieu, cette sonorité rageuse... ce moteur d'avion ne peut être qu'un Rolls Royce. Je me précipite sur le pont et je vois passer entre les mâts des navires sur la rade un Hurricane. C'est le premier avion de chasse de la RAF que je vois « en chair et en os ». Il est monté en chandelle vers le ciel, et je pense soudain en l'entendant rugir au-dessus de moi : voilà, ma jeunesse est finie et je viens de sauter à pieds joints dans l'univers de la guerre, où l'on vieillit vite.

À partir de là tout devient très différent. C'est maintenant un autre monde, la guerre devient plus palpable, le danger plus présent. Nous avons rejoint un convoi, je couche habillé, le gilet de sauvetage sous la main, mes papiers et mon argent dans une petite sacoche étanche que le médecin du bord m'a donnée et qui est accrochée à ma ceinture.

Le paquebot a été subitement envahi d'infirmières et de soldats. Finie ma belle tranquillité, avec quand même un peu d'appréhension, la nuit, en entendant le bruit sourd des grenades anti-sous-marines dont les

... J'étais l'image même de Tintin partant à la guerre !

Le *Rangitata*. Son canon préhistorique, défense bien illusoire, me fascinait...

secousses font tinter les verres sur le lavabo, les klaxons d'alerte stridents des torpilleurs d'escorte et leurs haut-parleurs qui hurlent des instructions !

Finalement aux aurores d'un triste matin c'est l'arrivée à Liverpool, un Liverpool bombardé toute la nuit sans doute, dont les docks sont en cendres. Un grand navire est couché sur le flanc dans une eau couverte de mazout. La neige qui tombe du ciel est grise, mélangée de suie. Sur le pont, je regarde le drôle de spectacle, les tuyaux des pompiers, des wagons brûlés qui fument encore, des grues renversées sur les quais, des hommes qui courent dans tous les sens. Je descends dans ma cabine chercher mes affaires, ma valise, mes cannes à pêche que j'avais évidemment emportées. Un steward m'arrête et me dit d'attendre. Je vois alors deux officiers anglais des services de sécurité accompagnés d'un policeman. Ils m'ont demandé si j'étais Pierre Clostermann et prié de leur remettre mon passeport qui n'était qu'un *travel document* émis par l'ambassade anglaise à Rio. Me regardant avec une certaine stupéfaction ils m'ont demandé ce que je venais faire avec mes cannes à pêche.

« C'est la preuve que je crois en la victoire finale, sinon je les aurais laissées à Rio de Janeiro. »

Leur flegme britannique a dû en prendre un coup.

Ils avaient fort peu l'esprit à plaisanter au milieu de ces ruines et des incendies... Quant à moi je me demande en cet instant, je le reconnais, si j'avais été bien sage de quitter San Diego. Je me pose la question, pensant aux jolies filles de Malibu, au soleil, en enjambant avec mes « accompagnateurs » les tuyaux, avec les cloches de voitures de pompiers, les cris, le bruit des haches dégageant les charpentes en bois carbonisées des hangars, et cette odeur de brûlé !

On m'explique que nous devons attendre le train de nuit. Je fais alors la connaissance avec l'atmosphère très particulière d'un commissariat de police anglais, cette odeur de pipe froide, de tabac et de bière.

La journée se passe et je commence à mourir de faim, et le chef de poste qui habite à l'étage au-dessus demande à sa femme de me descendre un sandwich. Un peu de margarine et des petites pousses de soja entre deux tranches de pain. Je mange sans enthousiasme. J'en suis encore aux hamburgers et aux crabes à la vapeur de l'embarcadère de San Francisco !

Ensuite nous prenons le train, avec deux inspecteurs de police me tenant par le bras. Il est normal qu'ils prennent des précautions, et qu'avant d'être passé au peigne fin par la sécurité je sois considéré comme un suspect potentiel et traité comme tel. Les policiers font évacuer un compartiment, car je dois voyager seul avec mon escorte, sans contact extérieur, comme un pestiféré. Tout autour, c'est bondé, des soldats debout, entassés les uns sur les autres dans les couloirs. À l'arrivée dans la gare de King's Cross, les sirènes de Londres hululent et c'est ma première alerte...

*

Une voiture nous attend pour me conduire – toujours sous bonne garde – à « Patriotic School ». Tous les Français libres et les milliers de patriotes des pays occupés venus se battre en Angleterre sont passés par là à partir de janvier 1941. Il est bien évident que parmi eux, les Allemands tentaient de glisser des espions – il y en eut, mais le tri sévère les débusquait généralement très vite.

Les interrogatoires dans le système anglais étaient différents de ceux de la Gestapo, et probablement plus efficaces. La torture avait le défaut dans la plupart des cas de traumatiser le « patient », le tétanisant et créant un blocage. Les Anglais au contraire cherchaient à mettre en confiance l'interrogé, le tout se passant autour d'une tasse de thé et d'une cigarette. La Luftwaffe à Dulag-Luft dans un autre genre plus aimable quand même que celui de la Gestapo, utilisait les archives des interrogatoires d'autres prisonniers de la RAF et ses fichiers, dans lesquels, avec méthode, elle classait toutes les informations – y compris par exemple le nom du chien mascotte d'une escadrille trouvé au dos d'une photo. Quand un pilote de cette même escadrille était abattu et fait prisonnier et que l'interrogateur de la Luftwaffe, fort courtois, lui disait qu'il savait déjà tout, par exemple le nom du chien en question ainsi que celui de la serveuse du pub favori de son unité, c'était on l'imagine assez déstabilisant !

Patriotic School – quel humoriste l'avait ainsi nommée ! – est une grande bâtisse de brique rouge, style *public school*, très rébarbatif, et dès la solide grille d'entrée deux vieux marronniers déplumés accueillent tristement sous la pluie les « invités »...

Le lendemain matin je me retrouve pour mon premier interrogatoire devant une des nombreuses tables en bois blanc d'une salle de classe, avec encore un tableau noir au mur. J'ai droit à un officier anglais flegmatique, décoré de la Military Cross, très correct, très aimable. Ses yeux cependant démentent son sourire quand il m'offre la tasse de thé traditionnelle. Il me pose dans un français impeccable des questions innocentes du genre :

— Ainsi vous avez fait vos études à Paris ?

— Oui.

— Quelle école ?

— À Notre-Dame de Boulogne.

— Tiens, tiens, mais où donc habitaient vos parents ?

— Quand ils étaient à Paris, 23 avenue de Lamballe.

— Bien. Où donc se trouvait exactement cette école ?

— Porte d'Auteuil.

— Porte d'Auteuil ?... Quelle rue ? Pouvez-vous me montrer sur ce plan de Paris ?

— Voilà. Ici.

— Quel autobus preniez-vous pour aller voir vos parents et où descendiez-vous ? Et aux USA ?

Tout cela se passant comme une conversation amicale. Le premier piège est venu vite quand il me demande, sans avoir l'air intéressé, si j'allais au cinéma à Paris le dimanche et où. Je lui réponds que c'était soit aux Orphelins d'Auteuil soit au Ranelagh.

— Ah ! Le Ranelagh, j'en ai entendu parler par des amis parisiens. C'est une vaste et magnifique salle avec le premier écran géant à Paris, sur les grands boulevards.

— Oh non, au contraire, c'était tout petit, dans le 16e arrondissement, décoré comme un théâtre privé du XVIIIe siècle...

J'avais passé l'obstacle !

Il est bien difficile de résister si vous n'êtes pas ce que vous prétendez être. Nombre d'indésirables infiltrés se sont ainsi fait prendre avec le coup de l'autobus, du prix du ticket de métro ou du cinéma, etc.

Finalement je suis autorisé à téléphoner au commandant Valin, devenu colonel, remplaçant comme nouveau patron des Forces Aériennes Françaises Libres, le colonel Pijeaud tué au combat en Libye pilotant un Blenheim du groupe Lorraine. Valin me sort de là au bout de trois jours. Avant de me relâcher, les Anglais m'ont aimablement invité à déjeuner et j'ai rencontré un pilote de chasse officier de la RAF, venu comme par hasard faire la conversation. « Notre attaché de l'air au Brésil nous a envoyé votre CV. Avec votre bagage vous pourriez tout aussi bien servir directement dans la RAF, vous seriez en escadrille beaucoup plus vite que par la filière française. Vous avez aussi un talent de journaliste que nous aimerions mettre à profit. L'agence Reuter voudrait que vous écriviez des articles, payants, cela va de soi. Cela améliorerait votre solde qui ne sera pas très grasse chez nos amis français. Comme vous parlez plusieurs langues ils seraient heureux de vous avoir de temps en temps à la BBC. C'est quand même 35 livres sterling par émission. »... Satan et ses pompes !

Après les FFL à Rio en 1941, je me suis donc quand même engagé dans les Forces Aériennes Françaises Libres. Les Anglais à cette époque faisaient de la retape et ne tenaient pas tellement à voir se gonfler l'équipe De Gaulle. Ce dernier était à cheval sur le problème de l'uniforme et de celui des Français en unités françaises ! Il n'avait jamais accepté que comme les Tchèques, les Polonais, les Belges, etc., nous soyons en uniforme anglais. Coûte que coûte (et ça coûtait cher !) nous devions porter l'uniforme français de notre arme de façon à être très visibles malgré notre petit nombre... Condé disait que c'était avec de petites armées que l'on gagnait les grandes batailles.

Dès que j'ai eu mon carnet de tickets textiles et mon allocation d'équipement je suis allé chez Lilywhites me faire couper un uniforme de sortie de l'armée de l'air. J'étais promu sergent d'office étant donné mon CV scolaire et de pilotage. Je sors du magasin très fier, avec le sentiment que je suis désormais un Français à part entière, avec les droits qui en découlent à condition que j'en remplisse les devoirs, comme disait mon père. C'est ce que je vais m'efforcer de faire.

*

Très vite la première grande émotion. Le surlendemain je trouve un mot dans mon casier du petit hôtel réquisitionné où on m'avait installé provisoirement en attendant une affectation : « Présentez-vous à Carlton Gardens, vous serez reçu aujourd'hui par le Général à 17 h 30. » Le Général ? – pas besoin de préciser... De Gaulle !

J'arrive la gorge sèche. L'aide de camp, Courcel je crois, me regarde d'un air soupçonneux avant de m'introduire.

— Vous savez saluer, au moins ?

Je démontre. Il me dit :

— C'est pas tout à fait ça. Voilà comment il faut faire. Ensuite, restez au garde à vous, bien droit, enlevez votre casquette, mettez-la sous le bras gauche jusqu'à ce que le Général vous dise ce que vous devez faire, vous asseoir, sinon restez au garde à vous ! OK ?

Je suis dans un état second. J'entre, il est là en train d'écrire. Une grande carte du monde au mur derrière son bureau. Il lève la tête. Je salue, impeccable, ému et tremblant. Il me dit :

— Asseyez-vous.

Puis avec une gentillesse inattendue, il ajoute :

Je connais votre père qui est chez nous. Je l'ai rencontré à Brazzaville et à Fort-Lamy ainsi que votre mère, une grande dame !

Un temps. Il me regarde attentivement avec je ne sais quoi dans le regard, de la tristesse peut-être :

— Vous êtes déjà pilote confirmé, me dit-on. Quel âge avez-vous ?

— Vingt ans, mon général !

Un ange passe. Silence. Puis :

— Bien, très bien. Faites votre devoir, mais ne vous faites pas tuer car la France aura bien besoin de fils comme vous après la victoire, je dis bien la victoire, car on gagnera !

Cela, je ne l'oublierai jamais. Il me dit encore quelques mots que gorge serrée je n'entends pas. Je me lève, je remets ma casquette, je la fais tomber, je la ramasse, je sors je ne sais plus comment.

Ce fut ma première rencontre avec le général de Gaulle.

*

La semaine suivante je passe une longue et fatigante visite médicale à la Royal Air Force. Le lendemain, interview pour leur prouver que je parle bien

Test de pilotage sur Miles Master I.

leur langue – avec l'accent américain peut-être, mais ma syntaxe est bonne ! – suivi de l'examen de mon carnet de vol : 315 heures de vol garanties sur facture, tamponnées par le CAB. Là ils sont impressionnés et quand ils commencent à parler d'un détachement en Rhodésie ou au Canada comme instructeur, mon NON est catégorique. Je ne suis pas venu de loin pour ça, et je demande à être envoyé dans une unité de chasse, pour me battre. On m'explique que ce n'est pas si simple et que je dois d'abord me soumettre à des tests de pilotage qui détermineront mon affectation, chasse ou bombardement.

On m'expédie donc passer un premier test en école élémentaire, à Sywell. Il y a déjà là trois Français, dont un instructeur. Parmi les élèves, celui qui va devenir mon meilleur ami pour toujours, Jacques Remlinger. C'était un cas. J'avais un CV original et peu commun, mais le sien n'était pas banal non plus. Son père était également alsacien, commerçant aisé, possédant en Angleterre depuis la dernière guerre une maison d'import-export. Jacques avait fait ses études à Harrow, célèbre collège dans lequel Churchill avait fait les siennes. Doué pour le rugby, avec amplement le physique et la vitesse nécessaires pour être un grand trois quart aile ! Il jouait dans les plus fameuses équipes d'outre-Manche. Il s'était engagé à dix-huit ans dans les FAFL. Au général de Gaulle qui l'interrogeait ainsi que quelques jeunes volontaires arrivés de France sur leurs itinéraires pour rejoindre Londres, souvent incroyables de courage et de risques pris, Jacques embarrassé avait répondu : « Mon général, par le métro. » Cela avait quelque peu décontenancé le Général, m'a-t-on dit ! À Sywell, au début, nous nous sommes Jacques et moi simplement dit bonjour-bonsoir ! De toute manière mon séjour fut court car j'étais là simplement pour vérifier si je savais piloter. J'étais un peu vexé d'être testé sur Tiger Moth, le « Tigre Mou » sur lequel j'avais appris à piloter cinq ans auparavant.

Le commandant de l'école me prend lui-même en double commande, et avant de décoller, se tourne vers moi et crie dans le tuyau acoustique : « *Don't frighten me* ». Je lui réponds car j'avais mal compris avec le bruit du moteur : « *I will try, sir* »... (« Je vais essayer ! ». J'avais entendu : « Faites-moi peur » !) On décolle, il me dit : « Tournez à gauche, puis tournez à droite, grimpez jusqu'à 3 000 pieds, faites-moi un looping suivi d'une vrille. » J'exécute. Je sors de la vrille comme un grand, et comme on est assez ralenti je lui balance un tonneau déclenché de derrière les fagots, bien stoppé, parfaitement à l'horizontale... J'entends quelques borborygmes dans le tuyau acoustique. Il indique par geste qu'il reprend les commandes, me les rend et me fait signe de revenir au sol. Je me pose sur des œufs. Il descend, enlève ses gants, ses lunettes, son serre-tête et me dit : « Bon, ce n'est pas la peine d'insister, je ne tiens pas à mourir entre vos mains, je préfère éventuellement les Allemands ! Vous pouvez retourner à Londres. Au cas où cela vous intéresse, le déclenché est interdit en Tiger Moth. Il perd sa queue. » Et sur mon *log-book*, carnet de vol RAF, tout neuf, à la première page sur laquelle est consignée ma demi-heure de vol à Sywell, il inscrit simplement : « *Above average* » – au-dessus de la moyenne, ce qui est un peu « plouc » étant donné la qualité de mon tonneau et de mon atterrissage !

Rentré à Camberley, le camp de transit des Forces Aériennes Françaises Libres, trois semaines plus tard on m'envoie sur un autre aérodrome, Aston Down, pour m'essayer sur un avion plus évolué. C'est un Miles Master à moteur Rolls Royce Kestrel de 600 chevaux, avec des commandes et des qualités de vol plus pointues que le T-6 américain que j'ai piloté à San Diego. D'abord un long amphi cabine, puis là aussi, au bout d'une demi-heure de manœuvres diverses, on redescend. L'instructeur me dit : « Bon, j'ai autre chose à faire et des élèves

Vol d'entraînement à la formation sur Master II.

à faire voler. Je vous le laisse en solo, jouez avec pendant une heure, attention au pétrole, ne vous perdez pas et surtout ne le cassez pas ! » Heureux comme un poisson dans l'eau, je fais de la voltige sans perdre le terrain de vue. On m'observe d'en bas, et j'ai droit à un autre « Above average ».

Ensuite, on me fait attendre deux mois à Camberley à faire l'exercice, à apprendre à marcher, à saluer, du morse – pour quoi faire ? On ne trafique plus dans la chasse qu'en phonie ! J'attends et j'enrage. Les petites Anglaises que je découvre c'est très bien, mais je n'ai pas fait quelques milliers de kilomètres pour améliorer l'entente cordiale !

Je suis convoqué à Queensberry Way, à l'État-Major où on me dit : « Bravo, vous avez de la chance, vous êtes sélectionné par les Anglais pour devenir officier dans la RAF et vous partez pour le Royal Air Force College de Cranwell ! » C'est l'École de l'air britannique.

Tennis à Cranwell. La RAF fournissait chaussures, balles et raquettes ! Incroyables Anglais !

Je perds ainsi huit mois, près d'un an dans cette école, à apprendre ce que je sais déjà. Par contre, les procédures anglaises, les systèmes locaux de navigation, la lecture de carte en rase-mottes dans le brouillard, je reconnais que c'est nouveau et indispensable.

Après avoir volé au soleil de Californie ou de Rio de Janeiro, il est utile d'apprendre à piloter dans du potage Saint-Germain... Ah ! le beau climat anglais neuf mois sur douze ! On nous fait décoller – Miles Master II à moteur en étoile de 800 CV – par des temps à ne pas mettre un chrétien en l'air. Même les corbeaux se promènent à pied. Les Améri-

L'architecture victorienne du Royal Air Force College de Cranwell. On distingue l'aile droite bombardée en 1940.

cains, quand enfin ils sont arrivés en Grande-Bretagne, ont eu le même problème. Un pilote de B-17 bloqué par le brouillard a pu dire : « La visibilité était si mauvaise que je n'arrivais même pas à distinguer mon copilote, assis à ma droite ! » Vol en formation *ad nauseam*...

Ce qui m'épate à Cranwell – entre autres anglicismes – c'est le dîner. Toute une cérémonie dans la grande salle à manger aux boiseries de chêne sculpté, du moins ce qu'il en reste car l'école a été bombardée et toute l'aile à gauche de la tour de cathédrale est encore couverte de bâches tendues entre les colonnes doriques ! Perché sur une mezzanine, un orchestre joue ces extraordinaires marches anglaises qui ressemblent à des valses lentes. Uniforme de sortie obligatoire le soir ! Tennis le matin ! Je commence à admirer et comprendre que c'est ça la RAF et la Grande-Bretagne face à la guerre. Les Allemands, eux, n'avaient pas compris et c'est pourquoi, je le crois sincèrement, ils n'ont pas vaincu les Anglais en 1940.

Je sors en tête de liste – pas grand mérite avec ma formation technique et mes heures de vol. On m'expédie à l'OTU (Operational Training Unit) n° 61 de Rednal, dans le pays de Galles pour faire enfin la connaissance du Spitfire. Là je retrouve Jacques Remlinger.

PILOTE AU GROUPE « ALSACE »

Janvier 1942

Les hautes montagnes du pays de Galles, à demi noyées dans la brume, défilent à droite et à gauche de la voie ferrée

Nous avons passé, ensevelis dans la suie grasse, Birmingham, Wolverhampton et Shrewsbury...

Sans mot dire, Jacques et moi regardons d'un œil indifférent le paysage déprimant, lavé par une éternelle pluie fine, les villes minières sales et neurasthéniques, rampant dans les vallées, écrasées chacune par un nuage de fumée grise ancrée aux maisons, si dense que le vent qui souffle en rafales glacées ne peut le chasser...

Les passagers du compartiment observent avec curiosité nos uniformes français, bleu marine aux boutons d'or.

Fièrement, brille sur notre poitrine le macaron de pilote de l'armée de l'air, et au-dessus de notre poche gauche les ailes de la RAF.

Il y a quinze jours à peine, nous étions encore des élèves pilotes au Royal Air Force Collège de Cranwell, traînant des manuels de navigation, des théories de tir et de gros cahiers de notes.

Tout cela n'est plus qu'un souvenir.

Dans quelques heures, peut-être, nous piloterons un Spitfire, franchissant ainsi le dernier échelon qui nous sépare de la grande arène.

Quelques minutes encore et nous arrivons à Rednal – 61 OTU – pour un cours de conversion sur Spitfire avant de partir en escadrille.

Soudain Jacques colle son visage à la vitre :

— Regarde, Pierre, voilà nos Spitfire !

En effet, le train qui ralentit longe un aérodrome, et un rayon de soleil pâlot, réussissant à percer la brume, révèle une vingtaine d'avions alignés au bord d'une piste goudronnée.

Le grand jour est arrivé !

Il a neigé toute la nuit, et l'aérodrome est éblouissant sous le ciel bleu.

Dieu que la vie est belle ! J'aspire à pleins poumons l'air glacé et je sens sous mes pieds le crissement de la neige, douce et élastique comme un tapis d'Orient : elle éveille en moi bien des souvenirs.

La première neige que je vois depuis si longtemps...

À la hutte où l'on s'abrite entre les vols, mon instructeur m'attend sur le seuil, sourire aux lèvres.

— *How do you feel ?* (Comment vous sentez-vous ?)

— *OK, sir,* dis-je, cherchant à dissimuler mon émotion.

— *Well, let's have a try !* (Bien, nous allons faire un essai.)

Toute mon existence je me souviendrai de mon premier contact avec le Spitfire. Celui que je devais piloter avait le matricule TO-S.

Avant d'enfiler le harnais du parachute, je reste un instant à le contempler – les lignes racées du fuselage, le moteur Rolls Royce finement caréné ; un vrai pur-sang...

— *You have got her for one hour. Good luck !* (Elle est à vous pour une heure. Bonne chance.)

Jacques et Clerc Scott préparent un coup...

Maître de ce bolide pour une heure, soixante enivrantes minutes !

Je cherche à me rappeler les conseils de mon instructeur. Tout semble si confus.

Je m'attache en tremblant, assujettis mon casque, et encore étourdi par la masse d'instruments, de cadrans, de contacts, de manettes qui se pressent les uns contre les autres, tous vitaux, et que le doigt doit infailliblement toucher au moment exact – je me prépare pour l'épreuve décisive.

Je passe en revue soigneusement le *cockpit drill* [1], murmurant la phrase sacramentelle :

« BTFCPPUR – *Brakes* (freins), *Trim* (*fletners* de correction des commandes), *Flaps* (volets), *Contacts*, *Pres-*

1. Opération mnémotechnique précédant le décollage, et permettant de passer en revue sans oubli, la liste des manœuvres essentielles.

La beauté presque féminine du *Spitfire*, merveilleux avion tout en courbes gracieuses.

sion dans le système pneumatique, *Petrol* (essence), *Undercarriage* (train escamotable verrouillé) et *Radiator...* »

Tout est prêt. Le mécano referme la porte derrière moi, et me voilà emprisonné dans ce monstre de métal que je dois maîtriser.

Un dernier coup d'œil.

— *All clear ? Contact !* (Rien devant ? Contact !)

Je manipule les pompes à main et les boutons du démarreur. L'hélice commence à tourner lentement et soudain, avec un bruit de tonnerre, le moteur démarre. Les pots d'échappement vomissent de longues flammes bleues enveloppées de fumée noire, tandis que l'avion commence à trembler comme une chaudière sous pression.

Les cales enlevées, j'ouvre en grand le radiateur, car ces moteurs refroidis au liquide surchauffent très rapidement – et avec prudence je roule comme un crabe jusqu'à la piste déblayée par les chasse-neige, toute noire, toute droite dans la blancheur du paysage.

— *Tutor 26, you may scramble now, you may scramble now !* (Tutor 26, vous pouvez décoller !)

Par la radio, la tour de contrôle m'autorise à décoller... Mon cœur bat à se briser. J'avale ma salive, baisse mon siège, et d'une main moite, lentement, j'ouvre les gaz. Je me sens emporté immédiatement dans un cyclone. Des bribes de conseils me remontent à la mémoire...

— *Don't stick the nose too much forward !* (Ne poussez pas trop sur le nez !)

Devant moi l'hélice qui doit absorber toute la puissance du moteur n'a qu'une faible garde entre le diamètre qu'elle balaye et le sol...

Timidement, manche en avant pour lever la queue et avec un grand choc, qui me colle au dossier de mon siège, le Spitfire s'ébranle, accélère, accélère, tandis que l'aérodrome dérive à une vitesse croissante à droite et à gauche...

— ... *Keep her straight !* (Tenez-la droit !)

Frénétiquement, à grands coups de palonnier je maîtrise quelques embardées. Soudain, comme par miracle, le souffle coupé, je me trouve en l'air. La voie ferrée passe en éclair. J'ai une vague vision d'arbres, de maisons qui s'estompent derrière moi...

Vite j'escamote mon train d'atterrissage, referme le cockpit transparent et le radiateur, réduis les gaz, et ramène l'hélice au pas de croisière.

Ouf ! Des gouttes de sueur sur mes tempes. Mais, instinctivement, mes membres réagissent comme les leviers bien réglés d'un automate. Les longs mois fastidieux d'entraînement ont préparé mes muscles et mes réflexes pour cette minute.

Quelle douceur de commandes ! La moindre pression du pied ou de la main suffit pour lancer l'appareil dans le ciel...

Mon Dieu, où suis-je ?

La vitesse est telle que les quelques secondes qui se sont écoulées m'ont emporté à une dizaine de kilomètres de l'aérodrome. La piste noire n'est plus qu'un trait de fusain à l'horizon.

Timidement j'essaye un virage, je repasse au-dessus de ma base et je tourne à droite et à gauche. Tirant sur le manche légèrement je monte jusqu'à 3 000 mètres en un clin d'œil.

Petit à petit la vitesse me grise et je m'enhardis. Un déplacement de quelques millimètres de la manette des gaz suffit pour déchaîner le moteur.

Je décide d'essayer un piqué. Doucement, je presse sur le manche – 450-550, 600 km/h... La terre se rue à ma rencontre. Effaré par la vitesse, instinctivement je tire trop sur la profondeur, et soudain ma tête s'enfonce dans les épaules, une masse de plomb s'affaisse sur la colonne vertébrale et m'écrase sur le siège. Mes yeux se voilent, je découvre les G.

Comme une bille d'acier tombant sur un bloc de marbre, le Spitfire a rebondi sur l'air élastique et, droit comme un cierge, a fusé dans le ciel.

À peine remis des effets de la force centrifuge je me hâte de réduire les gaz car je n'ai pas d'oxygène et l'appareil continue son envolée...

Par la radio, j'entends le contrôle qui me rappelle. Un coup d'œil à ma montre : ciel, déjà une heure ! Tout semble s'être passé en une seconde !

Maintenant il faut atterrir.

J'ouvre le radiateur en grand, réduis les gaz, pousse l'hélice au petit pas, ouvre mon cockpit[1], lève mon siège et amorce ma prise de terrain.

Je recommence à m'affoler. Le gros moteur en face de moi avec ses larges pots d'échappement me dérobe toute la piste. Aveuglé, la tête maintenue à

---

1. Cockpit : cabine du poste de pilotage.

l'intérieur par la pression de l'air, je suis prisonnier dans ma carlingue.

Je baisse les roues et les volets. La piste s'approche à une vitesse effrayante. Je ne réussirai jamais à me poser. L'aérodrome semble à la fois se rétrécir et me sauter aux yeux... Je tire sur le manche, je tire désespérément, l'appareil s'enfonce avec un grand choc métallique qui résonne dans le fuselage et... je le sens qui roule gauchement sur le macadam. Un coup de frein à droite, un autre à gauche, le Spitfire s'arrête au bout de la piste.

Les secousses du moteur tournant au ralenti ressemblent aux battements qu'ont les flancs d'un cheval de course essoufflé...

Mon instructeur saute sur l'aile, m'aide à enlever mon parachute, souriant à la vue de ma figure un peu pâle.

Je fais deux pas, puis, étourdi, je m'appuie au fuselage.

— *Good show. You see, nothing to worry about !* (Très bien. Il n'y avait pas de quoi vous en faire.)

S'il savait, pourtant, comme je suis fier. Enfin j'ai piloté un Spitfire. Qu'il me semble beau, vivant ! Un chef-d'œuvre d'harmonie et de puissance, même tel que je le vois maintenant, immobile.

Doucement, comme on caresserait la joue d'une femme, je passe la main sur l'aluminium de ses ailes, froid et lisse comme un miroir, les ailes qui m'ont porté...

Revenant à la hutte, mon parachute sur le dos, je me retourne encore et je rêve au jour où, en escadrille, j'aurai mon Spitfire à moi tout seul, que j'emmènerai au combat, qui renfermera ma vie dans l'étreinte de son cockpit étroit, et que j'aimerai comme un ami fidèle jusqu'à la mort !

Ce furent en OTU (Operational Training Unit – école de chasse) deux mois pénibles d'hiver.

Les cours succédèrent aux cours, les heures de vol s'accumulèrent rapidement, les séances de tir aérien au-dessus des montagnes couvertes de neige du pays de Galles s'additionnèrent vite dans le carnet de vol...

Ce ne fut pas sans peines et sans deuils.

Le Spitfire d'un de nos camarades belges explosa en plein vol au cours d'une séance de voltige. Deux de nos amis de la RAF se tuèrent sous nos yeux lors d'une collision.

Puis, Pierrot D., un des six Français de ce cours, s'écrasa, un soir de brume, contre le sommet d'une colline glacée. Il fallut deux jours pour arriver aux débris dans la neige. On retrouva son corps agenouillé, la tête entre les bras, comme un enfant qui dort, à côté de son Spitfire. Les deux jambes brisées, incapable de se déplacer, il avait dû mourir de froid pendant la nuit.

La cérémonie de l'inhumation, avec les honneurs militaires, fut émouvante dans sa simplicité. Jacques, Menuge, Commailles et moi portions le cercueil enveloppé du drapeau tricolore. Dieu ! que c'était lourd et triste sous la pluie fine et glaciale... Le défilé lent et silencieux, un par un, devant le caveau qui résonnait des pelletées de terre anglaise retombant sur le pauvre gosse...

Après cinq semaines à Rednal, nous passâmes les trois semaines finales de notre instruction à Montford Bridge, petite base satellite, perdue dans la montagne.

Sans interruption, dès que le temps s'éclaircissait quelque peu, nous volions. Exercices de formation à deux, à quatre, à douze appareils, manœuvres d'alerte, de combat aérien, de tir, études de tac-

Clerc Scott toujours tiré à quatre épingles !

tique, d'identification d'avions, d'élocution pour la radiotéléphonie, etc.

Le froid était atroce. Nous vivions dans des huttes semi-cylindriques de tôle ondulée, sans murs isolants, et le problème des calories était difficile à résoudre.

Avec Jean Clerc-Scott, le benjamin de notre équipe, qui partageait une chambre avec moi, nous allions « emprunter » du charbon dans un dépôt voisin du chemin de fer.

Très coquet de sa personne, Jean était comique à voir, en équilibre précaire sur les fils barbelés, me passant des blocs gras d'anthracite qu'il tenait avec dégoût entre le pouce et l'index de sa main soigneusement gantée...

Puis, c'étaient les séances homériques d'allumage du poêle minuscule qui avait pour tâche – c'était au-dessus de ses forces – de chauffer notre hutte. Il fallait des litres d'essence – dérobés au camion citerne – pour exciter l'enthousiasme défaillant du charbon humide et du bois mouillé.

Je me souviens de l'explosion, un beau soir, du poêle sursaturé de vapeurs d'essence, qui nous transforma en guerriers zoulous du plus beau teint, Jacques, Jean et moi.

Le réveillon du jour de l'An se passa, bien calme et un peu mélancolique, dans ce coin perdu.

Puis, vint le jour des affectations.

Commailles, Menuge et moi devions partir pour Turnhouse en Écosse, rejoindre le *squadron* 341, groupe de chasse Français libre « Alsace », qui était en formation. Jacques, Jean et Aubertin partaient pour la 602 à Perranporth.

Le sort en était jeté, et la vraie guerre commençait.

Enfin !

*

Trois jeunes sergents pilotes débarquent à Édimbourg.

Le monde est à eux.

Ils ne jettent qu'un regard distrait sur la princesse du Nord inondée de soleil qui s'est parée pourtant d'un resplendissant manteau de neige.

Ils sont bien las. Ils viennent de traverser en diagonale toute l'Angleterre, du sud-ouest au nord-est.

Une épuisante nuit en train, avec les changements dans le noir, les bousculades sur les quais humides, la brume qui auréole les lampes tamisées, le halètement des locomotives, la foule des uniformes qui se pressent.

— *The train for Leicester please ?* (Le train pour Leicester s'il vous plaît ?)

Abrutis par le bruit, traînant leurs lourds *kit-bags*, ils ont vainement cherché une place dans les compartiments bondés où les gens dorment les uns sur les autres – odeur de suie, de transpiration, fumée froide de cigarette...

Les wagons s'ébranlent. Puis s'élève dans l'ombre la plainte syncopée des sirènes, angoissante.

— *Air raid on ! Lights please, lights please !* (Raid aérien. Les lumières, s'il vous plaît !)

Le train qui freine brusquement, le chuintement de l'air comprimé, les chocs des tampons secouent les voyageurs hébétés... les maigres veilleuses bleues s'éteignent.

Un quart d'heure. Une demi-heure. Une heure, de froid et de silence.

Quelques éclairs dans le ciel. Un ronronnement lointain de moteurs. Des lueurs vagues à l'horizon qui découpent un instant des silhouettes d'usines et de cheminées...

Puis encore les sirènes.

— *All clear !* (Fin d'alerte !)

Un coup de sifflet, des grincements de chaînes rouillées, des saccades encore – la machine qui patine et s'emballe...

Impressions noyées dans un demi-sommeil épuisant et inconfortable.

Puis la fatigue s'est envolée par miracle. L'autobus s'arrête devant le corps de garde de l'aérodrome.

— *Turnhouse !* crie le conducteur.

Les grands hangars camouflés de bandes vertes et jaunes, les constructions basses des mess, les baraques

Le commandant Mouchotte et le wing commander Al. Deere, chef du *wing* de Biggin Hill.

en bois des *dispersals* éparpillées autour des grandes pistes en macadam qui écartèlent la surface gazonnée du terrain. Quelques avions par-ci par-là. Le caporal MP de garde examine nos papiers, nos cartes d'identité, et nous fait escorter jusqu'au Sargent's Mess. Accueil plutôt froid de la part du *station warrant officer*.

— *French Squadron ? I have not seen anybody yet !* (Quel squadron français ? Je n'ai encore vu personne !)

Diable ! Serait-ce un squadron de chasse fantôme ? Nous commençons à déchanter.

Une camionnette nous dépose devant un grand bâtiment sombre avec nos bagages.

Silence. Une odeur de moisi. Un dortoir vide – des lits en fer, des petites armoires grises. Pas un chat.

L'abord est déconcertant. Où est le bar de l'escadrille chaud et animé, les camarades bruyants et gais que notre imagination nous montrait nous accueillant bras ouverts comme dans les films !

— Nom de Dieu ! on ne peut plus dormir tranquille ici !

La voix nous fait sursauter – bien française et bien parisienne par l'accent. Et tout à l'autre bout de la pièce, dans un angle sombre, on distingue une forme allongée sur un lit, fumant une cigarette. Uniforme bleu marine, boutons dorés – un Français !

Il se lève nonchalamment.

— Mais c'est Marquis !

On se regarde en riant. Nous formons à nous quatre tout le 341 Squadron.

Les jours passent, et le groupe de chasse « Alsace » prend forme.

C'est le commandant Mouchotte, un des premiers de la France Libre, qui sera notre chef. Grand, mince, brun, un regard perçant, une voix sèche qui n'admet pas la réplique – puis un sourire amical qui réchauffe. Le genre d'homme avec qui on se fait tuer sans discuter, presque avec plaisir.

Puis le lieutenant Martell, qui sera mon chef d'escadrille, un géant blond, large d'épaules, des pieds énormes, des mains de fée qui manient un Spitfire

Quelques pilotes forment l'épine dorsale d'un groupe de chasse. Solides, toujours présents et alertes au combat, sans eux les « leaders » ne survivraient pas longtemps. Excellent pilote, Mathey était parmi les meilleurs. Après 180 missions au 341 « Alsace », il fut abattu par la *flak* lors de la malheureuse affaire de Arnhem, « Un pont trop loin ! » Trop bas pour sauter il posa son Spitfire sur le ventre. Fait prisonnier il s'évada deux fois et revint finalement en Grande-Bretagne avant la fin de la guerre. Pince-sans-rire, imperturbable, son arrivée à l'« Alsace » en 1942 avait fait sensation, portant chaussettes jaunes et un pull canari sous sa veste d'uniforme. À Mouchotte décontenancé qui lui faisait remarquer que son incongruité vestimentaire peu réglementaire, il avait répondu : « Je suis un civil qui vient faire la guerre à la place de bien des militaires qui ne la font pas !!! » Ci-dessus, Henri Mathey.

avec une puissance et une souplesse qui ne seront jamais égalées dans la RAF.

Le lieutenant Boudier – Boubou – un petit bout d'homme derrière une grosse pipe, un grand cœur d'or. C'est un « as » avec déjà sept victoires à son actif. Il commande la deuxième escadrille.

Puis les pilotes arrivent un par un des quatre coins de l'Angleterre, après s'être arrachés des quatre coins de la France occupée pour venir se battre. Une sélection naturelle imposée par la volonté, le patriotisme. Toutes classes sociales – mais une élite.

Henri de Bordas, sous un abord gai et insouciant, cache le drame de la perte de son meilleur ami abattu à ses côtés. Bouguen : Breton têtu ; Farman : un nom illustre des ailes françaises ; Chevalier : calme, froide détermination ; Lafont : un des vieux du GCI en Libye ; Girardon : un de nos rares officiers d'active, goguenard, pince-sans-rire ; Roos : qui cache sa timidité et son bon naturel sous un

L'« Alsace » début 1943. À la gauche de Martell et de notre « toubib » Geiger, les six pilotes d'alerte portant leur gilet de sauvetage. De gauche à droite : Laurent, Bruno, Remlinger, moi-même, Mathey, Farman et sur l'aile Menuge en réserve.

abord rébarbatif ; Mathey : qui a traversé les Pyrénées en skis pour rejoindre la France Libre ; Savary : le poète du groupe, fin et cultivé ; Bruno : gouailleur, pilote de chasse expérimenté ; Galley : son ami inséparable, ancien lui aussi du GCI aux temps héroïques de la Libye ; Pabiot : qui vient de « l'Île-de-France » et veut toujours se battre...

Petit à petit l'équipe prend corps. Ils continuent à arriver.

Mezillis : un Breton, qui a perdu un bras au groupe « Lorraine » en Libye, et qui par un effort inouï de volonté a appris à piloter avec son bras artificiel ; Béraud : l'homme sérieux du groupe, pilote appliqué et de bon conseil, que l'on consulte toujours avant de faire une bêtise ; Laurent : méticuleux, scientifique et enthousiaste ; Mailfert : l'impayable, grand amateur de pyrotechnie et de farces ; Leguie : un autre Breton au flegme tout britannique ; Raoul Duval : aux évasions sensationnelles, réglo jusqu'au bout des ongles ; Borne : bon camarade, effacé et discret ; le brave Buiron : « Buibui et sa pipe » pour les amis... ; le cher de Saxe : notre squelette ambulant au courage de fer... Plus tard, Jacques Remlinger nous rejoint, quittant à regret la 602.

Un beau jour, dans un bruit de tonnerre, nos Spitfire arrivent. Nos mécanos anglais s'en emparent et nous les astiquons, les Croix de Lorraine apparaissent sur les fuselages, avec les lettres matricules du 341 Squadron N et L.

Sous l'impulsion énergique de Mouchotte, grâce à l'expérience de Martell et de Boudier, l'équipe d'amis devient une redoutable formation de combat. Les avions volent sans arrêt – tir, formation de combat, exercices de « *dog-fight* », répétitions d'alertes...

Les Anglais sont étonnés par cette mise au point rapide – « fair-play », ils admettent que c'est une unité hors classe, et un mois plus tard le groupe « Alsace » est affecté à l'escadre de Biggin Hill. C'est un honneur dont nous ne sentons peut-être pas toute la portée. Biggin Hill, au sud de Londres, est la base qui compte le plus de victoires, et qui est réservée aux groupes les plus sélects de la RAF.

Nous serons équipés, pour y partir, de Spitfire-IX, dernier cri de la technique aéronautique anglaise parcimonieusement distribué à quelques rares unités d'élite. Nous sommes les seuls à en recevoir en cette fin d'année.

Pour célébrer l'événement comme il convient, nous offrons une « *party* » au personnel de Turnhouse,

Commailles, Menuge et Mezillis.

Notre camarade De Mezillis avait perdu un bras en Libye,
sur Blenheim, mais il avait voulu continuer à piloter. Il en mourut
à Turnhouse en 1942 dans une collision en vol. Handicapé,
il savait qu'il n'avait que peu de chance de pouvoir sauter.

depuis le *squadron captain* Guinness, commandant la base, jusqu'au dernier des mécanos.

J'observe Mouchotte qui est dans un coin, très calme et un peu mélancolique. Je sais ce qu'il pense. Il se demande avec amertume combien d'entre les gosses de son groupe survivront jusqu'à la victoire. La mort a déjà fauché. Mezillis s'est tué la semaine dernière, quand les plans de son Spitfire se sont repliés dans un piqué. Commailles et Artaud, arrivés de la veille, se sont écrasés dans les débris enchevêtrés de leurs avions, au cours d'un exercice de combat...

*

Nous arrivons à Biggin Hill où le moral n'est pas au beau fixe. Comme la base a été particulièrement bombardée pendant la bataille d'Angleterre car elle couvrait Londres au sud, les installations sont spartiates. Juste quelques chambres d'officiers dans le bâtiment du mess qui a survécu. Pour nous ce sont des petites villas derrière le *dispersal* de l'Alsace qui nous sont attribuées. Nous nous en partageons les chambres par affinités. Nos mécaniciens sont déjà là, ainsi que nos avions. Surprise ! Ce sont les premiers Spitfire-IX-B, le meilleur de tous les Spitfire à ce jour. C'est un privilège pour notre escadre, car nous sommes les seuls à en recevoir en ce début d'année.

Malan, l'as sud-africain aux trente victoires, est le patron de la base et Al Deere ; autre champion est le *wing commander flying*, c'est-à-dire qu'il commande opérationnellement les deux escadrons qui opèrent à partir de Biggin où nous venons de relever l'Île-de-France (340 FF Squadron).

On m'explique pourquoi on vient d'envoyer ici deux des plus fameux pilotes de la RAF pour nous commander. Le 14 mars, au-dessus de Berk-sur-Mer, le 132 et le 340 ont été accrochés à 29 000 pieds par les Focke Wulf-190 de la II JG 26 de Priller. Après un combat serré affrontant 24 Spitfire à 30 FW-190, d'une durée exceptionnelle de presque cinq minutes, le *wing-co* Dikkie Milne est abattu ainsi qu'un invité, le *wing-co* Slatters avec le commandant Reilhac qui a succédé à Schoesing, descendu lui aussi quelques jours auparavant. Trois pilotes sont portés manquants également ! C'est toujours l'œuvre de la JG 26 dont le Gruppe II est commandé par « Wutz » Galland, jeune frère d'Adolf Galland. Nos Spitfire-IX-B sont en réalité des LF IX-C avec le moteur Rolls Merlin 63-A très supérieur au IX HF Rolls 61. Ce modèle permet d'affronter en dessous de 25 000 pieds (environ 8 000 mètres) les derniers FW-190 dont sont équipés les JG 26 et 2 qui vont être nos adversaires directs. On a 45 km/h de marge en vitesse maxi sur les IX-A et le IX-B grimpe mieux au-dessus de 5 000 mètres. Les canons sont chauffés et ne gèlent plus et le carburateur Bendix Stromberg évite les coupures intempestives. Bref, un magnifique engin de combat.

Mi-avril, nous apprenons que les *gruppen* I et II de la JG 2 « Richtoffen » sous le commandement d'un autre grand as de la Luftwaffe, le major Walter Oesau, quittent la région parisienne et s'installent à Triquerville, en plein sur notre terrain de chasse habituel. La RAF décide aussitôt de s'en occuper à la première occasion.

Le bombardement de l'aérodrome d'Amiens Glissy par les B-17 de la 8e US AF ayant complètement « foiré » – seulement 2 bombes de 160 livres sur la piste et un troupeau de vaches anéanti dans un champ voisin – c'est cette fois Triquerville la cible, mais ce sera uniquement un *fighter sweep*, à basse altitude. On espère que Oesau ne pourra pas supporter de voir des Spitfire tourner insolemment autour de sa base.

Pour une rare mission idéale de chasse pure, les places sont chères chez nous. Heureusement un certain nombre de candidats libérés hier après-midi ont été à Londres, sont rentrés aux aurores en faisant un chahut magistral, et sont priés de rester au lit. En conséquence, avant que j'aie eu le temps de râler pour avoir une place, Martell me dit : « Mon petit Clo-Clo, ce n'est pas la peine de gueuler, tu es mon numéro 2 et couvre-moi bien car ça va probablement saigner ! »

Le briefing est simple – ce n'est pas la grosse mission espérée – et très vite expédié. Al Deere, nom de code Brutus, à la tête de la 611 commandera l'af-

Un seigneur typique de la chasse allemande. Priller avec sa BMW personnelle, et son fameux FW-190 n° 13, que l'on retrouve au musée du Bourget. Il avait remporté une centaine de victoires contre nous sur la France et la Manche entre 1941 et 1944.

faire, et en cas de pépin Mouchotte le remplacera. La 611 attaquera en rase-mottes et mitraillera les FW éparpillés sur les parkings ou qui décollent, fera une passe seulement et prendra le maximum d'altitude le plus loin et le plus vite possible pour participer à un éventuel combat si des renforts allemands apparaissent. Le 341 Alsace patrouillera le sud du terrain à 1 000 mètres pour protéger la 611 au cas où par hasard la III de la JG -2 basée à Évreux-Fauville, à quelques minutes de vol à peine, intervenait. Si tel était le cas, cela deviendrait vite une très dangereuse pagaille en rase-mottes.

Bruno et les bicyclettes du *squadron*.

Quand je m'installe dans mon NL-B, je suis à la fois anxieux et excité dans l'espoir de peut-être remporter enfin ma première victoire. L'idée que je puisse être tué lors de mes premières missions ne m'effleure même pas. Mon mécanicien, peau de chamois et flacon de Clairol à la main, astique une dernière fois ma bulle de plexiglas et mon pare-brise. Quand je serre la bride de mon casque et ajuste mes écouteurs je suis soudain isolé du reste du monde. Je n'entends pas la pétarade des moteurs qui démarrent. Le mien tourne doux et régulier.

Quarante minutes plus tard, nous franchissons la côte entre Dieppe et Saint-Valéry, plein pot, au ras de la plage. Quelques flocons de 37 sont la seule manifestation de la *flak*. Mouchotte commande : « *Open up, drop babies !* » (« Formation ouverte, larguez les bidons ! »). À peine avons-nous repris de l'altitude que la voix calme de Mouchotte qui observe l'aérodrome ennemi au passage annonce : « Allô Brutus, il y a des avions qui roulent au sol en bout de piste. » Je jette un coup d'œil et je vois distinctement les premiers Focke Wulf qui décollent, leurs cockpits brillant au soleil et les fusées rouges tirées par le contrôle pour prévenir les pilotes du danger. En effet, la 611 débouche une ou deux minutes plus tard, mais au moins une vingtaine de FW ont déjà décollé et tourbillonnent, prenant de l'altitude au-dessus du terrain. Les Spitfire de la 611 foncent dans le tas et au bout de quelques secondes, nous sommes les spectateurs d'un beau désordre d'avions amis et ennemis mêlés au ras des grands hangars de tôle ondulée couverte par des bâches camouflées. Fascinés par le spectacle, nous ne voyons pas arriver sur nous les Focke Wulf de la III arrivant d'Évreux à la rescousse. Quand même, Bordas toujours vigilant, prévient. Martell annonce le break de Turban Yellow avant que Mouchotte réagisse. Sans souffle, tournant désespérément à la limite du voile noir, cou tordu par la force centrifuge, je vois un Focke Wulf ouvrant le feu sur moi, se rapprochant vite, mais n'arrivant pas à tourner à l'intérieur de mon virage. Ses traceuses voltigent en pluie lumineuse pas loin de mes bouts de plan. Deux FW le rejoignent et me serrent de près. Tant pis, toute honte bue j'appelle à l'aide : « *Turban Yellow 1, 2 calling, help !* » La seule réponse que j'obtiens est un « *Shut up !* » sec. Mon FW-190 a tellement gagné sur moi en quelques secondes qui me semblent un siècle, que je vois distinctement l'aigle noir peint sur son fuselage et sa casserole d'hélice jaune. À ce moment, je ne sais pas pourquoi, avec son taux de roulis imbattable, le FW roule sur la gauche et glisse sous moi avant que je puisse renverser mon virage et, profitant de sa vitesse acquise, grimpe incroyablement à la verticale, bascule, revient en passe presque frontale, piquant tout droit, me frôle et file accompagné de son ailier 1 000 mètres en dessous au ras des arbres ! Ça crie dans la radio. Le désordre est à son comble quand Al Deere, surveillant ses jauges à essence, donne l'ordre à tous les Turban et les Brutus de rompre et de rejoindre le point de rendez-vous à Fécamp.

Mouchotte décide de ramener le 341 indépendamment à Biggin Hill et nous rejoignons Al Deere qui se pose avec la 611. Nous faisons les comptes : nous avons perdu 2 Spitfire quand les FW d'Évreux nous ont surpris ; 2 FW ont été abattus. Partie nulle qui aurait pu être un succès si la 611 était arrivée deux minutes plus tôt, surprenant la Luftwaffe au roulage. Martell vient vers moi comme je range mon parachute : « Alors mon petit Clo-Clo, on a un peu paniqué ? » Je bredouille une réponse quand Mouchotte qui a entendu me dit : « Ne vous en faites pas, nous sommes tous passés par là au début. Rangez vos affaires, allez déjeuner et boire une bière. C'est fini pour la journée. Reposez-vous après, on se reverra demain matin. »

*

Nous sommes encore en *readiness* (état d'alerte).

Tout est calme dans le secteur de Biggin Hill, et la matinée s'écoule très lentement. Un rare temps magnifique de juillet.

Sous les ailes des Spitfire, ruisselantes de rosée, les mécanos somnolent, enveloppés dans des couvertures.

Le temps est dur à tuer. Tandis que dans un coin du *dispersal* un phono nasille une vieille rengaine, nous jouons distraitement au monopole avec Martell, Mailfert, Girardon, Laurent, Bruno et Gallay. Dehors, sous la fenêtre, Jacques et Marquis, couverts de cambouis, adaptent un énorme moteur à une carcasse de motocyclette qu'ils ont trouvée Dieu sait où.

Jacques et Marquis trafiquent un moteur de moto Norton !

Le téléphone sonne. Tous les visages se lèvent, figés.

— *Early lunch for pilots. There is a big show on !* crie le planton de sa cabine. (Service spécial pour les pilotes. Il y a enfin un grand cirque de prévu !)

Il doit y avoir un *sweep* très important prévu pour le début de l'après-midi et le mess prépare un service spécial pour les pilotes qui y participent. Mouchotte prévenu arrive aussitôt, accompagné de Boudier, Martell, disposez votre patrouille, vous fournissez Red 2 et Boubou fournira Red 3 et 4... C'est une très grosse mission.

On se presse autour du tableau où sont plantés douze clous auxquels on accrochera douze silhouettes de Spitfire découpées dans de la tôle, portant chacune un nom.

L'ordre de bataille du groupe est affiché après quelques minutes de délibération entre les deux commandants d'escadrille.

	Cdt MOUCHOTTE	
Lt BOUDIER	Sgt Ch. BRUNO	Lt MARTELL
Sgt REMLINGER	Lt PABIOT	Sgt CLOSTERMANN
S-lt BOUGUEN	S-lt DE BORDAS	Lt BÉRAUD
Sgt MARQUIS		Sgt MATHEY

Réserve : Sgt-chef GALLAY.

Murmures et mouvements divers chez ceux qui resteront en arrière.

Rendez-vous à l'*Intelligence Room*[1] à 12 h 30. Mouchotte part avec Martell et Boudier dans sa camionnette Hillman, tandis que le reste des pilotes se précipite dans le camion du mess.

Repas rapide avec les pilotes de la 611 – potage, saucisses, purée...

Dans l'atmosphère, plane quand même un peu d'appréhension. Pour la plupart d'entre nous, c'est la première très grosse mission de guerre. Elle nous mènera probablement loin à l'intérieur de la zone ennemie. Le coup dur est certain. Combat à coup sûr.

Je ressens un lancinant mélange de curiosité et d'angoisse.

Toujours le désir de savoir comment je réagirai en face du danger, désir un peu malsain de connaître la peur – la vraie peur, celle de l'individu seul face à la mort. Et cependant, il y a quand même, bien enraciné, le vieux scepticisme du civilisé... La rou-

1. Salle réservée à la documentation et aux services de renseignements.

Le 341 « Alsace » à Biggin Hill par une belle journée d'été. Pour une heure ou deux la guerre est loin.

tine des études, les voyages confortables, les humanités, la vie à la ville, tout cela, à vrai dire, laisse bien peu de place à la notion de danger mortel ou à l'épreuve du courage purement physique.

Cependant je voudrais pénétrer au fond de la pensée de ce Canadien de la 611 – qui n'en est pas, lui, à sa première mission. Il réclame carrément à la serveuse WAAF[1] une deuxième portion de purée alors que la mienne passe péniblement. Et Dixon et Bruno, discutant football sans arrêt, que pensent-ils, qu'y a-t-il en leur for intérieur ?

C'est alors que, par association d'idées, un certain jeudi à la Croix-Catelan me revient en mémoire.

J'étais le goal de l'équipe de foot de Notre-Dame de Boulogne, mon collège. L'avant-centre d'Albert de Mun, grand gaillard qui pesait ses soixante-

1. WAAF : Women Auxiliary Air Force, corps féminin auxiliaire de la RAF.

quinze kilos, s'était glissé entre mes arrières distraits. Il n'y avait qu'une solution pour sauver mes filets : plonger dans ses pieds...

D'instinct, quand même, je me lançai, tendant les bras vers le ballon. Puis, une fraction de seconde avant de le toucher, je me détournai d'un coup de reins.

J'avais eu peur de me blesser aux crampons des souliers de mon adversaire. J'avais eu peur et le but était marqué...

Aurais-je donc à craindre cet après-midi une réaction purement physique de ce genre ?

Ce souvenir me coupe définitivement l'appétit...

Il est 12 h 35.

— *Come-on chaps, briefing*[1] *!* (En avant les gars. C'est l'heure de l'amphi.)

On se dirige par petits groupes silencieux vers l'Intelligence Room. Une première salle encombrée de photos, de cartes, de fauteuils, de revues techniques, de publications confidentielles de l'Air Ministry. Dans un coin, une petite porte basse donne accès à la salle de briefing en contrebas.

L'ambiance vous prend à la gorge dès le seuil...

D'abord la grande carte de notre secteur d'opérations, qui couvre tout le panneau du fond derrière l'estrade – le sud-est de l'Angleterre, Londres, la Tamise, la Manche, la mer du Nord, la Hollande, la Belgique et la France jusqu'à Cherbourg.

Sur cette carte, un ruban rouge relie Biggin Hill à Amiens, remonte par Saint-Pol et revient à Dungeness via Boulogne : l'itinéraire de notre mission d'aujourd'hui.

---

1. Au cours du *briefing* étaient exposés les buts et les méthodes de la mission.

En bousculade, les pilotes s'entassent sur les bancs – piétinement assourdi des bottes de vol, craquements d'allumettes – les premières cigarettes fument au bout de doigts nerveux...

Au plafond pendent les modèles des avions alliés et allemands. Sur les murs sont épinglées des photos de Focke Wulf et de Messerschmitt-109 sous tous les angles avec des diagrammes indiquant les corrections de tir correspondantes...

Partout sont affichées les consignes vitales de combat :

— LE BOCHE EST TOUJOURS DANS LE SOLEIL

— ATTENDEZ POUR TIRER DE VOIR LE BLANC DE SES YEUX

— NE COUREZ JAMAIS APRÈS UN AVION QUE VOUS AVEZ TOUCHÉ. UN AUTRE VOUS ABATTRA SÛREMENT

— MIEUX VAUT RAMENER UNE VICTOIRE PROBABLE QU'ÊTRE DESCENDU AVEC LE BOCHE QUE VOUS AUREZ HOMOLOGUÉ

— ATTENTION ! C'EST CELUI QUE VOUS N'AVEZ PAS VU QUI VOUS DESCENDRA

— NE PENSEZ PAS À VOTRE BLONDE. SI VOUS NE VOYEZ PAS VENIR LE FOCKE-WULF QUI TUERA VOTRE CAMARADE, VOUS ÊTES UN CRIMINEL !

— SILENCE À LA RADIO. N'ENCOMBREZ PAS LES FRÉQUENCES !

— SI VOUS ÊTES DESCENDU EN TERRITOIRE ENNEMI, ÉVADEZ-VOUS ! MAIS SI VOUS ÊTES PRIS, TAISEZ-VOUS !

Les uniformes bleu marine des Français tranchent sur la masse grise des *battle-dresses* des Anglais et des Canadiens – et pourtant ce sont les mêmes cœurs qui battent.

Bruits de freins au-dehors, portières qui claquent... Brouhaha, tout le monde se lève.

Le *squadron captain* Malan, DSO DFC[1] et les *wing commanders* Al Deere et De La Torre entrent, suivis de

---

1. DSO : Distinguished Service Order. DFC : Distinguished Flying Cross (décorations britanniques).

Mouchotte et de Jack Charles, le commandant de la 611.

Malan s'adosse au mur, dans un coin ; De La Torre et Deere montent sur l'estrade.

— *Sit down chaps !* (Asseyez-vous !)

Silence.

De La Torre prend la parole, et lit la FORM D de sa voix monotone :

— Cet après-midi l'escadre participe au Circus n° 87. L'heure H est 13 h 55.

72 Forteresses Volantes doivent bombarder l'aérodrome d'Amiens Glissy.

À 16 000 pieds, l'escorte rapprochée sera de 3 escadres, soit 7 groupes de Spitfire-V.

Le *wing*[1] de Kenley fera le support avancé et opérera à 20 000 pieds dans la région de l'objectif à l'heure H moins 5 minutes, soit 13 h 50.

La couverture moyenne sera assurée par les 24 Spitfire-IX de West Malling, et les deux escadrons de Northolt – Spitfire-IX, volant à 29 000 pieds, couvriront l'opération.

Deux diversions sont prévues :

12 Typhoon escortés de 24 Spitfire bombarderont en piqué l'aérodrome de Poix à l'heure H moins 20 minutes – c'est-à-dire 13 h 45.

12 Boston escortés par des Spitfire bombarderont à l'heure H moins 10, les docks de Dunkerque, après une feinte sur Gravelines.

Les diversions auront pour effet de distraire la *radio-location*[2] allemande pendant que les Forteresses se forment, et de disperser – nous l'espérons du moins – les efforts de la chasse ennemie.

Le *wing* de Biggin Hill devra opérer dans la région d'Amiens à partir de l'heure H plus 5 minutes, soit

1. Escadre aérienne.
2. Terme britannique pour radar.

14 heures, afin de couvrir la retraite des Forteresses jusqu'à 14 h 10.

L'ordre de bataille de la Luftwaffe tel qu'il nous concerne pour cette opération est le suivant :

60 Focke Wulf (FW) disponibles à Glissy – vous en aurez probablement environ 40 en l'air.

60 Messerschmitt-109F et FW-190 à Saint-Omer et Fort Rouge. Vous en verrez peut-être quelques-uns revenant de Dunkerque où les Boston les auront attirés.

Les 40 FW-190 de Poix, réveillés par les Typhoon, seront les premiers à intervenir sur Amiens, mais lorsque vous arriverez, ne vous en mêlez pas, ils auront déjà eu maille à partir avec l'escorte proprement dite.

Il semble probable que vos adversaires directs seront les 30 Focke Wulf de Rosier-en-Santerre, ceux de Glissy s'ils peuvent décoller avant le bombardement et donc inévitablement vos vieux amis les « Abbeville Boys » que vous reverrez avec plaisir...

Vous serez contrôlés sur l'objectif par Appledore, sur la fréquence C – indicatif d'appel « Grass-Seed ». *Zona* vous contrôlera sur B jusqu'à ce moment. Sur la fréquence C, vous serez la seule formation, donc pas d'interférence à craindre...

Je vais passer la parole au *wing commander* Deere, qui sera le leader du show...

De sa voix calme et mesurée, qui contraste avec sa figure de gosse bagarreur et têtu, Al Deere nous donne alors les dernières instructions de vol :

— Je mènerai la 611, dont l'indicatif sera « Gimlet ». Mon indicatif personnel sera « Brutus ».

René mènera la 341 – indicatif « Turban ».

Nous décollerons en formation de groupe sur la piste nord-sud.

Démarrage des moteurs à 13 h 20 pour *Turban* et 13 h 22 pour *Gimlet*. Décollage à 13 h 25. Je ferai

Le Focke Wulf-190, chasseur de base des *jagd geschwader* à partir de fin 1941, début 1942.

une large orbite de l'aérodrome pour que vous preniez bien vos positions, et à 13 h 32, je prendrai mon cap.

Nous resterons à zéro pied jusqu'à 13 h 50, puis nous grimperons pleins gaz de façon à passer la côte au minimum à 10 000 pieds, et nous nous retrouverons au-dessus d'Amiens, si tout va bien, à 25 000 pieds.

Pendant l'aller, *Turban* volera 2 000 yards à ma droite. Dès que nous prendrons de l'altitude, *Turban* se maintiendra à 2 000 pieds au-dessus de nous et légèrement en arrière.

Arrivés sur Amiens, nous tournerons 90° à gauche et nous suivrons le cap 47° pendant cinq minutes, à moins qu'Appledore nous donne d'autres instructions.

En principe, nous volerons 25 minutes sur nos réservoirs supplémentaires. Quand je signalerai pour les larguer « *Drop your babies* », vous prendrez la formation de combat.

Un silence radio rigoureux est obligatoire jusqu'à ce signal. Nous allons voler au ras de l'eau pendant 18 désagréables minutes pour ne pas être repérés par la *radio location* boche – ce n'est pas pour qu'un crétin gâche tout par un bavardage inutile. Si vous avez des ennuis et que vous vouliez rentrer à la base, battez des ailes, passez sur la fréquence D, mais ne vous en servez que si vous êtes en danger mortel. Sinon, pour l'amour du Christ, taisez-vous !

Maintenant quelques derniers conseils :

Si votre réservoir supplémentaire ne se décroche pas au signal, prévenez par geste le chef de patrouille et rentrez. Inutile de chercher à continuer alourdi par son poids. Vous handicaperez tout le monde, ou alors vous traînerez et vous serez sûrement descendu.

Signalez clairement la position des avions suspects en relation à moi par le *clock-code*[1], parlez lentement et distinctement en donnant votre indicatif.

S'il y a combat, faites bloc, et si tout va très mal, restez au moins par paires, c'est essentiel.

Que les nunéros 2 n'oublient jamais qu'ils sont responsables de la couverture de leur numéro 1.

Faites toujours face à l'attaque.

---

1. Lire « code de la montre ». La position des avions ennemis était indiquée par référence aux aiguilles d'une montre.

Attention à l'oxygène.

Le cap de retour direct en cas de pépin est 317°. Si vous êtes perdus quelque part en France et à court d'essence appelez *Zona* sur fréquence B. À partir du milieu de la Manche, si vous êtes en difficulté, mais toutefois en condition de rejoindre la base, prévenez *Tramline* sur fréquence A. Si vous ne pouvez rejoindre la côte, sautez en parachute après avoir appelé *M'aidez* sur la fréquence D avec, si possible, une transmission pour *fix*. On fera comme toujours l'impossible pour vous repêcher rapidement.

N'oubliez pas de brancher votre IFF aussitôt après le décollage, et vérifiez bien votre collimateur.

Videz bien vos poches.

Ajustons nos montres... il est exactement 12 heures 51 minutes et 30 secondes... un... deux... trois... il est 12 heures 52 minutes zéro seconde.

Bien, ouvrez l'œil, bonne chance et bonne chasse !

Pendant que Deere parlait, les pilotes écrivaient les indications essentielles à même la peau, sur le dos de leur main : horaires, cap de retour, fréquences radio, etc.

Ruée vers la porte et les camions.

Il fait un temps splendide, et le soleil, depuis trois jours, se montre plus beau que de saison.

Au *dispersal*, chacun bondit vers son casier.

Je vide soigneusement mes poches – pas de tickets d'autobus révélateurs, pas d'enveloppes adressées ou de photos qui puissent renseigner les Allemands sur mon aérodrome.

J'ôte mon col et ma cravate, et les remplace par un foulard de soie.

J'endosse l'épais pull-over réglementaire de laine blanche par-dessus un gilet en peau de mouton. Sur mes chaussettes, j'enfile les grands bas de laine qui montent jusqu'à mi-cuisse ; par-dessus le pantalon, et sur le tout, mes bottes fourrées, où je glisse à droite mon couteau de chasse et à gauche mes cartes.

Je charge mon revolver d'ordonnance Smith & Wesson, dont je passe la lanière autour du cou.

Dans les poches de ma Mae West (gilet de sauvetage) j'ai mon enveloppe « *escape*[1] » et ma boîte de vivres.

Mon mécano vient chercher mon parachute et le *dinghy*[2] pour les disposer sur le siège de l'avion, ainsi que mon casque dont l'électricien branchera les écouteurs sur la radio et le masque aux bouteilles d'oxygène.

13 h 15.

Je suis déjà installé, solidement attaché à mon Spitfire-NL-B par les bretelles du harnais de sécurité. J'ai essayé la radio, le collimateur, et la cinémitrailleuse. J'ai bien ajusté le masque à oxygène et vérifié la pression dans les bouteilles. J'ai réglé le miroir rétroviseur...

Tommy circule autour de l'avion, un tournevis à la main, fermant solidement tous les panneaux mobiles...

Mon estomac me semble étrangement creux et je regrette d'avoir si peu déjeuné.

Tout autour du terrain, on s'agite. Au loin, la voiture de Deere s'arrête près de son avion, sous la tour de contrôle. Il est vêtu d'une combinaison blanche, et se glisse rapidement dans le cockpit.

Les pompiers prennent place sur les marchepieds de l'auto-pompe et les infirmiers dans l'ambulance.

---

1. Enveloppe contenant 20 000 francs français, 5 000 francs belges et 1 000 florins hollandais, destinée à faciliter l'évasion d'un pilote abattu en territoire occupé.
2. Radeau pneumatique de sauvetage.

L'heure approche.

13 h 19.

Un grand silence plane maintenant sur l'aérodrome figé.

Les pilotes ont les yeux fixés sur Mouchotte qui consulte sa montre. À côté de chaque avion, un mécano immobile, le doigt sur le coupe-circuit des batteries auxiliaires de démarrage... Un autre monte la garde près des extincteurs décapuchonnés, couchés sur le gazon.

La boucle de mon parachute mal placée me gêne horriblement, mais il est trop tard pour la remettre en place.

13 h 20.

Mouchotte jette un coup d'œil circulaire sur les douze Spitfire, puis commence à manipuler ses pompes. Bruit de crécelle du démarreur... son hélice tourne. Fébrilement, je baisse les contacts.

— *All clear ? Switches ON !*

Réglé comme une horloge, mon Rolls Royce démarre au premier appel.

Les mécaniciens s'affairent, enlèvent les cales, traînent les batteries, s'accrochent aux bouts de plans pour aider les avions à pivoter...

Le NL-L du commandant roule déjà vers l'extrémité nord du terrain.

13 h 22.

Les moteurs de la 611 tournent, et les 12 Spitfire commencent à s'aligner dans un nuage de poussière autour de celui de Deere.

On se range derrière eux, en ordre de bataille. Je prends ma place, aile dans l'aile avec Martell.

Je transpire.

13 h 24.

Les 26 avions sont prêts. Les moteurs tournent au ralenti, les ailes brillent au soleil. Les pilotes ajustent leurs lunettes et resserrent les bretelles de leur harnais...

13 h 25.

Une fusée blanche part de la tour de contrôle. Le bras de Deere se lève, et les 13 avions de la 611 s'ébranlent. À son tour, Mouchotte lève sa main gantée, et ouvre lentement les gaz...

Les yeux fixés sur le bout de plan de Martell, la main moite, j'accompagne. Les queues se lèvent, les Spitfire commencent à rebondir maladroitement sur leurs étroits trains d'atterrissage... les roues remontent... nous avons décollé.

Je bloque le levier du train, je réduis les gaz, j'ajuste le pas de l'hélice.

Nous passons en trombe au-dessus de la route qui longe la base. Un autobus stationne et les voyageurs sont aux portières.

Je branche sur le réservoir supplémentaire, et ferme les robinets des réservoirs principaux.

Nerveusement, je tiens ma formation, cognant dans les commandes.

Les Spitfire glissent vers le sud au ras des arbres et des maisons, dans un grondement de tonnerre qui fige les gens sur place dans les rues...

On saute une colline boisée, et, sans transition, c'est la mer, aux vagues sales ourlées d'écume, dominée à gauche par le promontoire de Beachy Head...

Une ligne bleue de brume à l'horizon – c'est la France, et, à deux ou trois mètres de l'eau, nous fonçons.

J'emporte au passage des impressions désordonnées, mais qui se gravent quand même toujours dans ma mémoire...

— Un garde-côte britannique, dont l'équipage fait des signaux... une vedette de l'Air Sea Rescue[1] en

1. Dispositif pour le repêchage des pilotes de la RAF tombés en mer.

alerte, qui se balance doucement au gré des flots, entourée d'une nuée de mouettes...

Du coin de l'œil, je surveille mon moteur – pressions et températures normales... J'allume mon collimateur.

Un avion de la 611 bat des ailes, vire et revient vers l'Angleterre en prenant de la hauteur – ennuis de moteur sans doute...

13 h 49.

On entend dans la radio, très lointains, des cris et des appels qui proviennent des groupes d'escorte rapprochée – et soudain, très clair, un triomphant :

— *I got him !* (Je l'ai eu !)

Je comprends alors, avec un pincement au cœur, que là-bas où nous allons on se bat déjà !

13 h 50.

D'un seul coup d'aile, les 24 Spitfire s'élèvent et grimpent vers le ciel, accrochés à l'hélice, 1 000 mètres à la minute.

Voilà la France !

Une ligne de falaises blanches émerge de la brume, et au fur et à mesure que nous prenons de l'altitude l'horizon recule... L'estuaire de la Somme, la bande étroite de sable au pied des falaises couronnées de verdure, les premières prairies, le premier village niché dans une vallée au coin d'un bois...

15 000 pieds.

Mon moteur coupe tout à coup, et mon Spitfire fait une abatée brutale !

Le cœur entre les dents, sans souffle, je réagis d'instinct en ouvrant aussitôt mes réservoirs d'essence principaux. Mon supplémentaire est vide.

Je comprends, les jambes molles, que, mon manque d'expérience aidant, j'ai utilisé trop de puissance pour tenir ma position de patrouille, et que mon moteur a proportionnellement utilisé plus d'essence...

Une seconde de flottement, un retour de flamme, et le moteur reprend. Pleins gaz, je rejoins ma section...

— *Brutus aircrafts, drop your babies*[1] *!* (Avions de Brutus, lâchez vos bébés !)

C'est la voix claire d'Al Deere qui résonne dans les écouteurs Il nous ordonne de larguer les réservoirs auxiliaires.

Encore tout frémissant, je tire sur la poignée en priant Dieu que le mécanisme fonctionne... une secousse... un dérapage... les vingt-quatre réservoirs tombent en virevoltant.

— *Hullo Brutus, Zona calling, go over Channel C Charlie !* (Allô Brutus. Zona vous appelle. Passez sur la fréquence C. Charlie !)

— *Hullo Zona, Brutus answering. Channel C. Over !* (Allô Zona, Brutus vous répond. Fréquence C. À vous !)

— *Hullo, Brutus, Zona out !* (Allô Brutus, Zona coupe.)

J'appuie sur le bouton C du tableau sélecteur d'ondes. Un grésillement, et c'est la voix du *squadron leader* Holmes, le fameux contrôleur de Grass Seed.

— *Hullo Brutus Leander, Grass Seed calling. There is plenty going on over target. Steer 096° – zéro, nine, six. There are 40 plus bandits 15 miles ahead, angels 25, over to you !* (Allô leader Brutus, Grass Seed vous appelle. Il y a un gros remue-ménage sur l'objectif. Suivez le cap 096° – zéro, neuf, six. Il y a environ 40 boches, quinze milles devant vous, altitude 25 000 pieds. À vous !)

— *Hullo Grass Seed. Brutus answering, steering 096°. Roger Out.* (Allô Grass Seed, Brutus vous répond, je suis le cap 096°. Compris, je coupe.)

---

1. C'était, en code, la phrase qui signifiait l'ordre de lâcher les réservoirs supplémentaires.

Mouchotte nous met en formation de combat :

— *Hullo Turban, combat formation. Go !* (Allô Turban, en formation de combat !)

Les trois sections de quatre Spitfire s'écartent.

En dessous, à ma droite, les Gimlet en font autant.

— *Brutus aircraft, open your eyes !* (Avions de Brutus, ouvrez l'œil !)

Ouvrons l'œil ! Nous sommes à 27 000 pieds.

Cinq minutes se passent. Moins 50° dehors. Moins 15° dans le cockpit.

Le grand ciel, vierge de nuages, est d'une pureté étourdissante. On devine la terre de France sous une couche translucide de brume sèche, qui s'épaissit au-dessus des villes...

Le froid est pénible, et je respire mal. On sent le soleil, mais je ne puis discerner si ses rayons brûlent ou glacent. Pour secouer ma torpeur, j'ouvre l'oxygène en grand...

Le tonnerre strident du moteur augmente la curieuse sensation d'isolement que l'on ressent dans un monoplace de chasse, mais à la longue, ce n'est plus un vacarme assourdissant. Petit à petit cela devient une espèce de toile de fond sonore mais neutre, que l'on finit par assimiler à un grand silence bizarre, pesant et épais...

Toujours rien de nouveau – c'est à la fois décevant et soulageant.

Le temps est bien long.

Je finis par avoir l'impression de rêver les yeux ouverts... Le balancement rythmé des Spitfire échelonnés qui montent et descendent lentement... les hélices qui tournent doucement, brassant un air raréfié qui engourdit...

Tout est si irréel et si indifférent dans ce beau ciel bleu !

Est-ce cela, la guerre ?

— *Look out Brutus leader, Grass Seed calling. Three gaggles of 20 plus converging towards you, above !* (Attention ! Brutus. Grass Seed vous appelle. Trois bandes de 20 convergent vers vous au-dessus.)

La voix de Holmes m'a fait sursauter... et voilà Martell qui enchaîne :

— *Look out Brutus, Yellow 1 calling, smoke trails coming 3 o'clock !* (Attention ! Brutus, Jaune 1 vous appelle. Traînées de condensation arrivant à 3 heures !)

J'écarquille les yeux, et soudain je vois les traînées de condensation trahissant les Allemands qui commencent à converger sur nous du sud et de l'est...

Mon Dieu, qu'elles se rapprochent vite !... J'enlève la sécurité des canons.

— *Brutus calling, keep your eyes on them chaps ! Climbing like hell !* (Brutus vous appelle tous, gardez les yeux sur eux et grimpez à toute vitesse !)

Je pousse la manette des gaz – hélice au petit pas, et je me rapproche instinctivement du Spitfire de Martell...

Je me sens bien seul dans le ciel devenu soudain hostile.

— *Brutus calling, open your eyes and prepare to break port. The bastards are right above !* (Brutus vous appelle. Ouvrez l'œil et préparez-vous à dégager vers la gauche. Les salopards sont juste au-dessus !)

1 000 mètres au-dessus de nos têtes, une dentelle ténue commence à se tisser, et l'on voit déjà briller les fines silhouettes cruciformes des chasseurs allemands.

Voilà les boches !

Je suis fasciné – ma gorge se serre – mes orteils se crispent dans mes bottes. J'étouffe dans mon carcan de ceintures, de bretelles, de boucles et de fils...

— *Turban, break starboard !* (Turban, dégagez à droite !)

Boudier hurle l'ordre de dégager !

Dans un éclair, je vois les cocardes du Spitfire de Martell surgir devant moi. Je bascule de toutes mes forces mon avion, j'enclenche la surpuissance et je suis collé à son sillage !

Où sont les boches ? Je n'ose pas regarder en arrière, et je vire désespérément, plaqué à mon siège par la force centrifuge, les yeux rivés sur Martell qui tourne 100 mètres devant moi...

— *Gimlet, attack port !* (Gimlet, attaquez à gauche !)

Je suis perdu dans ce remue-ménage...

— *Turban Yellow 2, break !*

Yellow 2 ? – mais c'est moi !

D'un furieux coup de pied au palonnier je dégage et une acide nausée de peur me coule entre les dents.

Des traînées rouges défilent en dansant devant mon pare-brise...

... Et je vois un boche tout près !

Je l'identifie aussitôt – c'est un Focke Wulf-190 !

J'en ai tellement, mon Dieu, étudié les photos sous tous les angles, les plans trois vues...

Après avoir tiré sur moi une rafale de traceuses, il file sur Martell.

Oui, c'en est bien un – les ailes courtes, le moteur en étoile, le long cockpit transparent moulé d'une pièce, les empennages coupés à angle droit ! Mais aux photos, il manquait la vibration des couleurs – le ventre jaune pâle, le dos gris vert, les grandes croix noires soulignées de blanc... les photos ne pouvaient rendre le frémissement des ailes, la silhouette allongée, affinée par la vitesse, la curieuse assiette de vol nez bas...

Toute la sarabande effrénée des Spitfire semble s'être évanouie dans le ciel – ils n'existent plus – mon numéro 1 a disparu. Aïe !

Tant pis, je ne veux pas perdre mon Focke Wulf. Je n'ai plus peur.

Les images se superposent incohérentes...

Trois Focke Wulf battant des ailes...

Des traceuses qui s'entrecroisent partout...

Un parachute qui flotte comme une bouffée de fumée dans le ciel bleu.

Je me recroqueville, pieds sur les étriers du palonnier de combat, collant de mes deux mains le manche à mon ventre, lancé dans une interminable spirale ascendante, pleins gaz...

— *Lock out !*... Attention ! Break !... les cris s'entrecroisent dans les écouteurs. Je voudrais comprendre, saisir un ordre, un conseil...

Un autre Focke Wulf, les ailes illuminées par les saccades aveuglantes des canons qui tirent – les traînées gris sale des pots d'échappement – les filets blancs de condensation au bout des plans carrés...

Je ne puis distinguer sur qui ou sur quoi il tire.

Il déclenche – ventre clair, croix noires... il pique et tombe du ciel comme un projectile... loin, en dessous il s'efface dans le flou du paysage.

Un autre encore, à mon niveau. Il vire vers moi – Attention ! faire face !

Un renversement sec et sans savoir comment, je suis sur le dos, le doigt sur la détente, secoué jusqu'à la moelle des os par le grondement de mes canons qui crachent des flammes courtes...

Je complète le tonneau avant que mon moteur coupe.

Tout mon univers, toutes mes forces se cristallisent sur une seule pensée :

Je dois le maintenir dans mon collimateur !

Et la correction ? Pas assez ! Il me faut serrer mon virage ! Encore plus... encore... encore !

Rien à faire.

Il est passé, mais mon doigt appuie toujours convulsivement sur la gâchette... je tire dans le vide.

Où est-il ?

Je m'affole. Attention, celui que l'on n'a pas vu est celui qui vous descend !

Les pulsations de mon cœur dérouté résonnent dans mon ventre, dans mes tempes couvertes de sueur, dans mes jarrets...

Le revoilà, loin déjà, il pique... je tire... manqué ! Hors de portée. Rageur, je m'obstine... encore une dernière rafale... mon Spitfire vibre, mais le Focke Wulf pas gêné par les G négatifs est plus rapide que le Spit et disparaît indemne dans la brume.

Le ciel s'est soudain vidé... plus un avion... comme par enchantement. Je suis absolument seul...

Un coup d'œil à l'essence : 35 gallons. Il faut rentrer.

Il est 14 h 15 à peine...

— *Hullo Turban Yellow 2, Yellow 1 calling. Are you all right ?* (Allô Turban Jaune 2, Jaune 1 vous appelle. Comment allez-vous ?)

C'est la voix de Martell, très lointaine...

— *Hullo, Yellow 1, Turban Yellow 2 answering, am OK and going home !* (Allô Jaune 1, Jaune 2 vous répond, ça va, et je rentre à la base !)

Je mets le cap sur 320°, en léger piqué, vers l'Angleterre.

Un quart d'heure plus tard, je survole les sables blancs de Dungeness.

J'arrive dans le circuit de Biggin Hill. Il y a des Spitfire partout, train baissé...

Je me glisse entre deux sections et je me pose.

En roulant vers le *dispersal*, je vois Tommy, les deux bras levés, qui me fait signe et m'indique ma place au parking.

Je dégorge mon moteur, et je coupe les contacts.

Le silence est alors ahurissant. C'est une curieuse sensation que d'entendre à nouveau des voix non déformées par la radio.

Tommy m'aide à enlever les bretelles. Je saute à terre, les jambes molles et ankylosées.

Martell arrive à grandes enjambées et m'attrape par le cou.

— Alors le petit Clo-Clo – on a bien cru qu'il y était passé !

Nous rejoignons le groupe qui entoure Mouchotte auprès de la porte.

— Hé, Clo-Clo, t'as pas vu Béraud ?

Béraud semble avoir été descendu.

L'avion de Bouguen a reçu deux obus de 20 millimètres. La 611 a descendu deux Focke Wulf. Mouchotte et Boudier en ont sévèrement endommagé un chacun classés probables...

Je suis maintenant volubile et excité, je raconte mon histoire, je me sens léger, comme soulagé d'un grand poids.

J'ai fait mon premier grand cirque sur la France et je suis revenu ! Le soir, au mess, le roi n'est pas mon cousin.

Une victoire est classée probable quand malgré un bon film l'avion ennemi bien touché, souvent visiblement très endommagé sans espoir de retour à sa base, n'a pas été vu par des témoins ou filmé s'écrasant au sol. Ou alors le pilote sautant en parachute. Les combats se déroulant souvent à haute altitude ne donnaient pas toujours cette possibilité d'homologation. Par surcroît, nous pouvions rarement suivre un avion touché pour en obtenir l'homologation, sans risque, et c'était interdit.

Dans le système RAF un probable était dans la pratique une victoire, sinon il était classé « endommagé ». Le film fournissait le principal témoignage indiscutable.

Briefing après le déjeuner. Décollage à 15 h 25. Escorte de Maraudeur B-26 américains qui doivent bombarder encore l'aérodrome de Triquerville où nichent toujours en principe deux escadrons de Messerschmitt-109 et de Focke Wulf de la JG 2. Pas loin, à Évreux-Fauville, il y a deux autres *gruppen* de la même *geschwader,* mais équipés uniquement de Focke Wulf-190. C'est de ceux-là dont il faut se méfier, paraît-il. Comme d'habitude je suis numéro 2 de Martell, ce qui n'est pas de tout repos !

À peine au-dessus de la France que ça commence à cafouiller dans la radio.

— *Zona, Zona, Soda Yellow 4 calling, homing please, homing please !* (Zona, ici Soda Jaune 4, un cap de retour STP !)

— *Shut up you clot. Steer three three oh. Zona is on channel D.* (Tais-toi imbécile. Cap 330 et Zona est sur le canal D.)

Quelque part dans le ciel un pauvre type perdu, complètement paumé sur notre canal C est brutalement rappelé à l'ordre par le leader Soda. Il a oublié qu'à cette distance il faut être au moins à 30 000 pieds pour que la radio de nos avions porte jusqu'à l'Angleterre et que Zona sur Canal D puisse lui donner un cap direct de retour !

Depuis cinq minutes ça crie et ça pleure dans la radio. Je me démanche le cou mais on ne voit rien. Je serre sur Martell. Là-dessous, les B-26 yankees dont nous sommes la couverture haute à 15 000 pieds, sont imperturbables, en formation impeccable au milieu des éclatements et des flocons noirs des 88.

Pas de Luftwaffe dans notre coin, sauf peut-être très haut, engagée dans le cirque de trajectoires blanches concentriques de condensation d'un combat tournoyant.

Mouchotte toujours prudent secoue son monde : « *OK Turban aircrafts, open formation and your eyes !* » (« OK Turban, ouvrez l'œil et la formation ! ») L'ordre à peine donné que, piquant verticalement, trois Focke Wulf traversent notre escadre comme des bolides et disparaissent là en dessous, dans la brume basse sans que personne réagisse et encore moins essaye inutilement de les poursuivre.

Devant nous, incongru, un parachute apparaît, se balançant doucement. Tout le monde s'écarte. Je passe à moins de cinquante mètres, faisant attention de ne pas le souffler... Je n'ai pas le temps de bien voir, mais le corps immobile attaché aux suspentes semble bien n'avoir qu'une jambe... Je me retourne en dérapant pour tenter de mieux voir, mais il est déjà trop tard. Distrait par ce que j'ai cru apercevoir, le cri d'alerte me fait sursauter : « *Turban watch out ! Break !* » et 24 Spitfire s'égaillent dans le ciel. De toutes mes forces je tente de suivre Martell de mon mieux, mais il tire son virage vertical de dégagement à deux mains, aigrettes blanches en bout de plans et je me voile très noir. Nous nous retrouvons dans un tourbillon de Messerschmitt-109. Combien y en a-t-il ? 30 ou 40. Il semble y en avoir partout.

Gorge sèche, je cherche à reprendre mon souffle – surprise et aussi frousse dans ce désordre d'amis et d'ennemis mélangés. C'est le bordel habituel de ce genre de combat. Les théories au tableau noir, les tactiques savantes, les « restez groupés au moins deux par deux », etc., tout vole vite en éclats au bout de quinze secondes tout au plus – et c'est long – et c'est alors chacun pour soi. Martell est maintenant au diable devant moi. J'ai la manette des gaz à fond sans pouvoir le rattraper.

Secousse brutale d'un sillage. Un Messerschmitt-109 m'a frôlé de trop près. Attention aux collisions ! Aïe ! ça ne rate pas, deux avions se sont percutés. Impossible de voir dans cette boule de feu d'où tombe une pluie de débris pas identifiables si ce sont des amis ou des Allemands – ou les deux, unis dans la mort.

J'essaye de tirer un 109 que je repère dans ce foutoir. Rien à faire, je n'arrive pas à avoir la correction de tir correcte. Mon avion vibre à la limite du décrochage. On va encore me soutenir que le Spitfire

Borne et Martel.

tourne mieux que le 109 ! Ah ! Ah ! À haute vitesse d'accord, mais voire à basse vitesse !

Je pelais de froid il y a trente secondes et maintenant je suis en eau, mes lunettes de soleil brouillées de buée. Pour le principe je tire une longue rafale sur un 109 hors de portée et évidemment sans résultat. Un autre vire sous mon nez, parfaitement de plan, à 90° – il faudrait que je lui donne au moins deux cercles de collimateur pour corriger. Il passe trop vite. *Snap shoot* et loupé. Décidément, je n'y arriverai jamais ! J'étouffe dans mon masque à oxygène pourtant ouvert en grand, et je sens mon cœur qui cogne sous ma boucle de parachute. Un avion qui danse soudain dans mon rétroviseur me fait dégager en panique, mais c'est un Spitfire... Le temps de reprendre mes esprits, plus personne dans le ciel à part quelques petites croix brillantes qui disparaissent dans le paysage et une cascade de points noirs qui dégouline du soleil, très loin – trop loin – à gauche, probablement des Allemands rentrant chez eux.

Un Spitfire se rapproche, battant des ailes. NL-T, c'est Mailfert. Ouf ! nous allons rentrer ensemble en nous couvrant mutuellement.

— On se tire ?

— Oui.

Pas un mot de plus surtout en français interdit à la radio, inutile d'attirer l'attention. Nous filons vers la côte en léger piqué pour prendre de la vitesse. Que sont devenus les B-26 ? J'entrevois au loin les explosions d'un tapis de bombes sur ce qui semble être un aérodrome. Un coup d'œil à ma carte me confirme que ce n'est pas Triquerville, nos bons alliés se sont trompés une fois de plus. Au débriefing nous allons rigoler. Enfin, c'est une façon de parler car je vois les deux traînées verticales de flammes et de fumée d'une paire de B-26 que la *flak* vient d'abattre.

Nous passons la côte en laissant le Cotentin à l'ouest. Au milieu de la Manche nous ne sommes plus seuls. D'autres petits groupes de trois ou quatre Spitfire ont mis le cap sur l'Angleterre. Attention au pétrole quand même. Atterrissage en douceur à Biggin Hill. « *Hight tea* » – goûter dînatoire à l'anglaise : œufs au bacon – le bacon est épais comme une feuille de papier à cigarette – thé et toasts du repas opérationnel réservé aux pilotes de retour de mission. Une bière au bar et au lit. Je suis bien déçu. Il y avait aujourd'hui une palanquée de chasseurs allemands et pas moyen d'en abattre un. Il y a un truc que je n'ai pas encore trouvé. En trente missions j'ai tiré une dizaine de fois et rien, pas une victoire, c'est décourageant. Dans cette histoire Mouchotte a descendu un 109 mais Radudu, notre compagnon Raoul D., a disparu au-dessus du Havre et personne ne peut dire ce qu'il lui est arrivé. Jacques comme toujours a le bon mot de la fin : « C'est un jeu de cons ! »

Jacques avait bien raison. Ce matin en arrivant au *dispersal* mon mécanicien me dit : « Venez donc voir » et m'emmène au NL-B voir mon avion. Surprise ! Il me montre deux impacts sous le fuselage dont l'un, à quelques centimètres près, cassait un guignol support de ma commande de profondeur ! Je n'avais rien senti, rien perçu dans l'excitation du moment. C'était bien étonnant car les impacts dans un fuselage boîte à résonance font un drôle de bruit ! Je montre les trous, deux entrées et deux sorties, à Martell qui me dit aimablement que si je l'avais suivi de plus près cela ne me serait pas arrivé – je ne vois pas pourquoi ! – et il ajoute : « Si tu n'as rien entendu mon petit Clo-Clo c'est que tu mouillais comme une grenouille ! » Profonde pensée accompagnée d'une grande claque dans le dos ! Merci[1].

*

Joli mois de mai à Biggin Hill ! Quand la météo accepte de sourire en Angleterre, c'est très beau, et malgré la guerre, les Anglais ont continué à fleurir leurs jardins dans des villages de carte postale ! Les robes légères et même les sévères jupes d'uniforme des petites Anglaises commencent à voler par-dessus les moulins ! Maléfique influence du printemps sur la prude Albion... Amours sans lendemain !

---

1. L'officier d'armement de l'escadre, le *flight officer* Munro-Smith, nous a fait une conférence sur les armes de bord des avions allemands et sur leurs munitions. En dehors du 30 mm qui n'est pas encore monnaie courante et de la 13 mm, c'est le 20 mm classique, à peu de choses près identique au nôtre, issu d'un tronc commun Oerlikon. L'obus de 20 AP – *armour percing* – possède un noyau dur et est surtout dangereux quand il touche un moteur, quoique si tiré de l'arrière – comme c'est souvent le cas – sous un angle très fermé, il a tendance à ricocher, au risque d'une rupture de canalisation suivie d'une fuite d'essence qui mènera inéluctablement à l'incendie ou à l'explosion. C'est souvent le cas d'un avion seulement réclamé comme endommagé à la vue du film qui ne montre pas d'explosion à l'impact et être confondu avec nos 7 mm. Par contre le 20 mm HE – explosif – est généralement l'instrument d'une victoire par les dégâts infligés à la structure ou à la mise hors de combat du pilote par des éclats terriblement dangereux. Dans une bande de munitions, les Allemands inséraient un traceur tous les cinq projectiles, et un HE sur deux dans le reste. Le projectile AP avait une trajectoire légèrement plus tendue que le HE ou les traceurs. Les canons de 20 mm Hispano – les nôtres – et les 20 mm des MG 151 avaient à peu près les mêmes cadences de tir : 4 à 500 coups/minute. On ne va trouver plus tard le terrible 30 mm que dans le moyeu de quelques Messerschmitt-109K et en armement standard dans le Focke Wulf-D9. Le Messerschmitt-262 à réaction en aura 4 dans le nez, lui donnant une puissance de feu mortelle contre les bombardiers 262.

Pour nous le beau temps signifie deux missions par jour et parfois trois. Ainsi chaque pilote de chez nous fait au moins quotidiennement une mission, généralement une escorte de bombardiers sur la France ou la Belgique. Comme le ciel est très pur de nuages en ce mois de mai un peu exceptionnel, il faut voler très haut, à la limite de notre plafond opérationnel, pour ne pas être trop vulnérable. Ainsi nos *sweeps* se passent à 10 000 mètres, à l'oxygène pur, qui nous crève. Dehors il fait un froid de moins 50° et moins 25° dans la cabine ! Même les larmes gèlent quand les yeux pleurent, blessés par un soleil implacable sans filtre de nuages.

Le 17, nous allons rechercher des Boston revenant de la région parisienne. Nous les retrouvons au-dessus de Caen. Ils en ont pris un coup ! Dans leur formation réduite à 7 sur 12, des vides, des traînées de fumée, des hélices en drapeau. Comme toujours ils attirent les chasseurs allemands comme le miel les guêpes, et c'est en prenant notre position d'escorte, nous sommes coiffés par deux douzaines de Me-109 suivis par des Focke Wulf très agressifs !

Équipier de Mouchotte je le couvre tant que je peux dans ce désordre tourbillonnant, un œil sur lui et un autre sur les chasseurs ennemis ! Un appel au secours dont j'identifie mal l'indicatif, et le commandant qui a entendu renverse son virage et file vers un Spitfire du 411 en mauvaise posture. Il est tiré à bout portant par un Messerschmitt qui colle 50 mètres à peine derrière lui. Mouchotte est vite dans la queue du 109 et tire à son tour. Je m'écarte afin d'éviter la pluie de douilles de 20 de ses canons qui coule de ses ailes. À cet instant, grâce à cette petite embardée, je vois juste, sous nous, deux Focke Wulf qui grimpent à la verticale vers Mouchotte... Je le préviens, j'enclenche la surpuissance, un coup de pied au palonnier et je fonce en frontal sur les deux Allemands en faisant (pour le principe !) feu...

Nous escortons des Boston...

Nous nous croisons à 1 000 à l'heure ! Ils passent en coup de vent à me frôler, un à droite, l'autre à gauche. Ils sont si près que j'en vois en éclair tous les détails. Dieu que ces avions allemands sont beaux !

Je reviens à ma place à droite de Mouchotte dont le 109, mal en point, perd son capot qui fracasse son empennage, et part dans un piqué incontrôlé. Le pilote du 411 réussit à grand-peine à s'extirper de son Spitfire en feu. Je le vois tomber en culbutant. Il disparaît, et je ne vois pas son parachute s'ouvrir.

C'est fini.

Les Boston survivants ont passé la côte française sans problème quoique salués par la *flak*, et le ciel s'est vidé d'amis et d'ennemis d'un seul coup. Je serre sur Mouchotte qui me fait des signes de la main que je n'arrive pas à interpréter.

À peine posés, Mouchotte vient vers moi alors que je descends de mon avion avec mon parachute sur le dos, me tend la main pour m'aider.

— Clostermann, c'est merci que je vous signalais tout à l'heure. Je ne les avais pas vus venir.

Que répondre sinon que j'avais fait mon boulot d'équipier.

Je confirme ensuite par écrit au bas du rapport de Mouchotte son Me-109 qui sera très probablement homologué.

Nota : À la date du 17 mai, Mouchotte décrit dans ses carnets publiés après la guerre ce combat et ajoute : « Sans la présence d'esprit de mon numéro 2 qui fit face aux deux Focke Wulf-190, j'aurais probablement été descendu. »

Encore une journée qui sent la poudre. Le déjeuner est expédié en vitesse.

Briefing à 14 h 30.

Cet après-midi, notre objectif est encore et encore l'aérodrome de Triqueville, qui sera bombardé en grand style par deux vagues de 72 Marauder.

Triqueville, près du Havre, est maintenant le nid d'une des meilleures escadres boches de chasse – la fameuse Richtoffen aux « nez jaunes »....

D'après nos renseignements, ils ont été rééquipés récemment du dernier modèle de Focke Wulf – le 190-A-8 muni d'un moteur plus puissant et, dit-on,

De gauche à droite :
Martell de retour de mission ; Mouchotte, Bordas et Bouguen s'amusent d'un de mes dessins ; Béraud et Maridor.

de volets d'intrados spéciaux qui leur permettent de tourner très sec.

Les Richtoffen sont tous des pilotes sélectionnés. Admirablement commandés par un des grands « as » de la Luftwaffe, le *kommodore* Graff, ils se sont spécialisés avec leurs nouvelles machines – et avec beaucoup de succès – dans l'attaque de nos bombardiers diurnes.

On a bien essayé auparavant de les bombarder au sol, de raser leur terrain. Mais chaque fois, ils ont décollé avant le bombardement, et ont été tranquillement se poser sur une de leurs trois bases de dégagement – Évreux-Fauville, Beaumont-le-Roger ou Saint-André.

La comédie a duré quatre mois, et la RAF veut en finir aujourd'hui, d'autant plus que le QG américain des Marauder a annoncé qu'ils se refuseraient à toute mission dans ce secteur, si on ne le débarrassait pas des Richtoffen...

Aujourd'hui donc, Triqueville, et les trois autres « pied-à-terre » seront bombardés simultanément.

Quant à nous, nous devons, au cas où ils seraient déjà en l'air, les accrocher à tout prix et leur donner une bonne leçon.

Voire... Sans doute, il y aura une dure bagarre.

Au *dispersal*, une déception m'attend : je ne suis pas sur le tableau du *sweep*. Je fais une scène, je crie à l'injustice...

Bon type, et aussi pour avoir la paix, Martell se laisse toucher et m'emmène comme numéro 2.

Je joue de malchance. Nous venons à peine de quitter la côte anglaise, que mon réservoir supplémentaire coupe – probablement un *vapour-lock* dans les conduites d'essence.

Diable je sais bien que cette aventure peut nous mener très loin au sud du Havre, jusqu'à Rouen ou Évreux. Après le combat – si combat il y a – je risque d'être très à court de carburant.

Tant pis, foin du bon sens, je reste !

La Manche est couverte de brume, mais, au-dessus de 1 000 mètres, le temps est splendide. Pas l'ombre d'un nuage. Déjà, à mi-chemin entre Le Havre et Rouen, on peut distinguer sous la couche de brouillard, la Seine qui rampe comme un gros serpent d'argent.

Rompant le silence, le contrôleur est soudain très excité dans la radio.

FAFL de 1941-1942. De gauche à droite : Bouguen ; debout au fond, Daxé ; Moinet assis, et Guynamar de dos.

— *Hullo Turban leader, Donald Duck and his boys are up already and climbing hard. Can't give you any definite information yet !* (Allô Turban, Donald le Canard et ses garçons ont déjà décollé et grimpent dur. Je ne puis encore vous donner des informations précises.)

Donald Duck est le nom de code attribué à Graff. Un humoriste du service Y a dû le nommer ainsi car, paraît-il, il parle du nez comme son homonyme, le canard de Walt Disney !

Le vieux renard connaît les ficelles, et sait que la meilleure riposte consiste à attaquer. Les Marauder, si nous les laissons glisser entre nos doigts, vont encore prendre quelque chose !

Mouchotte, leader du *wing* aujourd'hui, est, comme à l'habitude, très maître de lui.

— *OK Zona, message received and understood, Turban out...* (OK Zona, j'ai reçu et compris votre message...)

et il enchaîne à notre intention :

— *Turban and Gimlet, open your eyes !* (Turban et Gimlet, ouvrez l'œil !)

Avec une certaine anxiété, je m'aperçois que Martell, menant notre section, se détache insensiblement du reste du groupe, et commence à grimper. Bientôt, le reste des Turban nous apparaît comme une série de petits points brillants perdus dans le bleu du ciel.

— *Come up a bit Yellow Section !...* (Section Jaune, rapprochez-vous un peu !)

Mouchotte, nous rappelant à l'ordre, est coupé par un cri des Gimlet qui naviguent 1 000 mètres au-dessus de nous, à droite :

— *For Christ's sake, break Gimlet aircraft !* (Pour l'amour du Christ, dégagez, Gimlet !)

C'est le vieux Donald Duck, qui a attendu que l'on passe, niché dans le soleil, avec sa volée de pirates.

Il a bien failli faire un mauvais sort à la 611, et ce n'est que par hasard qu'un des Néo-Zélandais les a vus arriver. Il a prévenu, et tout le monde fait face comme il dévale à 600 à l'heure...

Tout se passe en un clin d'œil.

Au SOS de la 611, Mouchotte exécute un virage cabré avec ses sections Bleu et Rouge pour lui porter secours.

Nous nous trouvons ainsi isolés, à 500 mètres au-dessous de la bagarre principale.

Galley et moi sommes d'alerte immédiate !

Martell nous fait tourner à gauche, et on grimpe pour prendre part à la bataille.

Soudain j'aperçois une douzaine de Focke Wulf qui tombent du soleil droit sur nous...

— *Focke Wulf 11 o'clock, Yellow !* (Focke Wulf à 11 heures, Jaune !)

Conduits par un magnifique FW-190-A-6 entièrement peint de jaune, astiqué et brillant comme un bijou – les premiers filent déjà sur notre gauche, à moins de 100 mètres et tournent vers nous...

Je vois très distinctement, dans leurs longs cockpits transparents, les silhouettes des pilotes allemands penchés en avant !

— *Come on ! Turban Yellow, Attack !* (En avant Turban, attaquez !)

Martell a déjà plongé droit dans la formation ennemie. Yellow 3 et Yellow 4 perdent immédiatement contact, et nous laissent au milieu d'un tourbillon de nez jaunes et de croix noires...

Je n'ai même pas, cette fois-ci, le temps d'avoir réellement peur. Quoique mon estomac se crispe, c'est une excitation frénétique qui me monte à la gorge ! C'est la grosse bagarre, et je perds un peu la tête ! Sans m'en rendre compte, je pousse des cris incohérents tout en balançant rudement mon Spitfire...

Déjà un Focke Wulf se dégage, traînant derrière lui une spirale de fumée noire, et Martell, qui ne perd pas de temps, est après la peau d'un autre. Je m'efforce en bon coéquipier de le suivre et de le couvrir, mais il est loin devant moi et j'ai du mal à doubler ses renversements et ses *immelmans*.

Deux boches se glissent en ciseaux dans sa queue. J'ouvre le feu sur eux bien qu'ils soient hors de portée ; je les manque, mais les oblige à dégager vers moi... C'est ma chance !

Je fais une chandelle rapide, et avant qu'ils puissent compléter les 180° de leur virage je suis – à bonne portée cette fois – derrière le deuxième. Je redresse.

Une légère pression sur le palonnier, et je l'encadre dans le collimateur. J'en crois à peine mes yeux, c'est une correction facile à moins de 200 mètres de distance...

Vite j'écrase la détente de mes canons

Miracle ! Son fuselage s'illumine d'explosions. Ma première rafale est au but, et durement.

Le Focke Wulf prend feu sur-le-champ. De longues flammes intermittentes s'échappent de ses réservoirs crevés, léchant le fuselage. Çà et là des lueurs incandescentes se noient dans la lourde fumée noire qui enveloppe l'appareil...

Le pilote allemand se lance dans un virage désespéré. Dans l'air froissé par le bout de ses ailes, deux fins filets blancs de condensation se forment...

Soudain le Focke Wulf éclate comme une grenade ! Un grand éblouissement, un nuage noir et les débris voltigent autour de mon avion... Le moteur tombe

Les pilotes de la JG 2 nous ressemblent étrangement en alerte avec leurs gilets de sauvetage.

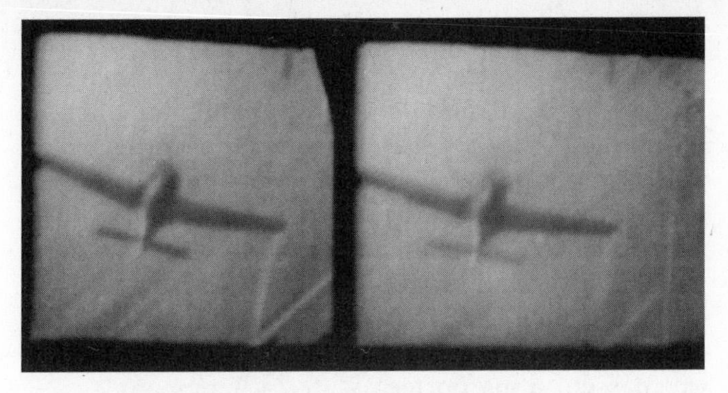

Le Focke Wulf-190 commence à serrer son virage
pour se dégager de mon tir, le 27 juillet.

comme une boule de feu. Une des ailes arrachées par la déflagration descend plus lentement, virevoltant sur elle-même, montrant alternativement son intrados jaune pâle et son extrados vert olive... Pas possible !

Je crie dans la radio :

— *Hullo Yellow 1, Turban Yellow 2, I got one, got one ! Jesus, I got one of them !* (Allô Jaune 1, Turban Jaune 2 vous appelle, j'en ai eu un, j'en ai abattu un !)

Mais le ciel est maintenant rempli de Focke Wulf qui me frôlent, m'assaillent de tous côtés dans un feu d'artifice de traceurs...

Ils ne me lâchent pas. Ce ne sont que passes frontales, trois quarts arrière droite, gauche, qui se succèdent...

Ma tête commence à tourner, et mes bras me font mal. Je m'essouffle, car manœuvrer à 600 à l'heure un Spitfire dont les commandes sont figées par la vitesse est un travail épuisant... Surtout à 8 000 mètres d'altitude !

J'ai l'impression d'étouffer dans mon masque, et je règle l'oxygène sur « emergency ». Il n'y a plus qu'un grand battement de cœur qui cogne dans mes tempes moites, mes poignets et mes chevilles...

Mon Spitfire tient le coup vaillamment ; il fait corps avec moi comme un cheval de bataille bien dressé, et le moteur donne son maximum... Je bénis Rolls Royce, tous les ingénieurs et les ouvriers qui ont dessiné, construit, assemblé avec amour cette pièce d'horlogerie mécanique...

Tout en me débattant de mon mieux, économisant mes munitions, je tiraille sur les Focke Wulf qui passent à ma portée.

Du coin de l'œil, je vois Martell qui règle son compte à un deuxième boche que j'avais déjà touché, dont l'empennage se détache...

Mes manœuvres un peu folles m'amènent à la verticale d'un Focke Wulf sur lequel je pique à mort, sans m'occuper de rien d'autre...

Je le vois grossir dans mon collimateur, de plan, avec ses ailes courtes, son moteur capoté de jaune et son fuselage qui s'affine vers les gouvernes. Au travers du cockpit vitré, j'entrevois un instant la tache claire du visage du pilote levé vers moi...

Deux courtes rafales et j'attrape miraculeusement la bonne correction de tir. Le cockpit vole en pièces, et mes obus ravagent le fuselage juste derrière le pilote...

Entraîné par ma vitesse, j'arrive droit sur lui. Instinctivement, je pousse le manche en avant, me cogne atrocement la tête contre le pare-brise blindé, mais j'évite d'un centième de cheveu la collision...

Je récupère brutalement de mon piqué, et je vois mon Allemand qui glisse en plané, sur le dos, une traînée de fumée sortant du moteur... Une silhouette sombre se détache de la carlingue, tournoie dans l'air, suit un instant l'avion comme accrochée à lui par une ficelle invisible... et c'est soudain la grande fleur ocre d'un parachute qui s'épanouit, clouée sur place, tandis que le Focke Wulf continue sa dernière trajectoire...

Je suis abasourdi. J'en ai descendu deux !

À la fois j'exulte d'orgueil et je tremble de frousse contenue, mes nerfs en boule...

Et Martell ? Qu'est-il devenu ? il va encore croire que je l'ai laissé tomber.

Le ciel est vide. Quoique je commence à m'y habituer, le phénomène de la disparition instantanée de tous les avions me surprend une fois de plus.

Dégoûtés peut-être, les Focke Wulf piquant vers leur base se confondent déjà 3 000 mètres plus bas dans le paysage...

Tous... sauf un !

En levant la tête, je vois, haut au-dessus de moi, un Spitfire – celui de Martell probablement – et le fameux Focke Wulf jaune. Toute la gamme de la haute école y passe. C'est fascinant. Virages d'*immelmans*, tonneaux déclenchés... mais sans gagner un pouce l'un sur l'autre. Soudain, ensemble, comme d'un commun accord, ils exécutent un déclenché et s'attaquent de front. C'est de la folie pure... le Spitfire et le 190 faisant feu de toutes leurs armes foncent l'un sur l'autre. Le premier qui dégagera est perdu, car il exposera sans rémission son appareil aux projectiles de l'adversaire...

Le souffle coupé, je vois à l'instant où la collision semble imminente, le Focke Wulf frémir, ébranlé par le choc des obus, puis se désagréger d'un seul coup !

Le Spitfire, miraculeusement indemne, passe au milieu d'une gerbe de débris en flammes qui retombent en pluie... avec le pilote qui tombe et ouvre son parachute plus bas ! Cela n'a pas duré plus que quelques secondes !

Martell et moi rentrons ensemble, mais je suis à court d'essence et je dois me poser à Shoreham pour ravitailler. Je suis encore si nerveux et excité qu'il s'en faut de peu que mon atterrissage ne se termine en catastrophe. Le terrain est très court pour un Spitfire-IX, et je suis obligé de freiner violemment, au risque de faucher mon train en me posant trop long !

Je roule jusqu'au camion-citerne près du contrôle, je coupe les contacts et je saute à terre, avec un air très supérieur, comme si l'on pouvait lire sur ma figure que je venais d'abattre deux avions ennemis...

Du *watch office*[1], je ne puis résister au plaisir de téléphoner à Biggin Hill – un peu pour les prévenir que je suis sain et sauf, et beaucoup pour la satisfaction d'annoncer, négligemment (tout en jetant un coup d'œil discret sur les assistants) :

— ... Oh ! à propos, j'ai descendu deux Focke Wulf !

C'est peut-être un peu enfantin, mais pas désagréable du tout.

C'est presque avec recueillement que j'exécute mon premier tonneau de victoire au-dessus du *dispersal*.

Martell confirme ma première victoire – il a vu le Focke Wulf prendre feu. Mon deuxième sera sans doute homologué grâce au film.

Je ne dors pas de la nuit, et j'empoisonne tout le monde au mess des sergents avec l'histoire mille fois répétée de mon combat.

Cet engagement a été un succès pour le groupe « Alsace ». Boudier a descendu un FW-190, et Mou-

1. Tour de contrôle d'aérodrome.

Le major Oesau, *kommodore* de la JG 2. Il avait remporté 117 victoires à l'Ouest avant d'être tué sur la France.

chotte et Bruno ont tiré sur un autre ensemble. Mouchotte, très chic, l'a accordé à son numéro 2.

La 611, de son côté, en a abattu trois. Miraculeusement, à part sept appareils endommagés, nous n'avons perdu personne.

Le soir du 27 juillet, nous recevons un télégramme :

To the « Alsace » and 611 boys stop nine for naught is pretty good score stop keep it up stop. (Aux gars de l'« Alsace » et du 611 – stop – neuf victoires sans pertes sont un bien beau résultat – stop – continuez – stop). Signé Winston Churchill[1].

Pour compléter le tableau, nous apprenons trois jours plus tard, que la radio allemande a annoncé que le *kommodore* de la JG 2, décoré de la croix de chevalier avec feuille de chêne et épées, a été blessé

1. Churchill fait un jeu de mots sur *naught,* qui signifie « rien », et *nine,* « neuf ».

au cours d'un combat héroïque contre une force ennemie supérieure en nombre...

Après cette confirmation de la victoire de Martell sur le Focke Wulf jaune, le pauvre doit payer un nombre impressionnant de tournées à tout le monde.

Nota : Nous avons appris plus tard que ce n'était pas Graff mais Oesau, grand as lui aussi.

*

Biggin Hill est en ébullition car nous approchons de la mythique millième victoire de la base. Biggin Hill au sud de Londres, sur la route de la Luftwaffe attaquant la capitale, détenait déjà le record des avions ennemis abattus pendant la « Battle of Britain ». De grandes réjouissances sont prévues. Vickers qui construit le Spitfire, Rolls qui fournit les moteurs et les différents fournisseurs participent sans compter à la préparation. Les choses vont vite. Cullins du 611 abat le 996e le 13 mai, Martell le 997e le 14 et comme ça chauffe dur sur la côte française, avec des accrochages quotidiens on s'attend au bingo d'une heure à l'autre. En effet, le 15 mai après-midi, je suis à nouveau numéro 2 de Martell quand nous tombons sur une trentaine de Focke Wulf en file indienne qui décrivent une grande spirale pour nous attaquer. Le 411 est le premier engagé et tout de suite un Focke Wulf et un Spitfire tombent en flammes. À la radio quelqu'un crie : « *Nine nine eight. Two more to go !* » (« Neuf cent quatre-vingt-dix-huit ! Encore deux ! ») Martell tire et manque un FW qui s'esquive aux ailerons. J'essaye de le reprendre au passage, mais je le rate et pourtant je n'étais pas en mauvaise position. Arriverai-je à remporter une autre victoire aujourd'hui ? Mouchotte nous croise suivi de son ailier, et tire sur un Focke Wulf qui vire sec. À cet instant, Jack Charles qui commande la 411 à la radio – « *I got another one* » et l'on voit un parachute à l'instant même où l'adversaire de Mouchotte explose littéralement. C'est le 999e et enfin le 1 000e.

Nos amis industriels ont loué pour la mémorable *party* qui fait la une de la presse – honneur aux Français ! – les grands salons du Park Hotel. Deux orchestres dont un musette avec accordéon et tout, que nous envoient les Forces Navales Françaises Libres, Vera Lyne la grande chanteuse à la mode et les Wind Mill Girls – le Lido anglais – Françoise Rosay, Anna Marly et d'autres artistes ont accepté de venir. Les Canadiens nous expédient une demi-tonne de homards, et les Américains ont détaché deux cuisiniers noirs qui font frire à la mode du Sud des poulets avec des épis de maïs... Les distilleries d'Écosse et les brasseurs ne sont pas en reste... C'est finalement dans ces années de privations et de rationnement, une soirée de rêve et d'exception, sans précédent ni suite, hélas.

Comme c'est également le baptême du 341 « Alsace », tous les grands chefs de la RAF sont venus ; même Archibald Sinclair, ministre de l'Air, fait une apparition. Mouchotte, toujours grand seigneur, fait les honneurs et insiste pour que Jack Charles soit à ses côtés pour recevoir les invités. Corniglion-Molinier, Kessel, Druon et toutes les huiles de Carlton Garden sont là. Toutes les femmes sont en robes du soir. Par surcroît, au milieu de la soirée, l'acteur Stewart Granger, qui présente les numéros, demande un instant de silence, prie Corniglion de monter sur scène et lire deux télégrammes, un de Churchill félicitant l'escadre de Biggin Hill et l'« Alsace », l'autre de De Gaulle adressé à Mouchotte lui annonçant qu'il est admis dans l'ordre de la Libération.

Mouchotte et Jack Charles se congratulent
pour le 1 000e de Biggin Hill !

Mouchotte, au nom de l'escadron, remercie tous ceux qui participent au succès de cette réception qui fera date dans l'histoire de la guerre. Il annonce que le syndicat des chauffeurs de taxis a délégué une trentaine de ses membres qui attendent dehors pour reconduire gratuitement à Biggin Hill les pilotes du 411 et du 341 « Alsace » à la fin de la soirée. Il ajoute qu'il leur a fait porter des rafraîchissements et une collation ! Tonnerre d'applaudissements et de vivats terminent cette nuit mémorable au milieu des plus fameux photographes de presse comme Charles Brown que nous, Français, intéressons car particulièrement photogéniques en grand uniforme de l'armée de l'air au milieu de toutes les jolies filles en robe du soir ou déshabillés du Wind Mill (Moulin à vent).

*

Je prends souvent l'alerte avec Henri de Borda. Il faisait partie des « culottes courtes », c'est-à-dire des jeunes en âge scolaire qui avaient, comme Roland De la Poype, rejoint De Gaulle dès juin 1940. Jacques était reparti entre-temps à la 602 – j'étais encore chez les Français – je volais donc souvent avec « Poupy » comme on l'appelait à cause de sa figure d'enfant. C'était un excellent pilote.

Future belle journée de printemps, mais comme nous sommes de l'autre côté de la Manche, nous avons d'abord droit à un épais brouillard matinal. L'« Alsace » est « *release* », et ceux qui ne partent pas pour Londres restent au lit. Comme une paire doit demeurer en alerte juste au cas, comme je rencontre Mouchotte et Bordas sortant du mess – ce sont des lève-tôt – et comme encore mes fonds sont en baisse, je suis volontaire. Bordas dit qu'il reste avec moi, alors nous enfourchons nos bicyclettes et partons au *dispersal*. Les mécaniciens font chauffer les moteurs et nos parachutes protégés contre la brouillasse qui tombe par une toile sont installés sur le plan fixe horizontal, bretelles pendantes ce qui permet de les endosser très vite. Le casque avec les écouteurs et le masque à oxygène branchés sont accrochés au rétroviseur. Tout est prêt, donc petit somme possible sur une chaise longue après une tasse de thé.

Comme toujours, à peine Henri s'est-il endormi, et moi plongé dans un chapitre passionnant d'*Anthony Adverse*, le livre fleuve d'Harvey Allen, que le haut-parleur entre en transe : « *Turban Red Section scramble now, scramble now !* » Nous bondissons dehors – aïe ! le brouillard s'est épaissi – les mécanos debout sur l'aile font démarrer les moteurs, tendent la main pour nous aider à grimper. Tout juste installés, on entrevoit une fusée verte. Décollage immédiat droit devant nous, aile dans l'aile, feux de position allumés. Comme c'est une vaste prairie, et c'est l'avantage de Biggin Hill, on peut décoller dans tous les sens sans avoir obligatoirement à remonter une bretelle vers une piste. Aussitôt les roues escamotées, nous sommes dans la purée de pois. Le contrôle radar nous fait suivre plusieurs caps en nous maintenant en dessous de 1 000 pieds puis finalement donne l'ordre d'atterrir. On nous pose en Z-Z, c'est assez éprouvant. Le PSV d'Henri est très sûr, mais quand même on dépend totalement de l'opérateur du *gonio* et du *duty pilot* en bout de piste qui nous fait couper le moteur au moment où il nous entend passer au-dessus de lui, encore dans la couche ! On entrevoit à peine la rampe éclairée.

Ouf ! Sains et saufs à terre, nous buvons une tasse de thé et aussitôt nouvelle alerte, re-décollage sans avoir le temps de ravitailler nos avions, heureusement, nous n'avons volé que dix minutes. Re-Z-Z dans la pluie qui maintenant tombe et le contrôle nous fait poser une fois encore par la peau des dents... On ravitaille nos avions sur les chapeaux de roues et re-fusée verte avec le planton qui court vers nous en criant – « Il y a des Dornier sur Londres !

Faites vite » ! Aussitôt en l'air, Bordas fait remarquer courtoisement au contrôleur qu'il ne tient pas à circuler en aveugle dans les barrages de ballons qui ceinturent Londres. Après quelques longues minutes, on nous donne l'ordre de rentrer. Fausse alerte !

On met alors en *stand-by* une section du 611, et nous pouvons détendre nos nerfs.

Retour au mess pour le breakfast, nous longeons à bicyclette la vallée quand dans un fracas de tonnerre quatre Dornier, cap au sud, défilent plein pot 10 mètres au-dessus de nos têtes ! Aux OPS, on nous dit que c'est encore le fameux Fink, vieux renard rescapé de la guerre 1914-1918 commandant une escadre de Dornier-215, qui mène ces raids audacieux.

Début avril, on nous annonce l'arrivée du groupe précurseur de chasse américain opérationnel qui va passer un ou deux mois à Biggin Hill pour découvrir un peu ce qui se passe ici. De ce côté-ci de l'Atlantique, les premiers groupes de chasse américains ont, nous dit-on, opéré en Afrique du Nord début 1943. Ils étaient équipés de P-39 Airacobra, un avion qui ne faisait pas le poids sur la Manche et l'Allemagne. À part les pilotes qui s'étaient battus dans l'Eagle Squadron de la RAF formé de volontaires américains, l'US Air Force n'avait aucune expérience – les bombardiers tout comme les chasseurs – de la vraie guerre aérienne... et ce n'était pas dans les écoles qu'ils avaient pu apprendre. Je me souviens de ce que le capitaine Martell m'avait dit en me prenant dans son escadrille : « Mon petit Clo-Clo, ce n'est pas parce que tu fais une voltige pas trop tordue que tu sais quelque chose. Ici c'est la guerre, alors oublie tout ce que l'on t'a appris, pilote à l'instinct, que tu sois la tête en bas ou la tête en haut, ne regarde pas l'horizon dont tu dois te f... Une seule chose compte, l'avion ennemi. Il est ton horizon artificiel et si tu crois qu'il est à 250 mètres, ne te fais pas d'illusions, il est en réalité à 600. Quand tu auras peur de le percuter, tu pourras commencer à tirer, il sera à 200 mètres encore !... Ceci, tu l'apprendras à tes dépens quand tu verras, honteux, tes films de ciné mitrailleuse revenant de la commission d'homologation, si tant est que tu ne t'es pas fait descendre avant. Alors pour éviter tout ça, oublie ce qu'on t'a appris et écoute-moi ! » Grâce au ciel, jusqu'à maintenant je l'ai écouté, mais comment les Yankees vont-ils accepter les conseils de la RAF ?

Équipé de P-47 Thunderbolt première version – appelés les « *razor back* » à cause de leur épaisse dorsale, et aussi parce qu'ils étaient gros comme des cochons ou des sangliers ! – armé seulement de six mitrailleuses à l'époque, le 56e Fighter de l'US Air Force a fait une arrivée sensationnelle chez nous. Formation impeccable de trois fois douze avions break de meeting, atterrissages parfaits. Comme ils se posent sur la piste qui jouxte notre *dispersal* à côté duquel ils doivent parquer leurs monstres deux fois gros comme des Spitfire, nous sommes chargés de les accueillir. Leur personnel au sol n'est pas encore arrivé et ce sont nos mécanos qui les aident à descendre. *Chieffy* revient vers nous avec des yeux ronds comme s'il avait rencontré des martiens. Mouchotte, tiré à quatre épingles comme d'habitude, très aristocratique avec son élégance et son long fume-cigarette, va vers nos nouveaux alliés, salue leur commandant reconnaissable au ruban blanc qui flotte derrière son casque (les chefs d'escadrille ont eux des rubans bleus et rouges, comme dans le fameux film de 1929 *La Patrouille de l'aube !*) et quand il revient vers nous il a la tête qu'avait dû faire Stanley quand il a rencontré les premiers Pygmées. Il faut reconnaître qu'avec leurs blousons de cuir à franges ornés de perles multicolores, leur insigne d'escadrille peint sur toute la largeur du dos, les doubles revolvers à crosse de nacre et les cartouches de réserve sur la ceinture, on ne sait pas trop si ce sont des chefs sioux ou des *pistoleros* du Far West. Ils sont soufflés de trouver ici des Français et qui parlent leur langue par-dessus le marché. Ils sont cependant très sympas et au bout de dix minutes la glace est rompue ! Avec un bruit de dérapage, la Humber du grand patron s'arrête, et sortent Malan et Al Deere qui ont un moment de stupeur devant le spectacle de la tribu et ce cinéma. Leur flegme britannique n'a pas résisté !

Au bout d'une semaine, nos Yankees ont compris qu'ils allaient désormais jouer dans la cour des grands. La maniabilité du Spitfire les épate et hélas l'un d'entre eux s'est déjà tué en cherchant à tourner trop bas avec un Spitfire dans un exercice de combat.

Nous les escortons dans leur première mission sur le continent. On a du mal à leur faire comprendre qu'ils doivent desserrer la formation. Nous ne sommes pas à la parade, et douze avions, trois fois quatre, doivent couvrir plus de 1 000 mètres en largeur et s'échelonner sur 200 mètres en altitude afin de voir ce qui se passe autour. Heureusement la Luftwaffe reste au nid. Les services d'écoute allemands ont dû être saturés par la langue anglaise bizarre que parlent ces bavards nouveaux venus dans leur ciel...

Au retour, Mouchotte leur explique que le silence radio est une nécessité de vie ou de mort.

Il faut reconnaître qu'ils apprennent vite. Malheureusement leurs avions ne valent rien, et ils se font descendre trois pilotes au-dessus de Saint-Omer au cours de leur troisième mission malgré les efforts d'Al Deere qui fonce à leur secours avec la 611. On nous dit que de nouveaux P-47 mieux armés, plus performants avec des moteurs plus puissants, vont arriver pour remplacer les *razor back*.

Plus tard je suis devenu très ami avec « Gaby » Gabrewski qui a remporté une trentaine de victoires sur son P-47 et finalement 5 MIG-15 en Corée. Il maniait cette grosse brute de Thunderbolt comme une bicyclette.

*

Un mois bien chargé

9 août

Nous escortons 24 Marauder US bombardant Fort Rouge. Les Focke Wulf de Saint-Omer ne se manifestent pas.

12 août

Couverture de 36 Marauder US bombardant Poix. Le *wing* de Kenley, toujours veinard, accroche. Nous assistons de loin au combat.

17 août

Re-bombardement de Poix, cette fois par 48 Forteresses B-17. Calme plat. Les FW de la JG 2 ont déménagé certainement et ont dû rigoler en regardant la *flak* descendre 3 B-17. Le retour est assez scabreux car nous sommes à court de carburant et la nuit tombe[1].

---

1. Il s'agissait d'une mission de diversion pour le 1er raid américain au Schweinguer de Schweinfurt afin de tromper la chasse allemande. En réalité, la JG 2 avait émigré ce matin-là vers le nord-est et attendait les B-17 de retour d'Allemagne dans les effroyables conditions que l'on sait.

18 août

Nous avons ce matin la visite de William Faulkner accompagné de Corniglion-Molinier. Le grand écrivain est un fana de l'aviation. Engagé dans le Royal Canadian Flying Corps en 1917, comme pilote, un de ses plus beaux romans, *Pylon*, raconte la vie des pilotes d'avions des courses en circuit fermé d'avant 1940 comme le Thomson Trophy ou le Bendix. Il s'entretient quelques instants avec moi en feuilletant notre journal de marche dont j'illustre par mes croquis les événements de la vie de l'« Alsace ».

Cet après-midi, Al Deere et Mouchotte ont commenté pour eux les films de ciné-mitrailleuse des combats du 27 juillet dont les copies viennent d'arriver. Avec eux, entre autres, les confirmations de mes deux victoires. Le film du premier de mes Focke Wulf montre les impacts et, ce que je n'avais pas remarqué, le pilote en train de s'extraire du cockpit pour sauter en parachute. Le deuxième est ce qu'on appelle un « *lucky strike* » car je ne l'ai touché la première fois qu'en le tirant à la verticale, à bout portant, de haut en bas. Sidéré, je me rends compte qu'il n'est pas passé à beaucoup plus de 30 ou 40 mètres, un cheveu à cette vitesse, ce qui est parfaitement imbécile. Là encore on comprend l'utilité des films car on y voit des choses que dans le feu de l'action on n'a pas enregistrées. Là aussi le pilote saute.

Malan se retourne vers moi : « *Clostermann, you don't have much future If you keep doing that sort of things !* » (« Vous n'aurez pas beaucoup d'avenir si vous refaites des trucs comme ça ! »)

Martell, qui est assis à côté de lui, renchérit : « Beau film, mon petit Clo-Clo, mais il ne faut pas te mordre le robinet (son expression favorite...) parce que si tu tentes encore un coup comme ton deuxième fritz tu risques fort de te retrouver en caleçon – les collisions ne pardonnent pas et encadrer un Focke Wulf est un match nul idiot ! »

Comme d'habitude il rabat mon caquet instantanément.

Ces films de ciné-mitrailleuses étaient indispensables pour de multiples raisons. Tout d'abord parce que les gens en combat se faisaient beaucoup d'illusions, et rien de tel qu'un film pour remettre les choses à l'endroit. À côté du canon tribord dans l'aile d'un Spitfire, était montée une caméra de 16 mm, 12 images par seconde, réglée minutieusement par vis micrométriques pour couvrir exactement au centre de l'image le point de convergence des armes, mise en marche couplée avec leur détente. Les quatre mitrailleuses et les deux canons tiraient de part et d'autre du diamètre de l'hélice, et le feu se concentrait, selon les manies du pilote, à 200 ou 300 mètres devant l'avion. C'était ce point – tir au but – qui était filmé, avec un champ d'image assez grand pour restituer des angles de correction de tir très importants, jusqu'à 90°.

Après le combat le film passait image par image dans un projecteur spécial fixé sur une longue table – installation standard sur toutes les bases de chasse anglaises. Sur la table, d'un bout à l'autre, un rail de cuivre gradué permettait de faire coulisser une maquette d'avion ennemi rigoureusement exacte au 72ᵉ, montée sur rotule, avec un rapporteur indiquant les angles, le tout devant un écran pivotant sur lequel était inscrit le cercle du collimateur-viseur. La maquette était déplacée dans le faisceau lumineux du projecteur jusqu'à ce que son ombre coïncide exactement avec l'image sur l'écran. On lisait alors sur la graduation de la règle la distance de tir et le rapporteur donnait l'angle. Le compte rendu de combat indiquait – grosso modo *– la vitesse à laquelle les choses* *s'étaient déroulées, et ainsi on pouvait juger si la correction de tir par rapport à la trajectoire de la cible était bonne. C'était d'une précision diabolique et souvent les impacts de projectiles explosifs – les perforants et les balles de mitrailleuses ne laissant pas toujours des signes visibles sur la cible – confirmaient les indications du système...*

Les films servaient aussi à identifier ou même à découvrir de nouveaux matériels ennemis, avions, objectifs au sol, etc., et c'est pourquoi, pendant la durée de la guerre on a cherché à améliorer les caméras et sur le Tempest on avait des 35 mm à 36 images/seconde qui nous donnaient un bon ralenti et une bonne définition. Cela dit, pour l'homologation des victoires, à moins que la destruction totale, le feu ou l'explosion soient parfaitement visibles sur l'image, il fallait en plus des témoignages ou des rapports des services de renseignements. Parfois on donnait un petit coup de bouton « camera only » pour filmer la chute de l'ennemi en le suivant – ce qui était à nos risques et périls. C'était offrir alors une cible trop facile à l'ennemi. Bien des fois, les meilleurs films ne signifiaient pas victoire. Quelques-uns de mes plus beaux films ont illustré des ratés. Je me souviens qu'à l'école de tir de Catfoss où j'ai passé un mois en

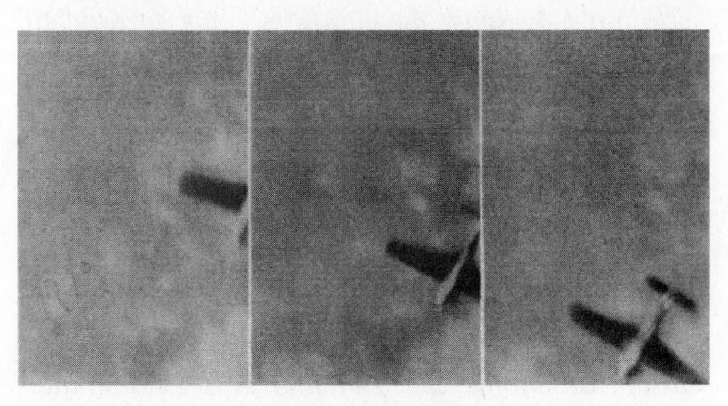

Le Focke Wulf-190 me passe sous le nez... trop près !

1944 après la Normandie et où n'allaient que des pilotes opérationnels ayant déjà des victoires, on passait à titre d'exemple les films des « Élèves » commentés par le grand « Sailor » Malan. Après la projection de plusieurs de mes films à peu près convenables et méritant homologation, voici que Malan dit : « Et maintenant je vais vous montrer la dernière super-production de notre brillant Français nous démontrant brillamment comment rater un avion immanquable »... et sur l'écran qu'il remplit, mon Messerschmitt-109 du 6 juillet en Normandie, tiré à moins de 100 yards, dont on voit en gros plan tous les détails, sur lequel avant qu'il se dérobe je tire 120 obus de 20 et plusieurs centaines de 7 sans l'ombre d'un impact qui aurait été à cette courte portée certainement visible... Incroyable ! Malan nous démontra ensuite, en faisant remarquer l'angle de trajectoire du 109 et le défilement des nuages dans mon virage à la verticale très serré, que je dérapais et, tirant trop près, je frôlais mon adversaire sans le toucher. Malan ajouta à ma complète confusion : « Vous avez revendiqué un endommagé – et on ne vous l'a pas accordé avec juste raison ! » Il m'a consolé le lendemain en montrant le film d'un Focke Wulf-190 que j'avais demandé « probable » en Normandie le 2 juillet, et commentant que l'on aurait dû me l'accorder « destroyed »...

Un autre avantage du film est son aspect éducatif. Il démontre très bien le plus grave des défauts d'un pilote de chasse (après celui de tirer de trop loin) auquel il est bien difficile de résister, le snap shooting. *Il consiste à tirer une courte rafale à la volée au passage en éclair d'un avion ennemi sans chercher à se mettre en position de tir par la manœuvre, dans l'espoir hasardeux jamais concrétisé de le toucher. Évidemment, manœuvrer vous rendait vulnérable pendant quelques très dangereuses secondes. Si j'avais abattu la plupart des avions sur lesquels j'ai tiré j'aurais au moins une centaine de victoires, mais hélas, j'ai moi aussi trop pratiqué le* snap shooting *!*

Là encore les films le démontrent amplement ! Par contre, c'est par les caméras de Bruce Oliver et de Jacques Remlinger, mes camarades pilotes au 602 Squadron, que la preuve a été apportée que c'étaient bien eux qui avaient le 17 juillet 1944 tiré sur la voiture de Rommel.

19 août

« *Fighter sweep* » sur Le Crotoy. Nous poursuivons d'invisibles chasseurs allemands aux quatre coins du ciel. Le contrôle radar n'est pas en forme.

23 août

34 Marauder bombardent encore Poix. Nous les précédons à basse altitude – 10 000 pieds – dans l'espoir de surprendre les chasseurs allemands au décollage. Sans succès, mais quelle *flak !* Un B-26 touché de plein fouet à notre gauche est transformé en une cascade de feu qui dégouline doucement du ciel. Pas de parachute.

24 août

60 Forteresses sur Évreux. Cette fois les Focke Wulf de Fauville sont montés pour défendre leur nid ! Le combat désordonné nous mène pratiquement jusqu'aux faubourgs de Paris dont on aperçoit au loin la tour Eiffel sortant de la brume. Tout le monde tiraille dans tous les sens. Le 611 descend deux FW. Nous en endommageons deux ou trois et j'en tire un de beaucoup trop loin pour lui faire grand mal. Nous rentrons à temps car le brouillard se lève sur l'Angleterre. Comme nous sommes à court d'essence, ça pleure à la radio !

Décidément ce bel été 1943 ne se passe pas trop mal pour moi malgré ces missions d'escorte de bombardiers US qui ne réveillent pas la Luftwaffe. Les

Focke Wulf jouent un drôle de jeu – tantôt ils restent obstinément au sol dispersés et camouflés sur une nuée de petits terrains français et belges, tantôt ils piquent sans raison une crise et on en a cent sur le dos !

Je vole un *sweep* sur deux comme équipier de Martell et surtout de Mouchotte depuis le 17 mai quand j'ai décroché de sa queue deux FW-190 qu'il n'avait pas vus, occupé à en tirer un autre. N'ayant pas le temps de me mettre en bonne position car ils pouvaient le descendre, j'ai foncé sur eux comme un dingue, surpuissance enclenchée, hurlant un avertissement. Ils m'ont pris pour un fou dangereux et par peur d'une collision ont renversé en un clin d'œil leur virage – ah ! les merveilleux ailerons du Focke Wulf-190... – et lâché leur proie potentielle. Un des deux m'a quand même flanqué une belle peur en me tirant plein arrière à moins de 100 mètres et me manquant miraculeusement.

*

25 août

Ce matin sévit un brouillard à couper au couteau, conséquence du soleil brûlant de cette belle semaine d'été réchauffant le gazon anglais gorgé d'eau ! Aucun show n'est prévu pour aujourd'hui et nous prenons notre breakfast tranquillement à 7 heures avant de partir par petits groupes pour le *dispersal*.

Comme c'est le 611 qui est en alerte à 30 minutes, avec un peu de chance nous aurons un *day-off* – donc Londres pour les aventureux aux poches garnies et le lit avec la mignonne ou un bon livre pour les autres.

En effet, à peine installé un jeu de Monopoly et dans un coin un poker clandestin torride, OPS téléphone à 8 h 30 : « *Squadron released* ». Soulagement et cris de joie. La porte du *dispersal* est trop étroite pour la horde bruyante qu'elle vomit ! Mathey et Marquis filent dans une pétarade de motos...

Nous habitons des petites villas à quelques mètres de nos avions et je vais enfourcher ma bicyclette pour aller me changer.

Que faire ensuite ? Pas question d'aller à la pêche car il est trop tard pour prévenir mes amis anglais propriétaires de ma rivière favorite et d'ailleurs il fait trop chaud pour que les truites mordent ! Alors il ne reste que Londres ou la bibliothèque du YMCA de Bromley South fort bien pourvue même en livres français[1].

Un pied à terre, un autre sur une pédale de mon vélo, je suis perplexe quand la petite Hillman verte du commandant Mouchotte s'arrête auprès de moi.

Échange de saluts.

— Clostermann, avez-vous des plans particuliers pour aujourd'hui ?

Et avant que j'aie le temps de répondre il ajoute :

— Sinon, voulez-vous venir avec moi faire une reconnaissance météo sur la France ?

Pardi, quelle question ! À en juger par son sourire narquois, il connaît la réponse.

— OK, laissez votre vélo, prenez vos cartes, montez et venez avec moi jusqu'à la salle d'opérations.

Weather Reco – reco météo – est un euphémisme pour calmer les inquiétudes du commandement de la RAF peu désireux de voir des missions « *rhubarb* » trop souvent improvisées et désordonnées aux quatre coins des côtes françaises !

Comme à l'accoutumée, Mouchotte a certainement bien préparé son affaire, mais arrivés aux OPS

1. J'y ai même emprunté un exemplaire de *La Boîte à pêche*, avec le cachet « Biggin Hill, volontaires français », ce qui a beaucoup fait rire Maurice Genevoix quand il me l'a dédicacé trente ans plus tard, ayant « oublié » de le rendre...

je m'aperçois vite que les autorités ont des idées et des objectifs différents pour cette mission, donc hélas plus grand place pour l'improvisation...

Le commandant me fait signe de m'asseoir, part discuter dans le bureau de l'*intelligence officer* et revient avec lui quelques minutes plus tard. Tenant à la main une feuille de message, il va à la grande carte murale et m'appelle.

C'est bien une reco météo de principe mais s'y ajoute une obligation qui va restreindre notre liberté, en un mot le charme de la mission de chasse libre que nous espérions.

L'I.O., l'*intelligence officer*, explique qu'un train, transportant le matériel lourd d'une brigade blindée allemande faisant mouvement, vient de passer les trois nuits précédentes à l'abri d'un tunnel à Sommery sur la ligne Rouen-Beauvais. La réparation de la voie, endommagée par un bombardement ou un sabotage, est achevée et la Résistance française, semble-t-il, a prévenu. Le convoi va donc sûrement repartir à la faveur du mauvais temps et descendre vers le sud, hors de portée.

Je cherche Sommery sur la grande carte au 50 000e qui couvre le sud de l'Angleterre jusqu'à Londres au nord, la France, la Belgique, la Hollande, de la Bretagne à la Ruhr jusqu'à Paris au sud. Je le trouve enfin, au milieu d'un quadrilatère Abbeville, Amiens, Beauvais et Rouen, en un mot au centre d'un nid de guêpes ! Les taches rouges sur la carte qui représentent les zones dangereuses de *flak* et les aérodromes – Dieu sait s'il y en a dans le coin – sont marquées chacune d'un carré blanc où est inscrit le nombre, le type d'avions et le numéro de l'unité de la Luftwaffe qui y est basée.

Six mois auparavant, il y avait encore beaucoup plus de monde. Plusieurs unités de Messerschmitt-109 ont émigré vers l'Est. La Russie commence à coûter cher à la Luftwaffe. Mais il en reste ici, et des meilleures, réunissant environ 300 avions de chasse – la JG 26, la fameuse Schlageter de Galland et d'Oesau, commandée actuellement par Priller, sévit dans le coin, à Abbeville avec ses FW au nez jaune. « Assi » Hahn et JG 2 sont à Beaumont-le-Roger. Graff est revenu après son aventure du 27 juillet à Bussac plus au sud avec la JG 52, mais détache toujours plusieurs escadrons de cette escadre dans le nord.

— Donc, me dit Mouchotte, c'est une reco sur un itinéraire fixe un peu particulier. Nous franchirons la côte française un peu à l'ouest du Tréport, nous filerons le long de la vallée de la Bresle qui est un bon point de repère jusqu'à Aumale et là, nous prendrons carrément le cap 270°. À Neufchâtel, virage à gauche le long de la voie ferrée jusqu'à Forges pour retrouver à droite, au milieu d'une forêt, une autre voie ferrée que nous longerons jusqu'à la colline percée par le tunnel de Sommery. Là, juste avant ou juste après le tunnel nous devrions trouver un long train de wagons plate-forme transportant des véhicules et surtout des chars. Si le convoi est là comme nous l'espérons, appeler « Appledore » ou « Grass Seed » sur le canal C et utiliser la phrase du code : « Big Boys ». Nous tenterons ensuite d'immobiliser la loco pour gagner du temps et permettre un *strike* de Typhoon ou de Hurricane-Rocket si la météo est encore mauvaise cet après-midi. Sinon ce seront les Boston qui hériteront de la mission. Un Mosquito est prévu pour le relais radio.

C'est donc là le vrai but de notre sortie : vérifier la présence de blindés sur les wagons et surtout tenter de voir s'il y a des nouveaux chars Tigre parmi eux.

Bon, le Tigre, je connais, même si je n'en ai jamais vu en chair et en os, mais je sais par les photos de l'Intelligence que c'est un panzer imposant. Le Mark-IV est plus haut sur pattes et plus petit.

En remontant en voiture, Mouchotte ajoute :

— Ne perdez pas votre temps à tirer dessus – les 20 ne servent à rien contre leur blindage. Si vous êtes sûr d'en avoir identifié, comptez-les et annoncez brièvement à « Appledore » dans la radio : *Big boys ! Big boys !* Comme on nous dit que c'est une brigade, il ne doit y avoir que dix ou vingt Tigres parmi les blindés. Si vous êtes bien placé et uniquement dans ce cas, essayez de perforer la loco, mais de grâce, une seule passe et on file à la maison. OK ?

Je volerai au ras des pâquerettes tandis que vous resterez à 50 mètres et si la visibilité le permet à 100 mètres, bien parallèle à ma droite, toujours 10 à 20 mètres plus haut à cause des obstacles. Gardez un œil sur moi et un autre en l'air, on ne sait jamais, il peut y avoir un Focke Wulf un peu cinglé et agressif en maraude !

Si nous sommes séparés après l'objectif ou pour une raison quelconque, quel que soit l'endroit où vous vous trouverez en France, prenez le cap 330° qui vous ramènera et vous trouverez toujours un point de repère sur la côte anglaise. Si vous êtes vraiment paumé, appelez ZONA sur le canal D et il vous conduira à la base. Quoi que vous fassiez, restez sous le plafond, pas de PSV, et si vous ne pouvez pas passer sans risque les collines du Surrey, posez-vous sur le premier terrain que vous trouverez – ils ne manquent pas entre Plymouth et Manston.

Les briefings de Mouchotte sont toujours complets et précis dans les moindres détails. Il préfère répéter cent fois la même chose. Avec lui, je suis en confiance, car tout est pesé dans son esprit, les alternatives préparées, la navigation mémorisée. Ce n'est pas la charge bride abattue de la Brigade Légère comme avec Martell. C'est évidemment moins drôle mais plus *safe !*

OK, tout est dit et nous revenons à nos avions. J'aide Mouchotte à porter son parachute jusqu'à son Spitfire et je ne puis m'empêcher de remarquer et de lui faire remarquer qu'il semble très fatigué, les yeux rouges et cernés.

Il m'avait dit la semaine dernière alors que je travaillais dans son bureau à illustrer le livre de marche du groupe : « Une fois l'été passé, je prendrai une longue permission. Les Sinclair (le ministre de l'Air, sir Archibald, et lady Sinclair) m'invitent dans leur propriété d'Écosse et Martell comme Boudier peuvent parfaitement me remplacer pendant deux ou trois semaines. En attendant, démarrage des moteurs à 9 h 35 et silence radio absolu ! Bonne balade et avec un peu de veine nous pouvons gauler au passage un Ju-88 rentrant au bercail ou un vieux Ju-252 de liaison. Allons-y ! »

Nous décollons aile dans l'aile. Le commandant est toujours très souple aux commandes et à la manette, facile à suivre et on économise le pétrole.

Avec ce brouillard, la mer me fait toujours plus peur que la terre, car dans les bancs de brume qui traînent on ne sait pas trop ce qui est mer et ce qui est ciel. Percuter à 500 km/h ne vous laisse pas beaucoup de chances d'en sortir !

Nous survolons soudain une large traînée d'écume qui tranche sur le vert glauque de la Manche. Des détritus, des ordures et des débris de toute sorte flottent dans ce sillage – probablement d'un gros navire –, attirant des nuées de mouettes. Elles sont sur nous avant que nous ayons le temps d'esquisser une manœuvre et nous passons miraculeusement...

je ressens juste un léger choc et une boule de plumes blanches ensanglantées doit tomber derrière mon Spitfire. Ce sont les radiateurs et l'hélice – surtout les fragiles pales d'hélice Rotol en bois plastifié – qui sont vulnérables. Une panne au ras de la mer pardonne rarement et *ditcher* un Spitfire c'est la mort garantie quatre-vingt-dix-neuf fois sur cent. Quand par malheur cela vous arrive, il n'y a qu'une solution, transformer sans hésiter une seconde les 300 mph de vitesse en altitude, larguer la verrière, passer sur le dos sans se mettre en vrille tandis que l'on a encore assez de badin pour que les ailerons agissent. Se laisser tomber, tirer tout de suite sur la poignée d'ouverture du parachute en priant pour qu'il s'ouvre vite.

Ce n'est pas réjouissant et à chaque traversée de la Manche je répète mentalement la manœuvre.

C'est toujours au milieu du Channel, avec les vagues qui défilent au ras des ailes, que la merveilleuse sonorité du moteur Rolls Royce « Merlin » prend soudain une tonalité inquiétante, bien que je sache que c'est le fruit de mon imagination alimentée par l'appréhension !

Attention ! – j'ai failli rompre le sacro-saint silence radio – une silhouette sombre, basse, avec une cheminée maigre et un mât surgit du brouillard. Nous sautons *in extremis* un chalutier anglais qui n'a rien à faire par ici.

En mer, il s'agit de ne jamais arriver plein pot sur un convoi car il tire immédiatement et toujours sur tout ce qui vole. OPS nous a garanti qu'il n'y en avait pas sur notre route... oui, mais nous pouvons aussi très bien tomber sur une paire de *flakships* allemands profitant du brouillard pour transiter d'un port à un autre du continent. À moins d'être un des dangereux maniaques du 91 Squadron, comme Maridor ou Jaco Andrieux dont c'est le métier de les rechercher, mieux vaut les éviter. La

Royal Navy idem car c'est aussi avec elle le feu d'artifice garanti à chaque fois que l'on s'en approche.

Dix-huit minutes de traversée, la côte française n'est pas loin, nous larguons nos réservoirs supplémentaires. Le *zin-zin-zin* lancinant de la radio location allemande – le nouveau gros Wurzburg de Bruneval sans doute – commence dans nos écouteurs. Nous sommes encore trop bas pour qu'ils nous situent exactement mais la *flak* est là qui doit nous attendre. Les longs tubes des quadruples de 20 de la DCA qui frémissent comme des doigts d'aveugle doivent déjà tâter le brouillard dans lequel nous glissons presque invisibles !

Une plage apparaît avec des obstacles antichars, une petite colline et c'est à gauche, distinct, Le Tréport.

Nous restons au ras du sol en obliquant pour contourner l'agglomération et trouver la Bresle...

La voilà et c'est, plutôt qu'un cours d'eau, un chapelet d'étangs et de marécages. Toute cette humidité n'améliore pas la visibilité dans la vallée où il y a des peupliers partout. Gare aussi aux lignes à haute tension, tendues d'une colline à l'autre, qui sont des pièges mortels.

Le plafond est à peine d'une cinquantaine de mètres et la visibilité horizontale de moins d'un kilomètre. C'est limité à 540 km/h et à 150 m/s, c'est bien peu pour apercevoir, évaluer et éviter un obstacle. J'essaye bien de remonter un peu, mais aussitôt je suis dans la crasse et je dois redescendre coller à Mouchotte, ce qui rend impossible toute couverture croisée. Heureusement, il fait un temps à ne pas mettre un Messerschmitt dehors !

Aumale !

« *Turning sharp right* ». Ce sont les premiers mots de Mouchotte dans la radio depuis le décollage. Il bat des plans, glisse sous moi et je vire sec pour ne pas le perdre de vue. Si le dispositif de guet allemand nous a repérés – ce dont je doute –, cette manœuvre doit leur faire croire que nous rentrons. 2 minutes et 30 secondes d'Aumale à Neufchâtel-en-Bray, puis nous prenons à gauche le cap 180°. Top chrono ! Sommery est à un peu plus d'une minute, et nous devons rencontrer la voie de chemin de fer à l'est de la colline que le tunnel-abri perce. La voilà ! Et nous croisons les rails à angle droit. Rien de ce côté. Virage scabreux dans la crasse et nous redescendons de l'autre côté pour entrevoir, à 2 000 ou 3 000 mètres de la gueule noire du tunnel sur la voie vers Rouen, la fumée blanche d'une loco indistincte dans le brouillard et le long serpent d'un convoi qui se traîne, à demi caché par le remblai. Il ne se dirige pas dans la direction prévue.

Seul Mouchotte est en position pour tirer, et encore c'est en virage dérapé à plat. Je vois les traînées de douilles et la lueur de ses canons qui tirent, et, miracle, des impacts sur la loco et le tender.

Je n'ai pas le temps d'en voir plus car soudain c'est la *flak*. Des éclairs apparaissent au milieu du train et d'autres partent du remblai.

Trop tard pour tenter la moindre esquive, je passe, la tête entre les épaules, au travers d'une gerbe éblouissante d'obus traceurs et BANG ! Coup de poing au creux de l'estomac ! Je suis touché par la *flak* pour la première fois depuis que je vole en opérations avec ce bruit terrifiant d'un projectile qui explose dans la caisse à résonance d'une aile, le crépitement des éclats qui tambourinent sur le métal et l'onde de choc des coups qui passent trop près. Je saurai désormais ce qu'est la terreur panique. Comment n'ai-je pas percuté un poteau de signalisation ou la cabine de contrôle qui défile sous moi, Dieu seul le sait. J'ai dans les yeux l'empreinte lumineuse des traceurs, comme un collier de perles d'or. Entre chaque traceur il y a quatre obus invisibles... J'arrive quand même à entrevoir en un éclair, au passage, des véhicules sur les wagons et au centre du convoi trois ou quatre formes énormes sous des bâches. À découvert il y a enfin un char Tigre. C'en est un, indiscutablement, imposant, débordant de la plate-forme, carré, accroupi très bas sur ses larges chenilles et son canon qui n'en finit plus, terminé par un gros frein de bouche...

Gorge sèche, je crie dans la radio : « *Appledore, Appledore ! Big Boys, Big Boys !* » et j'entends Mouchotte qui répète derrière moi le message. Très lointaine mais claire vient la réponse : « *Appledore answering, message received with thanks !* », à cause de la portée des VHF à basse altitude, un Mosquito à 30 000 au milieu de la Manche a fait le relais.

Mon moteur tourne rond, les températures sont normales et les commandes répondent. Ce ne doit pas être un impact grave.

Mais combien y avait-il de chars ? Je serais bien incapable de le dire et pas question de revenir les compter. Tout s'est passé en quelques secondes dont il ne reste que des images bousculées, brouillées par la bouffée de peur au ventre...

La *flak* continue, il y a des projectiles traceurs partout, par petites rafales horizontales qui me suivent et se perdent en ondulant dans les nuages bas.

Souffle court, bouche amère, je cherche Mouchotte et une petite éclaircie me permet de monter un peu. Je repère le Spitfire du commandant et en virant pour le rejoindre je distingue la loco stoppée enveloppée d'une fumée noire et blanche tandis qu'une fourmilière d'hommes s'affaire sur le ballast.

« *Turban open up, going home !* » (« À la maison, pleins gaz ! ») me dit Mouchotte.

Je reprends peu à peu ma respiration et récupère un semblant de calme. Les éclats de l'obus de 20 –

un 37 m'aurait sûrement abattu – ont transformé en salière le caisson de bord d'attaque autour de mon canon d'aile gauche. L'impact doit se situer sur l'intrados, le Spitfire est solide, mais c'est en cet endroit que se logent le train et la roue. Ont-ils subi des dégâts ?

Cap plein ouest nous fonçons vers la côte que nous franchissons en trombe à Étretat. Enfin la Manche ! Des traceurs lumineux ricochent et s'éteignent dans la mer d'huile. C'est un poste de *flak* automatique en haut de la fameuse falaise qui nous tire au passage et nous accompagne de petites gerbes d'écume jusqu'à ce que nous soyons hors de portée. Les grappes de cinq ou six éclatements des chargeurs de 37 allemands s'égrènent en vain derrière nous. Le temps se lève un peu au milieu de la Manche et nous virons cap au nord vers Beachy Head en passant au-dessus de deux barques de pêche françaises dont les marins font de grands signes en agitant un drapeau tricolore.

Au-dessus de l'Angleterre, le soleil a percé par endroits la brume qui se dissipe et Biggin Hill est au centre d'une grande flaque de soleil. Une fois dans le circuit, j'annonce à Mouchotte que j'ai été touché et que j'ai des inquiétudes pour mon train d'atterrissage. Il me répond de le baisser et qu'il ira jeter un coup d'œil. « *Fly staight and level !* » Son Spitfire se glisse sous le mien – tout semble OK et j'ai les lampes vertes.

Je me pose quand même avec précaution, aile droite basse pour alléger ma jambe gauche et son pneu. Tout se passe bien. Ouf !

Le *spy* (argot RAF pour l'« espion », l'*intelligence officer*) nous attend. Notre *chieffy* – sergent chef mécanicien RAF – aide Mouchotte à descendre. Je les rejoins. Le commandant n'a pas l'air dans son assiette, ses traits tirés et son visage pâle profondément marqué par le masque à oxygène me frappent. Il doit le lire dans mes yeux : « Ça va, ça va... c'était très bien Clostermann. » Toujours le mot gentil...

Pendant que l'I.O. (*intelligence officer*) le débriefe, nous examinons les dégâts subis par mon avion. Nous sommes étonnés de ne pas trouver d'orifice d'impact dans la voilure, mai bien une multitude de petits trous et de déchirures. C'est un mystère. Est-ce l'autodestruction d'un 37 qui a explosé à limite de portée ? Si le projectile avait touché de plein fouet, l'aile y passait très probablement. Destin...

Le mess téléphone qu'il y a un repas chaud qui m'attend si je le désire.

Thé, saucisses, un œuf et des frites – réchauffées hélas ! – dans un mess désert à l'exception de la Waaf[1] serveuse qui me fait gentiment la conversation. Je mange quand même avec appétit.

C'est encore et toujours cette sensation de renaître dans un monde civilisé après la tension et le choc nerveux de la mission dont il ne demeurera finalement qu'un peu d'acidité au creux de l'estomac cet après-midi. Mais je sais que dans l'avenir j'aurai toujours une sacrée frousse de la *flak*.

*

Le lendemain, 26 août, nous avons effectué un nouveau *sweep*, escortant 36 Marauder bombardant Caen. R.A.S. Mouchotte mène encore le *squadron* et je suis le numéro 2 de Martell.

En ce soir du 26 août, Mouchotte a noté :

« Les *sweeps* continuent à une cadence terrible. J'en suis à un nombre record de 140. J'en ressens une fatigue impitoyable, mes nerfs s'usent. Le

---

1. Woman Auxiliary Air Force. (Auxiliaire féminine de la RAF).

moindre effort m'essouffle, j'ai un besoin hurlant de repos, ne serait-ce que 48 heures. Je n'ai pas pris huit jours de permission depuis deux ans et je suis mortellement fatigué... demain je repars ! »

Ce sont là les derniers mots qu'il aura écrits sur ses carnets publiés après la guerre. Le 27 août, menant l'escadre de Biggin Hill tout entière avec moi pour équipier, il va disparaître, perdant probablement connaissance au cours d'un engagement désordonné et brutal avec 80 Focke Wulf de la JG 26 au-dessus de Saint-Omer.

27 août 1943

Le troisième show[1] de la journée !

À Biggin Hill, il fait une chaleur étouffante.

Le briefing a lieu après le thé. Ce sera un *sweep* intéressant sans doute :

Deux vagues de 60 Forteresses Volantes, chacune devant bombarder à 20 minutes d'intervalle un bois au sud-ouest de Saint-Omer. Une division blindée allemande en manœuvre y aurait été signalée.

Notre *wing* doit seul escorter la première formation de bombardiers américains. Soit 24 Spitfire en tout (12 du 341 et 12 du 485 néo-zélandais).

Comme escorte, c'est maigre. Les stratèges du « Eleven Group » décident que la Luftwaffe n'aura pas le temps matériel de se concentrer sur la première *box*[2] et la grosse bagarre sera probablement pour les deuxième et troisième vagues, qui seront fortement escortées...

À l'opération participent les deux groupes de Spit-XII de Tangmere, quelques groupes de Spit-V-B, les *wings* de Hornchurch et de Kenley, ainsi qu'un groupe de Spit-V – le 117 – qui nous suivra directement à basse altitude.

---

1. Le « Cirque » : nom donné par la RAF aux missions importantes.
2. Nom donné à une formation de Forteresses Volantes en forme de boîte.

Plusieurs groupes de Thunderbolt de la huitième armée de l'air américaine doivent également, en réserve, participer à l'opération.

De retour au *dispersal*, le tableau d'affichage donne les derniers détails. Je suis numéro 2 du commandant Mouchotte. Démarrage des moteurs à 18 h 03. Départ sur cap et décollage à 18 h 05 vers Hardelot, où nous devons rencontrer à 18 h 40 les Forteresses volant à 18 000 pieds d'altitude.

Mon vieux taxi NL-B se trouve à côté de NL-L – celui du commandant.

Tout y est déjà préparé, mon parachute sur l'aile, mon casque accroché au manche et mes gants coincés entre la manette des gaz et le contrôle de l'hélice.

Je m'installe. Un dernier coup d'œil aux instruments. Tommy glisse son bras dans le cockpit pour mettre le contact de la mitrailleuse-photo. Il vérifie les glissières du *hood*.

Tout est prêt : la température d'huile à 40°, le radiateur à 10° et les *fletners* [1] en position. J'essaye le collimateur.

Il fait lourd aujourd'hui et, fagoté dans ma Mae West par mes sangles de parachute et mes courroies de sûreté, j'étouffe.

Le commandant Mouchotte commence à s'attacher. Pour la première fois depuis que je le connais, il a enfilé, par-dessus son pull-over blanc, sa veste d'uniforme. J'entends Pabiot qui lui en fait la remarque au passage.

— Ah ! lui répond Mouchotte en riant, on ne sait jamais, je tiens à être paré pour finir en beauté...

Six heures moins deux minutes. Je vois sa silhouette émaciée se glisser dans le cockpit, et avant

---

1. Petites surfaces de compensation aérodynamique des gouvernes.

de coiffer son casque et son masque à oxygène, il me signale *thumbs up*[1] accompagné de son irrésistible sourire, à la fois amical et encourageant...

18 h 03. Bruit de tonnerre, les moteurs démarrent les uns après les autres...

À peine au milieu de la Manche, je sens que les choses vont mal.

— *Hurry up Turban leader, the big boys are about to be engaged !* (Dépêchez-vous, Turban, les « grands garçons » vont être engagés d'une minute à l'autre !)

Allons bon ! les stratèges se sont mis les doigts dans l'œil. Non seulement les boches réagissent, mais encore les Forteresses ont cinq minutes d'avance. Elles tournent en rond désespérément, entre Boulogne et Calais, n'osant s'engager plus en avant sans escorte.

On accélère, 2 600 tours et + 6 de boost – et l'on grimpe.

J'aperçois enfin les Forteresses au loin, en formation impeccable comme d'habitude. Rien d'anormal à première vue, si ce n'est la pyramide de *flak* qui s'élève de Boulogne.

Le contrôleur commence à nous taper sur les nerfs :

— *25 Huns, over.* (25 boches sur Abbeville à 15 000 pieds, grimpant.)

— *30 plus over Saint-Omer, 20 000', going West !* (Plus de 30 autres sur Saint-Omer, 20 000 pieds, cap ouest.)

— *15 plus ten miles South of Hardelot, no height yet !* (Plus de 15, 10 milles au sud d'Hardelot. Pas encore d'altitude.)

— *40 plus five miles from the big boys, 25 000', about to engage !* (Plus de 40 à 5 milles des « grands garçons », 25 000 pieds, se préparant à attaquer.)

1. Le pouce en l'air : signe de la main indiquant que tout va bien.

La dernière photo de Mouchotte, le 27 août, prise avec mon appareil photo par Pabiot.

Toute la Luftwaffe est en l'air aujourd'hui ! Ça va chauffer !

On est presque à la verticale de Gris-Nez, à 22 000 pieds, lorsque soudain, j'aperçois les Allemands.

Une trentaine de Focke Wulf, 800 mètres au-dessus des Forteresses, en file indienne commencent à piquer, deux par deux, et la masse des bombardiers s'illumine de mille points de feu – balles explosives boches qui touchent ou mitrailleuses Colt qui ripostent.

Plus haut, perdu dans la lumière, on devine tout un grouillement de Focke Wulf révélés de temps à autre par l'éclair soudain d'une aile accrochant le soleil.

Froidement, comme à l'exercice, Mouchotte, patron aujourd'hui, commence à donner des ordres :

— *Come up Gimlet Squadron !* s'adressant à la 485 qu'il place de façon à nous couvrir du côté du soleil...

— *Turban and Gimlet drop your babies !*

On passe sur les réservoirs principaux d'essence, et l'on se débarrasse des réservoirs supplémentaires.

Bordas et, derrière lui, Christian Champan, un Américain qui, engagé volontaire dès 1941 dans les FAFL, a été plus tard ministre plénipotentiaire à l'ambassade US à Paris. Un ami et un camarade fidèle. Il a été fait officier de la Légion d'honneur par le président Pompidou lors de son voyage officiel en 1970 aux États-Unis.

Tout est paré pour la bataille. D'un coup de pouce j'enlève la gâchette de sûreté des canons et tourne le contact du collimateur.

Un courant électrique semble animer l'escadrille, et les 24 Spitfire commencent à s'agiter, à balancer des ailes et à déraper à droite et à gauche.

Tout le monde ouvre les yeux.

À la radio, le cafouillis commence !

— *Hullo Turban leader, six aircrafts at 9 o'clock above !* (Allô Turban, six avions à 9 heures, au-dessus.)

— *Hullo Turban leader. Yellow 1 calling, about ten Focke Wulf at 4 o'clock above ! (*Allô Turban. Jaune 1 vous appelle, environ 10 FW à 4 heures, au-dessus.)

C'est la voix calme de Martell. On sent qu'il jubile en pensant à la grosse bagarre qui s'approche.

Nous sommes maintenant une bonne trentaine de kilomètres à l'intérieur de la France. À gauche et en dessous, les Forteresses sont enveloppées dans une masse confuse de Focke Wulf – une cinquantaine environ.

Tant pis pour elles, on n'y peut rien.

Sans nous, ils seraient cent. Nous tenons le reste en respect par notre présence. Mais, pas pour longtemps !

— *Turban Red Section break port !* (Section Rouge de Turban, dégagez à gauche !)

Le cri dans les écouteurs me perce les oreilles. Un coup d'œil à gauche me montre une avalanche de 20 à 30 FW-190 qui dégringolent du soleil. Les trois premiers sont déjà à 800 mètres de moi, dans ma queue...

— *Turban Squadron, quick 180 port go !* (*Squadron* Turban, 180° à gauche, vite !)

Un boche ouvre le feu ; les traceuses passent à 15 mètres de mes extrémités de plan. Décidément très malsain.

J'ouvre les gaz à fond, je tire désespérément sur le manche pour suivre Mouchotte qui exécute un virage serré en grimpant presque à la verticale.

J'ai tiré trop sec. Le compresseur cale, la capsule barométrique coupant le moteur pendant une précieuse seconde et je reste, le nez en l'air, en perte dangereuse de vitesse, tandis que les premiers boches commencent à défiler entre nos sections comme des bolides...

Avec un grand choc, mon moteur reprend, mais trop tard ; j'ai déjà perdu contact avec ma section que j'en entrevois un 300 mètres au-dessus grimpant en spirale. Je dois piquer pour reprendre de la vitesse.

Pour bien voir ce qui se passe j'exécute un tonneau bien barriqué, qui me place à 100 mètres d'un Focke Wulf sur qui je tire une longue rafale de 20 avec 40 degrés de correction.

— Manqué !

Virage serré, serré à déclencher vers la gauche, et je me trouve parallèle à deux autres boches – deux magnifiques 190, tout neufs, luisants, au capot peint en rouge avec leurs grandes croix noires fascinantes qui se détachent sur le fuselage ocre et vert olive !

— *ZZZZZ !* Trois autres défilent quelques mètres sous moi comme des éclairs, battant leurs courtes ailes jaunâtres.

— Ça va décidément mal...

Au-dessus, ça va plus mal encore. J'entends les cris des uns et des autres dans la radio. Le capitaine Martell navigue sa section avec maestria. La voix détachée du commandant Mouchotte essaye de rallier les deux *squadrons*, les appels au secours, les cris forcenés et excités des Néo-Zélandais, un ou deux jurons parisiens bien salés...

Je commence à me débattre comme un diable, je tourne, volte, virevolte. Je vois noir. Mon masque à oxygène entraîné par les G doit m'arracher la peau du nez. Je me démanche le cou à surveiller tous les avions qui défilent à ma portée dans un méli-mélo effroyable...

Soudain, je me retrouve dans un petit coin de ciel à peu près tranquille. Tout autour les Spitfire et les Focke Wulf tourbillonnent.

Quatre traînées verticales de lourde fumée noire qui s'accrochent à l'atmosphère sans se dissiper marquent la trajectoire fatale de quatre avions dont les débris flambent au sol, éparpillés dans les prairies 8 000 mètres au-dessous...

Des parachutes commencent à éclore de tous côtés.

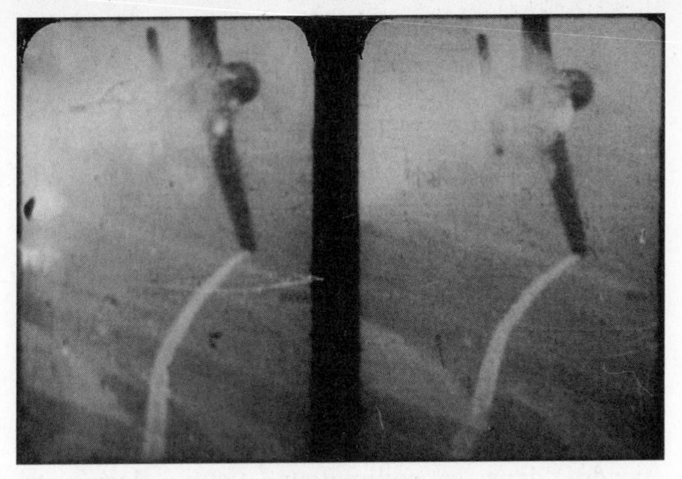

Mon Focke Wulf-190 du 27 août, durement touché.

Qu'attend le contrôleur pour nous envoyer des renforts ? – 24 contre 90 – Nous n'avons guère de chances d'en sortir.

Heureusement, cela semble paradoxal, on s'en tire quand même, car les Focke Wulf sont beaucoup trop nombreux et se gênent mutuellement.

Notre retraite est cependant coupée. Impossible de retrouver Mouchotte dans ce désordre.

Voler plus de trente secondes sans un brusque virage alternativement d'un côté et de l'autre serait un suicide...

Ce qui me fait enrager c'est qu'avec tant d'ennemis autour de moi, je ne puis pas même en homologuer un.

Enfin, l'occasion se présente :

Deux Spitfire piquent à fond de train poursuivant sous moi un Focke Wulf. Inaperçu, un autre se glisse dans leur queue et tire. Je vois les traînées de fumée qui s'égrènent de ses quatre canons. Deux Néo-Zélandais, évidemment : de l'allant, mais beaucoup d'inconscience.

J'essaye de les prévenir.

— *Look out the 2 Spits following that Hun Break !* (Attention ! vous les 2 Spit qui poursuivez ce boche : dégagez !)

C'est vague comme appel, mais je n'ai pu lire le matricule individuel de leurs appareils.

Un coup d'œil à droite et à gauche et j'attaque le dernier FW-190 de trois quarts arrière. Au moment où j'ouvre le feu, il m'aperçoit et dégage à droite en piquant.

Je l'aurai.

La vitesse monte au badin[1] : 500, 550, 650 km/h... Je presse la détente et le recul de mes canons fait trembler mon Spit. Le Boche frétille, mais il est bien encadré dans le collimateur – cinq degrés de correction – portée 200 mètres – *Bang ! Bang ! Bang ! Bang !* Je tire par courtes rafales... Correction facile.

Explosions sur l'aile droite entre le fuselage et les croix noires.

Nous sommes maintenant à presque 700 km/h !

Un obus sur son cockpit dont la couverture vitrée s'envole et passe à quelques mètres de mon appareil...

Je gagne du terrain. Je continue à tirer désormais à moins de 100 mètres et je distingue la face du pilote qui se retourne, comme un insecte bizarre avec ses lunettes sur les yeux.

On redresse. La poursuite se continue en palier.

Je presse encore sur le bouton multiple et je déclenche cette fois toutes mes armes – deux canons et quatre mitrailleuses – pour en finir.

Deux obus explosent simultanément à la base du moteur, et le poste de pilotage vomit un nuage de fumée noire. Le pilote disparaît.

Lentement, le Focke Wulf passe sur le dos. Nous ne sommes plus qu'à 300 mètres d'altitude. Les routes et les villages défilent sous nos ailes...

---

1. Badin : indicateur de vitesse (du nom de son inventeur).

Quelques lueurs apparaissent maintenant dans la fumée : il est touché à mort.

Nous descendons toujours plus bas.

Je dois réduire les gaz à fond pour éviter de dépasser ma cible.

J'ai épuisé mes munitions et chaque fois, maintenant, que je presse la détente, je n'entends plus que le sifflement de l'air comprimé et le claquement des culasses qui réarment à vide.

Mais je l'ai eu quand même !

À une vitesse effroyable, le Focke Wulf toujours sur le dos touche le sol, il glisse en semant des débris incandescents, laisse une traînée d'essence enflammée, traverse deux haies et s'écrase contre un talus dans une gerbe éblouissante d'étincelles...

Fasciné je n'ai que le temps de redresser de justesse.

Remontant en spirale à pleins gaz, je jette un dernier coup d'œil. L'herbe imbibée d'essence forme une couronne de feu autour de la structure calcinée du Focke Wulf, et la grasse fumée entraînée par le vent dérive péniblement vers le village d'Hazerbrouk près de Sercus.

Maintenant, ce n'est pas tout : il faut rentrer en Angleterre. Je fais le point rapidement : je suis à l'est de la forêt qui borde l'aérodrome de Saint-Omer. Je commence à reprendre mon souffle, mais pas pour longtemps. Là-haut, la bataille continue toujours. La radio m'apprend que Buiron a descendu un boche.

Quelques secondes après j'entends pour la dernière fois la voix du commandant Mouchotte appelant :

— *I am alone !* (Je suis seul !), que font Turban Raid 3 et 4 ?

Quel combat violent pour qu'un *wing leader* – surtout celui de Biggin Hill – se trouve ainsi isolé malgré sa vingtaine d'avions !

Ça va toujours mal au-dessus de moi...

Je m'en aperçois vite.

Je viens juste de mettre le cap sur l'Angleterre discrètement, lorsqu'un groupe de Focke Wulf décide de s'intéresser à ce pauvre Spitfire isolé qui semble mal à l'aise.

Manche au ventre, 3 000 tours, 20 boosts[1] à l'admission, je grimpe désespérément, accompagné par les FW – deux à droite, deux à gauche à quelques centaines de mètres.

Si j'arrive à mon deuxième étage de compresseur avant d'être descendu, je les roule.

1 800 mètres. Il faut pleins gaz un peu moins de deux minutes pour arriver à 4 000 mètres. Autant dire deux siècles dans les circonstances présentes !

3 800 – je sens la sueur qui coule sur les bords de mon masque à oxygène, et mon gant droit est absolument trempé !

« Rrrran », mon compresseur démarre avant qu'ils puissent se mettre en position de tir !

En désespoir de cause, l'un d'eux m'envoie une rafale sans me toucher. Je les sème maintenant avec facilité et je suis momentanément sauvé.

Juste à la côte, au-dessus de Boulogne, je réussis à rattraper quatre Spitfire en formation défensive impeccable. Je m'approche avec prudence en me faisant reconnaître. J'identifie les matricules des avions NL-C, NL-A, NL-S, et NL-D – évidemment c'est la « Yellow Section », et, par radio, Martell m'autorise à la rejoindre.

Pendant cinq minutes encore les Focke Wulf nous harcèlent.

Si cela dure encore longtemps, nous n'aurons jamais assez de carburant pour arriver jusqu'à la côte anglaise – et les Allemands le savent...

---

1. Boost : mesure de la pression à l'admission.

Soudain, le ciel se peuple de traînées de condensation – cinquante, peut-être, quatre par quatre, venant du nord. Ce sont les Thunderbolt (enfin ! comme les carabiniers !) qui, quand même, arrivent pour nous sauver la peau et ramener les B-17 au bercail !

Les Focke Wulf, également à court de munitions et les réservoirs presque à sec, n'insistent pas. Ils piquent tous et disparaissent dans la brume du soir qui s'élève...

Nous nous posons au premier aérodrome sur la côte : Manston.

On y trouve un charivari. La réaction de la Luftwaffe, dans un secteur aussi peu fréquenté, a surpris désagréablement tout le monde. C'est un véritable amoncellement d'avions. Une Forteresse s'est écrasée au milieu de la piste. Les Thunderbolt, ignorant les consignes, se posent en tous sens. Le périmètre de la base est encombré de Spitfire et d'avions de tous types, attendant les citernes de ravitaillement. Les pauvres gars du service de contrôle s'agitent avec leurs drapeaux jaunes, tirent des fusées rouges de tous côtés, essayant de parquer ensemble les avions d'une même escadrille.

On y retrouve quelques-uns de nos camarades. Fifi s'est retourné sur le nez proprement, son Spitfire la queue en l'air, et l'hélice enfoncée dans le sol a une drôle d'allure.

On se compte – nous ne sommes que dix. Le commandant Mouchotte et le sergent-chef Magrot sont manquants. On est pendu au téléphone.

Biggin Hill n'a aucune nouvelle, le contrôleur a perdu toute trace de Mouchotte et il n'est signalé sur aucune des bases de secours.

Il n'y a plus beaucoup d'espoir, désormais, car, depuis une heure ses réservoirs doivent être vides.

C'est un coup dur, et nous faisons tous une drôle de tête !

Lorsque nous décollons pour retourner à Biggin, le soleil commence à glisser vers la mer et la brume basse à l'horizon drape le champ de bataille où nous venons de laisser deux des nôtres...

Nous atterrissons avec nos feux de position allumés, et dans l'ombre, devant le *dispersal*, on distingue un groupe silencieux. Tout le personnel du groupe est là – ceux qui n'ont pas volé aujourd'hui, les mécanos, le *group captain* Malan, le *wing-co* Deere, Checketts –, attendant anxieusement quelques nouvelles, un brin d'information, juste de quoi alimenter un espoir...

Commandant Mouchotte, Croix de guerre, compagnon de la Libération, DFC...

Il aura été pour nous le chef exemplaire, juste, tolérant, hardi et calme au combat, vrai Français à l'âme trempée, sachant, quelles que soient les circonstances, imposer le respect.

*

26 septembre 1943 – 4 heures du matin

À tâtons, je sors de ma chambre et me dirige vers le mess, où une Waaf endormie me sert des œufs et du bacon.

Quand je ressors, le ciel est encore noir, et quelques étoiles clignotent dans l'air frais. J'entends le ronflement d'un moteur vers le *dispersal*. Probablement celui de mon Spitfire que les mécanos font chauffer.

Au passage je m'arrête à l'Intelligence Room, où l'on me donne les derniers détails de ma mission.

Je dois partir seul pour un vol de calibration des stations de *radio-location* (radar) qui nous contrôlent. Je dois, à partir de la côte anglaise, prendre un cap direct de 145 degrés, tout en gagnant le maximum d'altitude, ce qui m'amènera droit sur Beauvais, à environ 10 000 mètres. Ensuite je dois remonter jusqu'à Saint-Omer en ligne droite et annoncer en clair par la radio ma position par rapport à des points de repère donnés.

La seule chance de m'en sortir sans casse est de faire vite, de m'attarder le moins possible en route, afin de réduire au minimum les possibilités d'interception par une force ennemie supérieure.

Lorsque je décolle à la lueur de la rampe électrique, et commence à grimper sur mon cap, il fait toujours nuit noire. J'entrevois la vague phosphorescence de mes instruments de bord et les flammes bleues ponctuées d'étincelles rouges, vomies par mes pots d'échappement.

Je grimpe dur et vite et je franchis la côte anglaise à environ 6 500 mètres.

Le brouillard, concentré dans les vallées étroites, dessine entre les collines noires de longues traînées de lait. L'air est si calme que je distingue dans l'ombre, là-bas au loin, la fumée d'un train près de Dungeness, immobile, comme ancré au sol. La Manche n'est qu'une masse confuse et opaque ourlée d'un vague duvet d'argent le long des falaises.

Pas un nuage.

Je monte dans le carcan d'ombre qui ceinture la terre, vers le ciel maintenant lumineux d'où les étoiles fuient...

Soudain, sans transition, comme un plongeur, je m'enfonce en pleine lumière dorée. Les ailes de mon Spitfire s'empourprent. L'éblouissement est tel que je dois baisser mes lunettes teintées sur les yeux.

Au-delà de la Hollande, là-bas, très loin à gauche, le soleil émerge comme un lingot brûlant du bloc de plomb solide et inerte de la mer du Nord.

Sous mes ailes, c'est la nuit – et je suis seul, à 10 000 mètres d'altitude dans le jour. Je suis le premier

Les Messerschmitt-109 de la JG 2 sur un terrain de dégagement dans le Nord de la France.

à aspirer, dans le froid glacial, la vie chaude des rayons qui percent les prunelles comme des flèches...

En France, en Angleterre, en Belgique, en Hollande, en Allemagne, des hommes souffrent dans la nuit, tandis qu'en plein ciel je possède à moi tout seul le jour naissant – tout m'appartient, la lumière, le soleil, et je pense avec orgueil : tout cela ne luit que pour moi ! C'est un peu idiot mais ces rares minutes-là compensent bien des risques...

Je passe la côte française à la hauteur de Dieppe, et quelques minutes après j'arrive au-dessus de Beauvais. Je puis vaguement distinguer l'aérodrome de Beauvais-Tille, le mont Saint-Adrien entouré de la forêt de Fouquenies.

— *Hullo Dagger 25, Dagger 25 Piper calling. Orbit please, orbit please A for able.* (Allô Dagger 25, Piper vous appelle, tournez s'il vous plaît au-dessus de A.)

Je vérifie ma carte de code. *A for able* est le code pour Beauvais. Le contrôle m'ordonne de tourner en rond tandis qu'ils calibrent leurs instruments...

Il fait très froid malgré le soleil, et je commence à m'engourdir tout en pilotant machinalement.

— *Hullo Dagger 25, Piper here, what are your angels ?* (Allô Dagger 25, ici Piper, quelle est votre altitude ?)

L'urgence que je devine dans la voix du contrôleur me fait sursauter. Un coup d'œil à l'altimètre : 10 500 mètres...

— *Hullo Piper, Dagger answering, angels X for X-Ray...* (Allô Piper, Dagger vous répond, altitude X, pour rayons X.)

Il doit se passer quelque chose pour que le contrôleur lui-même me demande de rompre le silence obligatoire de radio.

Une minute s'écoule.

— *Hullo Dagger 25, Piper here, steer 090 degree – zero, nine, zero.* (Allô Dagger 25, ici Piper, prenez un cap zéro neuf zéro.)

135

SECRET

CODE				DECODE			
Abbeville	W	Dunkirk	D	A	Beachy Head	N	Bandit
Beachy Head	A	Gravesend	R	B	Pancake	O	Convoy (S)
Biggin Hill	Q	Gris Nez	F	C	Le Touquet	P	Hawkinge
Boulogne	J	Hawkinge	P	D	Dunkirk	Q	Biggin Hill
Calais	G	Le Touquet	C	E	Fr'dly Bomber	R	Gravesend
Chatham	U	Maidstone	X	F	Gris Nez	S	Fr'dly Fighter
Dover	L	Manston	K	G	Calais	T	Convoy (W)
Dungeness	Z	St. Omer	I	H	Pancake	U	Chatham
Convoy (E)	M	Convoy (N)	V	I	St. Omer	V	Convoy (N)
Convoy (W)	T	Convoy (S)	O	J	Boulogne	W	Abbeville
Fr'dly Bomber	E	PANCAKE	B	K	Manston	X	Maidstone
Fr'dly Fighter	S		H	L	Dover	Y	Pancake
Bandit	N		Y	M	Convoy (E)	Z	Dungeness

0	1	2	4	6	8	10	12	14	16	18	20	22	24	26	28	30	32	34	36	38	40	45	A/c	B/c	I/c
D	G	B	X	H	Y	V	O	Z	M	T	K	S	I	W	L	J	N	R	F	P	E	A	C	U	Q

A	B	C	D	E	F	G	H	I	J	K	L	M	N	O	P	Q	R	S	T	U	V	W	X	Y	Z
45	2	A/c	0	40	36	1	6	24	30	20	28	16	32	12	38	I/c	34	22	18	B/c	10	26	4	8	14

Un exemple de carte de code.
Elles étaient changées
toutes les semaines.

Cette fois-ci, je comprends. Il doit y avoir un avion suspect dans les environs, et le contrôleur veut m'identifier sûrement sur sa table de *radio-location*.

Je jette un coup d'œil autour de moi, bats des ailes afin de découvrir les angles morts – tout semble calme. Si le boche est au-dessus de moi, il doit sans doute, avec ce froid de canard, laisser une traînée de condensation.

— *Hullo Dagger 25, Piper calling. Look out, you are shadowed by a Hun, look out at 5 o'clock !* (Allô Dagger 25, Piper vous appelle, faites attention, vous êtes suivi par un avion allemand, surveillez à 5 heures.)

Je tourne la tête immédiatement dans la direction indiquée, et je vois en effet un petit point brillant qui glisse dans une couche de cirrus. Il est trop loin pour que je puisse l'identifier. Si c'est un chasseur, je vais le surveiller, tout en continuant sur mon cap, discrètement, afin de l'obliger à se commettre. J'allume mon collimateur lumineux, et retire la sécurité de la détente de mes canons. À cette altitude, avec un Spitfire je ne risque rien !

Trois minutes se passent, et le point est devenu une croix, environ 800 mètres au-dessus de moi, à la verticale. C'est probablement un des nouveaux Messerschmitt-109G. Il bat des ailes... Il va attaquer d'une seconde à l'autre, croyant que je ne l'ai pas vu. Du coup, la solitude, la poésie, le soleil, tout s'envole. Un coup d'œil à la température, et je passe mon hélice au petit pas. Paré ! qu'il s'y frotte !

Une autre minute se passe, bien longue, et mes yeux commencent à pleurer, ayant trop fixé mon adversaire.

Hop ! – le voilà !

Mon 109 amorce une légère spirale descendante qui doit l'amener dans ma queue.

Il est environ à 600 mètres de moi, et ne va pas trop vite pour assurer son coup.

À fond, j'enfonce la manette des gaz, et je lance mon Spitfire dans un virage cabré au maximum, qui me permet de garder les yeux sur lui et de prendre de l'altitude. Surpris par ma manœuvre, il ouvre le feu, mais trop tard. Au lieu d'une correction faible de 5 degrés à laquelle il s'attendait, je lui présente tout à coup une cible à 45 degrés. Je tire fort sur le manche, pour redresser, et tourne sec aux ailerons. Le 109 cherche à virer à l'intérieur, mais à cette altitude, ses ailes courtes ne trouvent pas un appui suffisant sur l'air raréfié, et il décroche, amorçant une vrille.

Une fois de plus la maniabilité supérieure du Spitfire me tire d'affaire.

Je vois un instant, se détachant sous les ailes bleu pâle du 109, les grandes croix noires.

Le Messerschmitt sort de sa vrille : je suis déjà en position – et il le sait – car il se livre à une série de manœuvres violentes pour se dégager, mais sa vitesse ne lui sert à rien ; j'ai profité de sa fausse manœuvre pour accélérer, et j'ai désormais l'avantage de l'altitude.

À 400 mètres de portée, j'ouvre le feu par rafales courtes, effleurant à peine la détente à chaque fois. Le pilote du 109 est quand même un vieux renard, car il remue son zinc énergiquement, variant incessamment l'angle et la ligne de vol.

Il sait que mon Spitfire tourne et grimpe mieux, et que sa seule chance de s'en tirer est de me semer. Il pousse soudain le manche en avant et pique à la verticale. Je passe sur le dos de suite, et profitant de sa trajectoire régulière j'ouvre le feu à nouveau. On descend vite, 650 km/h, vers Aumale.

Aligné à sa queue, la correction de tir est relativement simple... mais il faut faire vite – il gagne sur moi.

À la deuxième rafale, des éclairs apparaissent sur son fuselage – le choc le secoue nettement.

Je tire encore, le touchant cette fois à la hauteur du poste de pilotage et du moteur. Pendant une fraction de seconde mes obus semblent l'arrêter net – la croix de l'hélice se fige, puis disparaît dans un nuage blanc de glycol qui bouillonne par les pots d'échappement. Une explosion plus violente se produit à la racine de l'aile, et une fine traînée noire se mêle au flot de vapeur qui s'échappe des chemises de refroidissement crevées.

C'est la fin. Une langue de feu apparaît sous le fuselage, s'allonge, lèche les empennages et se déchire en lambeaux incandescents.

Nous avons plongé dans l'ombre. Un coup d'œil à ma montre pour fixer l'heure du combat, il est 5 h 12.

Le Messerschmitt, lui, a son compte. Je remonte en spirale tout en l'observant. Ce n'est plus qu'une silhouette vague, vrillant pathétiquement, secouée par des déflagrations régulières... une explosion, une traînée noire, une traînée blanche, une explosion, une traînée noire, une traînée blanche...

C'est maintenant une boule de feu qui roule lentement vers la forêt d'Eu, se dévorant, dispersée bientôt en une pluie de débris enflammés qui se consument avant de toucher le sol...

Le pilote n'a pas sauté...

— *Hullo Dagger 25, Piper calling, long transmission please. Did you get that Hun ?* (Allô Dagger 25, Piper vous appelle. Donnez-moi une longue transmission, s'il vous plaît. Avez-vous eu ce boche ?)

— *Hullo Piper, Dagger 25 answering and transmitting for fix. Got him all right, One... two... three... four... I am quite short of juice. May I go home ?* (Allô Piper, Dagger 25 vous répond et transmet pour un *fix* gonio. Je l'ai eu, un... deux... trois... quatre... suis assez à court d'essence. Puis-je rentrer ?)

— *OK Dagger 25. Steer 330 degree – three, three, zero. Good show !* (OK, Dagger 25. Prenez le cap 330, trois, trois, zéro. Bravo !)

L'essence baisse dans mes réservoirs, et le soleil monte à l'horizon. Le coin va devenir malsain. Il me faut rentrer et je mets le cap sur l'Angleterre.

Au bout de quelques jours – et surtout après avoir visionné mon film de combat où l'on voit parfaitement le Messerschmitt-109 touché prendre feu – Malan me convoque à son bureau avec Al Deere. Il me félicite pour mon 109, me dit que je suis un incorrigible veinard, qu'il souhaite que cela dure. Deere ajoute que j'ai le potentiel pour être un très bon pilote de chasse, avec plus de discipline ! mais que ce n'est plus, depuis Mouchotte, dans l'ambiance du groupe français que je pourrai y arriver. C'est à ce genre de choses que l'on reconnaît les bons patrons – ils savent observer ! En conclusion de notre entretien, il propose de me faire transférer dans le groupe de mon choix si le *squadron leader* de ce groupe veut bien m'accepter. Il me donne dans une enveloppe une petite note qui expose sa bonne opinion de moi. Je dis que je veux rejoindre Jacques à la 602. Pourquoi pas ?

Dupérier me prête même son avion personnel, un IX-B tout neuf, pour aller faire ma cour à la 602, « City of Glasgow », groupe écossais, donc particulièrement sympathique vis-à-vis des Français. Ils sont à Ashford, sur un terrain en herbe et les installations sont très primitives. Les avions que je vois au sol quand je les survole ne m'enchantent pas. Ce sont des vieux Spit-V. Avec mon IX-B, toujours modeste, je ne résiste pas au plaisir de leur faire une démonstration de mon pilotage. Je me pose, ils m'invitent à déjeuner et le *wing commander* Robert, « Bobby », Yule dit qu'il a déjà deux Français et qu'un de plus ne le dérange pas, au contraire. Il me serre la main, en ajoutant qu'il envoie à la 83e division un message dans ce sens.

C'est ainsi que sans cérémonie j'ai rejoint la 602, 125 Wing TAF.

Mouchotte qui m'avait vu dessiner sur les murs de notre dispersal *une fresque qui avait beaucoup de succès, représentant des demoiselles plantureuses poursuivies par des faunes en uniforme de l'armée de l'air, m'avait demandé d'illustrer le magnifique livre de marche qu'Ida Rubinstein nous avait offert et qui aujourd'hui se trouve dans la salle de tradition du groupe de chasse Alsace à Colmar. Pour colorier les dessins je lui empruntais chaque jour son porte-mine Waterman cinq couleurs. Ce porte-mine a joué un grand rôle plus tard. Voici comment :*

Après la guerre, début 1946, le chef des services de recherche et d'identification de la RAF, le flight lieutenant *Noel Archer, vient me voir à Paris et me dit :*

— J'ai un problème, mais vous pouvez m'aider. Nous avons retrouvé à Midlekerque le corps d'un inconnu rejeté par la mer en 1943, le 6 septembre. Il était vêtu d'un uniforme bleu marine avec quatre galons étroits, dont voici un bouton.

— Mais, c'est un Français car c'est un bouton de l'armée de l'air !

Dans ses poches on avait trouvé un certain nombre d'objets déposés chez l'échevin local et il m'en montre les photos. Avec un choc au cœur je reconnais le fameux porte-mine, un briquet rond « rouge avec rayures or », que j'avais souvent vu dans les mains de Mouchotte, et sa montre bracelet dite « huit jours »,

Le beau portrait de Mouchotte au War Museum, par Eric Kennington, peintre officiel de la RAF.

étanche, avec datographe, arrêtée le 3 septembre à 8 h 17, c'est-à-dire quand probablement le choc des vagues qui ont roulé le corps contre les rochers a stoppé le mécanisme. Mouchotte par prudence donnait toujours un ou deux tours à son remontoir lors de la synchronisation des montres au briefing. Tout concorde pour confirmer une chute en mer du Nord, inexplicablement lointaine, hors de nos itinéraires du 27 août 1943 : seule l'étude des courants, la chronologie des événements et le rapport des autorités belges et allemandes établi lors de la découverte du corps intact pouvaient l'expliquer. Il ne portait que son gilet de sauvetage. Il avait donc sauté en parachute, mais pourquoi si loin ? Probablement victime d'un malaise qu'expliquait son grand état de fatigue, il avait dû laisser dériver après le combat son avion presque 200 kilomètres en mer du Nord dans un état de semi-conscience et sauter par réflexe avant que son Spitfire, à court de carburant, tombe. Chose curieuse, le rapport médical indiquait qu'il n'y avait pas d'eau dans ses poumons, donc qu'il était décédé avant que son corps dérive vers la Belgique. Il écrivait le 26 août 1943, à la fin de ses carnets publiés à la demande de sa mère après la guerre :

« Les sweeps continuent à une cadence terrible. J'en ressens une fatigue impitoyable. Je sens mes nerfs s'user. Le moindre effort m'essouffle, j'ai un besoin hurlant de repos ! »

Quand un homme de la trempe de Mouchotte en est réduit à écrire de telles choses, c'est qu'il est à l'extrême limite de ses forces. Quel serait aujourd'hui le pilote qui accepterait de monter deux fois par jour, presque tous les jours, sans pressurisation, à 10 000 ou 12 000 mètres d'altitude dans des froids de moins 50 degrés, dans un cockpit mal chauffé dans lequel la température dépasse rarement moins quinze ou moins vingt degrés centigrades ? Et cela cinquante, cent ou deux cents fois !

C'est ainsi que j'ai su quelle fut probablement la fin du commandant Mouchotte, Compagnon de la Libération. Combien de mes camarades, avant ou après la fin de la guerre, les poumons brûlés par l'absorption d'oxygène pur, au goût de cuivre, que nous devions inhaler tous les jours, ont fini dans des sanas ?

DÉTACHÉ À LA ROYALE AIR FORCE
Le « City of Glasgow » – 602

28 septembre 1943

C'est quand même le cœur un peu gros que je suis parti de Biggin Hill, et me suis séparé du groupe « Alsace » avec qui j'avais livré mes premières batailles, où j'avais rencontré des camarades dont le patriotisme et l'ardeur me rendaient fier d'être français.

Comme la camionnette qui m'emmène passe le corps de garde, je vois le drapeau tricolore à croix de Lorraine qui flotte devant le *dispersal* disparaître entre les arbres, derrière moi...

Jacques m'ayant prévenu, je me suis débarrassé de la plupart de mes bagages. Mais, quand même, selon mon habitude, je suis encombré de valises, d'un sac à parachute qui semble rempli de plomb (ce que ce maudit pépin et son *dinghy* peuvent peser !), mon ceinturon avec revolver et poches à cartouches, ma veste de fourrure – curieux spectacle avec mon uniforme français pour les voyageurs qui me considèrent au travers des vitres de leur train, tandis que j'attends le mien.

À Ashford, un camion vient me chercher, et quelques minutes après je fais mon entrée au 125 Airfield.

Jacques fait les présentations. Je rencontre toute la bande sympathique et internationale de pirates aériens qui compose le 602 « City of Glasgow » Squadron – des Écossais, des Australiens, des Néo-Zélandais, des Canadiens, un Belge, deux Français et quelques Anglais.

Le *squadron leader* commandant le groupe – Mike Beightagh – est un Irlandais, à la tête de bébé rose, grand buveur, bon pilote et bon chef.

Les deux *flight commanders* (commandants d'escadrilles) sont des phénomènes en leur genre. Celui du A Flight, sergent dix mois auparavant, par son courage et son audace s'est hissé au grade de *flight lieutenant* en un temps record. Fort comme un bœuf, 1,90 mètre de haut, un gros rire, Bill Loud, commandait B Flight. L'autre, Max Sutherland, est l'Anglais typique, produit des *high schools*, avec une moustache en brosse, ex-champion de boxe poids lourd de la police de Londres. Il devait être mon *flight commander*. Brave type, un peu enfantin, à l'humeur changeante, capable d'entêtements de fille capricieuse comme des plus grands actes de générosité. Au demeurant, un très bon pilote, plein d'expérience et d'un courage à toute épreuve. Plus tard, nommé patron de la 602, Max et moi sommes devenus de grands amis.

Auprès de Biggin Hill et tout son confort, son « glamour » de première base de chasse du monde, « 125 Airfield » faisait un peu figure de parent pauvre. Mais une ambiance de camaraderie, d'insouciance, de vie au jour le jour, rendait mon nouveau groupe irrésistible.

Une des premières unités à être transférées à la Tactical Air Force, le 602 – étoile de première grandeur durant la « Battle of Britain » – avait été reléguée dans un rôle secondaire les deux années suivantes, mais commençait à remonter, depuis quelques mois, sous l'impulsion de Beightagh.

La RAF devait fournir des escadrilles pour appuyer l'invasion du Continent en étroite coopération avec l'armée. Le 602, avec une douzaine d'autres groupes, avait été dans ce but soumis à une préparation intensive : attaque au ras du sol, mitraillage de tanks, reconnaissance tactique, bombardement en piqué, etc.

Finalement ces unités furent envoyées en *airfields* pour parfaire leur entraînement. Depuis quatre mois les pilotes couchaient sous la tente, apprenaient à ravitailler leurs avions, à les réarmer, à les camoufler, à les défendre mitraillette à la main – menant, enfin, une vraie vie de « commando » ou plutôt de boy scout !

Opérant sur des terrains semblables à ceux qui seraient construits en quelques heures par le génie (deux ou trois prairies réunies en une piste d'atterrissage par des treillis métalliques appliqués à même le sol), les groupes 602, 132, 122, 65 et quelques autres participaient également à l'offensive actuelle de la RAF. Équipés de Spitfire-V-D à ailes raccourcies, ces groupes exécutaient des missions de protection rapprochée pour les Maraudeurs, les Mitchell et les Boston...

Le 602 partage l'*airfield* 125 avec une autre unité de Spit, le 132 « City of Bombay » – commandé par un vieux copain *squadron leader*, Colloredo-Mansfeld – et un groupe de Hurricane anti-tanks, le 184.

Situé sur le promontoire sablonneux de Dungeness, le coin n'est pas déplaisant sous le beau soleil d'un mois de septembre exceptionnel.

Nos tentes sont édifiées dans un verger. Il y règne une charmante atmosphère de pique-nique, de camping et de colonie de vacances. Il suffit d'allonger le bras sur le pas de la tente pour cueillir des pommes plus ou moins mûres, que le grand air pur et la jeunesse de nos estomacs font passer.

On mange en plein air et, lorsqu'il pleut, sous une grange, tous les pilotes ensemble, pêle-mêle. Je n'ai ni gamelle ni couvert, et je me sers de ceux de Jacques.

Je loge évidemment dans sa tente, que nous partageons avec un Belge – Jean Oste – et un Anglais absolument charmant qui deviendra un de mes meilleurs amis, Jimmy Kelly. Il pousse des cris furieux chaque fois que l'on commence à parler français.

Nous dormons sur des lits de camp.

Le grand problème est celui de l'éclairage. Les bougies sont trop dangereuses, à cause du foin qui tapisse le sol de nos tentes.

Nous sommes munis de lampes-tempête, fournies par les magasins de la Royal Air Force et qui ne marchent jamais. Quand on a des allumettes, il n'y a plus de mèches. Lorsqu'on déterre une nouvelle mèche (que l'on barbote généralement dans la tente à côté !) il n'y a pas de pétrole. Quand on a tout ce qu'il faut et qu'on allume avec force précautions, on fait généralement sauter tout le bazar, ce qui cause une galopade effrénée et finit par un combat à coups d'extincteurs « mousse ». Toute la tente se fait f... dedans par le *squadron leader*, et finalement on se déshabille à la lueur d'un briquet ou à celle des étoiles...

Le matin on est réveillé par un soldat qui amène un broc plein de thé brûlant, et fait un tel tintamarre que tout le monde est debout en cinq secondes, courant nu-pieds sur l'herbe, une timbale à la main. On va ensuite chercher l'eau avec des seaux de toile plus ou moins étanches, on fait une toilette qui ferait honte à un chat, nous enfilons un *battle-dress* crasseux, des bottes de vol, on se noue un foulard autour du cou, et on galope jusqu'à la

Ken Charney, Bruce Oliver et Jacques « *al fresco* » à Ashford !
Vie saine au 602 sous la tente !

cantine chercher des œufs au jambon, une tasse de café et une tranche de pain rond cuit à la ferme voisine...

Puis commence une chevauchée éperdue autour de l'aérodrome, en jeep, où l'on s'entasse à douze, accrochés précairement de tous côtés, filant à toute vitesse à travers le champ, sautant les fossés et traversant les haies...

On enlève les filets de camouflage couvrant les avions, on chauffe et vérifie les moteurs, et on se prépare pour le premier show de la journée...

Telle est la vie quotidienne de mon nouveau groupe.

« *Clipped, cropped, clapped* », telle est la magnifique description synthétique du Spitfire-V-D par l'humoriste du groupe, l'illustre Tommy Thommerson.

« *Clipped* » pour ses ailes coupées. Afin d'augmenter la vitesse et la maniabilité latérale, les ingénieurs de

Vickers Armstrong ont réduit d'environ un mètre l'envergure du Spitfire, en supprimant les bouts de plan qui complétaient si harmonieusement l'ellipse de l'aile.

« *Cropped* » pour son moteur Merlin 57. Ce n'est qu'un Merlin Rolls Royce 45, à turbine de compresseur réduite de diamètre, permettant d'augmenter la puissance, en dessous de 1 000 mètres, de 1 CV à 1 CV. Le volume d'air surcomprimé étant cependant très diminué, la courbe de puissance tombe rapidement à partir de 2 500 mètres, jusqu'à ne donner, à 3 500 mètres, que 600 CV environ. De plus, ces moteurs artificiellement poussés jusqu'à 18 *boosts* d'admission n'ont qu'une vie très réduite.

« *Clapped* » – terme que l'on ne peut traduire littéralement que par « vérolé » – exprime l'opinion générale des pilotes sur le Spit-V-D.

En effet, quoique rapides au ras du sol (560 km/h en palier au niveau de la mer) ils deviennent de vrais chiens de plomb à 3 000 mètres d'altitude où

Le Spitfire-V – « *Clipped, cropped, clapped !* ».

on nous oblige à opérer dans nos missions d'escorte. Les ailes carrées leur font perdre également la qualité principale du Spitfire qui est de virer sec.

Nous n'avons qu'une confiance limitée dans ces appareils – sentiment plus ou moins justifié par le fait que les cellules ont toutes environ 300 heures, et, fait plus grave, les moteurs 100 à 150 heures. Il n'est pas toujours amusant de traverser la Manche aller et retour, deux fois par jour, sur un monomoteur de ce genre ! Enfin, les canons ne disposent que de 60 obus chacun (contre 145 dans le Spitfire-IX !).

Si l'on se souvient que déjà en 1941 et en 1942 les Spit-V-D étaient surclassés facilement par les Focke Wulf-190, on peut imaginer mon enthousiasme très relatif, lorsque Sutherland m'annonça que nous aurions à faire encore cinq ou six « *sweeps* sur Spit-V-D » avant d'étrenner nos magnifiques IX-B tout neufs.

*

Les Allemands ont élevé, en temps de guerre, l'obstination à la hauteur d'une vertu nationale. Quand, à cette qualité, le destin veut bien ajouter la chance, certaines situations arrivent à défier la logique militaire.

Le *Munsterland* passera certainement à la postérité comme un symbole de l'opiniâtreté allemande, aussi bien, d'ailleurs, que d'entêtement britannique.

Ce fameux *Munsterland* était un cargo rapide de 10 000 tonnes, ultramoderne, équipé de turbines et de brûleurs à mazout. Surpris dans un port d'Amérique centrale par l'affaire de Pearl Harbour, il avait rallié le Japon. Là, il avait embarqué une précieuse cargaison de caoutchouc et de métaux rares, puis, froidement, était reparti vers l'Allemagne.

La fortune souriant aux audacieux, par une série de circonstances incroyables, il avait réussi à se faufiler entre les patrouilles aéronavales alliées et à joindre Brest. Immédiatement photographié, il était trois heures plus tard bombardé en piqué par 24 Typhoon. Vers 6 heures du soir, le même jour, 32 Mitchell fortement escortés l'attaquaient, cette fois encore sans résultats appréciables.

Dans le courant de la nuit, à toute vitesse, il filait sur Cherbourg, photographié à nouveau dès qu'il accostait. L'examen des clichés révélait que tout était préparé pour le décharger. Trois bateaux de *flak* du Havre et deux de Saint-Malo avaient rejoint l'île Pelée au petit jour, et des dispositifs importants de *flak* légère et lourde étaient mis en place.

Les circonstances météorologiques extrêmement défavorables avaient fait échouer un raid monté vers 8 heures du matin.

Sans bombardiers moyens, il était difficile de venir à bout d'un aussi gros morceau. Les Beaufighter ne pouvaient intervenir car la situation de la rade de Cherbourg ne se prêtait pas à une attaque à la torpille.

Les Boston auraient pu à la rigueur essayer un bombardement en rase-mottes, mais on ne pouvait pas les envoyer au massacre à 400 km/h.

Le temps empirait – pluie, brouillard et nuages bas.

À 8 h 45 le personnel de l'escadre est appelé d'urgence à l'Intelligence Room : la 602 et la 132 mises en état d'alerte immédiate.

D'abord un petit speech de circonstance par Willie Hickson nous rappelle que la cargaison du *Munsterland* à une importance vitale pour l'industrie allemande. En effet, les milliers de tonnes de caoutchouc végétal qu'il transporte peuvent, convenablement mélangées aux produits synthétiques de Leuna, permettre d'équiper et de maintenir 6 divisions motorisées pendant un an. Les métaux spéciaux seront précieux pour les métallurgistes allemands qui mettent au point les turbines d'avions à réaction. De plus il faut enlever à la Kriegsmarine le bénéfice moral d'une brèche aussi flagrante dans le blocus maritime.

36 Typhoon et Wirlwind équipés de bombes à retardement de 500 kg forceront l'entrée de la rade, et essaieront de couler ou d'incendier le *Munsterland*.

Par un effet tout particulier de la bonté du GQG de la RAF, la 602 et la 132 ont été choisies pour les escorter. Notre rôle consistera à neutraliser au canon et à la mitrailleuse les *flak-ships*, et ensuite à couvrir l'opération contre les forces de chasse allemandes massées dans la péninsule du Cotentin à cette occasion.

Pour augmenter notre rayon d'action, l'escadre se posera à Ford, où le ravitaillement des avions est prévu, et de là, nous repartirons vers le point de rendez-vous, au-dessus de Brighton à l'altitude zéro avec les Typhoon.

Le *wing commander* Yule qui mènera l'opération nous rappelle brièvement que les *flak-ships* sont généralement armés de quatre affûts quadruples automatiques de 20 et de deux à quatre pièces de 37 millimètres, automatiques également. Les dernières photos de reconnaissance ont révélé, le long du grand môle reliant les six forts de la rade, au moins, 10 pièces de DCA légère, probablement renforcées et très actives depuis l'arrivée de notre client.

En principe, les deux groupes se diviseront en six sections de quatre, qui se chargeront chacune d'un bateau de *flak*, afin de le réduire au silence pendant les quelques secondes nécessaires au passage des

Typhoon. Ensuite, liberté d'action pour engager le combat avec toute formation de chasse ennemie se présentant.

Poussant très loin la complaisance, le GQG a décidé de mettre en place un dispositif spécial d'« Air Sea Rescue », dont les vedettes rapides seront échelonnées entre Cherbourg et la côte britannique le long de notre parcours.

Même pour les plus enthousiastes d'entre nous, cette dernière disposition ressemble fort à un remords tardif du GQG, et a je ne sais quoi de sinistre qui refroidit singulièrement l'atmosphère.

Les derniers préparatifs avant l'envol sont silencieux. Seul Joe Kistruck fait une réflexion désabusée sur « cette pauvre RAF qui a toujours bon dos pour rattraper les gaffes des imbéciles de l'Amirauté »...

À Ford c'est l'habituelle comédie des pneus crevés, des accumulateurs de démarrage à plat. Heureusement la longue expérience d'escales sur les aérodromes avancés de Yule a permis de prévoir trois avions de réserve par groupe, et, à 09 h 50, la 602 et la 132 décollent au complet.

Je vole en position Bleu 4, équipier de Jacques qui est Bleu 3 dans la section de Ken Charney, Bleu 1.

En route vers le rendez-vous, nous croisons les trois Boston dont le rôle consistera à éparpiller sur une longueur de 30 kilomètres vers le cap de La Hague des bandes de papier métallisé qui embouteilleront les radars allemands. Grâce à cette disposition et à la brume, nous arriverons peut-être à l'entrée de Cherbourg sans être trop repérés.

Au ras des toits de Brighton, nous rejoignons les Typhoon, et, cap au sud, au ras de la mer grise, nous obliquons vers Cherbourg.

Je déteste voler au ras de l'eau avec tous ces systèmes de réservoirs supplémentaires et de robinets où peut toujours nicher la malencontreuse bulle d'air qui fera couper le moteur la fraction de seconde suffisante pour vous envoyer percuter dans les vagues à 500 km/h.

Nous traversons des bandes de brume opaque qui nous obligent à un PSV très délicat à quelques mètres de la mer que nous ne voyons alors pas. Les Typhoon, malgré leurs deux bombes de 500 livres sous les ailes, filent à un train d'enfer, et nous avons du mal à les suivre.

Les Wirlwind du 263 Squadron nous rejoignent. C'est la première fois que je vois ces jolis bimoteurs monoplaces peu connus.

Obsédé par l'idée de voir s'allumer le voyant rouge si ma pression d'essence au carburateur vient à diminuer, mal à l'aise, je commence à transpirer des pieds à la tête. Qu'est-ce que cela sera quand commencera la *flak !*

10 h 15.

Le brouillard s'épaissit, et une pluie battante se déchaîne. D'instinct, les sections se rapprochent pour conserver le contact visuel.

Soudain, la voix calme de Yule rompt le rigoureux silence radio :

— *All Bob aircrafts drop your babies, open up flat out, target straight ahead in sixty seconds !* (Tous les avions Bob largueront leurs réservoirs et ouvriront les gaz ; objectif droit devant dans 60 secondes.)

Allégé de son réservoir, et bien tiré par les 1 400 chevaux de son moteur, mon Spitfire bondit, et je me place 50 mètres à gauche de Jacques, un peu en retrait, écarquillant les yeux pour voir quelque chose dans cette sacrée brouillasse...

— *Look out Yellow Section flak-ship 1 o'clock !* (Attention ! Section Jaune, bateau de *flak* à 1 heure !)... et immédiatement après Frank Wooley, c'est Ken Charney qui aperçoit un autre *flak-ship* droit devant nous !

— *Max Blue attacking 12 o'clock !* (Max Bleu, attaquant à 12 heures.)

Une masse grise qui se balance dans le brouillard, une courte cheminée, des plates-formes surélevées pour les canons, un mât barbelé d'antennes de radar – puis des éclairs rapides, saccadés tout le long de la superstructure.

Diable ! – j'enlève la sécurité des armes, je baisse la tête et je rentre mes épaules à l'abri de mon blindage. Des faisceaux de traceuses vertes et rouges partent de tous côtés.

Suivant Jacques, je passe au milieu d'une gerbe d'eau de mer soulevée par un chargeur de 37 millimètres qui me manque de peu – l'eau salée brouille mon pare-brise.

Je suis à 50 mètres du *flak-ship*. Jacques en avant de moi tire ; je vois la lueur de ses canons et la cascade de douilles tombant de ses ailes.

Les jolis petits bimoteurs monoplaces Westland « Wirlwind ». On les voyait peu et l'affaire du Musterland en fut une rare occasion. Sa construction en série fut abandonnée en faveur du Mosquito, avion à tout faire.

J'ajuste la passerelle, entre la cheminée déjà déchiquetée et le mât.

Une longue rafale continue, je garde le pouce sur la détente. Mes obus explosent dans l'eau, remontent vers la ligne de flottaison, explosent sur la coque grise zébrée de bandes noires, remontent encore plus haut sur les rambardes, les sacs de sable des plates-formes.

Une manche à air s'écroule, un jet de vapeur jaillit je ne sais d'où. Vingt mètres – deux hommes en pull-over bleu marine se jettent à plat ventre – dix mètres – les quatre canons d'un affût multiple de 20 millimètres sont pointés droit entre mes deux yeux – vite – mes obus explosent tout autour. Un servant portant deux chargeurs pleins bascule dans la mer les jambes fauchées, puis les quatre tubes tirent, j'en sens la vibration quand je passe un mètre peut-être au-dessus – puis c'est la gifle d'un fil de l'antenne que mon aile arrache au passage. Mon bout de plan a frôlé le mât !

Ouf ! passé... Il y a un bon Dieu pour les imbéciles !

Tous mes membres sont secoués par un tremblement nerveux. Jacques zigzague entre les geysers des obus. Par endroits la mer bouillonne.

Une demi-douzaine de Typhoon attardés défilent à notre droite comme une bande de marsouins, fonçant vers l'enfer que l'on devine derrière le long mur de granit du brise-lames.

Je passe à ras d'un fort dont les murailles mêmes semblent cracher le feu – c'est un curieux mélange de tours crénelées, de casemates bétonnées modernes et de glacis à la Vauban.

Nous sommes maintenant au milieu de la rade : un inextricable fouillis de mâts de chalutiers, d'épaves rouillées qui émergent entre les docks en ruines. Le temps semble s'être légèrement éclairci – gare à la chasse boche.

Un des redoutables quadruples de 20 millimètres
à canons longs de la Kriegsmarine.

L'air est zébré de traceuses, ponctué d'éclairs, semé de flocons noirs et blancs de *flak*. Un vrai feu d'artifice !

Le *Munsterland* est là, environné d'explosions, de flammes et de débris. Ses quatre mâts hérissés de bras de charge émergent de la fumée ainsi que sa grosse cheminée trapue, à l'arrière. L'attaque des Typhoon bat son plein. Les bombes explosent sans arrêt avec de formidables éruptions de feu et de nuages noirs qui vont en s'épaississant. Un Typhoon disparaît, volatilisé par l'explosion d'une bombe lancée d'un avion précédent. Une des grandes grues du port s'écroule comme un château de cartes...

Un Wirlwind s'écrase.

— *Hullo Bob leader, Kenway calling – there are Hun fighters about, look out !* (Allô Bob, Kenway appelle. Attention aux chasseurs allemands dans les environs !)

Quelle fournaise !

Je suis de près Jacques qui remonte en spirale vers la couche de nuages.

Deux Typhoon émergent d'un nuage à quelques mètres de nous, et il s'en faut de peu que je ne tire dessus – avec leur museau massif et leurs plans carrés ils ressemblent fichtrement aux Focke Wulf...

— *Break Max Blue 4 !* (Max Bleu 4, dégagez !)

Jacques dégage violemment, et son Spitfire me glisse sous le nez à quelques mètres, deux aigrettes blanches au bout des ailes. Pour éviter la collision, j'attends une fraction de seconde, et un Focke Wulf – un vrai celui-là ! – me frôle, rapide, faisant feu de ses quatre canons. Un obus ricoche sur mon capot. Comme je tente de l'aligner dans mon collimateur, un deuxième Focke Wulf apparaît dans mon pare-brise, face à face, à moins de 100 mètres. Son gros moteur jaune qui grandit, son hélice qui semble tourner lentement se ruent sur moi, et ses ailes s'illuminent des départs de ses armes – *bang !* mon pare-brise s'étoile et devient opaque. Sidéré, je n'ose bouger de peur d'une collision. Il passe juste au-dessus de moi, mon *hood* se couvre d'huile et je sens la secousse de son sillage.

Le ciel est maintenant rempli d'avions et fourmille d'éclatements de *flak*. Je tire au jugé sur un autre

Focke Wulf que je manque – heureusement, car c'est un Typhoon. Jacques tourne avec un chasseur boche : je vois ses obus exploser sur la croix noire du fuselage. Le Focke Wulf se retourne, montrant son ventre jaune, et pique, toussant de la fumée et des flammes.

— *Good show Jacques ! You shook him !* (Bravo Jacques ! tu l'as secoué !)

Ma pression d'huile baisse soudain de façon inquiétante. La pluie recommence, et au bout de quelques secondes mon *hood* est recouvert d'une pellicule d'émulsion savonneuse. Je m'enfile dans les nuages, et en PSV je mets cap au nord, après avoir prévenu Jacques et Yule par la radio. Jacques m'escorte.

J'arrive à Tangmere tant bien que mal, avec une pression d'huile à zéro et un moteur bouillant, prêt à éclater. Pour me poser, je largue la cabine pour y voir clair.

Dans cette histoire, nous avons perdu deux pilotes, ainsi que la 132. Cinq Typhoon détruits et un Wirlwind, plus deux qui sont tombés au large de Cherbourg, et dont les pilotes ont été repêchés par les vedettes.

Quant au *Munsterland*, quoique sérieusement avarié, une partie de sa cargaison en feu, il réussit deux nuits plus tard à se faufiler jusqu'à Dieppe et finalement il se fit couler, nous dit-on, par un *strike*[1] de Beaufighter dans la mer du Nord.

*

À la réception des prévisions mensuelles de météo, les directeurs du « planning » à l'état-major américain ont décidé *in extremis* de profiter des

1. *Strike* : formation d'assaut.

derniers beaux jours de l'année pour bombarder Schweinfurt.

À Schweinfurt, au sud-est de Brême, en plein cœur de l'Allemagne, s'étend la fabrique de roulements à billes la plus importante de l'Europe occidentale.

C'était un objectif numéro l.

Si la 8° Air Force n'attaquait pas le 13 octobre, il fallait attendre au moins quatre longs mois d'hiver avant de retrouver des conditions météorologiques aussi favorables. Et, en quatre mois, la production de cette usine allait alimenter la fabrication de milliers de moteurs d'avions pour la Luftwaffe.

Ce fut une course extraordinaire contre la montre. En 48 heures il fallut mettre cette opération au point. Ce n'était pas petite affaire que d'imposer un secret absolu à une centaine d'aérodromes, que de mobiliser près de 1 000 avions de chasse anglais et américains, que de charger de bombes 500 Forteresses Volantes et de préparer les bandes de cartouches longues de dix mètres alimentant chacune de leurs 5 500 mitrailleuses...

Pour la première fois également, des Spitfire vont survoler l'Allemagne. En effet, comme les quadrimoteurs américains doivent rester pendant plus de quatre heures au-dessus du territoire ennemi, une formidable réaction de la Luftwaffe est à prévoir. Celle-ci dispose entre la Belgique et le Danemark d'environ 1 000 Messerschmitt et Focke Wulf. L'armée de l'air américaine, prévoyant les difficultés des Thunderbolt et des Mustang surchargés de travail, à court de munitions et d'essence, a demandé le renfort de la RAF.

Mais les Spitfire – intercepteurs à haute vitesse – ne sont point destinés à l'escorte à longue distance, et il leur faut des réservoirs supplémentaires spéciaux pour augmenter leur rayon d'action jusqu'à Brême.

En trois jours, pas un de plus, une usine anglaise de Watford se charge d'exécuter 800 réservoirs de 380 litres. Près de mille ouvriers travaillent jour et nuit, et le 13 octobre à l'aube, les mécaniciens de la RAF les montent sous le ventre des Spitfire...

À la dernière minute, alors que tout le monde est à bout de nerfs, il y a contre-ordre : l'heure H est reportée au lendemain 12 heures.

14 octobre 1943

Dès 8 heures du matin, les Forteresses et les Liberator lourdement chargés commencent à prendre leur vol partant de 37 aérodromes. Pendant une heure, ils tournent autour de Hull pour se former impeccablement en 10 *boxes* de 48 appareils chaque, emboîtés aile dans l'aile.

9 h 15. Les Spitfire décollent à leur tour, pour les escorter jusqu'aux îles Frisonnes.

10 h 40. Trente *squadrons* de Thunderbolt (20 de la IXe Air Force et 10 de la VIIIe AF) vont rejoindre l'armada pour prendre leurs postes de garde, tandis que les Spitfire font demi-tour.

11 h 15. Dix groupes de Lightning partent pour protéger les gros quadrimoteurs dans leur ultime approche de l'objectif.

Il était prévu que les Spitfire – réarmés et ravitaillés – devaient repartir vers 12 heures afin de couvrir la retraite de l'ensemble, le rendez-vous étant fixé pour 13 h 15 à la frontière germano-hollandaise...

Les huit groupes de Spitfire désignés pour participer à l'opération ont été massés sur quatre aérodromes de la côte du Norfolk, afin de réduire au minimum les distances mortes à couvrir.

Le premier décollage de 9 heures a été pénible à cause de la surcharge des appareils à laquelle les pilotes n'étaient point accoutumés. Deux Spitfire s'écrasent en bout de piste. De nombreux autres ont des avaries de pneus et surtout des ennuis de réservoirs avec des « air locks » dans les canalisations.

Jacques et moi sommes de ces derniers.

L'atterrissage sur nos pneus fragiles avec 400 litres d'essence sous le ventre et 1 000 litres sur les genoux fut délicat – « sur des œufs », dit Jacques.

La rage au cœur, nous vîmes l'essaim des Spit disparaître dans la brume matinale, cap sur l'Allemagne.

Les mécaniciens se mirent aussitôt au travail pour vidanger et vérifier les réservoirs, tandis que sous l'aile de nos avions, nous dormions en prévision de la deuxième mission.

À 11 h 45, les escadres de Spitfire revenaient, et des nuées de mécanos, perchés sur les camions pompes, se ruèrent pour les ravitailler en un temps record, tandis que les pilotes, titubant sur leurs jambes engourdies, mangeaient un sandwich et buvaient en vitesse une tasse de thé.

Ils étaient déçus et peu loquaces.

Tout s'était bien passé, pas mal de *flaks*, mais jusqu'au moment où ils avaient quitté leurs protégés – c'est-à-dire 10 h 30 – pas un chasseur allemand n'était intervenu.

Quelques minutes avant midi, alors que nous commencions à nous installer à nouveau dans nos cockpits, les haut-parleurs appellent :

— *Hullo, Hullo, Station commander calling all pilots. The big boys over Germany are being very heavily engaged by overwhelming enemy fighter forces.*

« *Squadrons are to take-off immediately in order to releave the actual escort.*

« *The utmost is to be done to bring home safe the Fortress Boys who have been doing a grand job today. Hurry up and good luck to all !*

(— Allô, allô ! Ici le commandant de la base, appelant tous les pilotes. Les « grands garçons » sur l'Allemagne sont attaqués en ce moment par de très puissantes forces de chasseurs ennemis.

« Les *squadrons* décolleront immédiatement pour relever l'escorte actuelle qui est à bout de souffle.

« Vous devez faire le maximum d'efforts pour ramener sains et saufs les équipages de Forteresses, qui ont fait un beau travail aujourd'hui. Dépêchez-vous, et bonne chance !)

À 12 h 04 les *squadrons* 132, 602, 411 et 453 décollaient de Bradwell Bay.

Jacques et moi volons respectivement comme numéro 3 et numéro 4 dans la Yellow Section menée par Sutherland.

13 h 15.

— Attention, Clo-Clo, douze boches au-dessus, *5 o'clock !*

Jacques parlant français dans la radio se fait aussitôt vertement rappeler à l'ordre par Max.

— *Shut up stupid Frenchman !* (Taisez-vous, stupide Français !)

Les nerfs de tout le monde sont à fleur de peau.

Il y a bientôt une heure que nous volons à 10 000 mètres d'altitude dans une température arctique.

Les cadrans des instruments de bord dansent devant mes yeux fatigués, et parfois tout se brouille – altimètre, horizon gyroscopique, badin, « *turn and bank* », thermomètres de radiateur, d'huile, de têtes de cylindres, manomètres, voyants lumineux – dans une salade de chiffres et d'aiguilles.

Je suis obsédé par le réservoir qui alourdit mon Spitfire. Au chronomètre, j'ai encore théoriquement sept minutes d'essence à user avant de le larguer. Mes reins me font mal, mes orteils sont gelés, mes yeux pleurent, mon nez coule... tout va mal. C'est un invraisemblable cafouillis.

Le temps, si beau jusqu'à midi, s'est gâté, et de grands bancs de nuages s'élèvent verticalement depuis le sol brumeux comme des remparts. En traversant un de ces gros cumulus, Jacques et moi avons perdu contact avec le reste du *squadron*.

Maintenant, nous sommes perdus dans cet enfer, et nous collons nos deux Spitfire l'un à l'autre pour essayer d'aller jusqu'au point de rendez-vous.

Mais – au fait ? – il semble bien passé, ce foutu point de rendez-vous, et comment reconnaître quelque chose dans cette foire d'avions et de nuages !

Impossible de faire réellement le point. En dessous, à gauche, se découpent les dernières îles Frisonnes – jaunes et arides sur la mer grise. Quelque part à droite, sous la brume, il y a Emden et les herbages gras bordés de canaux de la Hollande du Nord. Loin déjà, derrière nous, il y a le Zuiderzee.

En l'air, c'est un cauchemar. Je n'ai jamais encore rien vu de semblable...

Des grappes de *flaks* surgissent du néant et s'accrochent silencieusement aux flancs des nuages.

Des chasseurs allemands naissent partout – inquiétant phénomène de génération spontanée.

Nous croisons des Lightning et des P-47 qui rentrent à tire d'ailes, casiers à munitions vides, avec leurs pilotes hagards et épuisés se faufilant entre les nuages pour éviter le combat.

Enfin, voilà les bombardiers !

C'est la panique. Pour la première fois, sous l'effort conjugué de la *flak* et des avalanches de Junker-88, de

Messerschmitt-410 armés de lance-fusées, des *boxes* de Forteresses ont été rompus, disloqués, émiettés. Sur les gros quadrimoteurs dispersés dans le ciel – essayant vainement de se grouper par trois ou par quatre pour croiser les feux – les Focke Wulf se ruent à la curée.

Que de Focke Wulf ! Il en sort de partout, et, là en dessous, sur les aérodromes hollandais, d'autres se préparent à décoller.

Les Spitfire et les bombardiers sont beaucoup trop dispersés pour que l'on puisse organiser un plan de défense. C'est une affaire de « chacun pour soi et Dieu pour tous ». La voix du contrôleur est devenue si lointaine dans la radio qu'elle est imperceptible ; sans elle, sans son soutien et ses conseils, nous nous sentons isolés de notre monde, tout seuls, tout nus, désarmés...

C'est miracle que nous n'ayons pas encore été descendus ! Tournant, virevoltant, tiraillant, nous avons réussi à prendre pas mal d'altitude au-dessus de la bagarre. J'ai épuisé la moitié de mes munitions. Il va s'agir de rentrer en compagnie. J'ai ramassé un probable.

Jacques repère soudain au milieu du ciel truffé de parachutes et d'avions en feu, des Focke Wulf fonçant sur quatre Forteresses qui se traînent et cherchent à protéger un Liberator dont un des moteurs flambe.

Que faire ? – Impossible d'appeler à l'aide dans cette infernale mêlée. Tous les Spitfire, à perte de vue, sont engagés dans des *dog-fights* tourbillonnants qui semblent se cogner et rebondir sur les nuages comme des boxeurs contre les cordes d'un ring. Je n'ai jamais vu ça !

Un coup d'œil à mon chrono. Plus que deux minutes d'essence. Tant pis, ce ne sera pas une grosse perte.

— *Hullo Jack, dropping my baby !* (Allô Jacques, je largue mon réservoir.)

Je me baisse et tire la poignée de largage, tandis que Jacques surveille. Allégé, mon Spitfire fait un bond.

— *OK Jack, your turn !* (OK, Jacques, à ton tour !)

Le réservoir de Jacques tombe en virevoltant dans une pluie d'essence.

— *Attacking !* (Attaquons !)

Collimateur allumé, doigt sur la détente, ensemble nous roulons sur le dos et piquons sur les Focke Wulf disposés en éventail autour des bombardiers.

Tout en piquant j'observe et m'efforce d'en choisir un. Ils attaquent partout : de face, de travers, par l'arrière. Une des Forteresses part en vrille, lentement. Une autre explose soudain comme un gigantesque obus de *flak*, et la déflagration arrache l'aile de celle qui la flanque à droite... un gros champignon sombre s'épanouit d'où coulent des débris incandescents. La silhouette maintenant dissymétrique de la Forteresse diminue et s'estompe, tombe comme une feuille morte. Comme des clous neufs brillant sur un mur,

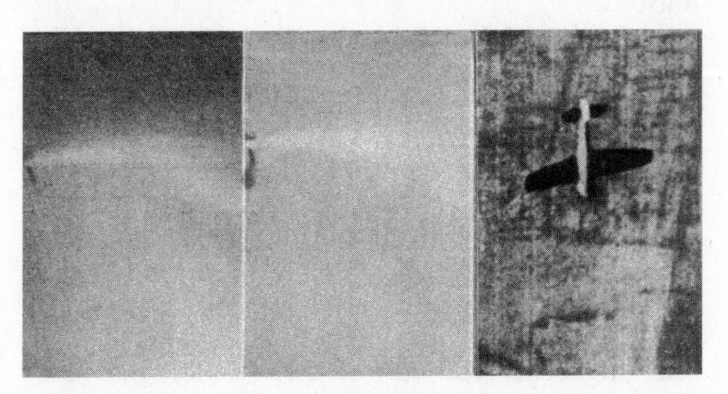

Ce FW-190 qui fume sérieusement ne m'a été compté que « probable » malgré le film confirmant mon rapport de combat !

une, deux, quatre, six corolles de parachutes se fixent soudain dans le ciel...

Je défile à quelques mètres d'un Focke Wulf désemparé qui traîne un voile noir – inutile de gâcher des munitions, il a son compte !

J'ai l'impression de plonger dans un aquarium rempli de poissons fous !

Rien que des moteurs en étoiles, des ventres jaunes, des croix noires, et des plans carrés qui battent l'air comme des nageoires. L'air est zébré de traceuses multicolores, et mes yeux clignent instinctivement.

Nous y sommes. Je bande les muscles de mon ventre en remontant les pieds sur le palonnier de combat afin de résister à la force centrifuge, j'avale ce qui me reste de salive amère, et je redresse sec... Avant même que mon cerveau ait enregistré l'impression, mon doigt a déclenché d'instinct le feu. Une rafale sur le Focke Wulf qui s'écartèle un instant au milieu de mon pare-brise. Manqué ! Surpris, il perd l'équilibre et se dérobe. Jacques le tire et le manque aussi – mais il est suivi par un Messerschmitt gris dont les ailes sont ourlées de feu. Je hurle :

— *Look out Jack ! Break right !* (Attention, Jacques ! Dégage à droite !)

Vite, je pèse de tout mon corps sur les commandes, la terre bascule en coup de fouet – mais trop tard, le Messerschmitt est hors de portée.

Je suis en sueur.

Deux Focke Wulf, devant moi, attaquent en ciseaux une Forteresse qui dérive comme une épave.

Un coup d'œil au rétro : Jacques est là.

Les filaments rouges de mon collimateur ceinturent un Focke Wulf vert et jaune – Bon Dieu qu'il est près ! Les ailes de mon Spit frémissent sous les coups de butoir des deux canons... trois éclairs, un hoquet de flammes et un panache gris se déroule enfin dans son sillage ! Un parachute ! Gagné ! Victoire !

Un coup de poing dans l'estomac : je vois une gerbe de lumière sur le flanc d'un nuage, là où était l'avion de Jacques à l'instant – mais c'est sa voix triomphante dans la radio :

— *Did you see that Pierre ? I got him also !* (Tu as vu ça Pierre ? Je l'ai eu moi aussi !)

Dieu merci, c'était un Focke Wulf, et soulagé j'aperçois du coin de l'œil son Spitfire qui se balance à 40 mètres de moi.

Soudain, un coup de tonnerre, une gifle brûlante. Mes tympans sont déchirés par la sirène de l'air qui s'engouffre dans le trou qu'un obus vient d'ouvrir dans mon pare-brise. *Bang !* Un autre...

Frénétiquement je dégage. Le boche est si près que je ferme les yeux sous la lueur de ses canons. Mais Jacques est là et le Focke Wulf file.

Cette fois-ci je perds la notion des choses complètement. Pendant dix minutes, je suis les instructions que Jacques me donne par la radio ; quand je reprends le fil de mes idées, nous sommes au milieu de la mer du Nord. À ma droite, il y a une Forteresse Volante trouée comme une passoire, mais qui vole quand même, et à ma gauche se traîne un P-47 au nez rouge.

Enfin l'Angleterre.

Sur les côtes, je repère quatre Forteresses écrasées dans les champs.

Nous nous posons après le quadrimoteur à Manston, épuisés, vidés de toute substance.

Nous parquons à côté du P-51. Présentations. Le pilote est le fameux major Beeson, commandant le 7e groupe de Mustang. C'est une dernière mission car il doit être rapatrié aux États-Unis dans les semaines prochaines. Il sera abattu avant en mitraillant un aérodrome.

— Jésus – dit-il en riant aux éclats – vite que le gouvernement m'envoie en vacances contre les Japonais !

L'usine de Schweinfurt a été rasée, mais sur les 500 Forteresses, une centaine seulement est en état de voler encore. Nous avons perdu plus de deux cents équipages. 21 chasseurs allemands ont été abattus par nous, et 41 chasseurs US et RAF perdus.

*

1er décembre 1943

J'ai l'impression que la RAF a un *flying bomb complex*[1]. Les Allemands, depuis quelques semaines – Hitler en tête –, lancent leur campagne d'armes secrètes et la presse neutre est remplie d'histoires horrifiantes de fusées monstrueuses, dirigées par radio, capables de transporter à 200 kilomètres trois tonnes d'explosif, etc.

Nous lisons les journaux en haussant les épaules...

Un bel après-midi, cependant, tous les pilotes sont appelés à l'Intelligence Room. Avec une tête lugubre, le *senior* dévoile une carte à grande échelle du nord de la France, littéralement hérissée de petits drapeaux numérotés :

— Messieurs, la situation est grave ! – et il commence un speech peu réconfortant où il expose en substance les faits suivants :

« De deux choses l'une, ou les boches cherchent à nous bluffer, ou ils ont réellement réussi à mettre

---

1. Une obsession des bombes volantes.

au point ces engins, et nous pouvons très bien apprendre un beau matin que la moitié de Londres est pulvérisée. Nous choisissons de supposer qu'il s'agit d'un bluff. Mais le grand QG prend l'affaire au sérieux, et parle de tourner notre offensive de bombardement contre tous ces lieux marqués sur la carte.

— En deux mois, l'organisation Todt a entrepris près de 200 emplacements. Il ne faut pas qu'ils réussissent à en terminer un seul. Les 18 que vous voyez là – marqués par les drapeaux rouges – où le travail est assez avancé, seront bombardés demain par 300 avions.

« Nous continuerons jusqu'à ce qu'ils soient tous rasés. Maintenant, un dernier conseil, les sanctions les plus graves seront prises contre le premier d'entre vous qui mentionnera ces faits à qui que ce soit. Il ne faut pas affoler le public !

Les *Noballs* – c'était le nom que notre code donnait à ces emplacements – se multiplièrent comme des champignons : plus on en démolissait, plus il en repoussait. Si c'était réellement un bluff, les Allemands devaient bien s'amuser.

Peu à peu, tous les types d'appareils furent mobilisés et lancés contre la « rocket coast », comme on en vint à appeler la côte de Boulogne à Cherbourg.

La 184, avec ses vieux Hurricane, fut bientôt envoyée à la bataille. Avec leurs quatre bombes-fusées de 60 livres, les malheureux appareils se traînaient à 330 kilomètres à l'heure. Il fallait un courage peu commun pour aller, à cette vitesse, se frotter en rase-mottes, à la *flak* allemande.

Avec inconscience et méchanceté, nous nous moquions des appréhensions de leurs pilotes. Elles étaient d'autant plus compréhensibles qu'ils commençaient à recevoir leurs nouveaux Typhoon et qu'il était vraiment dur de se faire descendre au moment où leur rêve se réalisait.

On ne rit d'ailleurs pas longtemps à leurs dépens... Le 4 décembre, huit Hurricane venaient juste de passer la côte française, quand une dizaine de Messerschmitt-109G les attaquèrent. La 184, *squadron leader* Rose en tête, se défendit avec acharnement.

Alourdis par leurs bombes et n'ayant que huit 7,7 contre deux canons de 20 et deux de 13, les Hurricane n'avaient guère de chances de s'en tirer. Six furent descendus et les deux autres s'écrasèrent à l'atterrissage, leurs pilotes grièvement blessés l'un et l'autre par les balles allemandes.

Et l'on perdit toute espèce d'envie de rire, lorsqu'il fut décidé que les Hurricane seraient désormais escortés en rase-mottes par des Spitfire.

Il brouillasse et les nuages humides accrochent au passage le haut des arbres.

Au moins, on va se reposer aujourd'hui.

Attablé devant un œuf au bacon et quelques toasts épais, bien rôtis et margarinés, je prends mon breakfast au mess, tout en préparant un petit programme pour la journée. Il y aura certainement un *general release*. Je vais prendre un bain chaud, puis, après le déjeuner, Jacques et moi nous irons – si sa voiture tient encore debout – à Maidstone. Après le cinéma, nous dînerons au Star et, après une tournée de drinks, nous reviendrons nous coucher.

— *Hullo ! Hullo !* (Allô, allô !)

Allons bon ! encore ce maudit haut-parleur.

— *Operations calling. Will the following pilots of 602 Squadron report to intelligence immediately.* (Opérations appelant, les pilotes du *squadron* 602 dont les noms suivent doivent se présenter immédiatement à la salle d'opérations.)

Furieux, j'entends mon nom parmi les huit appelés.

Je bois mon café en vitesse, j'étale une double épaisseur de confiture d'orange sur mon dernier toast, et je file.

Arrivé à l'« Intelligence » je m'aperçois que je suis le dernier. Tout le monde est déjà là, et devant les mines allongées, je ne suis pas long à comprendre.

— Ces salopards du GCG ne veulent tout de même pas qu'on vole par un temps pareil !

Je remarque que huit pilotes de la 184 sont présents. Tout s'éclaire. Il s'agit d'une des fameuses escortes. Charmant !

L'*intelligence officer* nous explique sur la carte notre mission.

Les huit Hurricane doivent attaquer avec R.P. le *Noball* n° 79 au sud-est d'Hesdin. Comme nos Spit font du 500 alors qu'ils atteignent tout juste 320, il ne saurait être question d'escorte, à proprement parler.

Ils doivent franchir la côte française à 10 h 12 et filer droit sur leur objectif. Simultanément, 4 Spit du B et du A Flight doivent respectivement patrouiller Hesdin et Abbeville, prêts à intercepter toute réaction de la chasse allemande.

Sur le papier, cela semble innocent – mais en pratique...

À 9 h 40, les Spitfire décollent et plongent dans la brume vers Dungeness.

Au milieu de la Manche, comme la météo l'avait prévu, la visibilité s'améliore et le plafond s'élève à 300 mètres.

La Manche est répugnante ce matin. Ses vagues courtes, panachées d'écume, sont sales, glauques et glaciales.

Comme on vole littéralement au niveau de la mer, il faut faire attention aux mouettes. Elles ont la vilaine manie de s'emboutir à toute vitesse dans les radiateurs et de s'écraser sur le pare-brise qui éclate, vous couvrant de sang et de plumes.

B Flight nous laisse, se dirigeant vers Point-au-Blanc, plus au nord-est. Bientôt, légèrement à droite, les falaises du Tréport dressent à pic leur masse de craie blanchâtre.

On accélère à fond et les 4 Spitfire semblent glisser d'une crête de vague à l'autre.

Voilà l'estuaire de la Somme avec ses bancs de sable et ses marécages. Hop ! La plage défile sous mes ailes et je manie doucement le manche pour accompagner le relief du terrain, volant aussi bas que possible.

On suit le cours de la Somme jusqu'à Abbeville. Tout est calme au premier abord, pas de *flak*, tout semble désert et endormi.

Tout à coup la danse commence. De chaque côté de la berge, des postes de DCA légère allemande ouvrent le feu. L'air se peuple soudainement de longues traînées incandescentes, les traceurs de 20, rouges et verts zigzaguent, donnent l'impression désagréable de vous arriver droit entre les deux yeux et de dévier au dernier moment d'un côté ou de l'autre.

Des chapelets de balles lumineuses partent d'emplacements soigneusement camouflés, se croisent sur nos têtes ou ricochent sur la rivière devant nous.

Les 37 millimètres sont bientôt de la partie et les venimeux flocons noirs commencent à surgir de tous côtés.

Nous avons beau exécuter de violents virages entre les arbres, nous coller aux haies, la DCA nous accompagne sans relâche. À peine hors de portée d'un poste, on tombe sous le feu d'un autre.

Nous tournons 90° à gauche. Pour maintenir la formation parallèle, nous devons nous croiser à toute vitesse. Soudain, je vois Ken arriver sur moi, et je tire sur le manche pour l'éviter. Cela m'oblige à quitter momentanément la protection du sol. Aussitôt trois obus éclatent à quelques mètres de moi, l'un d'eux juste au-dessus de mon aile ; j'entends le grésillement des éclats qui tambourinent comme la grêle sur une plaque de zinc.

Mon LO-D dans la 602 arbore évidemment la croix de Lorraine.

Droit devant moi, entre deux meules de foin, je distingue des sacs de sable d'où émergent les tubes d'un affût double de 20 millimètres ou de 37 millimètres. Tout autour, de vagues formes grises s'agitent éperdument.

Un coup de pouce sur la détente, mes obus lacèrent le parapet dérisoire et les balles de mitrailleuse labourent la terre tout autour.

Une des meules prend feu et je garde encore gravée dans ma mémoire l'impression photographique d'un des servants s'écroulant, haché par la rafale.

Tout en évitant les obstacles et veillant aux lignes à haute tension qui tendent à 30 pieds au-dessus du sol leur piège mortel, j'observe Jacques qui vole à 200 mètres sur ma droite.

Il est visiblement en forme aujourd'hui. À plusieurs reprises, je l'ai vu passer en tranche entre les arbres au lieu de les sauter. Tel que je le connais, il doit jubiler – quant à moi, je préférerais être dans mon lit ou, à la rigueur, exécuter un *fighter sweep*[1] à 20 000 pieds...

L'inconvénient du rase-mottes à 500 km/h réside dans le champ de vision très limité. On a juste le temps d'évaluer un obstacle ou un objectif – on ne dispose que d'une fraction de seconde pour éviter l'un et ajuster l'autre – avant de les voir filer sous les ailes.

Tous les postes de la DCA allemande du coin doivent être alertés, car les chapelets de traceuses montent de tous côtés. Après quelques minutes, on s'y habitue... Soudain les obstacles disparaissent et s'étalent devant ce que je prends au premier abord pour une grande prairie...

C'est un aérodrome !

---

1. *Fighter sweep* : balayage de chasse. Opération contre la chasse allemande.

Je passe sur la lisière et Jacques en plein milieu !

Il a dû se rendre compte du danger en même temps que moi.

Une véritable muraille de *flak* s'élève autour de lui. À chaque instant je m'attends à le voir s'écraser en flammes. Mais il est trop affairé pour prêter attention à ce qu'il appelle « ces petits détails ».

Il vient d'entrevoir, dans un coin, trois Messerschmitt-109 sous des filets de camouflage. Désespérément, il essaie de les encadrer dans son collimateur. Risquant le tout pour le tout, il réduit les gaz à fond et essaie de virer sec, l'aile au ras du sol. Rien à faire, sa vitesse est trop grande et la rafale qu'il tire en désespoir de cause s'éparpille contre un mur de clôture. Par contre, sa manœuvre l'amène droit sur la tour de contrôle de l'aérodrome, une bâtisse en bois à deux étages, aux grandes baies vitrées comme un mirador.

L'effet de ses deux canons et de ses mitrailleuses sur un tel édifice est terrifiant. Les vitres volent en éclats et les projectiles qui traversent de part en part font un massacre à l'intérieur. J'entrevois des silhouettes qui font irruption par la porte et même par les fenêtres.

Furieusement, Jacques garde le doigt sur la détente et continue de tirer à bout portant, dégageant de justesse.

Les deux soldats qui occupent le poste de guet sur le toit, voyant le Spitfire leur arriver droit dessus, crachant feu et flammes, n'hésitent pas : ils sautent froidement les deux étages...

Tout se passe en un éclair, comme un rêve. J'entends la voix triomphante de Jacques dans la radio :

— *Hullo ! Pierre, that shook them !* (Allô Pierre ! Ça les a secoués.)

Pendant encore dix longues minutes, nous continuons la patrouille, et c'est avec soulagement qu'indemnes – à quelques petits éclats près, par-ci par-là dans les Spit – nous prenons le chemin du retour.

Trempés de sueur, jurant que l'on ne nous y prendra plus, nous nous posons à Detling sous une pluie battante et un brouillard à couper au couteau.

— *Home, sweet home...* (Qu'elle est douce, la maison...)

La « doulce France », infestée d'Allemands, est décidément de moins en moins accueillante.

Du coin de l'œil je surveille les Hurricane qui vont se lancer à l'attaque.

La cible, soigneusement camouflée contre la photo verticale, est bien visible dans tous ses détails sous cet angle : les lignes à haute tension aboutissant au transformateur, le bloc de béton de la salle de contrôle, avec ses antennes bizarres, d'où peut-être la bombe volante est dirigée...

De chaque côté, habilement dissimulées dans le sous-bois, les curieuses constructions basses en forme de skis, dont la raison d'être défie encore l'astuce des techniciens et des *intelligence officers* de la RAF, et, enfin, la rampe de lancement, longue de 40 mètres pointée vers le cœur de l'Angleterre. Sur les rails, un cylindre sinistre, long d'environ six mètres, avec deux embryons d'aile...

Diable, les choses paraissent, en effet, bien avancées...

Tout autour de la *Noball*, une bande de barbelés, large de 20 mètres et des postes de DCA légers – cinq dans un rayon de 800 mètres, d'après l'interprétation des dernières photos prises par les Mustang de reconnaissance, – tous équipés d'affûts quadruples de 20 millimètres et, sur le toit du bloc de contrôle, deux affûts simples de 37 millimètres.

Les Hurricane commencent leur piqué, plongent dans la mitraille. Les traceuses forment un mur mouvant d'acier et d'explosifs autour de la cible.

L'inévitable s'accomplit. Impuissant, j'assiste au drame.

Le *flight lieutenant* Rough-Head, à l'instant où il lâche sa salve de quatre fusées, est touché à mort. Son Hurricane désemparé se redresse avec une violence inouïe, et monte à la verticale, hélice en croix. Au sommet de la trajectoire, une aile flanche, l'avion reste suspendu dans l'espace, immobile, accroché à un fil, puis s'engage en vrille.

Comme dans un cauchemar, je vois le Hurricane du W/O Pearce littéralement brisé par une rafale de 37 millimètres. L'empennage se détache, l'appareil s'écrase dans le bois fauchant les arbres, semant des jets d'essence enflammée.

Les deux autres Hurricane attaquent simultanément. L'avion du sergent Clive, touché de plein fouet, explose et n'est plus qu'une masse informe de flammes traînant une longue queue de fumée noire.

Par miracle, Bush, l'Australien, est plus heureux : il a réussi non seulement à placer ses huit bombes fusées dans la salle de contrôle, mais encore à se dépêtrer du barrage de *flak*, avec une énorme déchirure dans son fuselage sans compter deux éclats dans la cuisse et un troisième dans les reins.

Je suis pétrifié et je pilote mécaniquement. Tout s'est passé en quelques fractions de seconde.

Toujours hors de portée de la DCA, nous achevons notre circuit et je me prépare à reprendre le chemin du retour.

J'entends Ken qui détache Jacques et Danny pour escorter Bush et qui me crie dans la Radio :

— *Hullo ! Beer 3 and 4, take the Hurry-boy home ! Beer 2, attacking the bloody thing !* (Allô Beer 3 et 4, escortez le pilote du Hurricane et ramenez-le à la base. Beer 2, nous allons mitrailler cette cochonnerie !)

Le sang se glace dans mes veines. Ken est complètement cinglé. S'il veut se suicider, qu'il le fasse seul...

Je ne crâne vraiment pas, lorsque Ken, après une longue feinte dans les vallées voisines, me ramène sur l'objectif.

— *Line abreast go ! Attack !* (Mettez-vous en formation parallèle et attaquons !)

Nous fonçons, rasant le sol à trois ou quatre mètres. Avant même que nous soyons en position, la DCA nous encadre.

La précision de la *flak* allemande est infernale. Les cinq postes me prennent immédiatement entre leurs feux croisés. Le cœur battant à se décrocher dans ma poitrine, j'essaye de dérégler leur tir en faisant déraper l'avion.

Rien à faire. Je suis atteint de plein fouet par un 20 qui traverse mes plans sans exploser.

Il ne s'agit plus d'attaquer, mais bel et bien de sauver ma peau. Tous les postes de *flak* de la région sont maintenant alertés.

Ébloui par la cascade de traceuses, je me recroqueville, et je remue instinctivement la tête à droite et à gauche, comme pour les éviter. Je sens que je vais être touché d'une seconde à l'autre et que je vais m'écraser, sans espoir, comme les Hurricane...

Éperdu je me lance dans des manœuvres folles. Risquant le tout pour le tout, je me colle au sol en feintant de violents virages...

Je vois l'obstacle trop tard – une rangée de peupliers en bordure d'un canal. J'incline l'avion instinctivement, pressant à fond le palonnier gauche...

Avec un fracas qui résonne dans le fuselage, et un choc qui m'arrache presque le manche des mains, l'aile droite accroche légèrement la cime des arbres. Je ne dois qu'à l'inertie des trois tonnes de mon avion, lancées à 500 km/h, de ne pas percuter contre le chemin de halage surélevé, de la berge opposée.

Étourdi, paralysé par la peur, par cette peur physique qui tord les entrailles et vous fait monter à la bouche « l'aigreur de la chair », je sens mes forces partir en eau... Je ne réussis à éviter que d'un cheveu une ligne à haute tension – passant en trombe au-dessus fils d'acier luisant.

Le cœur me manque. Perdant la tête, je tire sur le manche, cherchant le refuge du plafond de nuages qui roulent gris et sombres à environ 800 mètres de hauteur.

Je perds la protection du sol et, pendant les quelques secondes que dure ma montée, je suis touché – un obus explosant dans mon aileron gauche, trois balles dans ma profondeur et une autre au travers d'une de mes pales d'hélice...

Jamais l'ombre humide et creuse des cumulus chargés de pluie ne m'a semblé plus accueillante.

Il me faut environ une minute pour traverser la couche de nuages, et j'émerge soudain en pleine lumière, baigné de sueur comme à l'éveil d'un cauchemar. Le ciel bleu, le soleil reflété sur la mer de nuages qui défile sous moi, tout est enfin glorieux et rassurant.

J'essaie timidement les commandes. Mon aileron n'est plus retenu que par un lambeau d'aluminium. Mon *fletner* de profondeur, coincé, pèse sur le manche.

La *flak* est de plus en plus dense et précise !

De retour à Detling, je fais un atterrissage en épisodes – deux ou trois bonds que je dois corriger à grands coups de gomme.

Ken s'était déjà posé – quelques minutes avant moi, et a avarié son appareil à l'atterrissage ; son train endommagé par une balle n'étant pas descendu, il lui a fallu se poser sur le ventre.

Plus tard, en faisant le « *post-mortem* » de nos appareils, Ken découvre qu'un obus avait, sans exploser, fracassé un de ses magnétos et traversé une de ses pipes d'échappement.

Mon vieux LO-D est bon pour une semaine de réparations. En plus des avaries aux commandes, le fuselage a été touché à la hauteur des cocardes. Un des projectiles a même ricoché sur une de mes bouteilles d'oxygène.

J'ai une belle frousse rétrospective à l'idée que, si la balle avait touché cette bouteille de plein fouet, l'explosion du gaz sous pression m'aurait transformé en chaleur et en lumière...

*

Briefing à 10 h 30

Temps magnifique, un froid à fendre les pavés – pas l'ombre d'un nuage dans le ciel. Les ailes des Spitfire ruissellent, car la remorque de dégivrage à air chaud vient de passer.

La piste est couverte de verglas.

Obligé d'ôter mes gants pour fixer les courroies, j'ai les mains glacées et je ne réussis pas à les réchauffer. J'ouvre l'oxygène en grand pour me donner un peu de cœur au ventre.

La glace sur le *runway*[1], ces derniers jours, a provoqué toute une épidémie d'accidents plus ou moins graves – trains d'atterrissage fauchés, collisions au sol, etc., et nous ne disposons que de 11 avions.

Dunbrell, Jacques et moi nous formons la section MAX avec le C.O.[2]

La 602 doit patrouiller avec la 132 la région de Cambrai, où les chasseurs allemands se sont montrés particulièrement actifs ces derniers temps. Nous montons à 22 000 pieds puis, comme il fait un froid glacial, nous redescendons à 17 000.

Ce ciel d'hiver est tellement pur, tellement éblouissant, qu'après vingt minutes de vol au-dessus de la France, mes yeux papillotent.

---

1. Piste goudronnée ou cimentée.
2. *Commanding officer* – Commandant du groupe.

Le contrôleur nous annonce une forte formation ennemie dans les environs, mais il est impossible de distinguer quoi que ce soit à travers l'éblouissement qui nous enveloppe.

Par prudence, car la station Grass Seed se fait pressante, nous reprenons de la hauteur...

Soudain, *wooof* ! 30 Focke Wulf sont sur notre dos. Avant même que nous puissions faire un geste, ils ouvrent le feu.

Un tourbillon de gros moteurs en étoile, de fines ailes courtes semant des éclairs, de balles traceuses fusant de tous côtés, de croix noires dispersées...

Panique. Tout le monde dégage. En l'espace d'une seconde, l'impeccable formation de combat des deux escadrilles est rompue, disloquée, émiettée dans le ciel. Trop tard !

Le bon gros Jonah descend en flammes et le sergent-chef écossais Morgan, en vrille, une aile arrachée par une rafale de Mauser.

La 132 n'est pas plus heureuse. Trois de ses pilotes sont descendus.

Un quatrième – nous l'apprîmes plus tard – a réussi à ramener son appareil gravement endommagé jusqu'à mi-chemin, à travers la Manche, puis il a sauté en parachute et a été repêché une heure après.

La surprise passée, on se ressaisit.

Le capitaine Aubertin qui commande Skittles est rejoint par moi : ses numéros 2 et 4 ont été abattus et son numéro 3 s'est évaporé – le pauvre Spencer a reçu un obus de 20 à dix centimètres de sa tête, qui a réduit en miettes le poste de radio. À demi assommé contre sa plaque de blindage, il a instinctivement tiré sur le manche, ouvert les gaz et s'est réveillé à 30 000 pieds, absolument seul dans le ciel.

Un Focke Wulf se faufile derrière le capitaine, mais le manque. Entraîné par sa vitesse, le boche le dépasse et de chasseur devient chassé. Aubertin et moi lui réglons son compte en cinq secondes. Malheureusement, quatre autres 190 nous prennent à partie et, non seulement nous ne pouvons voir notre victime s'écraser, mais Aubertin séparé de moi ne réussit à s'échapper qu'après une poursuite féroce de 45 milles entre les arbres, autour des clochers d'église et dans les rues des villages. Son Spitfire est touché sept fois. Il aura du mal à s'en remettre.

Pendant ce temps, avec Jacques, que j'ai retrouvé – contrairement à nos habitudes bien établies – nous rejoignons Sutherland comme des chiens fidèles et nous avons le plaisir de le voir liquider un autre 190 à 600 yards de portée. L'avion allemand se désintègre littéralement en l'air, mais le pilote s'en tire : peu après nous voyons un parachute s'ouvrir en dessous de nous. Tant mieux !

Danny lance en douce une rafale à un 190, mais le manque.

Comme coup dur, ce *sweep* est vraiment très réussi. Sur vingt-trois Spit, quatre ont été descendus et huit autres endommagés, sans compter celui de Williams, du 132, qui blessé, a dû se poser sur le ventre, roues rentrées...

Il s'agit aujourd'hui d'une longue mission. Nous allons à Reims chercher une forte formation de Forteresses Volantes américaines et de Liberator revenant d'Allemagne.

La 602 doit couvrir les trois premiers groupes – 80 bombardiers en tout – et la 132 les trois suivants.

Nous décollons à 12 h 10, après un déjeuner expédié en vitesse, et nous poussons jusqu'à 7 000 mètres nos avions alourdis par des réservoirs supplémentaires de 45 gallons.

Après 30 minutes de vol, nous laissons Paris à notre droite, que l'on devine, plutôt qu'on ne le voit, sous un manteau de brume et de fumée.

En cours de route, des batteries lourdes allemandes décochent quelques salves merveilleusement ajustées qui nous encadrent de près – on s'éparpille immédiatement dans le firmament...

Les flocons noirs surgissent de tous côtés. Grimpant à pleins gaz avec Thommerson, nous réussissons à nous mettre hors de portée et à reformer la patrouille avec les autres, non sans difficulté.

10 h 50. La Luft semble réagir et les Focke Wulf doivent décoller de tous côtés car le contrôle commence à s'agiter.

Rien encore dans notre voisinage.

Bientôt un essaim de points noirs, suivi de plusieurs autres apparaît à l'horizon. Voilà nos bombardiers...

Les Thunderbolt et les Lightning que nous relevons rentrent à leur base, et nous prenons position – par patrouilles de quatre à droite et à gauche de la formation...

Spectacle imposant que celui d'un show de Forteresses :

La phalange de bombardiers, en impeccable formation serrée défensive – un bloc massif d'une centaine de quadrimoteurs, à 4 000 mètres d'altitude, s'étageant dans les trois dimensions, hérissé de 1 440 mitrailleuses lourdes – s'allonge sur une trentaine de kilomètres...

De chaque côté, l'escorte de Spitfire s'échelonne à perte de vue.

La couverture haute de Spit-IX-A ne révèle sa présence que par de fines traînées blanches de condensation.

La visibilité est aujourd'hui splendide. Le ciel est d'un indigo sombre s'éclaircissant vers l'horizon, qui passe de l'émeraude au blanc laiteux et se confond, à 400 kilomètres d'ici, avec les bancs de brume de la mer du Nord...

En bas, la France se déroule comme un tapis magique. Les méandres paisibles de la Seine et de ses affluents, les masses sombres des forêts aux curieuses formes géométriques, le damier multicolore des champs et des prairies, les villages minuscules et enfantins, les villes qui souillent la clarté translucide de l'air d'une tache de fumée accrochée aux couches tièdes de l'atmosphère.

Le soleil brûle au travers des cockpits transparents, et pourtant je sens la glace qui se forme dans mon tube à oxygène, et les gaz d'échappement se condensent en mille cristaux microscopiques, marquant le sillage de mon Spitfire dans le ciel. C'est magnifique !

Tout est oublié, la fatigue, la crampe douloureuse dans les reins, les courbatures, le froid qui écorche les orteils et les doigts au travers du cuir, de la laine et de la soie...

Le B-24 américain tente de rentrer difficilement avec la longue traînée blanche d'essence s'échappant de ses réservoirs crevés.

Çà et là, dans la formation des Forteresses B-17 et B-24, il y a des vides. De près on distingue des appareils avec un ou, parfois, deux moteurs arrêtés, hélices en drapeau. D'autres ont des empennages déchiquetés, des ouvertures béantes dans les fuselages, des ailes ternies par le feu ou luisantes d'huile noire bavant des moteurs éventrés...

Derrière la formation, on voit les traînards, qui, tendus vers la côte, vers le port de salut d'un des aérodromes avancés de l'autre côté de la Manche, ne volent que par un effort sublime de volonté. On devine le sang qui ruisselle sur des masses de douilles vides dans la carlingue, le pilote couvant ses moteurs valides, et suivant anxieusement du regard la longue traînée blanche de l'essence qui s'échappe des réservoirs criblés.

Ces isolés sont la proie favorite des Focke Wulf ; aussi les *squadrons* détachent-ils deux ou trois paires de Spitfire chargés de ramener chacun d'eux à bon port : travail épuisant, car ces bombardiers endommagés se traînent souvent sur un tiers de leur puissance totale, et cela mène ceux qui les escortent à la limite extrême de l'endurance...

Aujourd'hui, Ken nous envoie, Carpenter et moi, pour escorter un « Liberator B-24 » qui ne tient l'air que par miracle[1].

Son moteur n° 3 est complètement arraché du bâti, et pend, masse de ferraille inerte, sur son bord d'attaque. Le moteur n° 1 est en feu, les flammes grignotent lentement le longeron, et la fumée s'échappe des tôles d'aluminium de l'extrados, gondolées par la chaleur. Par les déchirures du fuselage, les survivants jettent par-dessus bord tout l'équipement superflu – mitrailleuses, bandes de munitions, radio, plaques de

1. Ce passage a été cité *in extenso* par le maréchal Harris dans son livre sur le *bomber command* de la RAF.

blindage... – afin d'alléger l'appareil qui perd lentement de l'altitude.

Pour comble de malheur, une des canalisations hydrauliques éclate, libérant une des roues du train d'atterrissage qui, pendante, augmente encore la résistance à l'avancement. Il est fichu.

À 1 800 tours minute et moins 2 boosts, 320 km/h, nous devons zigzaguer pour nous maintenir à sa hauteur.

Il y a déjà plus d'une heure que nous sommes recroquevillés dans nos cockpits inconfortables, et nous nous trouvons encore au-dessus de la France, à 20 kilomètres derrière la formation principale.

Une demi-douzaine de Focke Wulf commencent à marauder autour de nous, se tenant à distance respectueuse, comme soupçonnant un piège... Un autre B-24 nous rejoint courageusement pour aider notre protégé.

Inquiets, Carp et moi, nous nous efforçons de les suivre du regard. Soudain, ils attaquent, deux par deux.

À court d'essence comme nous le sommes, nous ne pouvons que faire face à chaque passe par un 180 degrés très sec, tirer une courte rafale dans la direction approximative de l'ennemi, et reprendre immédiatement notre position par un autre rapide 180 degrés.

Le manège se répète une dizaine de fois, mais nous réussissons à maintenir à distance les Focke Wulf qui finissent par se lasser – du moins le croyons-nous... Au-dessus de Dieppe, les chasseurs cèdent la place à la *flak*. Nous volons à 3 000 mètres environ.

La DCA allemande ouvre le feu avec une furie invraisemblable. Une véritable pyramide de flocons noirs chargés d'éclairs apparaît en une fraction de seconde.

Le B-24 éclopé est escorté par nous et un camarade,
mais la *flak* de la côte française n'a pas pardonné.

Violemment secoués par quelques fusants bien ajustés, nous nous séparons, Carp et moi, et prenons de la hauteur aussi vite que nous le permet notre maigre réserve d'essence...

Le pauvre « Liberator » incapable de fournir la moindre manœuvre violente est bientôt encadré. Cependant, alors qu'après quelques secondes angoissantes nous le croyons hors de portée, une explosion se produit et, coupé en deux, le gros quadrimoteur disparaît soudain dans une nappe de feu évitant de peu l'autre B-24.

Trois parachutes seulement s'ouvrent... Le cercueil d'aluminium incandescent s'écrase à quelques centaines de mètres des falaises, entraînant dans la gerbe d'écume les huit membres restants de l'équipage...

C'est le cœur gros que nous nous posons à Lymphe, réservoirs vides.

Heureusement, nous avions souvent plus de chance, et nous réussissions à ramener nos protégés jusqu'à l'aérodrome de Manston, où leur arrivée provoquait toujours une grande agitation – ambulances, pompiers, curieux. Quelle satisfaction de lire dans les yeux des pauvres bougres épuisés une gratitude sans limites !

Ce fut, dans bien des cas, le réconfort moral de la présence d'une paire de Spit qui leur donnait le courage de tenir jusqu'au bout, de résister à la tentation de sauter en parachute et d'aller attendre la fin de la guerre dans un « Oflag » quelconque...

*

6 h 30. La sonnerie du réveil matin m'arrache du lit. « Nom d'un chien, il fait aussi froid qu'au pôle Nord » !... Un coup d'œil sous le rideau noir du black-out. Le ciel est bien bas, probablement moins de 1 000 pieds de plafond, des nuages lourds qui filent. Ébranlement sourd des vingt portes des chambres du baraquement, sifflement dans les fils téléphoniques au-dehors. L'hiver est là.

J'allume une cigarette. Toilette minimum sans bruit. Tom et Dany Morgan mes compagnons de chambre se sont rendormis. Le quatrième lit est vide – nous avons perdu Croft il y a trois jours.

J'enfile vivement deux pulls sur mon pyjama, mon *battle-dress*, un gilet de cuir « ex-Croft », bas de laine jusqu'à mi-cuisses, bottes fourrées où je glisse les cartes que j'emporte toujours du sud de l'Angleterre et du nord de la France. *Irving jacket* et revolver.

On m'a chargé hier soir de vérifier si le temps est volable ce matin pour une *rhubarb* avant de sortir du lit Ken et les autres pilotes prévus pour cette mission. Le bloc sombre du bâtiment de l'OPS Room noyé dans la nuit, est à une centaine de mètres. Les flaques d'eau qui ont gelé m'évitent de patauger dans la boue habituelle. Après le froid glacial du dehors, j'ai l'impression en entrant de plonger dans un bienheureux bain tiède. Le néon éclaire les cartes murales d'une triste lumière crue. Le sergent de garde navigue entre les télex et les téléphones. Il me tend le *met-report* et commente : – « *Not so hot* » ! – Pas brillant. Plafond réduit à 500 ou 600 pieds dans les précipitations, visibilité horizontale 1 000 à 1 500 mètres. Attention aux douze Typhoon qui doivent opérer dans la région parisienne.

Sans ce vent de malheur c'est une bonne météo pour une chasse libre sur la France, même si ce n'est pas un temps à mettre un chrétien dehors. Réveillons les autres ! Ken et Bruce ne font pas trop de difficultés, mais Jacques ronfle à décrocher les ampoules du plafond. Il grogne, mais je le bouscule et cinq minutes plus tard nous sommes en route pour le *flight*. Au passage, on vérifie le montage des gros réservoirs supplémentaires de 70 gallons suspendus entre les deux radiateurs de nos Spitfire. Les mécaniciens couchés sur le dos à même le sol gelé travaillent à la lueur de lampes. Quel métier ! Pourrons-nous un jour payer notre dette à leur égard ?

« Décollage à 8 heures » – leur crie Ken. Il est 7 h 25, juste le temps d'avaler au mess une tasse de café (hélas toujours anglais...) et quelques biscuits à la sciure de bois. Nous aurons droit à un vrai breakfast au retour. Il faut espérer qu'aucun d'entre nous, descendu, n'aura à faire de la course à pied en France, l'estomac vide !

Frileusement serrés autour du poêle anémique, Jacques, Bruce et moi écoutons Ken nous expliquer le coup cartes en main : Nous passerons la côte française soit en PSV dans les nuages, soit en rase-mottes pour filer jusqu'à Amiens. Nous tournerons à gauche pour patrouiller la région de Saint-Quentin et de Beauvais et nous resterons en dessous de 1 000 pieds si le plafond le permet. Nous aurons ainsi des chances d'intercepter un avion de transport allemand en transit au ras des arbres. Formation parallèle entre 50 et 100 yards les uns des autres. Cross cover – couverture croisée – sérieuse, croisements « over-under » aux changements de cap. Liberté de manœuvre au combat. Le premier qui repère un objectif autorisé prévient et mène l'attaque.

7 h 50. Sanglés dans nos gilets de sauvetage, parachute alourdi du radeau pneumatique aux fesses, nous nous installons dans les cockpits, aidés par les mécanos qui vérifient, mine de rien, si nous n'oublions pas quelque chose – je branche ma radio, la cinémitrailleuse, le réchauffage du carbu, du pitot et les dispositifs de dégivrage. Les doigts gourds sous les gants doubles – cuir et soie – c'est tout un travail que de tripoter les minuscules breakers serrés les uns contre les autres. La buée de ma respiration givre aussitôt sur la vitre blindée de mon pare-brise. Quand le moteur aura chauffé, ça partira.

7 h 55. Je fais resserrer l'écrou de fixation du rétroviseur. Un coup d'œil au rétroviseur. Paré ! Un regard vers Ken, tout le monde est prêt.

« *All clear* » ? (Contact !)

Chanson aigre du démarreur, un cylindre parle et puis deux autres. Je pompe deux ou trois fois et d'un seul coup le Rolls Royce démarre. Il fait encore très sombre et les pots d'échappement sont panachés d'aigrettes mauves striant la brume qui tombe en flocons de neige minuscules.

8 h 02. Feux de position allumés, plan dans plan nous prenons de l'altitude au travers de nuages noirs qui nous secouent. Soulagés, nous émergeons à

4 000 mètres au-dessus de la Manche. Silence complet à la radio et malgré le givrage la manœuvre de passage sur les réservoirs supplémentaires s'effectue sans incident. Dans l'aube naissante, les nuages se frangent de lumière rose.

Les guetteurs allemands nous ont sans doute repérés. Dans nos écouteurs commence l'irritante interférence de la radio-location ennemie, plus aiguë à chaque balayage du faisceau d'ondes. Bruce Oliver bat soudain des plans et vire cap sur cap. Son Spitfire découpe un instant l'ellipse parfaite de ses ailes sur le ciel pâle et je distingue le fin filet blanc d'une fuite de glycol à l'un de ses radiateurs. Théoriquement l'un d'entre nous devrait l'escorter sur la mer, mais ni Ken ni Bruce ne parlent. Ken bat des plans à son tour, mais c'est afin de nous faire revenir en formation encastrée pour piquer au travers de la couche. Manœuvre délicate. La navigation à l'estime de Ken doit être parfaite pour que l'on ne risque pas d'émerger dans la ceinture de *flak* côtière et, un peu anxieux, j'espère que la prévision météo sur la base des nuages est exacte afin d'avoir une marge suffisante au-dessus du sol pour pallier toute fausse manœuvre. En tous les cas, il n'y a pratiquement pas de relief par ici.

Nous plongeons dans la vapeur opaque. Ken les yeux rivés sur ses instruments, Jacques et moi accrochés à ses plans, un à gauche, l'autre à droite. Au cœur de la descente, je pense à l'opérateur radar, en Angleterre, penché sur son tube cathodique sur lequel nous ne sommes que quelques minuscules virgules fluorescentes qui vont disparaître dès que nous serons passés en dessous de son faisceau !

Sans transition, nous nous retrouvons à l'air libre, à moins de 300 mètres d'altitude, au-dessus d'un moutonnement de petites collines boisées, coupées par des vallées étroites. Pluie fine et lambeaux de brume traînant parfois jusqu'au sol. Attention, danger ! Lumière lavée d'aquarium. Nous éteignons les feux de position.

Comme toujours une petite crispation d'estomac quand Ken commande de dropper nos réservoirs supplémentaires et de prendre la formation de combat, bien écartée. Nous accélérons pour être plus manœuvrant au cas où... Ken longe une rivière au milieu de la vallée, Jacques de l'autre côté longe la route et moi je suis à flanc de coteau, gêné par les bouquets d'arbres. Je veille aux lignes à haute tension. Avec cette visibilité désastreuse, l'obstacle mortel est sur vous en un clin d'œil. Au sol qui défile sous nos ailes, hormis deux femmes abritées sous un parapluie, pas une voiture, pas un train, pas un chat !

Des toits découpant l'horizon, quelques cheminées d'usine, une petite gare de triage – Doullens sans doute. Près d'un hangar deux locos accrochées à des wagons n'ont pas l'air sous pression. En tout état de cause nous n'avons ni l'envie ni le droit d'attaquer de jour des trains de passagers en France.

La pluie redouble, Amiens noyé dans la crasse ne doit pas être loin. « Attention, *flak !* » Un cri de Jacques dans la radio. Je vire d'instinct et un chapelet de flocons blancs s'égrène en éventail devant mon pare-brise. Des traceurs voltigent comme des lucioles !

Soudain sous nos ailes des toits, des terrains vagues. Dans une éclaircie les tours d'une cathédrale surgissent, trop proches. Nous passons en trombe sur des pavés mouillés, du goudron gras, des tuiles sales, des maisons. Amiens ! Frôlant les cheminées nous obliquons à gauche, débouchant en tonnerre au ras d'une gare. Quelques silhouettes de cheminots figés, surpris entre les wagons d'un train de marchandises, puis des éclairs fusent d'un parc à locos : une batterie de plusieurs pièces de 37 dont les tubes hoquetants se panachent de fumée. Pleins gaz, chacun pour soi, zigzagant, nous filons, poursuivis par des chapelets de venimeuses perles rouges et nous ne reprenons la formation qu'à quelques kilomètres de la ville. Je remonte jusqu'à la base des nuages pour consulter discrètement ma carte dont l'analyse est difficile en rase-mottes. Pas de doute. Ken s'est trompé à la sortie d'Amiens, au croisement de la route de Langean. Nous allons vers Compiègne au lieu de Saint-Quentin. Déjà nous franchissons un canal puis une grosse rivière qui est probablement l'Oise. Et c'est la forêt de Compiègne, avec des bouffées de brume accrochées aux arbres. Inutile de prévenir Ken qui va vite s'apercevoir de son erreur.

Soudain la voix du contrôleur, très lointaine parce que nous volons bas : *« Hullo Skittle, look out for Huns and Typhie boys around ! »* Skittle, c'est notre nom de code, et le contrôleur qui nous suit en Angleterre, nous apprend la présence d'avions allemands et amis dans nos environs. Il nous a repérés au radar ou fixés « gonio » par les écoutes. Je regarde Ken pour voir quelle sera sa réaction, je me cale sur mon siège et ôte la sécurité de mes canons... Il y a maintenant beaucoup de monde très excité sur le canal radio. Je reconnais l'indicatif des Typhoon du 609 Squadron qui vient de tomber, toujours veinard, sur un convoyage de Junker-88 ou de Dornier... et soudain, croisant notre route, au ras des arbres, file un Dornier à peine entrevu et qui se perd dans le brouillard. Une lueur à ma droite, c'est un avion qui flambe et tout à coup, l'espace restreint entre les nuages et la forêt est rempli d'avions – des Focke Wulf et des Typhoon tourbillonnant comme des fous, traînées de condensation en bout de plans, éclairs des armes...

« *Skittles, let's get out !...* » (« Foutons le camp !... ») nous crie Ken. Il a raison, amis ou ennemis sont aussi dangereux. Attention aux collisions ! Deux Typhoon me filent sous le nez si près que je suis secoué par leur sillage ! Trois brasiers et trois épaisses colonnes de fumée noire s'élèvent des arbres. Les débris de deux Dornier et, reconnaissable, d'un Typhoon flambent derrière nous. Pourvu que ce ne soit pas un de mes amis belges.

Ken et Jacques surexcités à la radio poursuivent un Focke Wulf dans la brume et d'après leur conversation finissent par l'abattre je ne sais où. Je les ai perdus de vue. J'appelle Ken pour lui dire que je rentre à Detling car mon pétrole baisse. Après une demi-heure au ras de la Manche, comme j'ai pris un cap trop à l'ouest, je me retrouve sur le promontoire sablonneux de Dungeness. Ici le brouillard est à couper au couteau. Je me fais prendre en charge par le contrôleur qui me ramène à la radio jusqu'à mon aérodrome. À peine posé, comme je roule au sol – bien soulagé ! – Jacques et Ken se posent. Ken fait un violent cheval de bois en touchant la piste. Il a attrapé une rafale de 20 dans l'aile et crevé un pneu, mais me fait signe, pouce en l'air, qu'il a abattu un avion.

Breakfast opérationnel et, en plein discutage de coup, sans même le temps de fumer une cigarette Max arrive sur les chapeaux de roues et nous embarque au *dispersal* prendre une alerte immédiate car quelques Dornier profitant une fois encore du temps se sont faufilés jusqu'à Londres. Fausse alerte. Nous dormons dans les fauteuils en attendant, quand on nous relâche à 10 heures.

*

C'est aujourd'hui que nous partons pour les îles Orcades. Il y a un brouillard à couper au couteau et les avions Harrow ne pourront pas venir nous chercher.

Alea jacta est – on partira par le train. C'est charmant, quelque dix-huit heures de voyage plus ou moins confortable. Peut-être moins...

Nous empilons nos bagages dans les camions et nous allons déjeuner au « Star » à Maidstone, où nous retrouvons Jimmy Rankin et Yule. Quelques dernières tournées de bière, des promesses...

Je suis, comme d'habitude, encombré d'une multitude de bagages : mandoline, veste de fourrure, etc. – heureusement Jacques est là pour m'aider.

En passant par Londres, nous faisons en bande – 24 pilotes – un saut au « Chez Moi », club très élégant et « exclusif » de Soho.

Au bout d'une demi-heure, le patron craignant pour ses glaces et ses dorures et constatant l'effarement de sa clientèle en robe de soirée et en smoking, vient nous prier de déménager. Quelques arguments bien trouvés, tels que le transfert de son magnifique œillet blanc à la boutonnière de Ken et une menace de déculottage public, suffisent à le calmer. Nous partons ailleurs...

De 6 heures à 9 h 30 (notre train était à 10 h 20) nous buvons sec – whisky, bière, whisky... À 9 h 30 nous sommes trop gais, et nous chantons des refrains d'escadrille.

I belong to Glasgow ! succède à *Pistol packing Mamma* et à *Gentille Alouette* – et peu à peu nous glissons dans une collection de chansons moins honnêtes. Les consommateurs commencent à se sentir gênés ou même à s'éclipser discrètement...

Robson monte sur la table, renverse quelques bouteilles, et nous commençons à scander en chœur le cri de guerre de la 602 :

— *Is it one two two ?*
— *No.*
— *Is it one, two, three, four, five, six ?*
— *Siiiiiiiixx !*
— *Oh ?*
— *Ooooooh !!*
— *One two ?*
— *Twooo !*
— *One, two, three, four five !*
— *Six, Hoooo ! twooooooo !!!...*

Le capitaine nous rappelle alors gentiment que nous avons un train à prendre... Heureusement d'ailleurs, car au moment où nous nous levons, le propriétaire fait irruption escorté de deux *policemen* et d'une demi-douzaine de policiers militaires...

Après quelques minutes d'explications confuses, nous finissons par nous en débarrasser, et nous nous engouffrons dans le métro, violant les couloirs à sens unique.

Nous prenons d'assaut un compartiment de métro à Picadilly Circus, sous les yeux ahuris des voyageurs et nous finissons par nous retrouver à King's Cross.

Nous chargeons nos bagages sur les chariots électriques. Carpenter s'installe aux commandes et commence une chevauchée épique le long des quais encombrés de voyageurs, en actionnant à tour de bras la sonnette d'alarme.

C'est une telle émeute que le chef de gare se dérange en personne, suivi d'une imposante escorte de « Military Police ». Mal lui en prend, car sa magnifique casquette à galons dorés se trouve quelques minutes plus tard dans la valise de Tommy. Cette casquette figure aujourd'hui parmi les trophées de l'escadrille, entre un casque bleu cucurbitacée de policeman londonien, un béret de général canadien, un calot de colonel de « Panzer Grenadier » ramené de Dieppe par Bill Loud et le serre-tête de Rudolf Hess.

Les quais sont littéralement noirs de monde et, avec le black-out, il n'est pas commode de s'y reconnaître.

Nous arrivons quand même à trouver notre wagon spécial, à la porte duquel un MP et un contrôleur montent la garde.

Notre wagon-salon est divisé en deux compartiments communicants. Une partie est occupée par l'escadrille 129 d'Hornchurch qui part à Drem, au repos. Nous fraternisons vite. Un tintamarre d'enfer. On chante. Des bouteilles volent de tous côtés...

Nous organisons ensuite, vers 2 heures du matin, une petite partie de rugby, qui meurt bientôt, faute de combattants.

À trois heures, tout le monde dort, les uns sur les banquettes, d'autres sous les tables, sur le tapis du passage, quelques-uns même allongés dans les filets à bagages...

C'est une piteuse escadrille qui débarque à Aberdeen vers 5 heures du matin...

Échevelés, barbus, couverts de suie, la bouche pâteuse, nous devons d'abord décharger nos bagages et les transporter dans le camion et autocar qui nous conduiront à Peterhead.

Là, nous embarquons dans deux avions de transport Harrow et empilons nos bagages dans les fuselages. Je remarque que chacun s'assied discrètement sur son sac à parachute. Un imbécile commence à répéter l'histoire d'un Harrow descendu par un Junker-88 au cours du même voyage, quelques semaines auparavant.

Lors du décollage, tout le monde serre les dents et lorsque l'avion s'arrache, nous poussons un soupir de soulagement et commençons à plaisanter. Pas pour longtemps ! l'air est agité et l'appareil commence à valser, à tanguer, à tomber dans des trous d'air...

Les rires jaunissent, s'apaisent et bientôt font place à une expression générale de mélancolie verdâtre. Cet état pathologique reflète la condition de nos estomacs mal remis du mélange corrosif de bière et de whisky...

Tous les pilotes ont la tête entre les mains, les coudes sur les genoux, et aucun ne pense à exprimer son admiration pour le splendide paysage couvert de neige qui se déroule sous les ailes de l'avion.

Au terme de notre voyage, nous atterrissons titubants, la gorge serrée et dormant debout. Nous vouons à tous les diables le commandant de la base (*group captain* RAB), qui s'évertue à nous faire un speech de bienvenue que nous devons écouter au garde à vous, sous les rafales glacées du vent.

Skeabrae, en hiver, est une succursale du pôle Nord. Dieu seul sait quel demeuré au GQG de la RAF eut un jour l'idée d'installer une base de chasse dans ces îles perdues...

Quelques heures à peine de jour ; de temps à autre un rayon de soleil perce les nuages blafards, chasse la brume arctique, et révèle un paysage désolé, des rochers dépouillés par le vent qui émergent de la neige épaisse.

À quelques kilomètres de nous, encadrée par un chapelet de petites îles semblables à la nôtre, la grande base navale de Scapa Flow abrite derrière ses barrages de mines et ses filets anti-sous-marins la Home-Fleet.

Le rôle de la 602 est de déjouer toute tentative de bombardement ou de reconnaissance aérienne de la part de la Luftwaffe.

Nous trouvons nos avions abrités des tornades glacées dans les alvéoles de la base éparpillés aux quatre coins de l'aérodrome.

Sept ou huit Spitfire-V *clipped, clapped, cropped* et surtout quatre magnifiques Spitfire-VIII stratosphériques forment notre équipement.

Ces Spitfire-VIII sont des appareils spéciaux dont les ailes ont été allongées, et qui, grâce à leurs moteurs Rolls Royce 67 à double compresseur et leurs cabines semi-étanches, peuvent monter presque jusqu'à 15 000 mètres d'altitude. Une douzaine seulement d'avions de ce type ont été construits et distribués aux quatre points stratégiques de la Grande-Bretagne.

Nos mécaniciens les adoptent vite et les astiquent avec amour. Nous enlevons les deux mitrailleuses d'ailes, ne conservant pour tout armement que les deux canons de 20 millimètres afin de les alléger.

Le Spitfire-VII spécial haute altitude, aux ailes allongées, basé à Skeabray aux Orcades.

De temps à autre les Allemands risquent un Junker-88 en rase-mottes pour essayer d'observer les mouvements de la flotte et, tout récemment, un avion de type inconnu a réussi à prendre des photos de Scapa à 14 000 mètres d'altitude. Aussi maintenons-nous toujours en état d'alerte immédiate une paire de Spit-V et deux de nos stratos.

Une semaine se passe, bien monotone. Un Junker-88 trop audacieux se fait bêtement descendre par une batterie de canons Bofor sous le nez de Carpenter et de Ken Charney qui reviennent fous furieux.

B Flight pour comble de malheur est détaché aux Shetlands, îles qui se trouvent à 100 kilomètres au nord des Orcades. Ils emmènent des mécanos et quatre Spit-V. Nous les plaignons avec hypocrisie – autant eux que nous...

Jacques et moi inaugurons la « tournée des œufs ». Utilisant le petit biplan Tiger Moth de la base, nous faisons deux fois par semaine un raid dans l'archipel, nous posant dans les champs près des fermes, et raflant tous les œufs.

Au bout de quinze jours d'œufs au breakfast, au déjeuner, au thé et au dîner, tout le monde en est écœuré. Ken prétend même que des plumes commencent à pousser sur son dos.

Il neige, il vente et il neige encore pour changer. Nous passons notre journée à nous rôtir alternativement le ventre et le dos autour des fameux petits poêles de la RAF. Nos pauvres mécanos ont un mal de chien avec les moteurs qui gèlent, et ils passent le plus clair de leur temps à dégivrer les ailes des quatre appareils en alerte.

Intercepter un Me-109H à 12 000 mètres n'est pas ici une mince affaire, pas plus que courser un Ju-88 slalomant dans les bancs de brume, au ras d'une mer glacée entre toutes ces petites îles. Depuis le début de la première quinzaine de décembre, la météo est encore pire : visibilité nulle, neige et givrage dès le décollage si on est suffisamment fou pour le tenter !

Max Sutherland s'inquiète de la manière de nous occuper. Au début, en bon Anglais maniaque de l'exercice physique il nous faisait faire du jogging ou de la gymnastique torse nu dans la neige. Je lui ai respectueusement expliqué que les accords De Gaulle-Churchill de septembre 1940 ne me permettaient pas de refuser d'exécuter un ordre opérationnel, mais que la gym, torse nu, la bronchite, etc., n'avaient pas été prévus, qu'en tout état de cause j'y étais allergique et que par conséquent je préférais rester dans ma chambre à écrire mes mémoires. Par contre, me fait-il remarquer, ricanant, les exercices d'évasion sont considérés « entraînement au combat », impossible d'y couper. C'est toute une affaire. On nous transporte les yeux bandés avec pour tout bagage une boussole et une carte de l'île illisible et grande comme une carte à jouer dans un camion bâché qui s'arrête à intervalles réguliers. Deux MP – c'est la Military Police qui organise ce genre de réjouissances – prennent l'un d'entre nous par le col et le déposent en chemin. Là, vous devez compter jusqu'à cent, honnêtement, en bon gentleman britannique, enlever ensuite votre bandeau et être de retour à la base avant 17 heures, c'est-à-dire par nuit noire. Toutes les forces de l'île alertées doivent nous capturer.

Quelle histoire ! Enfin, le sergent MP a pitié de nous et nous largue, Jacques et moi ensemble. Il est interdit de prendre les routes. C'est du sadisme, il neige dru, tout est blanc, la terre, le ciel, l'air que nous respirons... Tant pis, nous nous trouvons sur le seul point de repère qui nous reste, la route, mais la couche de neige est si épaisse que nous ne savons pas s'il faut prendre à droite ou à gauche ! La boussole nous donne bien le nord, mais la base est-elle à l'ouest ou à l'est ? On tire mentalement à pile ou face, et nous commençons à marcher. De trois minutes en trois minutes Jacques répète : « Ce sont des cons ! », quand finalement nous repérons une fumée qui semble sortir de terre. Nous y allons et découvrons un petit pub, un de ces extraordinaires bistrots des îles Orcades, qui sont à demi souterrains, comme des igloos, pour se protéger du froid. Quelques marches glissantes à descendre, nous frappons à la porte et on entre dans un tunnel, chaud – enfin ! – éclairé par une grande cheminée où brûle en fumant, de la tourbe. À côté, un énorme chaudron de cuivre rempli de cette bière écossaise noire et épaisse dont on remplit des pintes en étain avec une louche. Ensuite, nous explique le cabaretier, on prend dans la cheminée un tisonnier chauffé à blanc et on le plonge dans la bière. La mousse déborde aussitôt, le degré d'alcool monte vertigineusement – 8° ou parfois même 10° – et pour de la bière c'est du sérieux. Nous mangeons deux perdrix rouges fumées pour nous aider à boire, et commençons à rigoler en évoquant les MP qui vont bientôt nous rechercher dans la neige et l'inquiétude à la base. À la quatrième pinte, nous sommes euphoriques, ronds comme des boules de billard. La langue quelque peu embarrassée, j'arrive à dire à Jacques qui digère les yeux fermés dans un fauteuil avec le sourire du chat qui a mangé le canari de la voisine que « Ça va probablement saigner au retour ».

À 8 heures du soir arrive une jeep de la Military Police. Ils nous recherchent depuis deux heures, commencent à nous croire morts de froid quelque part. Ils poussent un soupir de soulagement, on leur offre une bière qu'ils refusent vertueusement et vont prévenir à la radio que « ces *damn' Frenchies* sont hélas vivants ! ».

Leur jeep ne veut pas repartir. On les aide à pousser et quand elle démarre je tombe à plat ventre. Je suis si bien... c'est doux, soporifique ! Je comprends les gens qui se laissent mourir engourdis dans la neige... Jacques, pas idiot, a acheté au patron une bouteille de vieux pur malt local, ce whisky merveilleux qui sent la tourbe. Quand nous rentrons un peu penaud au bar du mess, avant que Max qui s'avance vers nous les yeux lançant des éclairs ait le temps de nous engueuler, Jacques lui tend la bouteille avec son air de cocker contrit qui a fait pipi sur le tapis. Max et Ken Charney sont désarmés, demandent quatre verres au barman et nous prient de raconter notre histoire et d'expliquer pourquoi nous n'avons pas joué le jeu. En prenant mes précautions, prêt à l'esquive, je lui réponds que nous avons pris l'exercice au sérieux, au point qu'il ne fallait pas oublier que nous étions Français, et comme on opérait alors presque toujours sur la France, ayant sauté en parachute, nous étions chez nous et attendions que la Résistance nous ramène en Angleterre...

Cette réponse qui fit le tour de la base eut le succès qu'elle méritait !

*

Depuis quelques jours je sens s'accumuler chez mon complice Jacques les prémices d'un orage sentimental. Selon ses humeurs c'est du Shakespeare ou du Labiche – drame ou comédie !

Très beau garçon, ressemblant comme deux gouttes d'eau à l'acteur Tyrone Power, chéri de ces dames, mais en très viril, les filles comme les cailles traditionnelles lui tombent toutes rôties dans les bras... Il faisait cependant une fixation (pardon pour l'anglicisme, et dois-je ensuite écrire « pour » ou « sur » – le « *for* » anglais est si pratique !), pour ou sur les WREN. Ce sont les auxiliaires féminines de la Royal Navy – les marinettes comme nous les nommons.

Évidemment, avec leur seyant uniforme bleu marine, le tricorne sur des cheveux blonds – d'origine ou ersatz – et surtout pour Jacques les fameux bas noirs sur leur chair de nacre britannique, elles étaient irrésistibles ! Bref, avec une WREN plus talentueuse sans doute que les autres, il échange, faute de mieux, depuis deux mois des lettres enflammées dont les enveloppes devaient sentir le roussi plutôt que la violette ! Deux mois de célibat dans cet univers de glace, c'est bien long. Il y avait bien un gisement important de WREN dans la base de Scapa Flow, mais c'était, au propre comme au figuré, un camp fortifié de la Navy auquel nous n'avions pas accès !

Ce matin, au breakfast, l'orage éclate – cette fois-ci je vais avoir droit à Shakespeare. Le courrier vient d'être distribué, et je vois mon Jacques cramoisi chiffonner en boulette une lettre et la jeter !

— Hé ! ho ! Qu'est-ce qui t'arrive ?

Il me répond, les joues entre les poings : « Ce sont toutes des s... *They are all* les mêmes !... » dans son franglais dans lequel il glisse quand ça va mal. Finalement il m'explique que sa dulcinée navale, Véra – loin des yeux... loin du cœur – venait de faire la conquête d'un major de commando en instance de départ pour la Birmanie et qui voulait se marier avec elle avant, et tout de suite.

— Bof, Jacques, une de perdue et dix de retrouvées ! Calme-toi, nous n'y pouvons rien !

Que n'avais-je pas dit !

— Je pars à Londres sauver Véra des pattes de ce pithécanthrope que j'avais déjà vu tourner autour d'elle.

— Comment ? Nous sommes aux Orcades, au bout du monde et as-tu pensé à la Royal Navy que nous devons protéger ?

— Je me fous de la Royal Navy qui ne m'intéresse qu'avec Véra. J'ai bien réfléchi, il faut que j'attrape le train de 10 h 45 à Wick qui m'amènera ce soir à Londres vers 21 heures.

— Comment vas-tu faire ? Le bateau ferry pour Wick part à 10 heures. Tu n'as qu'à prendre le train demain matin. Demande une permission de 48 heures à Max. Tu sais bien qu'il te l'accordera.

— Pas question, ce sera trop tard. Il n'y a que l'avion pour Wick, c'est faisable, et comme on ne me confiera pas un Spitfire pour ça, tu vas demander à RAB de nous confier son petit avion personnel.

Doux Jésus, Jacques ne manque pas de souffle ! RAB est notre redoutable *group captain* commandant la base. Ses initiales – on nous avait prévenus ! – étaient les premières lettres du mot *rabbies*, c'est-à-dire la rage. Tout un programme. Titré, membre de la très haute aristocratie, vague cousin d'un oncle de la reine, il avait obtenu le privilège de conserver et de se servir de son avion du temps de paix, un Percival à moteur Gipsy Major, et il l'utilisait pour ses allers et retours vers l'Écosse. Le roi acceptait de lui fournir le pétrole et en échange il économisait les avions de liaison de Sa Majesté ! Ce Percival était la prunelle de ses yeux, et on apercevait toujours dans un coin du hangar principal des mécaniciens qui l'astiquaient en permanence.

— Jacques, tu es fou. Il va me flanquer à la porte !

— Clo, tu peux bien faire ça pour ton meilleur ami !

Ayant reçu mes épaulettes quinze jours avant Jacques, j'étais pompeusement qualifié dans les correspondances officielles du QG des FAFL de « Chef du détachement français à la 602 "City of Glasgow" » en l'absence du capitaine Aubertin en permission de longue durée. Fort de cette responsabilité, je me risque sur la pointe des pieds chez RAB qui me reçoit courtoisement. Mais avec anxiété je m'aperçois au fur et à mesure que j'expose ma requête – « c'est une affaire de vie ou de mort ! » – lui dis-je, qu'il est tellement stupéfait par mon audace qu'il n'a plus le choix qu'entre l'apoplexie et la capitulation !

L'accord obtenu, je le salue après un demi-tour parfait, et je le laisse rêveur mais les yeux exorbités !

Rapidement, avant qu'il change d'avis, je fais sortir l'avion, vérifie les pleins, fais un point fixe rapide, embarque Jacques avec son BEV, roule vers la piste entre deux murs de neige à toute vitesse et vogue la galère !

Entre la base et le train à Wick il y a 160 kilomètres à parcourir en faisant un large détour par Burray et Berwick pour éviter la DCA fournie et toujours nerveuse de la grande base navale, ceinturée d'un dense barrage de ballons. Il y a beaucoup de mer à traverser pendant le trajet, en particulier les 25 kilomètres du détroit de Penland. Par-dessus le marché, après le ronron majestueux du Rolls Royce de nos Spitfire, le moteur de cette trapanelle tourne comme un vieux moulin à café avec ses soupapes jouant des castagnettes ! Nous avons bien nos gilets de sauvetage, mais dans cette eau à 2 ou 3 degrés, ils ne serviront pas à grand-chose.

Finalement la côte apparaît et avec les premières maisons de Wick, hélas, la fumée du train de Londres qui quitte la gare.

— Continue jusqu'à Inverness ! On va plus vite que lui et je le prendrai là-bas !

Un coup d'œil à la carte. Aïe ! cela fait encore 100 kilomètres. Je n'aurai jamais assez de pétrole pour revenir. Il faudra faire le plein sur place. À Inverness Jacques débarque en voltige, avec largement le temps pour prendre le train du destin, et moi je me retrouve devant la pompe civile à essence de l'aérodrome et qui ne veut pas accepter un bon signé par moi. J'ai beau leur expliquer que je suis dans l'escadron de Glasgow, donc un frère, ils me répondent que c'est une bonne raison pour refuser, et que par-dessus le marché ils sont d'Édimbourg, donc de la côte est, et que les gens de Glasgow, de la côte ouest d'Écosse sont des voleurs de grand chemin. Palabres, palabres, palabres à n'en plus finir et finalement la liaison RAF du terrain règle la question après mes explications. Je reprends donc le chemin du bercail où j'arrive en plein drame avec un retard de plusieurs heures. L'Air Sea Rescue (le Samar) a été alerté et doit me rechercher. RAB s'arrache les cheveux et déclare à qui veut bien l'entendre que « ces crétins de Français ont foutu son avion dans la flotte ! » Quand il me voit revenir, sa trapanelle intacte, il est tellement soulagé qu'il ne m'eng... même pas. Il ne me félicite pas non plus ! Max à qui je raconte l'aventure en détail est plié de rire avec Ken Charney, et me paye même à boire !

Finalement Jacques refait surface huit jours plus tard et est très discret sur sa confrontation au sommet. J'ai appris qu'il était arrivé trop tard pour éviter l'irréparable, mais que la pauvre petite WREN était si triste du départ de son bel officier que Jacques avait dû passer quatre jours et quatre nuits avec elle pour la consoler !

*

La 602 reçoit quelques jours plus tard, le 20 décembre, un message du QG RAF : « L'aspirant Pierre Clostermann, Free French Air Force, doit se présenter à telle heure le lendemain, à l'embarcadère X de la base de Scapa Flow. Tenue de sortie n° 1, *battle-dress* et rechanges pour plusieurs jours. »

À l'heure dite j'embarque sur une vedette qui me dépose à la coupée d'un très impressionnant porte-avions. On m'y sert dans une luxueuse argenterie un breakfast sensationnel – comme je n'en ait point vu ou mangé depuis deux ans, me confirmant dans mon opinion que les « rameurs », comme nous les appelons, savent vivre – et puis on me prie d'attendre dans un salon. Je suis intrigué. J'interroge le lieutenant qui m'accompagne qui me répond d'attendre la surprise. Au bout d'un moment il est au téléphone et me dit : « Suivez-moi ». Nous montons sur le pont couvert de neige et d'avions. J'attends, et soudain, dans la nappe de brouillard bas qui traîne sur l'eau, apparaît irréelle l'imposante silhouette d'un grand navire de guerre, la longue masse d'acier grise d'un cuirassé magnifique qui sort lentement et silen-

Noël 1943. Le *Richelieu* à la superbe silhouette part enfin faire la guerre aux Allemands.

Le puissant *Tirpitz* dont l'image est déformée par l'angle, l'objectif de la photo et les retouches de la censure allemande.

cieusement de la brume comme s'il émergeait de la mer. À côté de moi, souriants, plusieurs officiers de la Royal Navy. L'un d'eux alors me dit : « *Isn't she beautiful ?* » – pour les Anglais, les navires sont traditionnellement des dames, et on emploie, comme pour les avions, le féminin (« N'est-ce pas qu'elle est belle ? »).

C'était en effet une grande dame, et je n'en crois pas mes yeux : c'est le *Richelieu* qui doit escorter avec les Anglais et les Américains un convoi pour Mourmansk, qui est le fromage pour attirer le gros rat *Tirpitz* planqué en Norvège. L'Anglais m'explique que le *Richelieu* est la réponse à leur problème. Le *Nelson* peut se battre même avec le *Tirpitz* à égalité d'artillerie, mais ne peut le rattraper. Les autres navires de ligne de l'amiral Frazer, dont un américain, sont juste bons pour la protection rapprochée du convoi et non pour courir après le *Tirpitz* trop rapide et trop puissant. Seul le *Richelieu* a le poids et la vitesse pour se mesurer avec lui. Nos quatre torpilleurs d'escorte dont le *Stord* norvégien ne sont là que pour essayer de le ralentir si nécessaire ! Que suis-je venu faire dans cette galère – ou plutôt à bord de cette galère ! C'est juste après l'affaire du fameux convoi PQ 17, massacré par la Luftwaffe et la Kriegsmarine avant d'arriver en Russie, dont les rares survivants ont été recueillis sur les glaces de la banquise polaire !

C'est ainsi que, sans grand enthousiasme, je suis parti pour la Russie à bord du *Richelieu*, mais j'étais très impressionné. La marine française avait construit à la fin des années 1930 deux super-cuirassés, le *Jean-Bart* et le *Richelieu*, qui étaient techniquement dix ans en avance sur leurs contemporains anglais et américains. Hélas, ils étaient restés trois longues années immobilisés à Dakar – fidélité à l'amiral Darlan et Vichy, haine des Anglais... Bref, après bien des tristes péripéties, remis à jour (DCA surtout qui lui manquait) aux USA, ce chef-d'œuvre de l'architecture navale revenait au combat. C'était un peu tard, mais très bien. (Mieux vaut tard...) D'ailleurs, quand j'arrive au carré des enseignes, ces derniers m'accueillent, joyeux, les bras ouverts avec des flots de punch ! « Ah, vous êtes de la France Libre, vous avez vu De Gaulle ? Vous le connaissez ? Qu'en pensez-vous ? »

Je n'en dirai pas autant des officiers supérieurs qui m'ont un peu reçu comme la vérole, quand par courtoisie je me suis présenté. La croix de Lorraine sur ma poitrine faisait sur eux le même effet que la croix du Christ sur les vampires ! Invité à une séance de cinéma après l'appareillage, j'ai droit par contre à une sacrée réception de la part des marins : « T'as vu, c'est un aviateur à De Gaulle, vise sa croix de guerre et la croix de Lorraine. Bravo ! », et aussi des : « Eh ! dites, mon lieutenant, connaissez-vous mon cousin, il est chez vous, Le Guen il s'appelle... » Tous ces merveilleux Bretons ont des frères ou des oncles dans la France Libre. Je suis ému aux larmes, car finalement ce sont eux la vraie France !

Le troisième jour je suis convoqué par haut-parleur à la passerelle du commandant. Il me faut prendre derrière mon guide toute une série d'ascenseurs et d'escaliers. Ce navire est gigantesque et je me retrouve dans un ouragan de vent glacé sur presque l'équivalent du premier étage de la tour Eiffel. Au centre, hors l'abri, jumelles énormes sur la poitrine, assis sur une haute chaise d'arbitre de tennis, trône le pacha, capitaine de vaisseau Merveilleux du Vignaux, que je salue d'une main en retenant ma casquette de l'autre. J'ai ainsi compris pourquoi les marins portent une jugulaire à leur couvre-chef ! Il me jette à peine un regard et ne répond que par un mouvement du menton à mon salut. Bof ! J'ai vite vu qu'ils n'avaient pas une grande expérience de la guerre. Un officier vient à moi et me dit :

— *What is it ?* en désignant une silhouette très haut dans le ciel. Je regarde et réponds :

— D'abord je suis français et je le parle, ensuite c'est un Junker-88, vous connaissez j'espère ?

— Ah oui ? Ça fait un bon quart d'heure qu'il est là !

J'ai un haut-le-corps.

— Dites donc, vous êtes drôlement patients. Il communique votre position à la Kriegsmarine de minute en minute !

Je l'assure que c'est bien un Allemand, pas un allié, et je ne puis résister à leur dire que cet avion a alerté les sous-marins et qu'ils feraient bien de prendre de sérieuses précautions en conséquence. J'ajoute qu'étant aviateur je ne connais pas grand-chose aux torpilles, et que c'est à eux de s'inquiéter pour leur baille. Satisfait, je redescends ensuite dans mes profondeurs, dix mètres sous la surface, à boire du punch avec les sympathiques enseignes.

Nous avons escorté ce convoi jusqu'en vue de l'extrême nord suédois, et à part une attaque d'Heinkel-111 torpilleurs, rien ne se passe – à mon grand soulagement ! – et nous rentrons sur Scapa. Nous apprenons que les quatre destroyers, trois anglais et un norvégien, ont endommagé le *Tirpitz* qui s'est réfugié dans un fjord norvégien. À l'entrée de la rade, montés sur le pont, nous assistons à une scène extraordinaire. Très lentement, presque bord à bord avec notre navire, défilent les quatre torpilleurs aux superstructures littéralement en lambeaux. Ils viennent d'accomplir un des plus remarquables faits d'armes de la Royal Navy. Le *Tirpitz* que nous attendions est en effet sorti, puis a fait demi-tour prévenu par les avions d'observation (et probablement par mon Ju-88). Dans une mer déchaînée et une tempête de neige, ces quatre petits navires ont chargé le mastodonte de 50 000 tonnes d'acier et d'artillerie lourde, l'ont touché à trois reprises de leurs torpilles et se sont ensuite lancé sur les escorteurs allemands qui ont battu en retraite avec le cuirassé définitivement hors de combat !

Quel spectacle ! Toutes les sirènes de la centaine de navires de Scapa Flow hurlent à pleine puissance pour saluer leur retour. Le *commander* Meyrick qui les commande, au garde à vous sur ce qui reste de sa passerelle dans son duffle-coat mastic, les nombreux cercueils alignés... Une entrée triomphale comme celle-ci doit marquer un homme pour la vie. Meyrick a reçu la DSO sur-le-champ, annoncée par les haut-parleurs, à l'instant, dans les « Hourra ! » frénétiques de tous les équipages massés à la coupée !

*

La comtesse de Ségur intitulerait l'histoire de cette journée « Des conséquences imprévues d'une partie d'échecs ». Jan Blair et Kelly sont en *readiness* de 10 h 30 à 14 h. Il fait un temps magnifique, mais un froid de canard.

N'ayant rien à faire, Jacques et moi, nous jouons aux échecs...

À midi, tout le monde part déjeuner, mais nous décidons de finir la partie commencée.

Avec envie, Kelly regarde les autres s'en aller – ce froid creuse et, comme d'habitude, il a l'estomac dans les talons.

Nous finissons par avoir pitié de lui et offrons de prendre leur place. Ils acceptent avec joie, car il faut bien avouer que ces *readiness*s de haute altitude sont plutôt ennuyeuses...

Ils partent. Nous enfilons nos Mae West, nous installons nos parachutes et nos casques dans les deux Spitfire-VIII « strato ». Jacques, qui n'en a pas encore piloté, demande le nouveau à l'empennage pointu Je cède, après l'avoir traité de tous les noms, et nous reprenons notre partie.

12 h 22. « Échec à la dame ! » me dit Jacques.

Ma dame est bien coincée, mais au moment où il étend la main pour la prendre, la sirène d'alarme retentit.

Dans le grand branle-bas de combat qui suit, dame, pions, cavaliers, tout vole par terre. Les mécanos s'engouffrent dans le couloir avec un fracas de souliers cloutés. Je sors par la porte en hurlant « *Scramble, scramble !*[1] ».

Jacques saute par la fenêtre.

En moins de cinquante secondes, je suis installé, attaché, oxygène réglé, moteur démarré, tandis que les mécanos vissent sur moi le cockpit de la cabine étanche.

1. Décollage immédiat en alerte.

Trois fusées blanches partent au contrôle nous annonçant que la piste est libre La surface de l'aérodrome est tellement gelée, que nous pouvons sans danger couper à travers l'herbe pour rejoindre la piste.

À 12 h 23' 35" exactement, pleins gaz, nous décollons et déjà le contrôleur nous donne par radio ses premières instructions.

— *Hullo Dalmat Red 1, Pandor Calling, bandit approaching B for Baker at angels Z for Zebra, climb flat out on vector zero, nine five... Out !* (Allô Dalmat Rouge 1, Pandor vous appelle, un bombardier ennemi s'approche de B à l'altitude Z pour zèbre. Prenez de l'altitude pleins gaz sur un cap zéro, neuf, cinq. C'est tout.)

Je fouille dans ma botte pour y repêcher la table de code qui a glissé entre mes cartes. Je m'énerve et, quand je la retrouve, je dois demander à Pandor de répéter.

Bien, un boche s'approche de Scapa Flow, à l'altitude Z – je consulte la carte – Bigre ! Z signifie 40 000 pieds, c'est-à-dire plus de 13 000 mètres d'altitude.

Je prends mon cap, grimpant toujours à pleine admission.

Je vois le Spit de Jacques qui se balance à quelques mètres et je devine ses yeux fixés sur moi qui rient sous les lunettes de soleil.

C'est une splendide journée d'hiver – pas l'ombre d'un nuage dans le ciel – et le soleil arctique poignarde les yeux.

Je mets le chauffage en marche et règle la pression dans ma cabine étanche.

— *Hullo Dalmat Red 1, Pandor Calling, bandit now over B for Baker. Hurry up !* (Allô Dalmat Rouge 1, Pandor vous appelle, l'avion ennemi est maintenant au-dessus de B. Dépêchez-vous !)

— *Hullo Pandor. Dalmat Answering, am climbing flat-out on vector 095 am angels R for Robert.* (Allô Pandor, Dalmat Rouge 1 vous répond. Je grimpe à toute vitesse sur le cap 095° – suis déjà à l'altitude R pour Robert !)

Qu'est-ce que ce contrôleur croit que nous sommes ? des fusées ? En cinq minutes nous voici à 7 000 mètres : ce n'est pas si mal.

Pendant ce temps, je réfléchis : ce boche doit être un appareil de reconnaissance. Avec un temps comme celui-ci, il doit pouvoir prendre des photos parfaites. La DCA de Scapa Flow ne peut tirer à cause de nous, évidemment, et la Marine doit pester. Il faut à tout prix que l'on accroche cet avion. Si nous n'avons pas sa peau, les amiraux auront la nôtre au retour...

Nous dépassons Scapa et continuons sur cap 095.

Ça, c'est sûrement notre animal. Je jette un coup d'œil en arrière et je vois la traînée blanche qui décrit un large cercle sur la base navale, environ 3 000 mètres au-dessus de nous.

Je me demande quel type d'appareil ce peut bien être – un des nouveaux Junker-286 ? Impossible de distinguer dans le soleil. En tout cas, il n'a pas l'air de s'en faire, et prend ses photos tranquillement...

— *Hullo Pierre, Red 2 here, smoke trail at 6 o'clock above !* (Allô Pierre, Rouge 2 vous appelle. Traînée de condensation à 6 heures au-dessus !)

Nous voici maintenant à 10 000 mètres, entre le boche et la Norvège.

Si nous pouvons grimper encore 2 000 mètres sans être vus, nous lui coupons la retraite.

J'ouvre les gaz à bloc, suivi facilement par Jacques dont le Spit est supérieur au mien. Toujours sans s'inquiéter – se croyant invulnérable à cette altitude – il commence un second tour. La DCA lourde de la flotte s'en mêle, mais les flocons noirs sont nettement au-dessous de la traînée blanche...

13 000 mètres ! Il fait vraiment un froid de tous les diables et j'ouvre l'oxygène en grand. Grâce à la cabine étanche je ne ressens pas de crampes trop douloureuses.

La condensation des gaz d'échappement de nos moteurs laisse désormais une épaisse traînée blanche persistante qui s'étire et s'épanouit derrière nos avions comme le sillage d'un navire.

Nous avons le soleil dans le dos.

Le boche se dirige rapidement vers l'est – soit qu'il nous ait aperçus et qu'il cherche à nous dépasser avant que nous soyons en condition de l'intercepter, soit qu'il ait tout simplement terminé sa mission.

Nos moteurs spéciaux tournent magnifiquement et nos ailes allongées nous portent sans trop de flottement dans l'air raréfié.

Jacques s'est placé parallèlement, à 800 mètres de moi, et nous avons gagné encore environ 600 mètres, ce qui nous amène à 300 mètres environ au-dessus de l'altitude de notre gibier, qui est à 3 kilomètres devant nous.

Cet Allemand décidément doit être aveugle.

— *Tallyoo Jacques, ready to attack ?* (Taïaut ! Jacques prêt pour l'attaque ?)

— *OK !*

Il nous a vus, mais trop tard, nous le prenons en ciseaux. À notre surprise c'est un Messerschmitt-109H équipé de trois gros réservoirs supplémentaires sous les ailes. Brillant comme un sou neuf, il est camouflé en gris clair sur le dessus et en bleu ciel dessous. Il ne porte pas d'insigne de nationalité.

Il tourne d'abord à gauche. Mais Jacques est là, qui vire vers lui. Il renverse son virage, m'aperçoit, et soudain, d'un mouvement continu très gracieux, penche un peu plus et roule doucement sur le dos, piquant à la verticale dans l'espoir de nous semer.

Sans hésiter nous le suivons.

Il pique tout droit vers la mer grise qui semble figée, sans une ride.

Il est 800 mètres devant nous, avec ses réservoirs toujours accrochés sous les ailes. Il doit en avoir besoin pour rentrer en Norvège et ne les largue pas.

La vitesse augmente de façon vertigineuse. À ces altitudes, il faut être très prudent, car on atteint vite la vitesse critique, et alors, gare ! On risque fort de se retrouver accroché au parachute, en caleçon, en moins de temps qu'il n'en faut pour l'écrire.

Le boche se sert à profusion de son dispositif de surpuissance GM-1 et continue à garder son avance.

À 8 000 mètres, mon badin indique 550 km/h, c'est-à-dire presque une vitesse réelle de 800 km/h !

J'ai les deux mains sur le manche, et je pèse de toutes mes forces sur les commandes pour maintenir l'avion sur une trajectoire rectiligne. Le moindre écart ferait sauter les plans. Je sens mon Spitfire qui embarde quand même, et je vois la peinture qui commence à craquer sur les ailes, tandis que le moteur s'emballe.

Les commandes sont bloquées...

Nous descendons toujours...

15 000 pieds : Jacques me dépasse...

10 000 : Jacques a 200 mètres d'avance sur moi, et se trouve à 600 mètres du boche. Il ouvre le feu – juste une courte rafale...

Le Me-109 se déchire soudain, éclate comme une grenade. Une aile vole d'un côté, le moteur et la moitié du fuselage continuent à tomber comme une torpille, tandis que les empennages et les débris voltigent de tous côtés. Un des réservoirs descend en spirale laissant derrière lui une traînée de vapeur d'essence enflammée...

8 000 pieds. Il faut redresser.

Je tire sur la profondeur, doucement mais fermement. Dans l'air plus dense les commandes accrochent, et je vois l'horizon qui commence à filer sous le nez de l'avion – mais la mer est déjà là !

Ce n'est plus le bloc solide que je voyais à 40 000 pieds – c'est une masse mouvante verdâtre, ourlée d'écume, qui se rue vers mon avion.

Je tire sur le manche – rien à faire, je sens que je ne vais pas pouvoir redresser à temps.

Alors je risque le tout pour le tout : je donne un tour de manivelle aux compensations de la profondeur...

Immédiatement le sang s'étend sur mes yeux, je sens un déchirement dans les entrailles, les joues qui se tirent sur les orbites, comme des doigts, qui m'arrachent les nerfs optiques...

Tout est noir. Le Spitfire est solide mais la structure de l'avion craque !...

Lorsque je rouvre les yeux, l'élan vertigineux m'a remonté jusqu'à 4 000 mètres. Un filet chaud me coule des narines et tombe sur les gants de soie – du sang. Ma tête tourne. J'entends vaguement la voix du contrôleur dans les écouteurs – mais la force centrifuge a endommagé les lampes de ma radio, et je ne puis distinguer les mots...

Je suis seul dans le ciel – je ne vois Jacques nulle part. En bas, sur la mer, une grande tache irisée d'essence et d'huile, une bouffée de fumée que le vent emporte marquent la tombe du Messerschmitt.

Je mets le cap à vue sur les îles à l'horizon et bientôt je distingue le grand barrage de Scapa Flow qui égrène ses ballons brillants comme un collier de perles.

Des nausées me secouent, et je vole par instinct. Ce n'est que l'idée de la réception que l'on va nous faire à l'atterrissage qui me ranime un peu. Juste comme je me pose, il me semble entendre Jacques dans la radio. Il est donc OK, grâce au ciel.

Je me pose à contre piste, et roule machinalement jusqu'au *dispersal*, et je n'ai même pas la force d'aider les mécanos à dévisser mon cockpit...

Sutherland mis au courant par le contrôle était là avec l'*intelligence officer*. Ils m'annoncent aussitôt que Jacques est sain et sauf, et s'est posé sur le ventre dans un champ de l'île de Stromsay, son avion endommagé par les débris du boche. Deux jours plus tard, Lan Blair descend un 109H exactement dans les mêmes conditions.

Le lendemain les journaux de Londres sont remplis de l'histoire. C'est à croire que la 602 a sauvé toute la flotte britannique.

Nous recevons des télégrammes de félicitations – de A.M., commandant le 12 Group, de l'amiral Ramsay, commandant en chef de la Royal Navy...

*

Quelle journée pour l'escadrille ! Ce matin, à 6 h 30, Oliver et Danny Morgan partent pour la patrouille de l'aube sur la base navale.

À 6 h 40, Oliver réussit, avec une pression d'huile à zéro, à rejoindre l'aérodrome et à se poser sans fracas. Il change immédiatement d'avion et décolle à nouveau.

À 7 h 25, OPS[1] en panique téléphone, annonçant qu'Oliver a fait à son tour un atterrissage forcé sur la minuscule île de Chimpanzey.

Je suis la victime, comme d'habitude ; on me désigne pour aller le repêcher. J'embarque avec

1. OPS : abréviation pour *Operations Service*.

moi dans le Tiger Moth un armurier et réussis à atterrir sans casse dans le seul champ à peu près possible, où il y avait 20 centimètres de neige et de boue, vent de côté. Oli s'y était étalé, roues rentrées.

Je ramène Oli tandis que l'armurier reste pour décharger les canons et les mitrailleuses et démonter l'équipement secret.

À 19 h 45, Jacques et moi décollons pour la patrouille de nuit. Le ciel est sans nuages, la lune est pleine, mais il y a au ras du sol un brouillard léger.

Pendant un quart d'heure, à 2 000 mètres, nous tournons autour du mouillage de la Home Fleet, entouré d'un barrage de ballons.

— *Look out ! Dalmat Red 1, bandit approaching H for Harry from East, 30 miles out, angels 0 for Orange.* (Attention ! Dalmat Rouge 1, un avion ennemi s'approche de H vers l'est, 30 milles en mer, altitude 0 pour Orange.)

— *Roger Novar, Red 1 out !...* (Merci Novar, compris, j'exécute. C'est tout.)

Allons bon ! nous allons encore jouer à cache-cache. Nous éteignons nos feux de position

Je ne distingue l'avion de Jacques que par la légère lueur des pots d'échappement.

À la lumière diffuse d'une ampoule rouge fixée sur le côté du cockpit, je décode le message à l'aide de la carte du jour.

Le boche, d'après les informations que l'on vient de me transmettre, doit s'approcher de la station de radio-location de Fair-Isle, à moins de mille pieds d'altitude.

— *Hullo Dalmat Red 1, steer zero, six, zero – open up if you can, bandit very fast.* (Allô Dalmat Rouge 1, suivez le cap zéro six zéro ; allez plus vite si vous pouvez, ennemi très rapide !)

Nous ouvrons pleins gaz et, aussitôt passé les montagnes du Mainland, nous descendons au niveau de la mer. Il est en effet plus facile de distinguer par mauvaise visibilité un avion de bas en haut que de haut en bas – surtout au-dessus de l'eau... Le clair de lune aide !

Le contrôleur n'a pas l'air dans son assiette ce soir, et, après nous avoir fait suivre une bonne douzaine de caps contradictoires entre les petites îles, à la poursuite d'un vague Junker-88, il nous donne l'ordre de rentrer.

Il est 20 h 30.

La visibilité est de plus en plus mauvaise, et Jacques est obligé de venir en formation encastrée pour ne pas me perdre. La lune a disparu.

Je me concentre sur les instruments et à intervalles réguliers, j'appelle la station de radio afin d'obtenir un « gonio » de ma position.

Nous finissons par nous retrouver au-dessus de la base, que l'on devine plutôt qu'on ne la voit, grâce aux vagues feux rouges réglementaires indiquant les obstructions au sol.

— *Hullo control, Dalmat Red 1 calling, over base, about to pancake.* (Allô contrôle, Dalmat Rouge 1 vous appelle. Suis au-dessus de la base, prêt à atterrir !)

En réponse, le chef de piste allume les rampes d'atterrissage dont les feux soigneusement voilés clignotent dans la brume, indistincts, mais réconfortants.

Le brouillard s'épaissit, mais tant que j'aurai ces feux je ne me perdrai pas... Ragaillardi par cette pensée, je décide d'ajouter un quart d'heure à mon total de vol de nuit, et je laisse Jacques se poser le premier.

Une dizaine de minutes plus tard, je commence ma prise de terrain et j'ouvre mon cockpit où une brume humide, sentant la saumure, s'engouffre.

J'amorce mon dernier virage de 90°, qui m'amène sur la rampe, et baisse le levier du train d'atterrissage. Je réduis les gaz et immédiatement la corne d'alarme retentit à mes oreilles, stridente ! Instinctivement, tout en gardant les yeux sur la piste qui s'approche, je vérifie à tâtons la position du levier et le pousse à fond. Le manque de résistance qu'il m'offre révèle immédiatement la situation – la commande de transmission pneumatique a dû sauter et les roues ne sont pas verrouillées.

Ce genre d'accident assez rare est désagréable de jour. De nuit il prend des proportions beaucoup plus graves.

Je mets le *flying control* immédiatement au courant de la situation et, ouvrant la manette des gaz à fond, je reprends de la hauteur, ce qui me permettra d'essayer de descendre mes roues par une ressource violente.

À terre, le branle-bas commence. Par haut-parleur on prévient mon commandant, le patron de la base, l'ambulance, le docteur, les pompiers, etc.

Mes efforts s'avérant inutiles, en dernier ressort j'utilise la bouteille de gaz carbonique sous pression, mais sans résultats.

Je ne suis décidément pas en veine ce soir.

Un coup d'œil à ma température me montre le thermomètre du radiateur montant d'une façon alarmante et ma pression d'huile qui commence à dégringoler : 110, 115 degrés – 80 livres, 70 livres, 60 livres...

Diable !

En effet, sur le Spitfire type V, il n'y a qu'un radiateur, monté de façon dissymétrique sous l'aile droite, et la jambe oléopneumatique de mon train à moitié descendu en masque la prise d'air.

120 degrés F étant la limite maxima de température, il me faut prendre une décision rapide.

— *Hullo Belltop Control, Dalmat Red 1 calling, will you put the floodlight on the patch of grass in front of the watch office – out.* (Allô Belltop Contrôle, Dalmat Rouge 1 vous appelle. Voulez-vous braquer le projecteur sur l'herbe en face de la tour de contrôle. À vous !)

— *Roger Red 1 !* (Compris, Dalmat, j'exécute !)

Comme je dois me résigner à me poser sans roues, avant que le moteur ne saute, je ne puis le faire sur la piste de ciment. Avec les étincelles et l'échauffement produits par la friction de quatre tonnes de métal à 160 kilomètres à l'heure, mon appareil risque de prendre feu.

Les 30 000 bougies du *floodlight* illuminent un grand triangle de neige en face du contrôle, où je vais essayer de poser mon Spit sur le ventre.

Je me prépare de mon mieux pour résister au formidable ralentissement – de 160 km/h à l'immobilité absolue en l'espace de 50 mètres et une seconde. Je serre les courroies de mon harnais, qui m'attachent fermement à mon siège par les épaules et à la ceinture. Je baisse mon siège afin de protéger ma tête en cas de capotage, et je fais glisser en arrière le cockpit transparent que je verrouille fermement ; ainsi je ne risque pas d'être emprisonné dans un taxi en flammes.

Je déboucle mon parachute, je défais mon tube d'oxygène et avant de retirer ma prise de radio j'appelle le contrôle :

— *Hullo Belltop, Dalmat Red 1 calling. Coming in now. Switching off to you now. Off !* (Allô Belltop, Dalmat Rouge 1 vous appelle, je vais me poser maintenant. Je débranche ma radio. C'est tout.)

Il est temps. Une gerbe d'étincelles continue s'échappe de mes échappements et la vapeur de glycol irritante et toxique commence à envahir le poste de pilotage.

J'aspire une bonne bouffée d'air, et d'une main un peu tremblante je réduis les gaz, hélice au petit pas, je baisse les volets et j'amorce ma prise de terrain...

Les lampes qui indiquent les limites du terrain défilent comme des traits de feu, et le triangle lumineux se rue vers moi. J'arrondis à trois ou quatre mètres, encore dans l'ombre...

Soudain, mon avion surgit dans le flot éblouissant de lumière bleue. À tâtons je coupe les contacts, et ferme les robinets d'essence. Un nuage de fumée blanche bouillonne à droite et à gauche du capot.

Je retiens mon souffle, les yeux fixés sur le sol qui passe sous mes ailes. Je devine l'ambulance qui me suit à toute vitesse suivie de la voiture de pompiers.

Je tire doucement sur le manche, encore, encore, ramenant ma vitesse au minimum : 145 km/h. Mon hélice doit maintenant frôler le sol, l'avion commence à trembler, et brutalement je colle le manche à mon siège des deux mains...

Toute sustentation enfuie, l'avion s'écrase dans un grand bruit. Des morceaux de pale d'hélice voltigent, une gerbe de terre, de neige, de mottes de gazon s'élève, arrachée par mon moteur qui laboure le sol. Le canon gauche se tord comme un fétu de paille déchirant l'aile.

Le choc me projette en avant avec violence et les courroies de sûreté me rentrent dans la chair, me cisaillent les épaules. Ciel ! pourvu qu'elles tiennent ! – sinon je vais m'écraser le visage contre mon collimateur. Je sens une douleur aiguë dans le genou droit : les câbles d'ailerons en sautant ont violemment lancé le manche contre ma jambe.

Entraîné par l'inertie, l'avion se dresse sur le nez, se soulève sur une aile et, pendant une angoissante fraction de seconde, je me sens suspendu dans l'espace, cramponné désespérément au pare-brise, un pied sur le tableau d'instruments, avec la terre toute droite, comme un mur devant les yeux...

Va-t-il passer sur le dos ?

Avec un fracas de tonnerre qui se répercute dans la boîte d'aluminium tendu du fuselage, l'avion retombe sur le ventre...

Une dernière secousse, et le silence... un silence qui déchire les tympans.

Puis soudain c'est le grésillement du glycol et de l'essence vaporisés contre les parois rougies à blanc du moteur. Une fumée, noire cette fois, commence à surgir par tous les interstices du capot...

La cloche de l'ambulance me ramène à la réalité. D'un coup de coude, j'ouvre la porte, je lance mon

Le lendemain de l'atterrissage sur le ventre, le LO-D a une triste mine !

casque dehors, saute sur l'aile couverte de terre, arrache le parachute du siège, et, oubliant la douleur lancinante de mon genou, je m'éloigne au plus vite de l'avion...

Je parcours quelques mètres, chancelle et tombe dans les bras de Jacques tout essoufflé, qui vient de courir à mon secours d'une seule traite les 500 mètres qui séparent le lieu de l'accident de notre *dispersal*.

Brave vieux Jacques !

Appuyé à son épaule, je boite en sûreté jusqu'aux spectateurs dont les silhouettes se détachent à distance respectueuse, dans la lumière des floodlights. Les pompiers sont déjà en train d'arroser l'avion de neige carbonique.

Quelqu'un m'offre une cigarette toute allumée, et les infirmiers et le docteur s'empressent autour de moi.

Un crissement de freins, et, échevelé, mon *squadron leader* surgit de sa voiture... Il avait quitté précipitamment le cinéma comme le haut-parleur annonçait qu'un de ses avions était en difficulté.

— *Hullo Closter old boy ! Are you OK ?* (Alors, mon vieux Closter ! Pas de bobo ?)

On m'enfourne dans l'ambulance malgré mes protestations, et l'on m'emmène jusqu'à l'infirmerie où m'attend une tasse de thé bien sucré avec une dose généreuse de rhum. Mon genou est déjà très enflé et tout bleu – mais le docteur dit que ce n'est pas grave. Il examine ensuite mes épaules où les courroies ont tracé deux sillons pourpres et douloureux.

Au fond, je l'ai échappé belle !

8 février 1944

Aussitôt après le breakfast, je vais examiner les traces de mon atterrissage mouvementé. L'avion gît au bout du profond sillon que le capot a labouré comme un soc de charrue dans la terre grasse et la neige, semant en route les radiateurs d'huile et de glycol. Les pales d'hélice en matière plastique se sont brisées au ras de la casserole, éclatant en mille morceaux éparpillés de tous côtés.

Après, il me faut remplir une douzaine de *crash-reports*[1]. et, comme d'habitude, l'officier mécanicien cherche à me prouver par A plus B que c'est de ma faute. On discute vivement, jusqu'au moment où, en démontant la pompe à fluide hydraulique, il s'aperçoit que l'axe en est cassé. Comme je n'ai vraiment pas pu le briser avec mes dents, il est bien obligé de convenir que j'ai fait ce que j'ai pu. Sutherland et Oliver, de leur côté, repêchent les « pilot notes » du fond des tiroirs pour prouver que j'ai agi correctement dans les circonstances, et me défendent.

Je me retire au mess avec complète absolution.

*

Nous revenons dans le sud, à Detling, où nous avons retrouvé avec plaisir des Spitfire-IX-B tout neufs, et avec soulagement un climat plus clément. Nous pouvons quitter nos tenues d'esquimaux et reprendre des uniformes civilisés sans avoir à endosser deux pull-overs sur deux maillots de corps en laine et soie, deux bas de laine, une chemise, le *battle-dress* et l'*irving jacket* sur le tout !

Comme les possibilités de dépenses étaient nulles au pôle Nord des Orcades, j'ai quatre mois de paye et ayant vu dans une vitrine des bottes lacées « à la Guynemer » les achète et je me fais couper à l'anglaise des culottes de cheval. Maintenant que je suis monté en grade, je m'offre aussi un stick d'officier en bambou... le grand chic londonien. En tous les cas, ces cré-

1. Rapports d'accidents.

tins d'Américains en goguette ne me prendront plus pour un portier d'hôtel en me demandant d'aller leur chercher un taxi !

Jacques et moi avons donc trois jours de permission, pas mal d'argent (enfin, c'est très relatif avec nos soldes maigres de la France Libre) et un long week-end prometteur. Nous sortons de chez le coiffeur, pommadés et parfumés, et nous passons, gravures de mode, casquette cassée, foulard blanc, gants fauve, au QG des FAFL, Lycée français, Queensberry Way, chercher nos arriérés de solde. À notre arrivée, le factionnaire à l'entrée exécute un « présentez armes » absolument impeccable, fait rare chez un aviateur ! Surpris, je me dis qu'il se passe quelque chose qui n'a rien à voir avec notre élégance. Je me retourne à temps pour voir s'extraire d'une traction avant qui vient de s'arrêter deux longues pattes de sauterelle qui se déplient, bande marron sur pantalon kaki, un général donc. Ciel ! Pas n'importe lequel, c'est LE GÉNÉRAL !

De Gaulle grimpe quatre à quatre les marches du perron. Nous nous figeons au garde-à-vous. Il nous voit, pivote, regarde un peu mieux, me fait signe d'avancer. Je m'approche jusqu'au pied des marches, le salue, stick sous le bras, un salut impeccable, tête haute, le regard fixé dix centimètres au-dessus du képi à deux étoiles, la main un peu ouverte, bref un salut de film d'instruction. Je me présente : « Aspirant Pierre Clostermann, matricule 30973, mes respects et à vos ordres, mon général ! » Un ange passe, et j'attends, peut-être un compliment pour ma croix de guerre qui commence à s'étoffer... et ça dégringole sur moi, et de très haut car, par surcroît, il était trois marches au-dessus !

— Monsieur l'aspirant (on ne m'avait jamais appelé ainsi ; ça faisait noble mais le ton ne présageait rien de bon. Silence). Monsieur l'aspirant (nouveau silence). Où avez-vous donc laissé votre cheval ?

J'agonise. Ensuite, désignant du menton mon stick :

Pendant les bombardements de Londres, nos petites AFAT françaises du QG de Queensberry Way ont été bien courageuses. Je leur fais admirer mon uniforme fantaisie avec les bottes « aviateur » à la 1914-1918 qui avaient si fort indisposé le Général. Mon camarade Tournier, compagnon de la Libération, qui a survécu à toutes les campagnes et missions du « Lorraine » depuis la Libye en 1940 jusqu'à l'armistice de 1945. Son uniforme est réglementaire...

— Vous allez à la pêche ? Allez ôter ce déguisement ridicule !

Puis il fait demi-tour et rentre.

J'entends Jacques qui pouffe, plié en deux de rire qui me dit :

— Nous n'avons pas intérêt à le suivre de trop près, à l'intérieur !

*

La question des *Noballs* tracasse toujours considérablement la RAF, et à notre retour des Orcades, on décide d'équiper des Spitfire de bombes de 250 kilos, et les faire bombarder en piqué les postes de V1. La 602 et la 132 sont les deux groupes cobayes de l'histoire.

Le 13 mars, nous partons avec nos Spitfire-IX-B, que nous avons récupérés, pour Llambeder, polygone de tir au nord du pays de Galles, le long de la mer, pour y faire les premiers essais.

La technique du bombardement en piqué sur Spitfire est toute particulière, car la bombe est accrochée à la place du réservoir supplémentaire, sous le ventre de l'avion. Si l'on bombarde à la verticale, l'hélice est arrachée par la bombe. Si l'on bombarde à 45 degrés, la visée est très difficile. Après de multiples essais plus ou moins piteux, Maxie met une méthode au point :

Les douze avions du groupe arrivent 3 500 mètres au-dessus de l'objectif en échelon « refusé » très serré. Dès que le chef de patrouille voit la cible apparaître sous les bords de fuite de son aile, il bascule, suivi de ses équipiers, et pique, à 75 degrés. Nous prenons l'objectif individuellement dans le collimateur, et on descend à plein moteur jusqu'à 1 000 mètres. Là on commence à redresser en comptant jusqu'à trois, et on lâche la bombe.

C'est assez rudimentaire, mais au bout de quinze jours, le groupe loge ses douze bombes dans un cercle de 100 mètres de rayon.

Pendant les trois semaines que nous passons à Llambeder, nous sommes les bêtes curieuses que tous les hauts personnages du QG interallié viennent visiter. À chaque fois nous faisons une démonstration. Ils en ont pour leur argent. À la première visite, le pauvre Fox reçoit à 500 à l'heure la bombe de Dumbrell sur la figure et saute *in extremis* en parachute. À la deuxième visite, une bombe, celle de Maconachie, refuse de se décrocher. Il décide de se poser avec, et fait un passage au-dessus du terrain pour prévenir. Pendant son passage la bombe se décroche et explose en plein milieu de l'aérodrome au grand émoi de nos visiteurs qui sont couverts, nous dit-on, de boue et de terre...

À vrai dire, à part Max et Remlinger qui sont des enthousiastes perpétuels, et ne rêvent que plaies et bosses, personne n'est très chaud pour ce genre de sport ; nous préférons attendre les premiers résultats contre un objectif bien défendu par la *flak*, pour nous faire une opinion.

Entre-temps, on nous fait des « amphis » perpétuels sur les *Noball*s.

Depuis les premiers bombardements massifs au cours desquels en quatre mois 16 432 tonnes de bombes ont été déversées sur les postes de lancement, les Allemands ont étudié un nouveau type d'installation, très simplifiée, dont ils construisaient plus de cinquante par mois, fort bien camouflés, et difficiles à repérer. Le dispositif allemand comprenait neuf secteurs, dont quatre dirigés contre Londres, et cinq autres visant respectivement Southampton, Portsmouth, Plymouth, Brighton, et les ports de Douvres et New Haven.

D'après les dernières informations, la bombe volante, ou V-1, est un engin propulsé par réaction, portant, à une vitesse d'environ 680 kilomètres à l'heure, une tonne d'explosif à une distance de 400 kilomètres, et d'une précision de l'ordre de 1 000 mètres.

Nous retournons à Detling le 8 avril, et nous attendons sans trop d'impatience notre première mission de bombardement en piqué.

13 avril 1944

Hier, pour la première fois, des Spitfire ont bombardé en piqué le continent. Nous avons droit à la BBC !

La 602 et la 132 ont attaqué l'emplacement de lance-torpilles volantes de Bouillancourt, à 20 kilomètres au sud du Tréport.

Quoique notre objectif se soit trouvé dans une région truffée de DCA légère, les Allemands furent tellement surpris de voir descendre 24 Spitfire, portant chacun une bombe de 250 kilos que la *flak* n'ouvrit le feu que lorsque nous fûmes hors de portée.

Aujourd'hui, nous répétons cette plaisanterie en grand style. Nous devons bombarder Ligescourt, à côté de la forêt de Crécy. C'est beaucoup moins drôle, car il y a dans un rayon de 10 000 mètres autour de l'objectif neuf canons de 88 , et 24 pièces de 20 et 37 millimètres. Nous sommes à portée des formidables défenses d'Abbeville dont ces batteries font partie.

On décolle à 12 h 25. Nous devons attaquer les premiers, suivis du groupe australien (453), tandis que la 132 nous couvrira contre une possible réaction de la chasse ennemie.

Nous passons la côte française à 3 000 mètres et Sutherland nous met en position pour l'attaque :

— *Max aircraft, echelon port. Go !...* (Avions de Max, échelon à gauche ! – *Go !* est le commandement d'exécution immédiate.)

Les douze avions s'échelonnent en formation serrée sur la gauche. Je suis le dixième et je ne crâne pas du tout !

— *Max Aircraft, target 2 o'clock below !* (Avions de Max, objectif à 2 heures, dessous !)

Je distingue le bois de Ligescourt juste sous mon aile, et je reconnais l'objectif – encore un poste de torpilles volantes habilement camouflé entre les arbres – d'après les photos que l'on nous avait montrées au briefing.

Nous sommes maintenant à la verticale. D'un revers de main je baisse les contacts qui fusent mon projectile et enlèvent la sûreté du lance-bombes.

— *Max, going down !* (Max, j'attaque !)

Comme un éventail qui se déploie, tous les Spitfire passent sur le dos l'un après l'autre, piquant tout droit...

La *flak* cette fois ouvre le feu immédiatement. Les chapelets de traceurs commencent à monter vers nous. Les obus explosent à droite et à gauche et, juste au-dessus de nos têtes, une couronne de fins flocons noirs d'autodestruction des 37 millimètres se forme, à peine visible contre les cirrus qui zèbrent le ciel...

Avec notre lourde bombe, l'accélération est prodigieuse : en quelques secondes on fait plus de 600 kilomètres à l'heure.

Je commence à peine à prendre l'objectif dans mon collimateur, que les premières bombes éclatent au sol : une rapide lueur suivie d'un nuage de poussière et de débris.

Les appareils des sections Max et Skittles remontent déjà verticalement, zigzaguant de tous côtés dans le ciel, suivis tenacement par la DCA.

Mon altimètre indique déjà mille mètres, je me concentre sur ma visée, tire doucement sur le manche afin de laisser la cible glisser sous le nez de mon Spitfire, commence la ressource – brutale à cette altitude – comptant à haute voix « un, deux... trois ».... et je presse le bouton du lance-bombes...

Pendant les quelques secondes qui suivent, sous l'action de la violente force centrifuge, je perds un peu la notion des choses.

Je me retrouve accroché à l'hélice, pleins gaz, à 2 500 mètres. La DCA semble nous avoir abandonnés. Un virage à gauche m'en donne vite la raison. La 453 commence son piqué. Les avions cascadent vers le sol et ne sont plus bientôt que des taches minuscules qui s'estompent dans le paysage...

La *flak* redouble. Soudain, il y a un éclair, et un des Spitfire passe sur le dos en laissant une traînée de glycol en feu et s'écrase en plein milieu de la cible – un spectacle horrifiant, auquel je ne puis m'habituer...

— C'est un coup dur, m'explique au retour un des camarades du pilote tué. Bob Yarra était le frère du fameux « Slim » Yarra de Malte, descendu lui aussi par la *flak*, l'année dernière...

Bob avait été touché de plein fouet par un obus de 37 millimètres entre les radiateurs alors qu'il piquait à 600 km/h. Les deux ailes du Spitfire se plièrent immédiatement sous le choc, et se détachèrent faisant sauter au passage l'empennage, arrosant de débris les avions qui suivaient. Trois secondes après, l'avion percutait au sol, et explosait. Pas l'ombre d'une chance de s'en sortir.

Décidément ces *Noballs* vont nous coûter cher.

L'autre jour, la bombe de Jacques ne se décroche pas et il fait demi-tour, tout seul, et bombarde. Qu'est-ce qu'il se fait passer au retour ! Moi, je l'aurais décoré !

*

Entracte à Londres. Max nous octroie un « pass » de 48 heures. Jacques a reçu de sa mère ce mois-ci un viatique confortable et moi-même, pour une émission en langue espagnole de la BBC un chèque de 22 livres, impôt déduit à la source. Une fortune comparée à notre solde !

Nous sommes donc riches. L'argent est fait pour être dépensé en partant du principe que nous pouvons tous les jours à et tout instant finir en chaleur et en lumière ! C'est donc Londres au programme – coup de fil à notre petit hôtel de Picadilly et train pour Waterloo Station.

Nous débarquons dans la capitale à 18 h 30.

Dîner d'abord. Le steak de cheval – non rationné – et vraies frites à la française dans le petit bistrot belge, « Chez Rose », dans Soho. Nous partageons avec Geerts et Demoulin, camarades belges de la 609, une bouteille de bourgogne. C'est un rare et substantiel repas en cette période de disette rationnée. Il est vrai qu'un Anglais normalement constitué n'accepterait jamais de manger ici et dîner d'un morceau de la « plus noble conquête de l'homme » !

Après le repas, un passage au bar du Shepherd est un « must » ! Comme tout le monde le sait, les pilotes de chasse sont une espèce grégaire, comme les étourneaux. Ils fréquentent les mêmes abreuvoirs dont ils ont chassé tout ce qui n'est pas chasseur patenté. Pour entrer au Shepherd le soir il faut montrer patte blanche – c'est-à-dire être membre d'un *squadron* fameux du 11e groupe ou arborer la DFC... On y rencontre toujours des connaissances, des camarades ou des amis de ce petit monde sélect.

Toujours les mêmes histoires ponctuées des gestes de mains classiques. Toujours aussi de belles filles en uniforme – gris, kaki, bleu marine des officiers WAAF, ATS, WREN – perchées sur les tabourets du bar. Tout le monde est debout, on passe les pintes de bière par-dessus les têtes et il y a toujours dans la cohue quelqu'un qui renverse le gin orange ou le pimm's n° 5 qu'il porte à une ravissante. Un serveur passe sur un plateau d'argent des petites saucisses à la mie de pain. On se sert au passage, mais jamais personne n'a osé en prendre plus d'une !

Le barman a vu défiler devant son comptoir tout ce qui comptait dans la bataille d'Angleterre et la vieille affiche sollicitant les dons du public pour acheter des Spitfire était couverte de signatures dont neuf des auteurs sur dix ne sont plus vivants. Derrière lui, un écriteau au mur : *OUT OF BONDS TO DOGS*, auquel une main anonyme avait ajouté : *AND PONGOS* (biffins), et une autre, au pinceau noir : *YANKEES AND NIGGERS* !

Pendant que je fais la conversation avec Johnny Cheketts qui a été ramené en Angleterre en un temps record par la Résistance française – trois semaines à peine après avoir été abattu au-dessus d'Abbeville – Jacques a entrepris une jolie WREN. Du coin de l'oreille j'entends : « Mais, my dear, la reine Victoria avait un faible pour Napoléon III. Ils ont même fait ensemble la guerre aux Russes en Crimée. » C'est son invariable, et souvent infaillible routine sur l'entente cordiale, qui se termine généralement par une invitation à faire également la guerre ensemble...

Bon, j'ai compris. Je l'abandonne et ne le reverrai – peut-être ! – qu'au breakfast demain matin. Si tout a répondu à ses espoirs, il sera de bonne humeur toute la semaine et prendra encore plus de risques que d'habitude en mission.

*

Nous escortons une nouvelle fois des B-26 américains qui vont bombarder une usine en Belgique. Ils sont en général plus agréables à escorter car ils vont vite et s'énervent moins que les B-17 Forteresses Volantes qui ont la sale habitude de tirer sur tout ce qui n'a pas quatre moteurs, ce qui est le cas généralement de leur escorte. Le seul avion qu'ils semblent reconnaître est le P-38 Lightning parce qu'il a deux fuselages, mais les premiers viennent à peine d'arriver en Angleterre.

Les B-26 volent malheureusement toujours à l'altitude critique du changement automatique d'étage par capsule barométrique des compresseurs du moteur Rolls Royce Merlin 63-LF de nos Spitfire. On a beau réduire le plus possible l'admission, nous avons sans arrêt des variations de *boost-on-off-on* qui secouent brutalement nos moteurs sur leurs bâtis pourtant solides. Dans un ciel bleu immaculé, le soleil montant sur notre gauche est cruel, et même avec mes Ray Ban il est impossible de surveiller le segment 30 à 60 degrés est. Si on insiste on ne voit de ce côté dans les yeux qu'un trou noir avec des points rouges. C'est évidemment toujours par là que dégringolent les Messerschmitt-109 invisibles dans cet éblouissement. Ils débouchent soudain, énormes, à touche-touche dans nos pare-brise et disparaissent aussi vite, fugitifs fantômes gris à croix noires...

Une dizaine de 109 traversent ainsi de front notre formation en tirant, touchant Aubertin et l'avion tout neuf de Max (qui ne va pas décolérer de la semaine !). Continuant sur leur trajectoire ils foncent sur les B-26 qui s'enveloppent de traceuses comme des porcs-épics ! Le tout en quelques secondes. C'est un métier où il faut avoir l'œil et les réflexes. Un B-26 quitte sa formation et perd de l'altitude traînant une lourde fumée noire – dès qu'il s'est écarté Max détache deux avions pour l'escorter en essayant de le ramener jusqu'en Angleterre. Ce sont ces éclopés qui attirent les chasseurs allemands comme des mouches. Un autre B-26 quelques instants plus tard pique verticalement et s'écrase près d'un village. Cinq parachutes. Le sixième qui manque est probablement le pilote qui a tenté de tenir l'appareil jusqu'à ce que son équipe saute. Tandis que les B-26 bombardent leur objectif, nous sommes relayés par des Typhoon encore mal connus, dont l'arrivée cause un peu de cafouillis à la radio car il faut bien admettre – et ce n'est pas une excuse pour ceux qui ont la gâchette facile – que sous un certain angle et pour un pilote pas très fort en *aircraft recognition*, on peut les prendre pour des Focke Wulf. Nous faisons alors demi-tour. Bobby Yule menant le *wing*, qui est pourtant un vieux chibani, s'embrouille dans sa navigation et trouve le moyen de nous faire passer pile sur Ostende – mauvais coin mal famé bien connu – qui nous gratifie d'une dégelée de *flak* 88 millimètres, ce qui est beaucoup d'honneur pour des chasseurs... Les gros flocons noirs illuminés d'éclairs qui éclosent tout autour de nous transforment notre formation de combat en une fuite désordonnée aux quatre coins cardinaux. Nous n'avons pas l'habitude de voir la *flak* gâcher de beaux obus de 88 longs de presque un mètre et probablement très coûteux sur des Spitfire. Quatre de nos avions ont quand même été endommagés par des éclats, et leurs pilotes sont rentrés un peu pâles...

Le lendemain nous sommes encore de corvée d'escorte mais de B-17. C'est une corvée parce qu'il faut voler lentement pour tenir notre position afin de protéger le flanc de la formation de bombardiers. Si nous sommes attaqués, nous n'avons ni énergie cinétique ni vitesse pour manœuvrer. En tout état de cause, quand on est en *close escort*, il faut avec prudence garder nos distances avec les B-17 de la 8e Air Force dont les mitrailleurs ont la détente aussi facile que leur imagination est débordante quant à leurs soi-disant victoires, après l'action !

L'objectif des Américains est une gare de triage à Rouen. La *flak* n'est pas plus virulente que d'habitude, mais il semble que le bombardier leader perde les pédales et à son commandement toute la formation de 130 Forteresses largue ses bombes déroulant un tapis mortel d'explosions et de feu qui commence loin avant la rive gauche de la Seine qu'il traverse loin au sud de la gare de triage, objectif indemne du raid. Par contre, des centaines de maisons écrasées brûlent jusqu'au pied de la cathédrale. Grâce au ciel sa fine flèche semble intacte. Combien de compatriotes civils meurent ou vont mourir pour rien sous nos yeux ? Une rage meurtrière me prend à la gorge. Je crie dans la radio afin que tout le monde m'entende, que les Américains sont des *sons of bitches*, bâtards sans pitié ni morale !

Max me rappelle à l'ordre et m'ordonne de me taire, de conserver ma place dans la formation ou alors de rentrer à la base. Max a compris qu'il s'en est fallu de peu pour que je fonce et tire sur les B-17. Je bats des plans, et je rentre seul à Detling, étouffant de colère. Avec des alliés comme ça, pas besoin d'ennemis ! Le *carpet bombing* est criminel.

Par-dessus le marché, c'est l'époque où nous savons par les revues de presse le combat de Roosevelt contre De Gaulle pour réduire l'indépendance nationale et contrôler notre empire dont il considère la France indigne.

Quelques jours plus tard, André Philip, que nous rencontrons dînant à Londres au « Coq d'Or », nous invite Aubertin et moi à sa table. Je lui raconte l'affaire de Rouen. André Philip me répond que ce n'est pas seulement De Gaulle que Roosevelt, qu'il a rencontré, méprise, ce sont les Français. Ce n'est quand même pas une raison pour massacrer nos civils et nos villes comme même les Allemands n'ont pas osé le faire. C'est je dois dire une opinion scandalisée que partagent mes camarades de la RAF, témoins de ce dernier bombardement. Heureusement, ajoute André Philip, De Gaulle a les affaires bien en mains à Alger, et la Résistance est derrière lui, mais cela fait une belle jambe aux pauvres habitants de Rouen !

L'ouverture des archives alliées de la guerre 1939-1945 en 1995 nous permet de découvrir des pièces secrètes terrifiantes que l'on ne peut consulter sans malaise. À propos justement de ces bombardements qui scandalisaient mes camarades, un des documents-clés de la préparation du débarquement en Normandie laisse consterné. Il s'agit de la directive RE 8 d'Eisenhower, supreme commander. *C'est une de ces études à l'américaine où tout est prévu, présenté, chiffré dans les plus petits détails. Entre autres, le chapitre intitulé « Transportation plan » expose la nécessité de bombarder une quarantaine de villes françaises – quelques-unes très importantes – abritant des nœuds routiers, ferroviaires, des casernements ou des réserves de matériel. Un paragraphe énumère les pertes éventuelles de la 8e Air Force au cours de ces opérations, et quelques lignes en note de bas de page, prévoient la mort inéluctable de 160 000 civils français et d'un nombre considérable de blessés, sans compter les immenses dégâts maté-*

riels dus au carpet bombing, *le seul qui par sa brutalité réduirait les pertes des B-17 et des B-24.*

Quand Churchill, outré, prit connaissance de ce plan, il exigea une révision, admettant à la rigueur quelques milliers de morts inévitables dans ce genre d'opérations et tint à prévenir De Gaulle à Alger par une lettre qui se terminait par la phrase suivante :

« Vous Français, avez été des amis loyaux de la Royal Air Force, et cela avec beaucoup de courage. Nos équipages ont toujours eu pour ordre formel de prendre tous les risques pour éviter les civils français qui ont toujours aidé les équipages abattus, y compris ceux des Américains ! »

On sait seulement – car les archives ne possèdent pas sa réponse – que De Gaulle remercia.

Le maréchal Harris, chef du bomber command, *quand Churchill lui demanda quel était son point de vue et celui de ses équipages sur cette question, lui répondit : « Je n'ai pas de point de vue. Je reçois des ordres et je donne des ordres. » Churchill, dans une lettre datée du 14 avril 1944, écrivait à Roosevelt : « Les résultats ne justifient ni le massacre de civils français, ni l'immense faute politique. Je vous prie instamment de faire pression sur Le May, Eaker et Spatz dans ce sens » (Les chefs de la 8e Air Force US).*

Le 29 avril 1944, sans réponse, il renouvela son appel :

« Nous ne pouvons tolérer des pertes dépassant 100 à 150 civils français que si la cible le justifie pleinement. Le général Eisenhower doit comprendre que 27 des cibles proposées, à dense population, dont il réclame la destruction, ne doivent pas être attaquées. Il est contraire à la morale de terroriser volontairement les civils qui risquent leurs vies pour sauver vos équipages abattus. »

Toujours sans réaction du Président, le 7 mai, Churchill lui télégraphia une note sévère à ce sujet dont on ne connaît pas le texte, mais que nous savons à la limite de la civilité. Roosevelt finalement répondit le 15 mai :

« Ce qui est nécessaire à la sauvegarde de nos soldats est à la discrétion de Ike » (Eisenhower).

C'est ainsi qu'à la fin du mois Amiens, Angers, Avignon, Chambéry, Chartres, Grenoble, Nîmes, Saint-Étienne, Rouen, Cherbourg, Paris, Trappes, etc. furent bombardés par la US Air Force causant en trois jours 8 200 morts, 12 000 blessés, 120 000 sinistrés, 11 hôpitaux, 35 lycées, etc. rasés inutilement dans 80 % des cas.

Le « zéro soldat mort américain » se traduit toujours par des centaines et même des milliers de civils morts ! C'est ainsi que Caen, Saint-Lô, Cherbourg, Avranches, Falaise, Villers-Bocage, etc, etc... furent horriblement bombardés au moment du Débarquement.

*

Fin avril j'ai trois jours « off ». Jacques est parti à la pêche aux « marinettes », les premières mouches de mai viennent d'éclore et je vais de mon côté tenter de prendre quelques truites. On parle de plus en plus d'un débarquement en juin ou juillet, c'est donc ma dernière chance avant la grande bataille. Il y a, coulant pas loin de Detling, une très belle rivière, un de ces *chalk stream* dont avant-guerre on devait louer chaque mètre une petite fortune et qui étaient gardées comme la prunelle de leurs yeux par les propriétaires ! Aujourd'hui il n'y a plus de gardes – ils ont tous été mobilisés – donc, en bon Français indiscipliné je pêche, mais ce n'est pas du braconnage. Je le fais en gentleman, car si j'étais pris par-dessus le marché pêchant au ver ou à la cuiller, autrement qu'à la mouche, que ne diraient pas les Anglais de ces « indigènes » du Continent ! J'ai réussi à passer la plupart de mes permissions au bord de l'eau depuis trois ans, et je dois avouer que, chaque fois que j'ai dû demander une autorisation elle m'a été accordée sans exception ! Le seul problème est le matériel et mes stocks s'épuisent. À Londres, la vitrine de la fameuse maison d'articles de pêche Hardy's est vide. Le vieux vendeur très digne qui est derrière le comptoir est devenu au fil des mois mon ami. Il pioche souvent pour moi dans ses réserves secrètes un rouleau de racine Tortue, un écheveau de soie, des hameçons devenus introuvables ou des mouches fabuleuses...

Quelle belle rivière ! Les herbiers, les renoncules d'eau, les roseaux, les poules d'eau timides, les libellules qui jouent avec les éphémères, une poussière de moucherons dans un rayon du soleil encore bas se glissant entre les branches, tout cela est paisible, merveilleux et m'éloigne de la guerre.

Deux ou trois truites mouchent, nonchalamment surveillées par un héron figé sur une patte et après deux faux lancers je place ma *sedge,* au milieu du remous que fait la plus grosse. Comme sa rivière n'est jamais pêchée, elle ne se méfie plus et gobe franchement. Elle se défend comme un beau diable, remonte le courant sur près de 50 mètres avant que je puisse l'épuiser. Une deuxième la suit bientôt et ça suffit pour aujourd'hui. Je les enroule dans des feuilles de menthe sauvage qui tacheront leur lumineuse robe de nacre, mais qui laisseront un merveilleux parfum à leur chair. Maintenant j'allume ma pipe et, assis sur un tronc d'arbre je relis pour la dixième fois un chapitre de *La Boîte à pêche* de Maurice Genevoix qu'à mon éternelle honte j'ai barboté à la bibliothèque des Volontaires de la France Libre à Bromley South. Rompant scandaleusement ce calme, un V1 passe avec son bruit de motocyclette géante et quelques minutes plus tard j'entends la DCA qui tente de l'abattre avant qu'il arrive sur Londres. La guerre nous poursuit partout.

Je sors de mon sac les sandwiches de *spam* que les gentilles WAAFS de la cuisine m'ont préparés clandestinement, et je vais ouvrir une bouteille de bordeaux achetée au pub sur la route quand je m'aperçois que j'ai oublié mon tire-bouchon. J'hésite à casser le goulot quand j'entends quelqu'un derrière moi qui me dit :

— *Why don't you take my corkscrew ?* (Pourquoi pas mon tire-bouchon ?)

Un homme est arrivé silencieusement, marchant sur l'herbe humide, qui me tend un couteau suisse. Il ajoute en indiquant les deux truites :

— *They are quite nice. Congratulations.* (Elles sont belles ! Félicitations).

Soixante-dix ans au moins, droit comme un I, avec ses jambières, son veston de tweed et sa moustache blanche, il a l'air d'un général en retraite de l'armée des Indes d'hier... Ce qu'il est effectivement !

Il s'assoit à côté de moi, sort une pipe – je lui offre mon tabac, il le renifle et me dit qu'il n'aime pas l'américain, trop sucré. Il préfère le sien. Je comprends qu'il est le propriétaire des lieux, mais il me met à l'aise et m'invite à venir pêcher quand je voudrais. Il m'interroge, très intéressé quand je lui dis que je suis pilote de chasse, et évidemment français par-dessus le marché. Il essaye deux ou trois faux lancers avec ma canne et ne la trouve pas fameuse. « Elle est américaine » – cela ne l'étonne pas ; par contre il ajoute qu'il a des mouches parfaites pour cette rivière et qu'il me les offrira si je peux venir déjeuner chez lui demain. Il me donne l'adresse et les indications pour y parvenir.

Je reste encore tout l'après-midi à battre l'eau et relâche deux autres truites. Le soir arrivé, dans un petit vent frais qui se lève je quitte ce paradis, fais du stop jusqu'à la base. Je donne une de mes truites au brave clergyman qui me prend à bord de sa vieille Austin. L'autre, le cuisinier du mess me la fera frire à la poêle et je la mangerai en douce dans l'office dont l'accès est rigoureusement interdit aux officiers !

Je m'installe ensuite dans un coin du salon et je mets à jour mon journal que j'ai un peu négligé d'écrire. Je commence par décrire cette belle journée que je viens de passer. Demain, j'irai voir mon vieux général.

Après avoir pêché dans sa rivière et lui apportant chaque fois une paire de belles truites, je rends visite à diverses reprises à mon vieux général qui m'offre le privilège de son amitié solitaire. Il portait deux alliances à sa main gauche et un ruban de crêpe au revers de son veston de ville. Il sortait toujours une bouteille de porto de derrière les fagots.

Aujourd'hui je lui annonce que je vais avoir la DFC (Distinguished Flying Cross). Il veut aller chercher le champagne dans sa cave. Je refuse. Alors il s'excuse un instant et revient avec un long étui de cuir qu'il dépose sur la table devant moi.

— Elles sont à vous maintenant.

J'admire religieusement deux admirables cannes en bambou refendu – une à truite, l'autre à saumon.

Avant de partir pour Ford, j'ai voulu lui dire au revoir. C'est au poste de police de Maidstone que j'ai appris le drame. Un V1 déréglé est tombé à côté du petit manoir couvert de vigne vierge qui fut détruit. Mon vieux général est parti rejoindre sa femme infirmière tuée dans un bombardement de Londres en 1940, et c'est alors seulement que j'ai su que son fils, pilote de chasse, squadron leader *au 601, avait disparu dans la Manche en 1941. Il ne m'en avait jamais parlé. C'étaient ses cannes à pêche qu'il m'avait offertes. J'avoue avoir eu les larmes aux yeux, ce soir-là, devant cette injustice du destin.*

*

Le grand moment approche. 4 mai. L'escadre 125 quitte Detling pour s'installer à Ford, près de Brighton. Le transfert des avions s'effectue par très mauvais temps, et avec Ken Charney notre patrouille de huit doit se poser sous une pluie battante et une visibilité zéro sur un terrain américain près de Dungeness. Ce sont des groupes de Thunderbolt arrivés une semaine auparavant des États-Unis. C'est la première fois que ces pilotes américains voient des Spitfire de près. Ils sont stupéfaits de voir que l'on vole par un temps pareil (dame ! l'Angleterre n'est pas la Californie) et la maniabilité de nos appareils, nos glissades, nos approches en S les laissent rêveurs...

Sur la fin de l'après-midi le temps s'éclaircit, et nous leur faisons une démonstration de décollage en chandelle. Avec nos Spit-IX-B nous arrachons du sol en 250 mètres, tandis qu'il faut presque 800 mètres à un Thunderbolt chargé. Je fais un tonneau lent au ras des marguerites aussitôt après avoir relevé mon train : idiot !

À Ford, il y a déjà sept groupes de chasse. Congestion générale des pistes, des locaux, et nous décidons de loger sous la tente, près de nos avions, au lieu d'habiter une grande bâtisse réquisitionnée à dix kilomètres de l'aérodrome près d'Arundel.

Ford, c'est la place de la Concorde à 6 heures du soir. Il y a quatre escadrons de la RAF et quatre groupes américains – deux de P 47 et deux de P 51.

Nos amis d'outre-Atlantique sont bien gentils mais très envahissants. Comme disent les Anglais, ils sont : « *Oversexed, over paid and over here* » – obsédés du sexe, surpayés et chez nous ! Pour les repas il y a trois services, il faut faire la queue et les Américains, obligés de survivre avec nos portions congrues et avec la gastronomie anglaise, râlent. Nous couchons sous des tentes installées à la hâte pour accueillir tout ce monde sur une base de temps de paix prévue pour deux ou trois escadrons de chasse au maximum. Trop de monde, trop d'avions, trop de jeeps. Dans ce désordre, Jacques qui n'est pas fou, a dégoté dans la zone interdite qui ceinture la côte à cause du débarquement imminent, un petit pub généralement vide, par la force des choses. C'est sympa dans cette magnifique campagne anglaise de printemps, avec sa salle confortable, ses fauteuils de chintz fleuri et son comptoir de chêne patiné par les ans. Jacques a vite fait de charmer la patronne esseulée dont le mari fait la guerre en Birmanie. Elle nous laisse entrer en dehors des heures réglementaires, nous cuit des œufs (de son poulailler, donc pas rationnés en principe) sur le plat et nous sert le thé. Nous sommes bien tranquilles, nous lui contons fleurette sans penser à mal. Nous y allons à chaque retour de mission sur la moto de Jacques, en tenue de vol, sans même nous changer.

Un après-midi, rentrant d'un *sweep* particulièrement éprouvant, nous dégustons nos œufs au comptoir avec un verre de Guinness, quand entrent des clients et nous entendons parler français. Notre paix est foutue ! Ils s'installent dans la partie salon de thé. Une grande bringue à quatre galons arrive pour commander. Il se retourne vers Jacques qui plonge dans son assiette, le dévisage, voit sur nos épaules de *battle-dress* le flash France sous nos modestes galons de sous-lieutenant. « Vous êtes Français ? On ne vous a pas appris à dire bonjour et à saluer un supérieur ? Vous n'avez pas vu qu'il y a derrière vous un général français ? Allez lui présenter vos respects ! » sur un ton de commandement bon pour les biffins. Nous n'étions quand même pas des recrues... Comme tous bons pilotes de chasse, nous avions cultivé le palmier... comme disent les jaloux. Une quinzaine de palmes donc de citations à l'ordre de l'armée à nous deux, Légions d'honneur, médailles militaires. Jacques se lève, traînant un peu des pieds, va vers le général, le salue, se place à ses ordres selon la formule consacrée. Hélas, il portait autour du cou le fameux foulard que Tim le caricaturiste avait illustré pour lui à l'encre de Chine. Grand carré de soie couleur tango, une frise courait autour des quatre bords représentant de charmantes nymphes très dévêtues dansant en se tenant par la main, et au milieu une donzelle callipyge déshabillée, agenouillée, vue de dos – et en détail – sur lequel dos était posée une tour Eiffel. En grosses lettres la légende : « Monte là-dessus et tu verras Montmartre » ! Bien évidemment, cela donnait une touche artistique à un uniforme réglementaire.

Une voix sèche s'adresse à Jacques sur un ton sans réplique :

— Dites donc mon ami, tenez-vous droit, et que portez-vous autour du cou ? Montrez ! Si vous tenez à avoir l'air d'une danseuse au lieu d'un officier français, plantez-vous une plume dans le cul !

Pauvre Jacques ! Il était tombé sur le général Leclerc, le commandant était Guillebon, qui devint plus tard un de mes meilleurs amis... et qui n'a jamais oublié cette histoire.

L'emploi du temps est assez chargé. Le 8 mai, deux bombardements en piqué. Le 9 mai deux bombardements en piqué, dont une attaque contre le fameux viaduc de Mirville.

À Mirville, très chaude réception de *flak* automatique, et le communiqué officiel, publié dans la presse est le suivant :

« Des groupes de Spitfire ont piqué au travers d'un mur de *flak* pour attaquer le grand viaduc de Mirville sur la voie de chemin de fer Paris-Le Havre. Le viaduc a 39 arches. Les Spitfire l'ont touché au centre et à l'extrémité nord. »

Pour ceux qui connaissent la sobriété des communiqués de la RAF, le terme « mur de *flak* » n'était pas une exagération. D'ailleurs le bombardement a été assez pitoyable, et j'ignore quels furent les deux héros de la 132 ou 602 qui touchèrent le but. Ma bombe en tout cas est tombée à plus de 100 mètres du viaduc. Gerald et Cannuck sont portés manquants à la suite de cette histoire.

Le 10 mai dans la matinée, je fais un « *circus* » – escorte de Marauder – qui dure 2 h 20. Nous rencontrons des boches très habiles dans une formation mixte de Me-109 et Focke Wulf-190. Max Sutherland en descend un, Jacques très probablement un autre ainsi que Yule. Quant à moi je tire comme un âne sur ceux de Jacques et de Yule, sans grand résultat !

Dans l'après-midi du même jour, re-bombardement en piqué de la *Noball 38*.

Le 11, bombardement en piqué de la *Noball 27* (Ailly-le-Vieux Clocher).

Le 12, bombardement en piqué d'une jonction de voie ferrée à Steenbaque.

Le 13, deux missions de bombardement en piqué, dont une sur la *Noball 86* défendue par une formidable *flak*. Mon dispositif de vitesse constante saute dans mon hélice – je m'en tire avec plus de frousse que de mal.

À cette cadence, nous sommes vite sur les genoux. Le bombardement en piqué est très fatigant pour l'organisme, et nous avons quelques cas de lésions internes – épanchements de sang dans la plèvre, ruptures dans l'abdomen et autres complications, nous dit le toubib.

Notre 145 Wing reçoit ce matin la visite du *group captain* James Rankin, grand as de la bataille d'Angleterre, qui est « GC Tactics » au quartier général de la division 83 TAF de Broadhurst, notre grand patron.

Il vient demander – oh avec prudence et circonspection ! – des volontaires pour partir sur Hawker Typhoon. Ils manquent de pilotes (et aussi d'avions !) dans les *squadrons* équipés de ces appareils. Il se garde évidemment bien de nous dire à

Un des gros radars allemands, détruit
par les Typhoon de la 609 juste avant le débarquement.

quel point ils ont été décimés et de nous parler également des problèmes techniques provocant des ruptures en vol dans les piqués à haute vitesse. Il n'a pas grand succès malgré son speech enthousiaste. Il explique que les Typhoon joueront un rôle majeur dans le futur débarquement contre les blindés allemands, qu'il est le plus rapide des avions en service dans la RAF, à l'exception du Spit-XIV, etc., et qu'actuellement ils descendent des Focke Wulf en pagaille...

Au cours du déjeuner qui suit, les commentaires vont bon train. Jacques me pose la question : « Tu y vas ? Si oui, nous y allons ensemble ! » Je lui réponds que je ne suis pas chaud. D'abord on est comme des coqs en pâte à la 602 et ensuite je suis toujours allergique à la *flak*. Le bla-bla ne peut rien contre elle et je crois que les statistiques le prouvent. En effet, de retour au *flight*, Max nous réunit et explique qu'il faut être cinglé pour se faire transférer dans une unité de Typhoon. Il déplie un papier et nous lit les notes prises par lui après le départ de Rankin dans la doc confidentielle de la salle d'OPS. Les pertes de Typhoon sont en effet si effroyables qu'elles en sont incroyables. Il nous en donne quelques exemples. Lors des attaques de radars sur la côte française, en une semaine 18 Typhoon sur 48 engagés sont abattus par la *flak*. Et en cite plusieurs autres dont je ne me souviens plus ce soir. Max conclut d'une phrase lapidaire : « Celui qui veut se suicider c'est facile, le Typhoon l'attend ! » Il ajoute : « Je ne raconte pas cela pour vous empêcher de partir. Quel bon débarras ce serait pour moi que de commander un escadron sans les pilotes grincheux et prétentieux que vous êtes ! »

Comme il n'a pas plus de succès à la 132 qu'au 602, Rankin est parti bredouille.

Depuis les amabilités de Leclerc, Jacques boude chaque fois qu'il entrevoit un uniforme français. Un

Le petit Walrus se pose et ramasse le Dinghy.

Boston du groupe Lorraine s'étant posé à Ford le 8 mai, nous discutons en déjeunant avec l'équipage qui comprend Tournier et notre ami Masquelier qui remarque tout de suite le fameux foulard ! Jacques raconte l'histoire et demande qui est ce général Leclerc au vocabulaire peu académique. Tournier lui explique, lui raconte Koufra, la Tunisie, etc., la formation de la 2ᵉ DB et ajoute que c'est un grand monsieur. Nous en sommes au dessert – pudding à la mie de pain arrosé d'un sirop de fraise synthétique – quand nous sommes rappelés par haut-parleur et décollons en alerte. On nous explique en vitesse qu'un Typhoon du *squadron* 181 a été descendu en attaquant un radar à Dieppe. Toujours la *flak*. Le pilote, le fameux lieutenant-colonel norvégien Erik Haabjoern, commandant l'escadre 124, s'est parachuté au ras du môle du port. Il a réussi à s'installer dans son dinghy, mais hélas bien à la vue des Allemands. Une mitrailleuse rapidement amenée par eux sur la digue commence à tirer sur lui. Un Typhoon, sous nos yeux, la pulvérise d'une salve de roquettes au moment où nous allions intervenir, tandis que sept autres Typhoon qui tournent toujours pour protéger leur chef éteignent quatre postes de DCA et coulent au canon une vedette allemande téméraire qui tente de se diriger vers le dinghy. C'est un sacré cinéma et nous nous contentons, ayant repris un peu d'altitude, de couvrir les gens de la 124 qui vont être obligés de rentrer, à court de pétrole. Ils nous demandent de les relayer jusqu'à l'arrivée des secours mais à cet instant, quatre Focke Wulf-190 suivis par plusieurs 109 piquent sur eux. Je suis Red 2 et Max qui tire sur le FW de tête, le touche certainement presque en frontal et, à 90 degrés je le reprends d'une rafale à bout portant alors qu'il me file sous le nez de gauche à droite. C'est le coup de pot intégral, je ne suis même pas sûr de l'avoir touché. Il passe sur le dos et s'écrase dans une grande flaque d'écume ! Heureusement les chasseurs allemands sont plus intéressés par les Spitfire que par le radeau, car un petit hydravion Walrus ridicule que personne n'a vu venir dans ce désordre, se pose en douceur, indifférent à la bagarre qui se déroule au-dessus de lui, hydroplane malgré une forte houle et ramasse Erik avec un sang froid inouï, rate deux fois son décollage dans ces méchants creux et, miraculeusement, escorté de près par nous, s'en tire !!! J'espère que le pilote du Walrus recevra au moins la DSO pour son incroyable courage.

Comme d'habitude, ce qui promet de dégénérer en gros *dog-fight* avec les Messerschmitt s'éteint comme une bougie soufflée... Ciel vide en quelques secondes !

Nous rentrons un peu déçus. À terre, on nous apprend que c'est la deuxième fois qu'Erik se parachute dans la Manche et s'en tire. Max qui fait son rapport m'attribue en part entière notre Focke Wulf que tout le monde a vu tomber près du môle de Dieppe. Je

Les grands pilotes belges Detal, Van Lierde, Geerts et Demoulin, de par leurs exploits, ont fait de la 609 une légende.

proteste car il l'a touché avant moi ! Part à deux au moins. Pas question, répond Max, toujours le chic type avec ses ouailles.

Ezanno qui commande le 198 avec son Typhoon.

Les Typhoon ont été les vedettes de la RAF lors du débarquement en Normandie. Ils ont maintes fois tiré d'affaire « in extremis » des unités alliées en attaquant chars et véhicules chenillés allemands. On peut, sans exagération, affirmer que c'est en bonne partie grâce à eux que les opérations de juin, juillet et août 1944 ont pu se dérouler sans trop de casse. La suprématie des Typhoon dans les actions air-sol leur attire la haine de la flak *qui s'acharnait contre eux afin de protéger l'infanterie et les blindés de la Vehrmarcht qu'ils terrorisaient. La puissance de feu du Typhoon était considérable : quatre canons de 20 millimètres et huit ou douze roquettes lourdes soit explosives antipersonnels, soit à charge creuse contre les blindages. C'est ainsi que la RAF a sauvé Patton et la 3*^{e} *armée US. Le fameux général américain s'était aventuré bride abattue trop au sud jusqu'à Mortain et s'était retrouvé à court de carburant. Il risquait le sort de son prédécesseur (qui était son héros favori !) le général Custer, mais ce dernier n'avait pas eu à l'époque (1876) la possibilité d'être secouru par l'aviation. En août 1944 les Sioux étaient remplacés par 200 ou 300 blindés lourds Tigre et Panther qui allaient couper sa retraite inéluctable vers le nord. La II*^{e} *Panzer favorisée par une météo médiocre et par le fait que les Américains ne possédaient pas d'avions vraiment adaptés à l'antichar commençait avec les terribles canons de 88 des Tigres à éliminer comme au champ de tir, un par un, les chars Sherman qui ne pesaient pas lourd devant eux. Le 6 août au soir, Patton avait déjà perdu dans la journée 60 chars et le 7 au matin, le commandement américain envoyait un SOS à la RAF demandant une intervention massive et immédiate de Typhoon.*

La 21e *escadre expédia sur-le-champ les* squadrons *174 et 181, suivis par les wing 124 et surtout 123 qui comprenaient deux escadrons illustres, la 609 qui avait été phagocytée par les Belges et le 198 commandé par un Français, le fameux commandant Ezanno, futur général de l'armée de l'air. Au soir du 7 août, 84 chars lourds allemands avaient été détruits ainsi que d'innombrables véhicules abandonnés par les soldats terrorisés par la furie des attaques. Comme la* flak *n'avait pas pu accompagner le mouvement rapide des troupes – erreur qui ne se reproduisit plus jamais –, quatre Typhoon seulement furent perdus et une dizaine d'autres endommagés. Deux Spitfire furent abattus dans la soirée quand la Luftwaffe a réagi enfin. Quatre jours de mauvais temps ont sauvé la plupart des blindés survivants de la IIe Panzer. Huit jours plus tard, entre Mortain et Falaise, les Typhoon écrasaient sous leurs salves de roquettes les derniers espoirs allemands d'une contre-offensive. La réaction de la chasse allemande fut cependant terrible du 16 au 18 août.*

Le puissant armement du Typhoon : quatre canons de 20 mm, plus les grosses roquettes à charge creuse de 60 livres portant 14 livres de TNT, par huit, soit l'équivalent de la bordée d'un croiseur !

Dix-sept Typhoon du 84e Group furent abattus les 17 et 18 août par les Me-109 de la JG 27 ainsi que 8 Typhoon de l'escadron 183. On sait que la III JG 27 était commandée par Fritz Gomotlka qui remporta quatre victoires. Le lendemain 19 août, c'est le major Ernst Dullberg qui abattit trois autres Typhoon – deux de la 184 et un du 266. La 198 d'Ezanno avait perdu 11 avions et lui-même fut descendu deux fois en deux jours ! En tout les avions antichars de la RAF ont perdu en Normandie en dix semaines plus de 150 pilotes – 66 % des effectifs. La 609 était commandée par mon ami belge, le major Charles Demoulin qui fut plus tard le parrain de mon dernier fils, Michel.

*

Quant à moi, je suis crevé. Heureusement, le 15 mai, le *group captain* Rankin est convoqué au GQG des Forces aériennes expéditionnaires alliées à Uxbridge. Il m'emmène avec lui comme aide de camp car, dit-il, avec mon uniforme français, je fais très « couleur locale ».

Les casemates bétonnées d'Uxbridge qui avaient abrité le Ground Central Control de la chasse britannique pendant les heures cruciales de la bataille de Grande-Bretagne sont devenues le centre de l'aviation alliée pour le débarquement de Normandie.

C'est une véritable tour de Babel, où se presse une foule d'uniformes roses et vert olive américains, et gris-bleu de la RAF. Je n'ai jamais vu de ma vie autant d'étoiles et de galons – jusqu'au coude. Le moindre petit bonhomme que l'on rencontre est au minimum *air commodore*. Les maréchaux de l'Air ne se comptent plus.

Il y a là Leight Mallory, de la RAF, qui est le commandant en chef de la chasse, Quesada, le grand patron de la chasse américaine, le général Arnold, commandant en chef de l'US Army Air Forces, Doolittle, du raid sur Tokio, etc.

Être soi-disant dans le secret des dieux n'est pas chose amusante. J'ai les poches pleines de laissez-passer, toute la journée je suis interpellé par les dizaines de MP qui truffent les entrées et les couloirs souterrains éclairés au néon. Par contre, un snack sensas ouvert vingt-quatre heures sur vingt-quatre !

Il est difficile d'avoir une vue d'ensemble sur ce qui se trame. La date du Débarquement semble cependant être fixée pour les premiers jours de juin, et la zone comprise entre Le Havre et Cherbourg. Tout ne va pas aller comme sur des roulettes. Il y a énormément de tirage entre la RAF et la 8e armée de l'air américaine.

J'assiste en particulier aux discussions au cours desquelles on essaye de fixer numériquement les effectifs disponibles de la chasse allemande.

La production d'avions de chasse incroyable destinés à la Luftwaffe, d'après les rapports très précis de l'Intelligence a été du 1er novembre 1943 au 1er avril 1944 de 7 065 chasseurs – dont 150 à réaction, 4 500 environ du type Messerschmitt-109G et 109K et le reste, des Focke Wulf-190 avec quelques Messerschmitt-410 bimoteurs.

Du 15 novembre au 15 avril, par contre, les pertes de la chasse allemande sont estimées les suivantes :

678 détruits, 102 probables et 347 endommagés par la chasse de la RAF.

73 détruits, 5 probables et 22 endommagés par la DCA britannique.

La 8e Air Force américaine prétend, elle, que ses bombardiers (Forteresses Volantes et Liberator) pendant la même période ont obtenu les résultats suivants à eux seuls :

2 223 détruits, 696 probables et 1 818 endommagés, tandis que ses chasseurs d'escorte ont remporté 1 835 victoires.

Les Anglais estiment que ces chiffres sont ridicules. Ils admettent que les communiqués de presse américains donnent ces résultats pour faire avaler les pertes colossales de l'Air Force dans ses raids de jour, au public américain qui commence à trouver la pilule amère ; mais la RAF se refuse énergiquement à baser ses plans de campagne sur des chiffres publicitaires absurdes.

La discussion tourne vite à l'aigre. Les Anglais maintiennent qu'il vaut mieux sous-estimer leurs victoires, comme ils le font, grâce à un système très sévère d'homologation par film cinématographique, que de tabler sur des récits individuels difficilement contrôlables. Évidemment, lorsque dans un *box* de 72 Forteresses Volantes, vous avez 300 ou 400 mitrailleurs tirant sur une vingtaine de Focke Wulf, et que un ou deux sont effectivement abattus, il se trouve forcément plusieurs douzaines d'hommes qui prétendront, dur comme fer, de bonne foi, en avoir descendu chacun un.

De plus, il semble bien extraordinaire que dans un raid comme celui d'Augsbourg 600 chasseurs américains d'escorte déclarent avoir abattu 68 avions allemands, tandis que 500 Forteresses prétendent à 350 victoires, soit presque un tiers des effectifs mis en ligne par la Luftwaffe, ce jour-là.

Dans une même sortie mixte, par exemple, sur le même objectif, au cours d'un combat très sévère, un groupe de la RAF (soit douze Spitfire du dernier type) demande l'homologation de 7 victoires, tandis qu'un seul pilote de chasse américain déclare six victoires, dans des circonstances telles qu'à peine une seule aurait été homologuée suivant les normes de la RAF.

Finalement, on décide de prendre comme chiffre de base un quart des estimations américaines pour les bombardiers et la moitié de celles des chasseurs, ce qui donne le chiffre encore assez impressionnant de 800 victoires pour les Forteresses et de 900 pour la chasse, soit pour l'ensemble des forces alliées 2 700 Focke Wulf et Me-109 hors de combat. Ce qui est quand même délirant. Un tiers de ce chiffre est déjà sujet à caution.

En comptant les déchets inévitables, les pertes à l'entraînement, cela laisse à la Luftwaffe environ 3 000 chasseurs de première ligne, dont 600 au maximum peuvent être affectés au front ouest.

À cela, les Forces Aériennes Expéditionnaires Alliées peuvent opposer en première ligne exactement 2 371 chasseurs (dont 1 764 de la RAF). C'est théorique, car il faudra, pour ces avions des bases en France.

Nous nous occupons ensuite du planning des opérations préliminaires pour la chasse dans la deuxième quinzaine de mai.

Oesau dans son FW-190 va donner le signal de décoller aux Me du groupe II de la JG 2.

Le 21 mai, une offensive générale est décidée contre les moyens de traction de chemin de fer dans tout le nord de la France et la Belgique.

204 Thunderbolt, 333 Spitfire, 16 Typhoon et 10 Tempest participent à cette opération simultanée : 67 locomotives sont détruites, 91 gravement endommagées rien que dans la région nord de la SNCF.

Du 19 mai au 1er juin 1944, 3 400 sorties de chasseurs sont effectuées sur la France, la Belgique, la Hollande et l'Allemagne contre les locomotives : 197 locos détruites et 183 endommagées. Ces résultats peu remarquables sont dus à l'inexpérience de la plupart des pilotes, peu habitués à ce type spécial d'objectif.

En même temps, les chasseurs-bombardiers doivent exécuter un programme très serré d'attaques contre les ponts routiers et de chemin de fer : 24 ponts sont ainsi mis hors d'usage sur la Seine, 3 à Liège, et d'autres à Hasselt, Herenthals, Namur, Conflans (pointe Eiffel), Valenciennes, Hirson, Kons Kartaus, Tours et Saumur.

J'ai eu alors l'occasion de voir les photos aériennes prises à la suite du bombardement lourd de la RAF sur Trappes dans la nuit du 6 au 7 mars. Cette importante gare de triage a été complètement détruite. 240 bombes d'une tonne au minimum ont atteint leur but. Les deux tiers des garages de locomotives sont rasés ; toutes les lignes, y compris la voie électrifiée Paris-Chartres, détruites.

Toutes les gares de triage de Paris à Bruxelles sont attaquées et rasées dans la période avril et mai.

Le plan d'isolement de la zone choisie commence à porter ses fruits.

Nos chefs doivent ensuite préparer les plans de détail de la couverture du débarquement proprement dit dont la date est désormais fixée au 5 juin.

Le rôle de la chasse consistera à détruire, le 4 juin après-midi, les trois principales stations allemandes de radar, à Jobourg, Caudecote et Cap d'Antifer. Le 5 juin, jour du Débarquement, elle devra fournir 15 groupes de chasse en permanence pour protéger les convois et les plages.

On décide que, pour les jours J1, J2 et J3, même les réserves stratégiques seront employées, ce qui remonte les effectifs à un total de 1 403 chasseurs et chasseurs-bombardiers dont 972 fournis par la RAF.

Le programme de construction de bases avancées pour nos chasseurs en Normandie est élaboré d'après les prévisions de SHAEF. Les sites favorables sont repérés après un relèvement photographique et les informations de la Résistance, et, en principe, au Jour J plus 10 – c'est-à-dire le 15 juin – nous devons théoriquement disposer de : 3 ELS (*emergency landing strips*), bandes de terrain plus ou moins planes, longues de 600 mètres et larges de 30 mètres, avec une ambulance et une pompe incendie, capables de recevoir des avions en détresse se posant sur le ventre.

4 *R and R* (*refuelling and rearming*), bandes de terrain compact, bien planes, longues de 1 200 mètres et larges de 50 mètres, avec deux surfaces de dispersion, bien dégagées de 100 sur 50 yards. Ces pistes doivent permettre aux chasseurs de se poser, se ravitailler, se réarmer et repartir. Un personnel spécial de « RAF Commandos » est prévu, ayant l'instruction technique suffisante pour remplir ces tâches.

8 ALG (*advanced landing grounds*), pourvues d'une piste en treillis de 1 200 mètres sur 50, avec un terrain préparé pour la dispersion et la protection de 48 chasseurs demeurant en permanence. Des installations de DCA fixe sont prévues, ainsi que le logement du personnel navigant et au sol.

Elles devront être occupées par huit escadres de chasse.

Des équipes spéciales de génie, intitulées « Airfield Construction Units », partiront dès le jour J, avec tout leur matériel de bulldozers, de rouleaux compresseurs, de tentes, de grilles afin de réaliser ce programme.

Les lieux choisis sont les suivants :

Bazenville, Sainte-Croix-sur-Mer, Camilly, Coulombs, Martragny, Sommervieu, Lantheuil, Plumetot, Longues, Saint-Pierre-du-Mont, Criqueville, Cardonville, Deux-Jumeaux, Azeville et Carentan, Chipelle, Picauville, Le Molay et Cretteville.

Après quinze jours à jouer l'aide de camp passés à porter des serviettes, des papiers et des cafés, je ne suis pas mécontent de rejoindre mes camarades à Ford. Comme j'ai dû signer un engagement de ne souffler mot à âme qui vive de ce que j'avais pu voir ou entendre, je ne puis répondre aux mille questions dont tout le monde m'accable. J'ai dû également m'engager à ne pas voler au-dessus des territoires occupés par l'ennemi avant le jour J plus dix heures. La raison en est facile à concevoir. En effet, je puis être abattu, et si jamais les interrogateurs soupçonnent ce que je sais – en particulier la date et le lieu du Débarquement – les Allemands ne reculeront devant rien pour me faire parler. Pour éviter toute défaillance, les Anglais qui ne veulent courir aucun risque et ne se font que peu d'illusions sur la résistance humaine à certains arguments, interdisent à toute personne connaissant même un fragment des plans Neptune et Overlord de traverser la Manche et risquer d'être fait prisonnier.

*

Le Débarquement – juin 1944. Par suite des circonstances atmosphériques, le jour J est reculé au 6 juin. Lié par mon serment, je dois attendre 5 heures de l'après-midi pour voler. Je puis ainsi assister au formidable défilé de planeurs et d'avions transporteurs de parachutistes qui défilent à l'aube, des heures durant.

Tout le monde est sur les dents. La 602 fait une sortie à 3 h 55, une autre à 9 heures, une à 12 heures, une à 17 h 30 et finalement une à 20 h 35. Je participe aux deux dernières.

Il est difficile de donner une impression d'ensemble du Débarquement tel que nous l'avons vu à vol d'oiseau.

La Manche est encombrée par un inextricable fouillis de navires de guerre, de bateaux de commerce de tous tonnages, de pétroliers, de transporteurs de tanks, de dragueurs de mines, tous traînant leur petit ballon de barrage, argenté au bout d'une ficelle.

Nous croisons une demi-douzaine de remorqueurs peinant, fumant et soufflant, qui traînent une espèce d'énorme tour en béton juchée sur un coffre grand comme un dock flottant – c'est un élément de port préfabriqué, appelé « Mulberry ».

Le temps n'est pas fameux. La Manche est hachée de vagues courtes et nerveuses qui semblent éprouver les petits bâtiments. Les nuages bas nous obligent à descendre en dessous de l'altitude Z prévue, et à sortir des couloirs de sécurité. C'est ainsi que nous croisons d'un peu trop près un croiseur de 10 000 tonnes de la classe « Southampton », escorté de quatre grosses vedettes lance-torpilles. Le croiseur amorce immédiatement un zigzag éperdu, et signale à la lampe des tas de choses violentes que personne ne comprend. Personnellement je n'ai jamais pu assimiler le morse, et encore moins le morse visuel.

Pour éviter des ennuis avec sa DCA nous lui tournons le dos à toute vitesse...

Nous longeons la péninsule du Cotentin. Il y a des incendies tout le long de la côte ; un torpilleur entouré de petites embarcations coule près d'une île.

Notre zone de patrouille est comprise entre Montebourg et Carentan, et a pour nom de code Utah Beach. Nous couvrons les 101e et 87e divisions aéroportées américaines, tandis que la 4e division qui vient de débarquer marche sur Sainte-Mère-l'Église. On ne voit pas grand-chose. Des maisons isolées flambent. Quelques jeeps sur les routes. Du côté allemand, pratiquement rien.

Deux croiseurs français bombardent des batteries côtières près du fort de l'Ilette.

Il y a des chasseurs américains plein le ciel, par paires. Ils se promènent un peu au hasard, nous foncent dessus, viennent nous renifler avec suspicion de très près. Quand ils paraissent trop agressifs nous montrons les dents, et nous faisons face en dégageant. Un Mustang sortant d'un nuage, en arrive même à tirer une rafale sur Graham. Le Mustang a de la chance, car Graham, dont l'œil est aussi bon que son caractère est mauvais, ouvre le feu sur lui, et le manque.

L'absence de réaction de la part de la Luftwaffe est bien étonnante. Aux derniers renseignements de l'Intelligence ils ont en France 185 bombardiers à grand rayon d'action, 50 avions d'assaut, 245 chasseurs, 100 chasseurs bimoteurs de nuit, des avions de reconnaissance – au total 770 avions de première ligne, à répartir entre la Normandie, la Provence et l'Italie.

Ces effectifs seront certainement renforcés sous peu si les terrains ne sont pas trop bombardés.

Ma deuxième patrouille est une patrouille de nuit sur Omaha Beach.

C'est un cauchemar. La nuit est sombre, avec des nuages bas. Dans l'ombre circulent sans se voir des centaines d'avions aveuglés par les incendies qui font rage, de Vierville à Isigny. La bataille semble féroce dans ce secteur. Sur les plages, la mer déchaînée balaye les débris calcinés de péniches de débarquement, illuminés par les départs des batteries implantées sur le sable.

Tous les pilotes concentrent sur leur PSV et cherchent surtout à éviter les collisions. Une cinquantaine de Junker-88 – la première apparition en force de la Luftwaffe – en profitent pour bombarder en piqué, un peu au hasard, les concentrations d'hommes et de matériel qui se pressent dans l'étroite bande de terrain du *beach-head*. J'entends par la radio trois pilotes de la 611 qui poursuivent six de ces JU 88, et je reconnais la voix de Marquis criant :

— *I got one of the bastards !* (J'ai descendu un des salopards !)

En effet là-bas à gauche, une boule de feu tombe des nuages.

Le retour à Ford, dans cette nuit d'encre, avec le brouillard qui commence à se lever, est sportif. Quatre groupes de Spitfire arrivent ensemble dans le circuit. Ce ne sont que feux de positions verts et rouges qui circulent dans tous les sens, jurons dans la radio, grande panique. Presque tous les avions sont à court d'essence et accablent d'invectives le pauvre contrôleur de piste pour obtenir une *landing priority*. Comme Jacques et moi nous avons soigneusement économisé notre essence en prévision de l'atterrissage, nous quittons les abords par trop encombrés et dangereux de l'aérodrome, et nous montons à 3 000 mètres, au-dessus de la foule.

Nous nous posons tranquillement les derniers.

Les premiers jours du débarquement de Normandie n'ont pas amené dans nos collimateurs les nuées de chasseurs allemands attendus.

Nous avons décidé, Jacques et moi, de réaliser un petit projet que nous mijotons depuis décembre dernier.

À cette époque, en effet, à Detling, nous avions préparé très soigneusement un mitraillage de l'aérodrome d'Évreux-Fauville ; un Mustang Recco avait fait germer ce projet dans notre cervelle.

Une photo oblique remarquable ramenée par lui montrait la base dans ses plus petits détails – et une rangée de Focke Wulf, qu'une nuée de mécaniciens ravitaillait, avait surtout retenu notre attention.

En théorie, c'était une folie – la *flak* d'aérodrome ne pardonnant que très rarement. En pratique, avec un peu de chance, une passe de surprise bien mise au point pouvait réussir.

Le problème, aujourd'hui, n'est plus tout à fait le même qu'en décembre ; Évreux-Fauville est trop près de la zone du front de débarquement pour être habité de façon permanente. À défaut de cet aérodrome, nous portons notre choix sur Saint-André-de-l'Eure et sur Dreux, plus à l'intérieur, et les circonstances décideront.

Il s'agit maintenant de convaincre Sutherland, qui s'était montré intraitable l'année dernière pour l'affaire d'Évreux

Nous l'attaquons au petit déjeuner – par la bande. Nous lui suggérons de nous laisser partir dans une sorte de chasse libre. Nous pourrions décoller, en guise de réserve pour la première patrouille de *beach-head* de ce matin, et ensuite, s'il nous y autorise, rompre la formation pour faire une petite virée à haute altitude autour de Caen.

Max n'est pas très chaud, mais, de guerre lasse, il finit par acquiescer.

Nous décollons à 9 h 50 derrière les douze Spit du *squadron*.

À mi-chemin nous leur faussons discrètement compagnie et, aussitôt, je prends rapidement de l'altitude. J'oblique vers le sud-est, en direction de l'estuaire de la Seine. Jacques est à 400 mètres à ma droite, un peu au-dessus ; ainsi nous nous couvrons mutuellement contre toute surprise.

Le temps est possible – 4/10e de nuages à 2 000 mètres.

J'aurais évidemment préféré une couche nuageuse plus basse, qui nous eût donné une protection meilleure contre la *flak*.

10 h 20. Nous sommes à la verticale de Lisieux, dont la basilique de Sainte-Thérèse tranche sur la verdure environnante.

De 4 500 mètres, nous pouvons voir les grands aérodromes allemands de Fauville, de Conches, Beaumont-le-Roger et Saint-André, avec au loin, dans une tache de brume, Dreux.

Nous tournons en rond pendant un quart d'heure, scrutant le ciel. Rien en l'air.

Nous écoutons sur toutes les longueurs d'onde des différents Contrôles. Aucun renseignement qui puisse nous intéresser.

Bon ! Alors, en avant pour notre aérodrome.

Conches est le plus proche. Un coup d'œil : à première vue, tout semble désert.

Voilà Saint-André, qui a toujours gardé une certaine activité d'après les rapports de l'Intelligence. On va l'examiner de plus près.

Nous descendons en large spirale. Les nuages nous cachent l'aérodrome par intermittence, mais en revanche nous dissimulent aux guetteurs de *flak* toujours sur le qui-vive.

Saint-André semble avoir été terriblement bombardé – les sticks de bombes se croisent et s'entrecroisent sur la piste, les hangars sont en ruines. Par contre, tout autour de coquets villages, dans des bosquets, des granges reliées entre elles par de petites routes.

Hum ! ces routes semblent bien droites et aller nulle part.

Nous descendons jusqu'à 3 000 mètres... Je m'en doutais ! Ces routes sont des bretelles d'accès pour avions, et les granges, des hangars parfaitement camouflés.

Ouvrons l'œil !

C'est bien cela. Devant ce qui ressemble à s'y méprendre à une ferme, un rayon de soleil découpe l'ombre très nette de deux Heinkel-111 couverts de filets.

— *Look out Jacques ; two Heinkels down below !* (Attention ! Jacques, deux Heinkel juste en dessous !)

— *OK, Pierre, they are beautiful !* (OK, Pierre, ils sont magnifiques.)

J'ouvre les gaz, et refais un circuit afin de nous mettre en position, soleil dans le dos, pour le piqué.

— *Max Pink, dropping babies !* (Section Max Rose, je largue mon réservoir !)

Je largue mon réservoir supplémentaire Et pendant ce temps ces maudits nuages m'ont fait perdre mes deux Heinkel de vue. Je suis presque en bonne position pour attaquer, mais j'ai beau scruter toutes les granges, rien à faire – seul un rayon de soleil indiscret projetant une ombre révélatrice avait pu mettre le camouflage boche en défaut. Je ne vais quand même pas piquer sur ce terrain sans objectif défini et risquer de me faire moucher par la *flak* en me promenant au milieu de l'aérodrome en rase-mottes à la recherche d'une cible.

Je bats des ailes pour prévenir Jacques de mon indécision. Il s'est rapproché à quelques mètres de moi. Nous communiquons par signes – c'est quand même trop bête. Je jette à nouveau un coup d'œil sur le terrain. Il va falloir se décider, car nous allons finir par alerter tout le monde si nous tournons en rond pendant des heures...

— *Look, Pierre, a Hun !* (Regarde, Pierre, un boche !)

Bon Dieu ! Nous l'avons Jacques et moi aperçu simultanément – une petite croix brillante, défilant rapidement au ras de la piste principale, un chasseur probablement.

— *Going down !* (En piqué !)

— *Look out Jacques, your baby is still on !* (Attention ! Jacques, ton réservoir ne s'est pas décroché !)

Vite, vite, avant que la *flak* s'en mêle !

Le réservoir de Jacques ne s'est pas décroché et je le préviens.

— *I know.* (Je sais.)

Pleins gaz, je pique – 650 à l'heure – il faut faire vite, ça va devenir malsain !

Les détails commencent à apparaître plus clairement. Entre les hangars détruits, d'autres, d'un type différent, mi-enterrés, couverts de gazon. Des cratères de bombes, dont la plupart sont déjà comblés. La grande piste principale est soigneusement réparée, et les trous de bombes qui la criblaient (tels que je les avais vus de 4 000 mètres) sont de faux cratères, artistement peints de façon à donner l'illusion d'une piste hors d'usage.

Quelques impressions fugitives : des camions des hommes qui s'affairent...

Je redresse à 3 ou 4 kilomètres de l'aérodrome et me colle au ras du sol pour me garder de la *flak*. Je saute les haies en trombe.

Là-bas, à l'autre bout de l'aérodrome, je vois maintenant l'avion en silhouette : c'est un Messerschmitt-109.

Je défile le long de la lisière du terrain et des détails se gravent au passage dans ma mémoire :

À l'ombre d'un bosquet, une vingtaine de Focke Wulf tout neufs, vert émeraude, chauffent leurs moteurs... Un pilote saute de l'aile de son appareil et se laisse tomber à plat ventre dans l'herbe... Des Focke Wulf encore, le long d'une haie... Des Messerschmitt-109 dans un verger... Des camions-citernes couverts de branchages... Des tentes bariolées plantées au hasard parmi les buissons...

Cet aérodrome qui, vu de 4 000 mètres, paraissait désert, grouille littéralement d'avions et de personnel.

Mon 109 se rapproche – il vire à gauche – j'oblique vers le centre de l'aérodrome pour le couper – je remonte à 50 mètres – la *flak* commence, un premier chapelet de traceuses maladroites, loin à gauche... Et je me trouve nez à nez avec un second Messerschmitt que je n'avais pas vu, fasciné par l'autre. Trop tard pour tirer. Ses roues sont descendues, peut-être même ses volets. Son fuselage est gris moucheté d'ocre et de vert, avec une grande croix noire ceinturant la carlingue à la hauteur du poste de pilotage...

Je défile à quelques mètres de lui. Il se pose probablement et doit faire à peu près du 250 km/h – moi j'en fais du 600... Le pilote a dû avoir une sacrée frousse...

Je gagne sur l'autre avec une rapidité effarante. La *flak* se déchaîne sans égard pour lui. Il ne doit rien y comprendre. Je l'encadre dans le collimateur – plus que 500 mètres, – je presse la détente – canons et mitrailleuses – une longue rafale continue... 200 mètres, je tire toujours... 50 mètres...

À Évreux-Fauville (ou à Dreux...) les Focke Wulf dissimulés sous les arbres.

Avant de dégager j'ai le temps de voir mes obus exploser : un entre le moteur et le pilote, un autre sur les empennages, et un troisième sur une des jambes oléo de son train d'atterrissage.

Je l'ai évité de justesse, et en le sautant je l'ai vu passer sur le dos et amorcer une vrille...

La *flak*, quelle *flak !* dense, rapide, monte parallèlement en ondulant, égrenant partout des petits flocons noirs et blancs venimeux.

Je vire à droite, grimpant désespérément vers les nuages, 3 000 mètres à la minute en surpuissance. C'est long !

Même lorsque je me réfugie avec un soupir dans les nuages, les longues traînées rouges de traceurs poignardent encore l'ombre humide autour de mon avion.

Que devient Jacques ?

Jacques, quoique n'ayant pu se débarrasser de son réservoir supplémentaire, m'a suivi dans mon piqué, puis m'a perdu en traversant la couche de nuages.

Il s'est retrouvé au milieu de l'aérodrome, au ras du sol, quelques secondes après moi, et, naturellement, il a dégusté toute la *flak*. Alourdi par son réservoir, il a manqué le deuxième Messerschmitt qui s'est posé sous son nez. Continuant droit devant lui, au milieu des éclatements de DCA il a repéré une rangée d'Heinkel mouilleurs de mines qu'il a mitraillés. L'un d'eux s'est écroulé en flammes avec une explosion formidable, et un autre, qui a reçu à bout portant une rafale d'obus de 20 et de balles incendiaires, s'enflamme. C'est plus utile qu'un 109.

Serré de très près par la *flak*, indemne par miracle, Jacques réussit à me rejoindre au-dessus des nuages. J'ai eu chaud pour lui !

Nous refaisons ensuite ensemble un passage à 3 000 mètres au-dessus de l'aérodrome qui est couvert d'une ombrelle de flocons noirs et blancs de DCA.

La *flak* légère s'obstine, quoique nous soyons hors de portée, et une salve de 88 explose loin derrière nous.

Mon Messerschmitt-109 s'est écrasé dans un champ, à l'extrémité sud de la piste principale, et les débris flambent encore près de la tache blanche d'une ambulance : des camions roulent à toute vitesse dans un nuage de poussière vers le sinistre.

Une colonne d'épaisse fumée noire s'élève du côté des Heinkel de Jacques.

Nous revenons par Évreux, tournant à droite vers Le Havre, où l'on aperçoit au passage les abris bétonnés des U-Boats à demi rasés par le récent bombardement des Lancaster. Le long de l'estuaire, les raffineries d'essence bombardées par les Maraudeurs – grand terrain dévasté où l'on ne distingue que les fondations circulaires des citernes. Une ou deux, intactes, émergent, comme des pièces d'argent.

Nous montons jusqu'à 6 000 mètres pour éviter la *flak* et pour jeter un petit coup d'œil dans une couche de légers cirrus où, quelques heures auparavant, des Dornier ont été descendus par le *wing* 126 de Johnson.

Piquant légèrement, nous mettons le cap sur Ford, où nous nous posons à 11 h 33.

En roulant vers notre *dispersal*, nous longeons la salle de l'Intelligence. Sur le pas de la porte, James Rankin prend le soleil. En voyant les traînées noires le long de nos canons et de nos ailes, il bondit de sa chaise longue et court vers nous.

Il grimpe sur mon aile et m'aide à me détacher.

— *Any luck Clostermann ?* (Vous avez eu bonne chance, Clostermann ?)

Pas trop fier de notre exploit, qui constitue quand même un manquement grave contre la discipline du Contrôle, je lui raconte l'histoire.

Jacques nous rejoint, bondissant de joie. Rankin, pour la forme, est plutôt froid, mais au fond pas trop mécontent. J'ai le malheur de parler de la *flak* à Maxie qui se pose quelques minutes après avec le *squadron*. Il m'engueule copieusement, car il n'aime pas perdre du monde par la DCA.

Les officiers de l'Intelligence sont mi-figue mi-raisin, et se consolent quand nous décrivons les rangées de chasseurs allemands camouflés. Le GQG, très intéressé par notre rapport, ferme les yeux sur l'incartade et nous convoque après le déjeuner pour des éclaircissements supplémentaires. On nous fait indiquer sur des plans de Saint-André à grande échelle l'emplacement approximatif des *dispersals* camouflés, on nous interroge sur les types d'appareils boches, etc.

Les Mustang Recco vont nous bénir, car certainement ils vont être envoyés à la tombée du jour prendre des photos obliques en rase-mottes et, après notre histoire de ce matin, ils seront gentiment reçus.

Problème : ce soir, en me couchant, j'ai un doute : était-ce Saint-André ou Dreux ?

Le lendemain, nous avons la satisfaction de voir confirmer notre rapport dans le bulletin quotidien secret de l'Air Ministry, qui ajoute que la Luftwaffe a en effet renforcé le secteur en retirant six escadres du front russe.

LA FRANCE

11 juin 1944

Nous sommes en *readiness* après le thé, lorsque soudain on nous annonce que nous devons passer la nuit en France.

La météo prédit du brouillard sur la côte sud de l'Angleterre pour demain matin, ce qui immobiliserait les chasseurs. Par contre, il fera un temps convenable en France, et, évidemment, si les Spitfire ne patrouillent pas le *beach-head*, la Luftwaffe sortira en force sur la Normandie et empoisonnera tout le monde.

Pour parer à cette éventualité, une demi-douzaine de *squadrons* partiront ce soir, se poseront tant bien que mal sur les aérodromes de campagne à demi achevés, y passeront la nuit et prendront l'alerte à l'aube. Chaque pilote doit emporter deux couvertures et une boîte de « K » rations.

Jacques et moi sommes tout excités à l'idée d'être les premiers pilotes français à se poser en France. Nous décidons de nous mettre en grande tenue, et Jacques emporte sa gourde de cognac pour célébrer dignement l'occasion.

Grande galopade en moto jusqu'aux baraquements.

Nous décollons à 18 h 30 et, après la patrouille normale – rien à signaler comme d'habitude – nous nous retrouvons au-dessus de Bazenville.

— *Hullo Yellow 3 and 4 – Hullo Blue 3, you pancake first. Good luck !* (Allô Jaune 3 et 4, allô ! Bleu 3, posez-vous les premiers. Bonne chance !)

C'est vraiment chic. Sutherland nous ordonne, le capitaine Aubertin, Jacques et moi de nous poser en premier, sur le sol français.

Jacques et moi, en formation encastrée, atterrissons derrière le capitaine, dans un nuage impénétrable de poussière.

Bon Dieu, quelle poussière ! Blanche et fine comme de la farine, soulevée par le vent des hélices, elle s'infiltre partout, obscurcit l'atmosphère, nous suffoque, entre dans les yeux et les oreilles. On y enfonce jusqu'à la cheville. Dans un rayon de 500 mètres autour du *landing strip* la verdure a disparu – la végétation est recouverte d'une couche épaisse que la moindre brise soulève.

Deux commandos dont je ne distingue que les yeux sous une croûte de poussière et de sueur, mitraillette en bandoulière, m'aident à sauter de

Poussière blanche – un Spitfire sur B2, Normandie.
Un Typhoon s'est échoué chez nous !

l'avion, et me disent en riant après avoir reconnu mon uniforme !

— *Well, Frenchie, you are welcome to your blasted country !* (Eh bien, le Français, vous êtes le bienvenu dans votre fichu pays !)

Jacques émerge en courant d'un tourbillon, un mouchoir sur la figure et on se serre la main – un peu émus quand même.

Nous foulons le sol français après quatre ans d'absence.

À vrai dire, au lieu de l'émotion profonde à laquelle je m'attendais, je ressens surtout un vif regret d'avoir embarqué dans une telle galère mon bel uniforme neuf de sortie... Je ressemble déjà beaucoup plus à un Pierrot enfariné qu'à un officier de l'armée de l'air !

Un capitaine de la division canadienne dans sa jeep s'arrête au passage pour nous prévenir :

— Défense de s'écarter de l'aérodrome. Défense de passer d'un côté à l'autre de la piste – ne toucher à rien. Éviter les parties du terrain ceinturées de bandes de toile (elles sont encore minées). Les boches ont laissé des mines partout, et, il y a à peine une demi-heure, un homme a été tué et deux autres blessés par un franc-tireur caché dans le bois un kilomètre plus loin et qui vise à la lunette !

Nous nous retrouvons tous derrière une haie, où une cuisine roulante nous prépare du thé, des biscuits et de la marmelade (le tout saupoudré de cette maudite poussière).

Notre *strip* est littéralement truffé de DCA – une demi-douzaine de canons Bofor, en état d'alerte avec les servants en position. Lorsque l'on s'étonne de l'énorme quantité de douilles vides autour des pièces, un sergent répond d'attendre 11 heures du soir et l'on comprendra...

Deux heures se passent à disperser les avions, à les ravitailler avec des bidons de 20 litres ; on souffle, on transpire, on tousse. Je passe mon temps à soupirer sur le sort de mon uniforme.

Quand la nuit commence à tomber, nous ouvrons nos boîtes de rations, nous mangeons sur le pouce une tranche d'un *spam*, quelques biscuits, et nous nous mettons à la recherche d'un trou pour passer la nuit.

Furetant avec prudence dans le verger voisin, Jacques et moi découvrons une tente encombrée de chaises, de tables, de grands panneaux de planches couverts de cartes, de tapis de fibre. Nous réussissons à y installer avec nos couvertures, deux couchettes à peu près convenables.

22 h 30. Il fait maintenant tout à fait noir. Jacques et moi allons bavarder et fumer une cigarette avec deux officiers canadiens.

Quelques étoiles brillent. Au sud-est, on peut apercevoir les lueurs des incendies de Caen. Tout est silencieux.

Soudain, nous entendons le ronron d'un avion dans le ciel.

— Tiens, dis-je, c'est curieux. Ce doit être un bimoteur, mais ce n'est sûrement pas un Mosquito.

Nous levons tous la tête, cherchant à localiser le son qui semble presque à la verticale.

— T'en fais pas, Pierre, ajoute Jacques après quelque réflexion, si c'était un boche, la DCA aurait déjà ouvert le feu !

À peine avait-il achevé ces mots, un froufroutement caractéristique nous révèle qu'une bombe de gros calibre nous arrive droit dessus.

En une fraction de seconde les deux officiers se sont évaporés. Je disparais en vol plané sous un camion et Jacques voulant me suivre bute dans une racine de pommier et s'étale de tout son long... Un fracas épouvantable. La terre tremble, un souffle brûlant nous fouette le visage et des éclats incandescents grillent la tente, les arbres, le camion, et retombent en grésillant dans l'herbe couverte de rosées.

Alors la DCA ouvre le feu. Le ciel au-dessus de nous n'est qu'une masse mouvante d'obus traceurs de 40 millimètres qui montent en ondulant par faisceaux épais. On y voit comme en plein jour. Nos crânes résonnent sous les déflagrations successives. Des éclats d'obus tombent drus comme la pluie, arrachent des feuilles et des branches dans les arbres, crèvent les toiles, résonnent sur les bidons vides et les camions.

Un Spitfire prend feu quelque part sur le terrain, et l'incendie attire les Junker-88 comme des papillons.

Les bombes commencent à grêler dru ; on les reconnaît au son – les grosses de 500 kilos, qui tombent en faisant *frrrooonuuuuu...*, et les moyennes de 200 et 100 kilos, qui descendent en sifflant : *phoui-phouipllouiiiiiiii... Bang !* l'une d'elles tombe si près que le choc me projette en l'air.

Un canon Bofor, à moins de 20 mètres de nous, tire sans arrêt par rafales de cinq obus. Ses aboiements secs nous déchirent les tympans... Assourdis, bousculés, nous nous faisons tout petits sous notre camion et crevons de frousse.

Vers 1 heure du matin, il semble y avoir une accalmie. Je pique un sprint jusqu'à la tente pour chercher nos couvertures. Je réussis à les retrouver sous un amas de lourdes caisses et de planches qui sont tombées lors de l'explosion de la première bombe. Si nous avions été là, nous aurions tout pris sur la tête !

Je reviens à notre camion d'où Jacques est sorti : il s'époussette en jurant.

Soudain, une gerbe de traceuses s'élève d'Arromanches où les convois sont concentrés, et, comme un réchaud à gaz dont les brûleurs s'allument les uns après les autres, tout le ciel s'embrase à nouveau en un clin d'œil. Les projecteurs jaillissent de l'ombre comme des diables d'une boîte et commencent à tâter les nuages.

Dans un rayon de 20 kilomètres autour de notre *strip* il y a bien mille pièces de DCA. Comme les installations de radar sont primitives et le contrôle nul, tous ces canons Bofor, 3,5 pouces, 7 pouces, etc., tirent en barrage un peu au hasard, tous à la fois. Les munitions semblent inépuisables, et les artilleurs gardent le pied sur la pédale. Ce qui monte redescend, et les éclats pleuvent.

Les Junker-88 et les Dornier-217, qui se relaient toutes les cinq minutes par groupes d'une douzaine, évoluent au milieu de cet enfer, lâchant des bombes de tous côtés. Cela n'a aucune importance, car le *beach-head* est tellement rempli de troupes, de dépôts de munitions, de convois de camions, de concentrations de tanks, d'avions, etc., qu'ils font mouche presque à tous les coups.

Le cauchemar se continue jusqu'à 3 heures du matin. Épuisés, frigorifiés, nous finissons par nous endormir pour être réveillés une heure plus tard par la sirène de fin d'alerte.

Nous émergeons de notre camion, hagards, sales, poussiéreux, barbus, les yeux cernés, la bouche pâteuse et... nous nous évanouissons presque d'émotion !

Nous venions de passer la nuit sous un camion chargé d'obus de 20 millimètres !

Titubants, la respiration coupée, nous allons rejoindre nos camarades (qui ne sont pas en meilleur état que nous) auprès de la popote où l'on fait la queue pour une goutte de thé. Cela dure, le thé est brûlant et nous sommes vingt-quatre.

Nous retrouvons nos deux interlocuteurs canadiens de la veille que nous avions crus pulvérisés par l'explosion :

— Oh ! vous savez, nous dit l'un d'eux modestement, nous sommes maintenant très forts au sprint. Depuis une semaine que nous sommes ici, nous sommes devenus imbattables !

À cet instant, on entend le bruit de plusieurs moteurs qui se rapprochent. Tout le monde grimpe sur le talus bordant la piste pour mieux voir. *Bang, bang bang bang !* Trois Focke Wulf en rase-mottes sautent la haie à l'autre extrémité de l'aérodrome et ouvrent le feu.

Je me souviens d'avoir entendu quelques balles siffler, quelques obus exploser devant nous sur le terrain, soulevant des bouffées de poussière et... *pfuitttt...* Nous avons battu les Canadiens d'une bonne longueur. C'est dans l'abri, une avalanche de pilotes, de gamelles, de thé, de biscuits, de bottes de vol...

Avec cette histoire, nous n'avons même pas eu notre tasse de thé !

Nous rentrons à Ford pour l'heure du déjeuner – moins quatre avions endommagés au cours du bombardement.

Nous passons une demi-heure assis sous une douche bien chaude à échanger nos impressions de libérateurs.

Le programme de construction des ALG a été considérablement retardé dans notre secteur par la résistance inattendue des Allemands à Caen, qui, selon les prévisions, devait être prise dans l'après-midi du jour.

Priller, après le tour de force de sa reconnaissance solitaire le 6 juin à 8 heures du matin sur les plages du débarquement, ne semble plus se faire beaucoup d'illusions. Il avait remporté sa 98ᵉ victoire sur un Typhoon le 4 juin.

En réalité, les trois premières *landing strips* construites sont pratiquement sous le feu des batteries lourdes de *flak* de 88 Bazenville, où nous nous sommes posés il y a quatre jours, et qui devait être notre *advanced landing ground* définitif a dû être abandonné.

Finalement, c'est B11, à Longues, qui sera notre terrain. Notre personnel au sol, avec notre échelon roulant, nos tentes, nos camions, embarque ce soir pour préparer notre base, et nous devons nous installer définitivement en France d'où nous opérerons, le 18 juin au soir.

Exactement quatre ans, jour pour jour, après que le général de Gaulle eût déclaré à la radio de Londres :

Rien n'est perdu parce que cette guerre est une guerre mondiale. Les mêmes moyens qui nous ont vaincus peuvent faire venir un jour la victoire.

Nous rentrions les armes à la main.

17 juin 1944

Aujourd'hui nous partons définitivement pour la France.

Le départ est fixé à 8 h 30. Deux minutes avant de partir, réconfortante nouvelle : les trois quarts de notre matériel ont sombré dans le torpillage du TCC qui transportait notre personnel avancé. Le *squadron leader* Grant, le médecin-major, est porté disparu ainsi que deux de nos officiers d'intendance.

Grande panique. Je galope sur la moto de Jacques pour réunir mes affaires. Évidemment, comme d'habitude, j'ai trop de choses à emporter. Mes mécanos ne font que visser, dévisser de tous côtés les panneaux mobiles de mon Spitfire pour essayer de caser le maximum de bagages dans le minimum d'espace. J'ai à peine la place de m'asseoir. Dieu veuille qu'il n'y ait pas de combat au cours de la patrouille car je puis tout juste remuer les commandes. Mon maladroit de mécanicien me casse la magnifique bouteille thermos que Hal m'avait donnée. C'est rageant ! Pourvu que mon sac à parachute que l'on a ficelé tant bien que mal à mon installation de radio, ne se détache pas : il bloquerait sûrement les commandes ! Contre la plaque de blindage dorsale on place mon sac de couchage et trois couvertures supplémentaires. Mon appareil photographique est accroché à la pompe à main avec mon casque d'acier.

J'ai avec moi deux saucissons, cadeau du popotier de Ford, mon revolver, des munitions, mon gilet de sauvetage bourré d'oranges.

Une fois installé et ficelé dans mon cockpit, on me flanque d'une douzaine de miches de pain frais destinées au personnel de l'échelon mobile qui n'a eu que des biscuits depuis huit jours...

Nous ignorons encore où nous devrons nous poser. B5 prévu d'abord comme devant être notre *airfield* a été neutralisé par les Allemands.

On a travaillé toute la nuit à mettre en état le plus grand nombre possible d'avions. En conséquence, nous partons avec 18 appareils. La 132 en a 20 et la 453, 17. Tant bien que mal, tous ces Spitfire s'entassent sur la piste de départ, en désordre. Par miracle, il n'y a pas de collision.

Tout le monde décolle sans casse, et on réussit à se former par groupes de quatre. Je fais paire avec le capitaine qui se verra obligé de revenir à Ford, ayant des ennuis mécaniques avec son avion. La sortie se passe sans incident. Quelques minutes à peine après l'atterrissage à B9 – Bazenville – nous nous étions jetés dans une tranchée pour nous abriter de l'habituel nuage de poussière, quand une douzaine de Messerschmitt viennent patrouiller au-dessus du *landing strip* pour couvrir deux Focke Wulf qui faisaient une passe de mitraillage sur B7.

Une opération clandestine archi-interdite ! Robson nous rapporte d'Angleterre un Spitfire de remplacement. Il a eu soin de faire remplir un réservoir (neuf...) de 70 gallons d'une excellente bière qui sera la bienvenue dans la poussière de Longues ! Par surcroît elle sera bien fraîche car notre Canadien aura eu en route le soin de voyager à 6 000 mètres où il fait moins 20 degrés !

Une escadrille de Spitfire norvégiens entre dans la danse et un 109 est descendu à quelques centaines de mètres de nous. Le boche saute en parachute sous nos yeux. Bravo !

Toute la journée se passe à B9, chaleur torride, sable, poussière dans les yeux, dans le nez, sous les dents. Rien à manger, rien à boire. Nous sommes vite à court de cigarettes. Comme je regrette mon thermos plein de thé bien sucré ! Pendant la *readiness* je parle avec quelques paysans venus regarder nos avions. À vrai dire ils ont l'air de se moquer éperdument de nos opérations et sont préoccupés surtout de voir notre *landing strip* mordre sur leurs champs.

Dans l'après-midi, nous faisons quelques patrouilles, quatre par quatre, et nous larguons nos bombes sur des objectifs divers. Je me débarrasse de la mienne sur le petit pont de Mézons.

À 5 heures, repas dans une cour de ferme. Nous mourions littéralement de faim. Un malin a réussi à découvrir quelques cartouches de 200 cigarettes qui sont les bienvenues. La ferme est à la lisière d'un petit bois ; tout semble si calme, si loin de la guerre... Le grondement de l'artillerie qui martèle Caen nous arrive par bouffées comme les roulements du tonnerre un soir d'été.

Cependant, devant nous, dans un beau champ de blé doré, qui s'étend au flanc du coteau, il y a trois chars Sherman calcinés. Tout près de là, à l'ombre d'une haie d'aubépine fleurie, une tombe fraîchement creusée, couverte de fleurs, avec un simple écriteau cloué à la croix de bois :

Ici reposent les restes de neuf soldats et officiers
du Xe bataillon du Royal Armored Corps.
Ils sont morts pour la France.
Priez pour eux.
13 juin 1944

Un peu plus loin, derrière la haie, énorme et affreux comme un cadavre de monstre préhistorique, un tank Tigre, le destructeur des trois Sherman, a été touché par un Typhoon lance-bombes-fusées. Il semble intact à première vue. De plus près, on distingue trois petits orifices : deux au-dessus d'une des chenilles et l'autre en plein milieu de la croix noire peinte sur la tourelle, sous le long tube du canon de 88. Curieux, Jacques et moi allons examiner l'intérieur. Une informe masse noire, puante comme du caoutchouc brûlé, a coulé sur le siège du conducteur, sur les boîtes à munitions et couvre le plancher. Avec un bâton, je fouille ; une nausée me monte à la gorge lorsque je dégage un tibia auquel quelques tendons adhèrent encore...

Sur la fin de la soirée, nous recevons l'ordre de nous poser à B11, c'est-à-dire à Longues, près d'Arromanches, où notre *airfield* est installé.

Pour les photographes du *Daily Mail*,
je donne du pain à des oies normandes !

Huit avions doivent faire la patrouille du soir en deux sections. Ken en conduit une, je conduis l'autre. Les avions restants partent directement pour Longues. Jacques se charge d'installer notre tente, pendant que je fais ami-ami avec un troupeau d'oies.

Patrouille : R.A.S.

Nous nous posons à Longues et retrouvons avec plaisir nos mécanos. Ils ont travaillé pendant trois jours à l'aménagement de la base et sont hirsutes, de vrais sauvages...

Deuxième nuit en France – quatre raids boches pendant la nuit – nous ne fermons pas l'œil évidemment. Curieux, nous nous levons pour admirer le feu d'artifice de la DCA.

Nous décidons de fêter dignement notre retour dans la Mère Patrie ! Bayeux étant libéré, nous invitons Max Sutherland à des agapes françaises et civilisées pour le remercier de nous avoir laissé nous poser les premiers chez nous. Nous sautons dans une jeep et nous arrivons tous les quatre au Lion d'Or. On nous dit que toutes les tables sont prises pour le dîner. « Et celle-là, au fond ? » Le maître d'hôtel nous répond qu'elle est réservée. Bof ! Nous sommes les rois du ciel et nous nous installons. Prévenu, le patron, très sympathique, arrive et nous dit que c'est la table de la mission de liaison. « Mettez-les ailleurs, nous on fait la guerre sans débander depuis des années, alors... »

La salle est pleine, quand arrivent quatre colonels français. Un civil à la table voisine nous dit : « Ces messieurs sont les colonels de Boislambert et Chevigné, qui représentent De Gaulle ! » Nous continuons à manger nos artichauts et quand Boislambert, pas très content, s'approche de notre table, Max se lève et du haut de ses 1,90 m, dominant son interlocuteur de la tête et des épaules, se contente de dire : « *Fuck-off* », ce qui n'était pas très poli !.. Le pugilat est évité d'un cheveu, et nos colonels sortent en écumant.

Nous arrosons généreusement le canard, le camembert et la tarte Tatin... Quel festin après l'Angleterre ! Alsace, bourgogne, champagne, café et cognac. Le patron revient et – ce qui nous touche, surtout notre *squadron leader* – nous dit qu'il lui offre le champagne et les liqueurs. Il nous prie aussi, la prochaine fois de téléphoner pour réserver. Je paye avec la monnaie de singe américaine, comme dit De Gaulle.

Nous repartons. Max conduit la jeep et je ne suis pas rassuré. Au bout de cinq minutes de zigzags, Aubertin se penche et tourne en douce la clé de contact. Max, gentil à jeun comme un agneau, devient un fauve furieux avec un verre dans le nez. À plus forte raison avec le mélange du déjeuner. Il descend de la jeep comme un fou. Je vois le moment où il va frapper son ami notre capitaine – et le punch d'un champion de boxe poids lourd de la police métropolitaine, ça fait mal ! Pour empêcher l'irréparable, du haut du siège arrière Jacques le rugbyman plonge, jette à terre Max que nous aimons et lui casse le bras ! Dégrisés, nous nous demandons comment expliquer l'incident au retour.

Le toubib s'occupe de notre patron, mais quand il sort de la tente infirmerie, le bras plâtré, il tombe sur Rankin et ACS, notre bien peu brillant nouveau *wing commander*. Que va-t-il se passer ? Nous avons la réponse le lendemain.

Quelle tragédie ! Il faut se méfier de ces sacrés chasseurs allemands comme de la peste, on ne sait jamais à qui l'on a affaire.

17 h 30. Menés par ACS nous attaquons un convoi de camions dans les environs du Bény-Bocage. Avec ces nuages bas et la *flak*, le système que l'on inaugure de voler en deux sections – une de deux appareils et une de quatre – ne me dit rien qui vaille.

Je vole aujourd'hui avec une excellente section : Jimmy comme numéro 2, Bruce Dumbrell comme numéro 3 et Mouse Manson comme numéro 4.

Avec eux, point besoin de grandes explications radiophoniques. Un simple battement d'ailes et ils sont en position *line-abreast* – formation de poursuite et de bataille.

— *Hullo Pierre, two aircrafts at 11 o'clock !* (Allô Pierre, deux avions à 11 heures !)

Jimmy m'annonce deux avions loin devant, à gauche. Ils volent au ras des arbres.

À 3 000 mètres, je les identifie : ce sont des Focke Wulf.

De retour de mission, debout sur le capot, j'aide mes mécaniciens à réarmer rapidement mon Spitfire.

Je préviens ACS qui ne répond pas, je fais larguer les réservoirs, et on accélère.

Nous gagnons sur eux facilement. Ils doivent escorter quelque chose sur la route, probablement de gros convois prioritaires de camions-citernes pour les Panzers coincés du côté du Bény-Bocage.

À 1 000 mètres, je quitte la couverture du sol et j'amorce une chandelle pour nous mettre en position de combat. Ils nous aperçoivent immédiatement, et grimpent aussitôt vers nous.

À ce moment précis, ACS et son numéro 2 nous coupent, et passent au milieu de nous comme des aveugles. Pour éviter une collision je dégage, mais la formation de la section est rompue.

Audacieusement les deux boches attaquent en chandelle.

Ce sont deux types très forts. Leur manœuvre me laisse pantois.

J'avais pris mes précautions pour leur couper la route des nuages, sans m'attendre à les voir sur nous si vite. Avec la gaffe du nouveau *wing-co*, j'ai perdu mon avantage initial.

Avant même que j'aie pu faire le moindre mouvement défensif, un énorme moteur en étoile est dans mon pare-brise, et un jet de traceuses m'arrive droit entre les deux yeux... D'instinct je pousse sur le manche, je sens le remous de son hélice sur mes empennages, j'évite un arbre de justesse.

Je vire désespérément, manche au ventre, à temps pour voir une formidable déflagration au sol, près d'une ferme, un gros nuage noir. Une aile de Spitfire rebondit, arrachée...

ACS et son numéro 2 ont disparu...

Le deuxième Focke Wulf poursuit un Spit endommagé qui réussit à se faufiler dans les nuages, non sans avoir écopé de trois ou quatre obus...

J'engage l'Allemand qui tourne si serré que je le frôle sans pouvoir obtenir une correction suffisante pour le tirer. Attention ! ce type connaît les ficelles...

— *Hullo Max Red Section, Red 2 here, please help me ; I have had it !* (Allô section Max Rouge, ici Rouge 2, aidez-moi, ils m'ont eu !)

C'est Jimmy qui appelle au secours ; mais ACS ne réagit pas !

Le Focke Wulf revient vers moi, en yo-yo, et je suis obligé de dégager si fort que je décroche presque, et ne me rattrape de justesse, pas loin des arbres, que par un demi-tonneau très risqué, le cœur entre les dents.

Je tire à mon tour le Focke Wulf, mais l'animal dérape habilement sur ses ailes courtes et je le manque.

Je reprends de l'altitude par un *immelman*.

La *flak* recommence – c'est l'enchevêtrement habituel de flèches rouges et vertes.

Pleins gaz, je remonte vers les nuages.

Les Focke Wulf ont disparu ; l'engagement a peut-être duré 60 secondes.

À ce moment, en face de moi, j'aperçois un Spitfire qui descend en plané, hélice au ralenti. De ses radiateurs crevés s'échappe un long nuage de glycol en feu.

En lisant le matricule, je ressens un choc au ventre, qui me coupe le souffle : LO-S c'est Jimmy...

Je passe très près de lui, pour voir. J'appelle :

— *Hullo Jimmy, are you OK ?* (Allô Jimmy, es-tu OK ?)

Pas de réponse.

Je voudrais faire quelque chose, l'aider, ne pas assister horrifié et impuissant à la fin d'un bon ami... Je ne puis distinguer, dans le cockpit, qu'une forme vague, froissée, effondrée sur le manche, et, juste derrière, dans le fuselage, une série de déchirures en séton, régulièrement espacées...

— *Bail-out, try, please, for Christ's sake, Jimmy* (Saute ! Jimmy, je t'en supplie, pour l'amour de Dieu, saute !)

Lentement le Spitfire se met en piqué de plus en plus accentué comme s'il voulait faire un *outside loop*. Je ferme les yeux, une nausée amère dans la gorge...

... Et il n'y a plus qu'un brasier au bord d'une route.

En rentrant, je sens les larmes qui coulent le long de mon nez.

Que va dire Max ? Et tout ça à cause d'ACS que nous surnommons clownesque Claude. Pourvu que Dumbrell soit rentré. Se faire avoir à quatre contre deux dans de telles conditions ! Mon Dieu, faites que Bruce soit revenu, je ne saurai jamais comment expliquer seul l'affaire !

Bayeux... Longues enfin.

Un groupe s'affaire autour d'un Spit écrasé en bordure de piste. Je fais un passage pour vérifier. Le pilote, Dieu soit loué, fait de grands signes. C'est Bruce, indemne.

Après l'atterrissage, je trouve Sutherland écroulé. Il vient d'être relevé de son commandement avec son bras cassé, et la mort de Jimmy notre ami, l'a achevé. Lorsqu'il apprend les circonstances, il entre dans une de ses colères noires, et avec le capitaine nous devons le calmer pour éviter qu'il ne commette une folie.

Nous décidons d'aller, après dîner, voir James Rankin pour lui parler à cœur ouvert de la situation épouvantable qu'a créée dans l'escadre l'arrivée du nouveau *wing-co*.

Ken Charney prend provisoirement le commandement du *squadron* en attendant le remplaçant de Max, et Jonssen, le Norvégien, prend le B Flight.

*

Un combat nous a éparpillés trop loin au sud et maintenant nous devons rentrer individuellement. Je suis complètement paumé.

Il pleut à verse et, sur les vitres arrondies de mon cockpit, mille ruisselets coulent comme une chevelure mouvante et intarissable.

Sous la pression de l'air, l'eau s'infiltre par les joints, se rassemble en petites fontaines qui coulent de chaque côté du collimateur et tombent sur mes genoux. Sur mes pantalons, à chaque cuisse, une tache humide s'élargit d'instant en instant.

Je descends plus bas encore, entre les arbres que, dans la crasse, je devine plutôt que je ne les vois.

Des lambeaux de brume s'accrochent à la crête de collines.

Comme une obsession, je pense inconsciemment : je vais m'encadrer dans une ligne à haute tension... je vais m'encadrer... je vais m'encadrer...

Le ciel tout à coup s'élargit, et, sorti du banc de pluie, j'émerge dans une caverne sombre, aux reflets glauques comme ceux d'un aquarium, flanquée par des piliers de pluie. Une lueur funèbre se glisse dans des crevasses de nuages, échafaudant des arcs-en-ciel pâles qui s'accrochent au plafond, comme des toiles d'araignée. Beau, mais dangereux !

Puis, c'est encore la plongée dans une vapeur opaque qui estompe les contours du paysage et en efface les pièges. Les ruisselets recommencent à se tordre sur mon cockpit.

Chacun de mes virages pour éviter les averses me perd de plus en plus. Mon compas, ébranlé par les manœuvres violentes, tourne lentement comme une toupie malade, s'arrête un instant, puis comme à regret, repart de l'autre côté. Je perds vraiment le nord.

L'horizon étroit découvre une série de collines inconnues, baignées par le crépuscule ; les routes anonymes se succèdent, se croisent, les villages noyés dans la buée se confondent. Par une porte ouverte, un instant, je vois palpiter sur le seuil la lumière d'un feu...

Pas moyen de faire le point. Je n'ose pas demander un cap par la radio. À chaque instant, je peux déboucher dans une zone de *flak*, au milieu d'un aérodrome ou d'une gare de triage fortement défendue.

Je commence à sentir l'angoisse de la solitude, tout est hostile. Je m'attends à voir surgir de chaque haie, de chaque croisement, de chaque lisière, le jet mortel des traceuses.

Je suis perdu... je me suis perdu... je me suis perdu... perdu... perdu. À ce point, c'est la première fois !

Tant pis ! Je grimpe à travers cette mélasse. Mon horizon artificiel est encore décroché, mais je vais risquer la montée en PSV, à la bille et à l'aiguille.

Le cockpit est maintenant couvert de buée.

Je monte tout droit, les yeux rivés aux instruments. L'avion est englouti. Je ne vois même plus le bout des ailes que je sens secouées par des tourbillons invisibles d'air tiède.

Je sors à 3 000 mètres, au milieu d'un dédale de nuages. D'immenses cumulus en forme de tour en émergent, grimpent tout droit dans le ciel bleu jusqu'à des hauteurs vertigineuses, formant des canyons, des couloirs cyclopéens aux parois de neige éblouissante.

L'ombre de mon Spitfire découpée par le soleil ressemble au marsouin qui folâtre dans le sillage d'un navire. Elle saute de nuage en nuage, épousant les contours, se rapproche, s'éloigne, disparaît dans les crevasses, escalade les murailles blanches.

Cap sur le nord, je remonte – hors d'atteinte de la *flak* – vers la côte où il me sera plus facile de faire le point. Ça va mieux.

Je me sens bien seul quand même, et le sentiment d'indépendance que donne la chasse libre fait place à une vague inquiétude. La Luftwaffe a réagi en force dans ces parages, les jours derniers, et je préférerais, pour une fois, être en compagnie...

Je commence à surveiller avec attention le soleil et le bleu du ciel. Sur ce fond de nuages, mon Spitfire doit se détacher, visible à des kilomètres pour quiconque se trouve au-dessus de moi.

Juin 1944. En Normandie je tire un FW-190 qui passe sur le dos et s'esquive.

Un coup d'œil à l'essence : encore environ 50 gallons...

Les minutes passent. Je dois être maintenant assez près de la côte, et je préfère encore sortir sous les nuages au-dessus de la France que de risquer de sortir au milieu de la Manche, au-dessus d'un convoi naval américain ayant la détente de DCA facile...

Je n'ai même pas tiré un obus de mes canons, et je pourrai peut-être faire un carton sur un camion.

Comme je contourne un nuage, je découvre soudain une dizaine de points brillants qui se rapprochent à toute vitesse – à une telle vitesse qu'ils sont sur moi avant que je puisse esquisser la moindre manœuvre.

Ils défilent à ma droite.

Nom de D... ! des Focke Wulf !

Ils m'ont bien identifié eux aussi et disloquent en formation parfaite, deux par deux, afin de me couper la retraite. J'étais au régime de croisière ; eux faisaient environ du 580 km/h : aucun espoir d'échapper en grimpant : deux d'entre eux sont d'ailleurs déjà à ma verticale, battant des ailes...

Il faut que je réussisse à filer dans les nuages et à les dépister en PSV.

Une fraction de seconde, je me retrouve en spirale descendante avec une paire de Focke Wulf au-dessus, une autre exécutant une passe frontale, une en dessous, et une dernière qui prend position pour me couper la retraite... Le renard et les chiens.

Le lance-bombes accroché entre mes deux radiateurs alourdit mon Spitfire et diminue ma vitesse. Il faut que je m'en débarrasse. Je tire désespérément sur la poignée de secours, mais celle-ci, probablement givrée, résiste... En sueur, je m'arcboute frénétiquement, je tire encore de toutes mes forces : la poignée cède et me reste dans la main avec une portion du câble de transmission...

J'évite une passe latérale par un dérapage rapide, et avant qu'une autre section attaque, pesant sur les commandes de tout mon corps, je renverse mon virage du côté opposé... Les ailerons du Spit ne valent pas ceux du FW-190 !

Mes canons sont encore sur *sécurité*, et le Focke Wulf, qui a provoqué la pression instinctive de mon pouce sur la détente en se présentant dans le collimateur, défile à 50 mètres de moi...

Bon Dieu ! Où sont-ils donc tout passés ? Je n'en vois plus que quatre !

Confusément, je me souviens de la règle vitale : « *Look out for the Hun you don't see : that's the one that will shoot you down.* » (« C'est toujours celui que l'on ne voit pas qui vous descend. »)

Je tire tellement fort sur le manche que je me voile partiellement.

Je ne puis même pas tourner la tête, mais je sens que ceux qui ont disparu sont là, au-dessus, n'attendant qu'une occasion.

J'évite de justesse une rafale de traceuses en dégageant sec vers le haut – malheureusement cette manœuvre me fait perdre le terrain péniblement gagné vers mon nuage.

Je suis en eau. Tremblement nerveux de ma jambe gauche. Je me fais tout petit dans mon cockpit, serrant les coudes et baissant la tête afin d'être mieux couvert par ma plaque de blindage dorsale.

Mon masque à oxygène, mal serré, entraîné par la force centrifuge, glisse et m'obstrue les narines. Je ne puis le remonter : j'ai les deux mains sur les commandes. J'essaie de respirer par la bouche et sens un filet de salive qui coule le long de mon menton jusqu'à mon écharpe.

Ce n'est plus maintenant qu'une question de temps. Ils sont sûrs de ma peau ; leurs attaques, coordonnées à la perfection – une passe à droite suivie d'une passe à gauche – me prendront d'un moment à l'autre en défaut... Mes membres s'alourdissent. Je me suis fait coincer comme un imbécile !

La poussière, les mottes de terre accumulées sous mon siège, détachées par la violence de mes manœuvres, voltigent dans le cockpit et une saloperie boueuse me rentre dans l'œil comme un coup de lance.

Soudain un jet de traceuses m'encadre de très près. Je jette un regard au rétroviseur : un Focke Wulf-190 suivi de trois autres est à 150 mètres derrière moi, les ailes illuminées par le feu de ses canons.

Je me souviens confusément d'avoir été paralysé une seconde, glacé jusqu'à la moelle des os, et d'avoir senti une brusque bouffée brûlante me monter au visage. L'instinct de défense a opéré immédiatement : un grand coup de pied dans le palonnier, manche au ventre puis contre la cuisse, d'un seul mouvement continu, retournant mon avion. La violence de la manœuvre me surprend moi-même. Un voile noir passe devant mes yeux. Je sens alors comme un déchirement dans mon fuselage : *frrraafff... Bang !* Ma plaque de blindage dorsale encaisse heureusement les éclats.

Je me retrouve sur le dos, et vois mes quatre assaillants surpris par mon évolution inattendue qui défilent au-dessous de moi.

C'est le moment. Je tire sur le manche et, verticalement, redressant aux ailerons, je me précipite dans la couche de nuages.

Sauvé !

Tant bien que mal, je stabilise mon appareil – plutôt mal : mes instruments sont déréglés – et je pousse un soupir de soulagement. J'essaie les commandes. Tout semble répondre. Les températures de mon moteur sont normales, aucune partie vitale de l'appareil ne semble avoir été touchée. Surtout ne pas me mettre en vrille !

J'évolue pendant trois ou quatre minutes, changeant de cap toutes les trente secondes. J'ai maintenant dû les semer ; cependant, il est plus prudent de sortir sous les nuages qu'au-dessus, où ils doivent m'attendre.

Je suis subitement un peu plus perdu que jamais et il ne me reste que 30 gallons d'essence... Pas moyen de faire le point, car ma carte ne couvre pas la région où je me trouve. Je commets la bévue – je m'en rendrai compte par la suite – de prendre un cap nord-est, croyant avoir dérivé vers l'ouest au cours du combat.

Je traverse un grand cours d'eau qui ne peut être que la Seine ; mais avec ses larges méandres elle n'est qu'un vague repère. Je n'ose me risquer à redescendre jusqu'au Rouen car, tout au long du fleuve, les Allemands ont installé de fortes positions de DCA pour protéger les ponts constamment attaqués par les Thunderbolt et les Typhoon.

Il me faut prendre une décision : l'essence baisse. Je réduis l'admission au minimum et passe mon hélice au grand pas.

J'ai l'impression d'être à une cinquantaine de kilomètres au sud-est de Rouen. Je vole juste en dessous des nuages pour m'y réfugier dès qu'un poste de *flak* me tirera dessus, et je longe une voie ferrée qui doit me ramener jusqu'à Rouen sans trop d'encombres. Je pourrai à la rigueur – si l'occasion s'en présente – filer une douzaine d'obus à une locomotive.

J'envisage ces perspectives optimistes quand, 1 000 mètres devant moi un avion apparaît, suivant lui aussi les rails. Je balance mon Spit pour examiner ma rencontre ; c'est un avion allemand, un Focke Wulf-190.

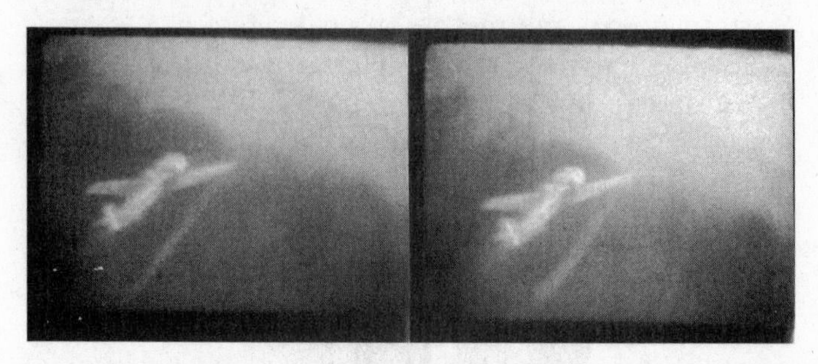

Dans le brouillard et la pluie je tire le FW qui vient, trop tard, de m'apercevoir et dégage au ras des arbres.

Je suis sûr qu'il ne m'a pas vu. C'est certainement un de ceux qui m'ont fait passer un mauvais quart d'heure ; il a dû perdre contact avec ses complices dans la brume...

Un coup d'œil discret autour de moi m'assure que je suis seul. Prudemment, « sur la pointe des pieds », je me prépare à me venger.

Je n'ose pas trop ouvrir les gaz pour le rejoindre, car je suis à court d'essence. Je me contente de piquer légèrement, transformant mes 400 mètres d'altitude en vitesse, et je me place droit derrière lui dans l'angle mort des empennages où il ne peut me voir. Le pilote du Focke Wulf, inconscient du danger, s'amuse à sauter les poteaux télégraphiques et les haies le long du ballast, gigotant de droite à gauche, offrant ainsi une cible difficile...

Je tire doucement sur le manche pour éviter son sillage, et je l'ajuste. Il remplit maintenant mon collimateur, dont la mouche brillante joue sur son cockpit.

J'ai vraiment l'impression de commettre un assassinat lorsque je presse la détente. Évidemment la première rafale – la seule – est au but, et le Focke Wulf disparaît dans un nuage de débris.

La fumée dissipée, je le vois amorcer un virage à gauche, une jambe de son train d'atterrissage à moitié descendue, le moteur en feu. Il fauche une rangée d'arbres le long d'une route près d'un passage à niveau et s'écrase dans le champ suivant, où il explose.

Je fais un passage pour filmer les restes qui flambent – afin d'obtenir l'homologation.

Le retour est pénible, car j'ai tout juste assez d'essence. Le *wing commander* Yule m'encourage par la radio, et me donne un cap direct, en ajoutant que, si je préfère, il peut me détourner vers un convoi où je sauterai en parachute.

J'aime quand même mieux tenter de rentrer. Je reconnais au passage le viaduc de Mirville que nous avions bombardé en piqué quelques semaines auparavant. Les Allemands ont commencé à réparer les deux arches coupées : je file une giclée de coups de canons aux échafaudages.

Je me pose à B11 avec quelques litres d'essence à peine dans mes réservoirs, et je me fais engueuler copieusement pour m'être promené tout seul aussi loin sans prévenir personne.

*

2 juillet 1944

— *Scramble, South-East of Caen. As many aircrafts as possible !* (Décollage en alerte, sud-est de Caen, autant d'avions que possible !)

Le cri de Frank nous arrache à notre torpeur.

Grande panique ! Où sont les pilotes ? Les avions sont-ils prêts ?

La plupart des pilotes sont à déjeuner, et, comme le groupe revient tout juste d'une mission, à peine quelques avions sont ravitaillés.

Je décroche au passage mon casque, cherche un instant mes gants, puis j'y renonce ; et, tout en attachant fébrilement ma Mae West, je demande au passage la longueur d'ondes en opération.

— *Channel « B » ! Hurry up for Christ's sake !* (Fréquence « B » ! Bon Dieu, dépêchez-vous !) me crie Ken qui court déjà comme un dératé vers son avion.

Heureusement mon vieux LO-D est prêt, et mes mécanos, qui ont entendu la sonnerie d'alerte immédiate, sont déjà sur l'aile, me tendent mon parachute à demi bouclé que j'enfile comme une veste tandis que Woody démarre mon moteur.

Je m'attache en vitesse. Déjà trois avions du B Flight décollent dans un nuage de poussière, et Ken m'attend, moteur au ralenti, au bord de la piste. Je prends position, nous partons.

Il fait un drôle de temps : 8 octobre de nuages à 900 mètres, 5 octobre à 2 000 mètres et un grand banc de stratus couvrant tout notre secteur jusqu'au canal de l'Orne. À 3 500 mètres, il y a une couche 10 octobre.

Ken et moi nous réussissons à rejoindre Frank, le capitaine et Jossen à 1 800 mètres au-dessus de Caen.

Le contrôle nous donne de vagues caps à patrouiller, tout en ouvrant l'œil, à propos de deux appareils non identifiés qui circulent entre les nuages dans nos environs.

Nous montons jusqu'à 2 000 mètres, juste au niveau de la deuxième couche de nuages. Au loin, hors de portée, quelques points noirs suspects défilent entre les cumulus.

Soudain, la voix de Frank résonne dans les écouteurs :

— *Look out chaps. Prepare to break port !* (Attention ! les gars, préparez-vous à dégager vers la gauche !)

Amorçant un léger virage à gauche, je lève les yeux. Un gros groupe de chasseurs émerge des nuages, 1 000 mètres au-dessus de nous. On ne peut les identifier encore – Messerschmitt ou Focke Wulf – mais une chose est certaine, ce sont des Allemands. On ne peut se méprendre sur la façon dont ils volent – ces battements d'ailes nerveux et inquiets, leur formation désordonnée à première vue.

Une bouffée grisante me monte à la tête, et ma main tremble tellement que je m'y reprends à trois fois pour enlever la sécurité de mes canons. Je me sens en forme, aujourd'hui.

L'instinct, mécanisé par le long entraînement, opère : je resserre mon harnais de sûreté, je me recroqueville et remonte mes pieds sur le palonnier de combat. Curieuses sensations... L'excitation s'infiltre dans les muscles et s'accroche à la gorge. Toutes les appréhensions s'envolent. Mes doigts vibrent en harmonie avec les commandes, les ailes de l'avion me sortent des flancs, et les pulsations du moteur frémissent dans mes os. C'est toujours pareil !

Je commence à monter en spirale.

Attention ! Les quinze premiers boches lâchent leurs réservoirs d'essence supplémentaires, se déploient en éventail, et piquent vers nous.

— *Climbing !*

Pleins gaz, 3 000 tours/minute, nous faisons face à l'avalanche.

Ce sont des Focke Wulf-190.

Mon Spitfire monte à 45 degrés, accroché à l'hélice. J'intercepte au passage le premier groupe qui pique en file indienne sur la section de Frank qui commet l'erreur de piquer vers les nuages afin sans doute de prendre de la vitesse, oubliant le principe vital : NE JAMAIS TOURNER LE DOS A L'ENNEMI.

Je réussis à tirer au passage une rafale sur le chef de patrouille allemand dont l'aile s'illumine de petites d'explosions, et trois ou quatre minuscules bouffées de fumée s'effilochent dans le sillage du 190, mais ce sont les balles de mitrailleuses, les obus n'ont pas touché.

Deux Focke Wulf exécutent une passe serrée frontale et les traceuses de leurs Mausers MG 151-20 projettent de longs tentacules brillants qui ondulent dans l'air et se recourbent en coup de fouet sous mon fuselage.

Le ciel commence à tourbillonner, semé de croix noires...

Dans un duel aérien, à 550 à l'heure, on sent, plutôt qu'on ne voit, la présence des avions qui tournoient anonymes, jusqu'à ce que les yeux s'accrochent soudain à l'un d'eux.

Voilà mon adversaire !

C'est un Focke Wulf. Il tourne, ses croix noires soulignées de jaune et son cockpit accrochant le soleil. Il bat des ailes, à la recherche, lui aussi, d'un adversaire.

Le voici encadré dans mon collimateur. Vais-je ouvrir le feu ? Pas encore. Patience... il est hors de portée. Trois ou quatre secondes encore.

Mais il m'a vu, renverse à droite et tourne sec. Deux blancs filets de condensation apparaissent au bout de ses ailes carrées. Il amorce une chandelle, droit dans le ciel, comme un cierge. Soudain, il passe sur le dos avec une telle violence que l'inertie continue à pousser son ventre brillant vers le soleil, malgré les commandes braquées à fond.

Enfin à portée ! Il a raté sa manœuvre.

Mon pouce écrase la détente, et les canons secouent en tempête les ailes du Spitfire. D'un coup de manche, je fais glisser la mouche lumineuse du collimateur au travers du boche, de son hélice qui brasse l'air lentement, comme un moulin à vent pathétique.

Je suis maintenant si près du Focke Wulf que tous les détails me sautent aux yeux. C'est un des tout récents A-8.

Je distingue déjà les petites flammes bleues du pot d'échappement, la traînée oxydée laissée par les gaz brûlants le long de son fuselage. Son dos est vert émeraude, et son ventre clair, comme les brochets que je pêchais jadis dans la Mayenne...

L'image, si nette et si claire, soudain s'ébranle, se désintègre... Le cockpit brillant vole en éclats. Mes obus de 20 entrent, déchirent, remontent vers le moteur dans une danse mortelle d'explosions et d'étincelles qui sautillent sur l'aluminium.

Puis, c'est l'éruption de flammes, de fumée noire, épaisse, qui traîne des grumeaux incandescents...

Éviter cet enfer ! Je fais pression de tout mon corps sur les commandes et l'envolée de mon Spitfire me laisse la dernière vision du Focke Wulf disparaissant, en bas, comme une comète en convulsions, vers le suaire de nuages qui couvre le canal de l'Orne...

L'action a duré quelques instants à peine.

Je n'ai jamais autant que cet après-midi ressenti l'angoisse soudaine qui étreint la gorge après la destruction d'un avion ennemi. L'énergie emmagasinée se détend d'un coup pour ne laisser qu'une impression de lassitude. Toute confiance en soi s'évanouit. Aiguiser l'attention, rebander les muscles meurtris ! Dans ces moments, on s'échapperait volontiers, et on se lance dans des manœuvres folles, comme si tous les appareils ennemis, toute la Luftwaffe liguée, concentraient exclusivement sur vous leur menace... C'est en réalité la peur !

Et puis l'étincelle renaît, le bloc chair-métal se reconstitue...

Tout cela se passe en quelques secondes.

À ma droite, un Spitfire dégage et pique derrière un Focke Wulf ; j'entrevois vaguement le matricule LO-B : c'est Ken. Il me faut le couvrir, et, tout en évitant quelques passes décidées de plusieurs FW-190, lancés trop vite pour me suivre dans un virage serré, je descends en spirale.

Ken tire ; de longues traînées de fumée brune et un chapelet de douilles vides s'écoulent de ses ailes.

Absorbé, je relâche un instant ma surveillance.

French Spitfire Pilot To Play Rugby For England

From Our Staff Correspondent

LONDON, Nov. 20.—Sporting men welcome the choice of young Sous Lieutenant Jacques Remlinger, French fighter pilot, to play for England against Wales in next Saturday's Rugby game.

Remlinger was educated in England and has played all his football here and, in any case, there is ample precedent for a player of one country to represent another.

What many who watch him at wing three-quarter will not know is that he is one of a remarkable team of two French Spitfire pilots, of the Tactical Air Force, whose long association culminated in spectacular battles over Normandy. The other is Sous Lieutenant Pierce Closterman, who got out of Paris just before the capitulation and came to the R.A.F. from South America.

They are among the most colourful pilots of the early invasion days. They always flew together, changing positions from No. 1 to No. 2 so that each in turn was the spearhead fighter.

One of Remlinger's most thrilling exploits was to shoot down a ~~Focke Wulf 190~~ over the North Sea at 42,000 feet.

He made a crash landing after the fight on a tiny islet from which he was rescued by Closterman, who made a skilful landing on the island in a Tiger Moth.

Closterman, the more exuberant of the two, in one memorable week over Normandy destroyed four German fighters, probably destroyed two, and damaged two.

He got one in a breathless battle when six Spitfires trounced the famous Richtofen Wing.

Both young Frenchmen have survived 250 sorties unscathed, although many times shot up.

An amusing coincidence is that within a fortnight of their return to England for a rest, Closterman broke his nose against a lamp-post in a blackout, and Remlinger had his face slightly damaged in a football game. These are their only "war injuries."

La presse anglaise s'intéressait toujours aux pilotes français. Le *Daily Mail* célèbre la sélection de Jacques pour l'équipe d'Angleterre de rugby. Cet article raconte (avec une petite exagération journalistique) comment « Clostermann, le plus exubérant des deux, en une mémorable semaine en Normandie, a abattu quatre avions allemands, probablement détruit deux et endommagé deux autres »... !

Une ombre surgit, couvre sur mon cockpit. Je lève la tête. À 30 mètres au-dessus de moi, énorme, un Focke Wulf, le ventre gris souillé d'huile me dépasse. Allant trop vite il m'a manqué et il ouvre le feu sur Ken.

Instinctivement, je réduis les gaz à bloc, tire doucement sur le manche, aligne l'ennemi dans mon collimateur ; à bout portant j'ouvre le feu. Le jet d'acier craché par quatre mitrailleuses et deux canons à environ 50 mètres de portée s'engouffre juste à l'intersection de l'aile droite et du fuselage. Le Focke Wulf ébranlé dérape violemment à gauche et, dans une gerbe d'étincelles, l'aile droite se replie sur elle-même, se détache dans un grand mouvement circulaire, fracasse l'empennage et passe en trombe à quelques mètres de moi dans une pluie de débris. Le film doit être bon.

À peine remis de ma surprise, je suis attaqué par six autres Focke Wulf, c'est une danse effrénée. Je m'y débats comme un diable dans un bénitier. Le manche glisse dans ma main humide et nue.

800 mètres au-dessus de moi, la section de Frank se défend tant bien que mal au milieu de la masse tourbillonnante d'une dizaine de Focke Wulf.

Le seul moyen de s'en tirer est de se maintenir en virage perpétuel, tandis que les 190 se conforment à leur tactique habituelle : attaques en piqué suivies de chandelles. Certains facteurs sont d'ailleurs à notre avantage. Nous combattons à 20 kilomètres de nos bases, tandis que les chasseurs ennemis sont à 200 kilomètres des leurs. Ils seront les premiers à rompre le combat.

Pourtant, je me lasse de ce manège. Je réussis à en accrocher un qui s'attarde au sommet de son retournement : un de mes obus explose sous son ventre, et c'est la chute en vrille, avec un filet de fumée noire. Le suivre serait dangereux : j'aurais sur moi une demi-douzaine d'assaillants. Bah ! si l'homologation reste douteuse, je me contenterai de le voir déclaré *probably destroyed* ou *damaged* – et encore, je suis optimiste !

Regret bref : j'ai d'autres soucis. Mon canon gauche s'enraye. J'épuise la vingtaine d'obus qui me restent dans mon chargeur droit sur un autre Focke Wulf que j'attrape au milieu d'un impeccable tonneau. Quelle idée bizarre lui est venue de faire un tonneau au milieu d'un combat ? Comme disent les Anglais, *there is a place and a time for everything !* (il y a une place et un moment pour chaque chose !). Je le manque évidemment.

Dégoûtés, les Focke Wulf commencent à mollir, et sauf trois ou quatre qui continuent à tourner, les autres prennent le cap sud.

En Normandie mes mécaniciens auscultent mon LO-D.

J'en profite pour m'éclipser discrètement vers les nuages.

J'exulte car, en 40 minutes, j'ai obtenu trois victoires, dont deux sont homologables, et j'ai endommagé deux autres appareils (peut-être) !! Heureusement, les témoins ne manquent pas.

Je me paye le luxe d'exécuter deux tonneaux de victoire au-dessus de Longues, à la grande joie des paysans.

Il est très mauvais pour le moral d'avoir un commandant d'escadre dans lequel nous n'avons pas confiance. ACS est le genre de chef qui à la fin du briefing ajoute : « Bonne chasse les gars. Ma pensée vous accompagne », et qui retourne à sa chaise longue lisser sa moustache. Et quand il vole, c'est un incapable. Ce qui s'est passé avec la perte de Jimmy illustre bien mon propos. Cela d'autant plus que la Luftwaffe s'est réveillée.

Les *jagd geschwader* JG 2 et JG 26, les courageux pilotes d'Oeseau et de Priller ne sont plus seuls ! En effet. Il n'y avait bien en France, le 6 juin, au moment du débarquement, que ces deux escadres à effectifs pleins, mais on nous prévient que, dès le

La JG 2 et ses Messerschmitt.

8 juin, contrairement à ce que raconte la presse de Londres ou de Washington qui parle toujours avec la BBC d'une modeste centaine d'avions allemands disponibles, sans doute pour démoraliser la Wehrmacht, le transfert d'environ 600 chasseurs prélevés sur les formations de défense du Reich a commencé. L'*oberkommando* de la Luftwaffe et Galland doivent quand même avoir un problème d'essence et d'aérodromes disponibles. Dans le nord de la France il est vrai, les pistes de Saint-Omer, d'Abbeville et de leurs nombreux aérodromes satellites dont la plupart n'ont pas été trop bombardés peuvent accueillir avec ceux de la région parisienne un bon millier d'avions de chasse. L'Intelligence nous annonce que depuis une quinzaine de jours, la Luftwaffe met en l'air quotidiennement entre 200 et 250 chasseurs patrouillant par grosses formations entre la Bretagne et la Seine. C'est peu, mais nous tombons sans arrêt dans des embuscades qui nous font subir bien des pertes incroyables auxquelles nous ne sommes pas habitués – un millier de Spitfire et Typhoon depuis le 6 juin ! C'est ainsi que, renforcées, les JG ne lancent que des groupes massifs de vingt ou trente chasseurs pour donner de temps en temps un coup de balai rapide sur le champ de bataille. Il y a tant d'avions tactiques alliés en l'air que les grands radars de contrôle en Grande-Bretagne y perdent leur latin et ne nous sont pas très utiles. Malheur alors aux petites formations de quatre ou huit Spitfire ou Typhoon qui leur tombent sous la patte. Depuis notre arrivée le 12 juin à Longues, à deux reprises nous avons été coiffés, Ken Charney, Jacques, moi et un autre par trois douzaines de Focke Wulf au-dessus de Caen Carpiquet. J'ai quand même réussi dans la panique du sauve-qui-peut à descendre un FW-190 ainsi que Ken. Jacques revendique un très probable qui se

Les routes sont encombrées de carcasses de véhicules
et de cadavres. Les Allemands payent le prix de la défaite,
mais ils tiendront encore un an !

tire avec une longue flamme derrière lui. Tout ça dans un désordre indescriptible d'amis et d'ennemis mélangés, une formation de Spitfire norvégiens étant arrivée à la rescousse. Une autre fois, dans les mêmes circonstances, avec les mêmes camarades, nous revenons de mitrailler un convoi de camions, et sommes surpris par une douzaine de Messerschmitt-109, très trapus. Impossible d'en suivre un plus de deux secondes sans en avoir immédiatement un autre dans la queue qui me tire dessus. Je m'extirpe à grand-peine avec Jacques de la mêlée alors que quatre Focke Wulf-190 nous tombent sur le dos. Je suis à court de munitions ayant tiraillé à tort et à travers sur les Messerschmitt. J'ai un Focke Wulf magnifique dans le collimateur, il est cuit, mais les culasses de mes deux canons claquent en réarmant à vide et les quelques balles qui restent dans mes quatre mitrailleuses n'ont pas dû lui faire grand mal. Au retour, des journalistes veulent absolument nous photographier Ken et moi. Ils exigent que je coiffe ma casquette française, « pour faire couleur locale » sans doute. Je monte sur l'aile de son avion et nous nous serrons la main au moins quatre fois de suite pour que le cadrage soit parfait. Que diable vont-ils raconter quand ça sortira dans la presse !!!

Tous les jours nous faisons Jacques et moi une ou deux missions de mitraillage derrière les lignes allemandes. Tout ce qui bouge, tout ce qui roule, tout ce qui tire ou marche est une cible autorisée dans un rayon de 100 kilomètres défini par les ordres quotidiens afin d'isoler l'ennemi de ses arrières, de ses renforts et de son ravitaillement. Les routes principales sont déjà impraticables, encombrées par les débris enchevêtrés de camions, de carcasses de

Ken Charney et moi sommes les héros du jour avec nos quatre victoires. La presse veut absolument nous photographier nous auto-congratulant.

voitures, de charrettes, de chevaux morts. Des dizaines de cadavres de soldats ont basculé dans les fossés et j'ai même vu hier le corps d'un paysan de chez nous les bras autour du cou de son cheval éventré, pauvre homme qui s'était fourvoyé dans cet enfer... La chaleur de cette fin du mois de juin a déjà gonflé les cadavres et des nuages de mouches doivent bourdonner autour. Quand nous passons bas, des nuées de corbeaux, fruits noirs de ce désastre s'envolent et se reposent vite pour attendre...

La défense allemande contre les avions est de plus en plus entre les mains de la *flak* dont les bitubes de 37 et les quadruples de 20 qui tirent une ou deux dizaines d'obus à la seconde sont camouflés ici et là dans les haies du bocage et le long des routes stratégiques. Ils tendent des pièges mortels qui coûtent à notre *wing* un avion par jour !

Au GQG de la Tactical Air Force, 83e division, le chef du service du personnel a marqué d'un trait rouge la fiche de l'aspirant Pierre Clostermann, 602 Squadron. Il a ajouté en marge :

— *Awarded Distinguished Flying Cross – operational rest from 7/7/44.*

Le soir même un télégramme arrivait au PC de la 125e escadre :

30973 *(F) P.H. Clostermann DFC doit être retiré immédiatement opérations actives tour d'opérations terminé stop il regagnera Royaume-Uni stop sept jours permission stop ensuite se présentera direction liaison aérienne interalliée et QG,* fighter command, *pour affectation nouvelle après consultation Forces Aériennes Françaises stop exécution réception stop confirmez stop signé vice-air marshall H. Broadhurst AOC 83 Group.*

Dans toutes les allées, le long des petits chemins comme des routes principales, les terribles quadruples de 20 mm tendent leur mortel rideau de feu.

Je reviens d'une mission de mitraillage avec Jacques dans la région de Saint-Lô.

Nous avons été accueillis par une *flak* déchaînée le long d'un petit chemin creux encombré de camions boches.

Une passe a suffi pour me dégoûter. Un obus de 20 a explosé sur la plaque de blindage de mon siège... Prudemment je suis remonté à 1 000 mètres et, malgré mes appels pressants, Jacques a fait trois attaques au travers du barrage de traceuses. Son avion est troué comme une passoire.

Nous buvons un pot au mess avant d'aller ingurgiter notre ration de *corned beef* et de carottes en conserve. Lapsley, qui nous observe depuis quelques minutes d'un air gêné, finit par nous rejoindre. Il

Max Sutherland me photographie pour les archives de la 602 dans mon Spitfire. Mes 11 victoires et mes quelques probables et endommagés me vaudront ma première DFC.

commande un verre de bière au barman, le boit d'un trait, et m'annonce de but en blanc que je suis, par ordre supérieur, retiré des opérations.

Je m'y attendais depuis quinze jours, sans vouloir y croire.

Le docteur du *wing* m'avait repéré et, en cachette, il doublait ma dose de benzédrine pour que mes nerfs tiennent encore un peu. Le salopard a dû faire un rapport.

Après tout, c'est son travail, et je dois être dans un fichu état – Jacques lui-même m'a fait remarquer à maintes reprises que j'ai des tics nerveux comme une vieille fille morphinomane. J'ai perdu, il est vrai, huit kilos. Je n'étais déjà pas bien gras !

— Sic transit...

Cela me fait peine de quitter mon escadrille, surtout maintenant, mais je suis arrivé à ce stade de dépression nerveuse où l'on n'a plus peur de rien, où l'on n'a plus conscience du danger. C'est aussi le moment où les réflexes n'existent plus, où l'on pilote mécaniquement dans une sorte de béatitude artificielle produite par la benzédrine et la fatigue... C'est la recette pour se faire tuer.

Quelques heures plus tard, un Dakota fortement escorté se pose à B2.

C'est sir Archibald Sinclair, ministre de l'Air britannique, accompagné de l'*air marshall* Portal, commandant en chef des Forces aériennes alliées et de *vice-air marshall* H.J. Broadhurst, commandant en chef de la Tactical Air Force. C'est l'inspection classique *moral-lifting* – littéralement : « relèvement du moral » !

Le ministre nous passe en revue tels que nous sommes, sales, barbus, couverts de poussière, épuisés...

Le contraste ne manque pas de comique entre l'impeccable gentleman, pantalon rayé, veston bordé, et

Le ministre de l'Air accompagné du maréchal de l'air Portal, qui s'entretient avec moi quand il visite la 602 en Normandie.

Sir Archibald Sinclair, ministre de l'Air de Sa Majesté, me félicite et me remet ma DFC. Juillet 1944.

cette bande d'écumeurs de l'air en bottes de vol, avec leurs foulards crasseux.

Selon la bonne règle britannique, le gentleman en question est d'un sang-froid imperturbable. En effet, un Focke Wulf passe en rase-mottes sur le terrain voisin au milieu de son speech – la DCA ouvre le feu, les éclats retombent en pluie drue dans un fracas de tonnerre – mais il continue sans même lever la tête.

Jacques me souffle à l'oreille qu'il est peut-être très sourd et très myope.

Sir Archibald Sinclair s'intéresse tout particulièrement aux trois pilotes français du groupe – Jacques, Aubertin et moi – qu'il félicite de leurs succès, puis sortant une petite boîte de sa poche, il me remet discrètement ma DFC. C'est une belle décoration en argent massif.

Assis sur mon lit de camp, je couds mélancoliquement le ruban tout neuf de ma DFC à mon uniforme, tout en contemplant le désordre de mes affaires, qu'il va me falloir empaqueter pour la énième fois.

*

Rommel

Debout sur le pas de ma tente, 15 h 40 en ce 17 juillet 1944, je regarde décoller une patrouille du 602. Les Spitfire ont sur le capot l'écusson jaune au lion rouge. Les armoiries de la ville de Glasgow, patronne de mon escadron, portent un lion rouge crucifié sur une croix de Saint-André, avec *Cave leonem cruciatum*. Jacques est parmi eux. Nous aurions dû être expédiés en repos ensemble. Mystère des cogitations d'état-major ! Nous volons depuis si longtemps en paire, nous protégeant mutuellement, que je suis inquiet depuis huit jours de le voir partir avec un équipier improvisé. En tout état de cause, son tour finit avant la fin du mois, mais j'ai toujours peur des dernières missions qui portent trop souvent la poisse.

Chris Le Roux, un Sud-Africain nouveau commandant de la 602, remplaçant Max Sutherland... mène ce *flight* composé de pilotes expérimentés : Jacques, « Moose » Manson, Johnsen le Norvégien, Robinson et Bruce Oliver, le Néo-Zélandais.

À leur retour, à 16 h 50, j'assiste au débriefing. Ils sont tristes car Moose manque à l'appel. J'écoute leur histoire. Cet après-midi-là les choses étaient relativement calmes. De la *flak* évidemment, mais sans énervement spécial, et comme toujours des hasards successifs s'enchaînent sans rime ni raison. Il suffit d'un bref reflet de soleil sur l'aile d'un Messerschmitt pour que Moose Manson regardant du bon côté à cet instant précis, crie : « *Aircrafts at 9 o'clock, slightly below !* » (« Avions à 9 heures, un peu en dessous ! »). Chris aussitôt plonge dans cette direction, suivi de Johnsen et de Manson. Au même instant, Bruce Oliver qui fait équipe avec Jacques aperçoit une grosse voiture décapotable escortée d'un ou deux motards qui fonce à tombeau ouvert vers Vimoutiers. Il la signale à la radio, mais Chris n'est intéressé que par les victoires aériennes – il en a déjà quinze – et il continue à foncer vers les Me-109 qui s'égaillent ! Oliver suivi par Jacques vire à 180 degrés et fonce vers l'objectif au sol. Ils mitraillent l'un et l'autre la voiture qui quitte la route et capote. Le combat avec les Messerschmitt continue ensuite et le Spitfire de Manson est vu pour la dernière fois en feu, tenter un atterrissage forcé. La *flak* se réveille et force tout le monde à se séparer en prenant de l'altitude. Un Me-109 est détruit et revendiqué par Chris Le Roux, et un endommagé par Johnsen. Jacques, pour ne pas changer, a pris un 20 millimètres dans l'aile !

Quelques jours plus tard il est décoré de la DFC. Il a dû se passer quelque chose le 17 car déboule chez nous une palanquée d'officiers de l'Intelligence, dont un *air commodore*, ce qui est rare, qui interrogent longuement Bruce et Jacques qui ne peuvent que répéter ce qu'ils ont déjà dit à notre « *spy* » lors du débriefing.

Les historiens qui se sont intéressés à la personnalité fascinante du maréchal Erwin Rommel, – Trevor Rooper, Walter Gorlitz, Desmond Young, Lidell Hart et quelques autres encore – ne connaissaient pas encore

Jacques inaugure ses galons de sous-lieutenant en Normandie !

quand ils ont écrit, en 1946-1947, leurs biographies de Rommel, les détails de sa fin qui ne furent révélés que bien plus tard. On savait vaguement en 1970 qu'il avait été grièvement blessé en Normandie en 1944 lors d'une attaque d'avions de la Royal Air Force. Le bruit a commencé à courir que cela avait été l'œuvre de pilotes du squadron 602 « Ville de Glasgow » et un peu plus tard, à l'ouverture en 1975 des archives officielles, que c'était une patrouille du 602 conduite par le squadron leader *sud-africain Chris Le Roux et qu'un pilote néo-zélandais ainsi qu'un Français libre avaient joué un rôle important dans cette action survenue par un jeu de circonstances fortuites.*

Que s'était-il donc passé ?

Le feldmarschall *Erwin Rommel venait de quitter en ce 17 juillet 1944 vers 15 heures, Saint-Pierre-sur-Dives où il avait rencontré Sepp Dietrich commandant la Première Panzer « Leibestandarte » et commencé à réorganiser le front après avoir obtenu d'Hitler d'engager les chars lourds Tigre et Panther de la Panzer 21. Il avait refusé une petite Volkswagen légère pour prendre sa Horsch personnelle, lourde et puissante qui présentait l'avantage d'être décapotable permettant d'observer le ciel d'où tombait la foudre des chasseurs bombardiers alliés. Un motard de la Feldgendarmerie ouvrait la route.*

Pour revenir au QG de La Roche-Guyon, son aide de camp suggéra de prendre la départementale 4 puis la D 155 afin d'éviter le plus longtemps possible la nationale 179 Livarot-Vimoutiers encombrée de véhicules détruits. Sepp avait probablement contacté la Luftwaffe pour qu'elle assure une discrète protection aérienne. Le feldwebel Holker était assis à côté du chauffeur Daniel, à la place habituelle de Rommel, et sur un strapontin, surveillant le ciel vers l'arrière, Lang. À la gauche de Rommel, le major Neuhaus lisant une carte, guidait le chauffeur.

À La Chapelle-Haute-Grue il avait bien fallu abandonner les petites départementales qui s'avéraient elles aussi saturées de véhicules, et prendre la N 179. C'est à ce moment que six Messerschmitt-109 – probablement la couverture demandée par Sepp – survolèrent Sainte-Foy croisant à la fois la voiture de Rommel, et en l'air la patrouille de Spitfire de la 602, Le Roux en tête. La fumée des incendies, les nuages bas épars laissaient à peine passer quelques rayons de soleil et personne n'avait encore repéré personne, ni en bas, ni en haut. Les 109, la Horsch, les Spitfire allaient continuer leur

Le maréchal Rommel dans sa Horch personnelle. Quand cette photo a été prise, contrairement à son habitude, il est assis à côté de son chauffeur, Daniel. Lang est à l'arrière à droite, à côté d'un officier de l'état-major du maréchal.

chemin sans s'être vus quand Manson lança l'appel qui allait lui coûter la vie. Holker et Lang voient deux Spitfire arriver sur la voiture dans l'axe de la route. Prévenu, le chauffeur accélère dans l'espoir de prendre un peu plus loin un petit chemin bordé d'arbres qui mène à la blanchisserie Laniel. Oliver ouvre le feu de ses deux canons de 20 et de ses quatre mitrailleuses de 303.

Un obus de 20 arrache le bras du chauffeur qui s'effondre sur le volant et la lourde voiture commence à s'embarquer... Un deuxième obus touche à la hauteur du dos de Rommel la capote repliée et explose entre les plis en la déchiquetant. Sans la fusée ultra sensible faite pour fonctionner au cinquantième de seconde afin d'exploser dans un fuselage d'avion après avoir traversé le mince revêtement d'aluminium, Rommel aurait été tué sur le coup si le projectile avait été un perforant – un sur cinq dans la bande ! Le maréchal qui avait tourné la tête pour voir, eut la nuque truffée d'éclats, une fracture ouverte du crâne à gauche mettant à nu le cerveau, une large plaque d'os avec une partie de l'oreille arrachée à gauche, l'os malaire brisé, après une fracture de la tempe. En effet, Jacques Remlinger pilotant le deuxième Spitfire tire à son tour, tuant le motard qui s'était arrêté, et la voiture sort alors de la route hors de contrôle. Elle est en particulier touchée par plusieurs balles de 303 dont une, frappant l'étui du revolver de Neuhaus, lui brise le col du fémur. La Horsch heurte un arbre, pivote et capote, éjectant Lang et Rommel qui heurte de la tête le tronc d'un pommier. Lang indemne, aidé par Holker légèrement blessé par des éclats, s'extirpe de la voiture renversée pour porter secours au maréchal inconscient et couvert de sang. Sous leurs yeux, un Messerschmitt s'écrase et un Spitfire en feu plane au loin... les péripéties du combat tournoyant éloignent les avions et le danger.

Après avoir attendu très longtemps, Holker parvient enfin à stopper un camion militaire et Rommel est transporté dans une pharmacie de Livarot, guidés par un ouvrier, Alain Roudeix, témoin de l'affaire. Le médecin français, le professeur Esch d'une maison de santé religieuse, arrive finalement, panse et donne les premiers soins à Rommel dans le coma. Plusieurs heures se sont écoulées depuis l'attaque, un délai qui sera probablement la cause de l'issue fatale. Le médecin

Jacques Remlinger et Bruce Oliver.

dit à Lang effondré qu'il doute de la survie du blessé. Vers minuit une ambulance de l'hôpital de Bernay géré par la Luftwaffe vient chercher les blessés où le docteur Schenning les soigne. Daniel est décédé.

Rommel reste deux semaines à l'hôpital du Vésinet.

Plus tard, un JU-188 se faufilant en rase-mottes le ramène en Allemagne malgré les protestations des médecins militaires allemands. Le professeur Albrecht de l'université Tubingen qui le soigne à son domicile de Herrlingen a déclaré : « Personne n'aurait pu être capable de survivre à des blessures aussi terribles ! » Rommel toujours dans le coma oscillera grâce à sa robuste constitution entre la vie et la mort plusieurs semaines, mais décédera le 14 octobre. Les généraux Burgdorg et Maisel, de l'OKW, prévenus, sont officiellement venus pour vérifier son décès et prendre les premières mesures pour les funérailles. Selon les uns ils sont venus une heure avant le décès – ce qui ouvre la porte à toutes les hypothèses. Selon les autres ce fut après... donc mort naturelle. Hitler ordonna des funérailles nationales.

Les cinq Spitfire de la 602 sont rentrés à Longues à 16 h 50. Un avion manquait, celui de Moose Manson qui avait été vu en feu, tentant un atterrissage forcé et explosant au sol. Quatre pilotes sur les cinq ne sauront jamais ce qui s'est passé ce jour-là et quelle fut l'influence importante de leur mission sur la suite du débarquement de Normandie. La statistique aveugle et la loi des pourcentages furent cruelles pour ces camarades de mon ancien escadron écossais. L'avion de Chris Le Roux s'écrasa un mois plus tard, Jossen et Robinson furent descendus par la flak, *et finalement Bruce Oliver se tua rentré en Nouvelle-Zélande, faisant de l'épandage aérien. Seul mon ami Jacques Remlinger devait survivre, et il n'apprit qu'en 1990 – la RAF étant toujours très discrète sur l'affaire Rommel – ce qui s'était passé le 17 juillet 1944 et à propos de qui. Je me souviens qu'il me dit alors qu'il ne s'en vanterait jamais.*

Les jours se passent dans l'attente d'un bateau : exaspérants. Je suis là, assis dans l'herbe, tandis que les combats succèdent aux combats, que mon LO-D, piloté maintenant par Jacques, décolle dans un nuage de poussière dorée, et que les rafales de 20 déchirent l'air.

C'est maintenant que je comprends le vrai sens de l'amitié. Voir un vieux camarade, un cher frère d'armes partir en mission, et attendre son retour avec angoisse, les nerfs à fleur de peau... Quand nous volions ensemble c'était tout autre chose.

Jossen se fait descendre, puis c'est Carpenter, puis c'est Conoly, un de nos nouveaux. Jacques continue son étourdissante série de missions.

Et le 27 juillet au soir, avec Frank Wolley – qui vient de recevoir lui aussi son *return ticket*[1] – nous

1. Billet de retour.

Fin juillet 1944, les rescapés de la 602... plus grand monde !
À comparer à la photo de mai 1944.

partons, nos bagages entassés dans une jeep, pour Arromanches.

À 21 h 30 nous embarquons à bord du Tank Landing ; Craft 322[1].

Le second du bord me cède sa cabine ; je vais me coucher lorsqu'un raid allemand d'une violence inouïe commence. Je me précipite sur le pont, illuminé par les départs rageurs des Bofor. Les gerbes d'eau des bombes soulèvent de grands fantômes blancs qui dansent entre les bâtiments à l'ancre.

Une explosion sourde, comme une porte pesante qui se referme sur un caveau... une grande lueur...

1. Chaland transporteur de tanks.

Le Lion rouge de Glasgow...

des flammes qui montent jusqu'à la lune vite voilée par une monstrueuse pyramide de fumée. C'est un pétrolier qui saute.

Puis le ronronnement des Dornier s'estompe.

La DCA se tait.

Je reste accoudé au bastingage, les yeux fixés sur la côte d'Arromanches qui se dessine dans le fouillis de mâts et de cheminées de navires.

Là-bas, de Longues, la chanson claire du moteur d'un Spitfire au point fixe s'élève dans la nuit étoilée. La bataille de Caen fait rage, mais tout semble pourtant si calme, si paisible, les sons si lointains...

Spasmodiquement, l'horizon sud se peuple d'éclairs palpitant dans un sourd grondement qui roule sur la ville martyrisée.

De temps en temps, un chapelet de traceuses monte tout droit dans le ciel, et s'éteint, comme une poignée d'étoiles filantes.

Il n'y a autour de moi que le clapotement de la marée qui monte, dans un relent d'huile lourde et de saumure. L'eau noire est moirée de rouge par le pétrolier qui se consume.

C'est fini. Je sens dans mes os que la libération de la France n'est plus qu'une question de quelques semaines, et que, par une ironie du destin, je n'assisterai que de loin à la libération de Paris.

La mer est maintenant haute. Les moteurs Diesel commencent à vibrer dans les entrailles du TLC, et une grande fleur d'écume blanche s'épanouit à la poupe.

Et les hélices commencent à battre la cadence lente et monotone du retour pour mon cœur lourd de souvenirs, d'amitiés et de deuils.

LE « TEMPEST »
Commandement dans la RAF

Après avoir mûrement réfléchi, j'ai décidé, début décembre, de retourner en opérations actives. L'ambiance de l'état-major ne me convient pas précisément, et les trois mois que j'y ai passés au service de presse, malgré les garçons et les hommes sympathiques que j'ai pu y rencontrer, Tournier, Gallois, Romain Gary, Jules Roy, ont été pénibles.

J'ai fait un saut à Paris, et l'atmosphère y était moins agréable.

Par Jacques, qui est *squadron leader* au bureau des tactiques du GQG de la RAF à Bentley Priory, je suis tenu au courant des dernières opérations aériennes.

Au cours d'une visite sur les conseils de Jacques chez Pete Wyckheam, patron des affectations du *fighter command*, celui-ci a promis de me donner son appui pour filer rapidement à l'escadre de chasse 122 qui doit retourner sur le continent équipée de Tempest-V.

Quelques jours plus tard, le Quartier général de l'Air des Forces Françaises en Grande-Bretagne recevait du ministère de l'Air britannique la note suivante :

« La RAF, à la demande expresse du maréchal de l'air H.J. Broadhurst DSO, DFC, serait très désireuse de voir le sous-lieutenant Pierre Clostermann DFC FF 30973 détaché auprès d'elle, dès qu'il aura fini son temps réglementaire de repos. Les résultats remarquables qu'il a obtenus au cours de ses tours antérieurs d'opérations le désignent pour un poste de commandant d'escadrille ou de groupe dans l'escadre de son choix.

« Nous vous prions de nous faire savoir si vous acceptez le principe du retour en opérations actives dans la RAF de ce pilote dans les conditions ci-dessus. »

L. HERRERA
Flight lieutenant
for director of allied air cooperation
and foreign liaison.

À cette note courtoise, le ministère de l'Air à Paris opposa une fin de non recevoir.

Quelques jours après, je rencontrai le général Valin et, en cheminant, je lui posai la question de mon retour. Il me donna sans enthousiasme son accord de principe tout en me faisant observer que j'étais compris dans la liste des pilotes que le général de Gaulle voulait à tout prix conserver et empêcher de retourner en action.

Il me promit d'intervenir auprès du ministre de l'Air.

Mais le temps pressait, et l'escadre 122 commençait à faire ses préparatifs de départ.

Finalement, après l'intervention d'Ezzano en ma faveur, le colonel Coustey, commandant les Forces Aériennes Françaises en Grande-Bretagne prit sur lui de m'autoriser à rejoindre la RAF, tout en me priant, avec le sens de l'humour qui le caractérisait, de ne pas me faire tuer, afin de ne pas lui causer de désagréments.

Vite, pour prévenir un éventuel contre-ordre de Paris, je pris congé de M. et Mme. Hermann – deux Français résidant à Londres depuis une quarantaine d'années – qui m'avaient soigné et gâté comme des grands-parents avec un dévouement et une générosité inimaginables... Les pauvres pleuraient à chaudes larmes.

L'après-midi même, je débarquais à Aston-Down où j'allais faire un rapide cours de conversion sur Typhoon et sur Tempest.

Le *wing commander* J.S. Shaw, commandant la base, à la vue de mes états de service et de mon nombre d'heures de vol, décida d'abréger les formalités, et de me dispenser de la plupart des cours théoriques.

— *All right old boy, do a few circuits and bumps, and off you go to 83 Group Support Unit. If the weather is good, you can be in Holland within a week !* (C'est bien, mon vieux, faites quelques atterrissages et décollages et filez sur le 83 GSU[1]. Si le temps est beau, vous pouvez être en Hollande à la fin de la semaine !)

Le soir au mess, je me retrempai avec joie dans la bonne et franche atmosphère de la RAF.

Enfin un rayon de soleil. Je vais donc faire cet après-midi mon premier « lâcher » sur Typhoon.

J'arrive à mon *flight* avec tout mon équipement de vol, et je me présente à mon instructeur, un Australien, MacFar, appelé par ses camarades « immaculate Mac » à cause de son apparence broussailleuse et déguenillée.

---

1. Le GSU (Group Support Unit) était l'unité chargée de réunir, d'équiper et de diriger sur les diverses escadrilles le personnel de la 83e division aérienne.

Sans enthousiasme je fais la connaissance du Typhoon avant de chevaucher un Tempest.

Avec mon parachute au dos, il faut trois personnes pour m'aider à monter dans le cockpit du Typhoon qui se trouve à 2,50 mètres du sol. Comme l'avion est très fin, on ne peut s'accrocher nulle part. Il faut s'agripper à des cavités recouvertes de plaques de métal montées sur ressort, qui reviennent en position aussitôt que l'on ôte la main ou le pied – tout à fait comme un piège à renard.

Finalement, on me hisse, on m'installe, on me tape dans le dos et, après un *Good luck*, je me retrouve tout seul dans les entrailles du monstre.

Je me remémore rapidement tous les conseils des instructeurs.

Comme les gaz d'échappement, à haute teneur de carbone, qui s'infiltrent dans le cockpit sont dangereux, il faut inhaler de l'oxygène en permanence ; aussi je m'empresse d'ajuster mon masque et d'ouvrir la valve régulatrice.

Au décollage, le Typhoon embarque fortement, il faut donc régler les *fletners* des gouvernes très soigneusement.

J'ouvre le radiateur en grand.

Je vérifie le verrouillage du train, dont le levier de commande ressemble inconfortablement à celui des flaps.

Je baisse la manette des volets d'intrados pour ouvrir les circuits pneumatiques, afin d'éviter un coup de bélier sur les sélecteurs au moment du démarrage.

J'allume les voyants du tableau de bord.

Je règle la manette des gaz – ouverte à cinq huitièmes de pouce (pas un poil de plus, sous peine de noyer les carburateurs et de risquer un retour de flamme).

Je pousse le levier de changement de pas de l'hélice tout en avant, et le recule de quelques centimètres pour éviter un blocage du dispositif de vitesse constante au décollage.

Je vérifie le contenu des quatre réservoirs d'essence, et je sélectionne les réservoirs centraux de fuselage pour décoller (alimentation par gravité en cas de panne de pompe).

Je dévisse les injecteurs ; l'un envoie un mélange d'alcool et d'éther dans les carburateurs, et l'autre un mélange d'huile et d'essence dans les cylindres.

J'introduis une cartouche dans le démarreur. (C'est le système Koffman, qui utilise l'expansion de gaz violemment explosifs pour lancer le moteur ; manquer son démarrage n'est pas une plaisanterie, car, une fois les cylindres pleins d'essence, on a quatre-vingts chances sur cent de prendre feu.)

Un doigt sur le contact de la magnéto de départ, et un autre sur la mise à feu, je déclenche le système... Le mécano, agrippé à l'aile, me donne un coup de main pour raccrocher mon moteur, qui démarre dans un vacarme épouvantable. Le bruit est à peu près cinq fois celui du Spitfire et certainement moins mélodieux.

Après quelques secondes de cafouillage, le moteur tourne à peu près rond, non sans cracher de l'huile par tous ses pores.

Le son de ce moteur et ses vibrations me paraissent suspects. J'ai surtout les nerfs à fleur de peau, et je ne suis pas rassuré du tout. Que diable suis-je encore une fois venu faire dans cette galère ?

Ces réflexions ont duré sans doute une éternité, car, lorsque je relève la tête, je vois les mécanos un peu étonnés qui attendent mon signal pour enlever les cales.

Je commence à rouler – un peu trop vite. Attention, n'abusons pas des freins qui chauffent vite. Un frein chaud perd toute action.

Ce moteur ! On roule à l'aveuglette, en repérant son chemin comme un crabe, avec un coup de frein à droite, un autre à gauche, alternativement, pour dégager la vue.

Debout sur les freins, en bordure de piste, avant de m'engager, je nettoie les quarante-huit bougies, suivant les instructions. Je dégorge mon moteur en ouvrant les gaz jusqu'à 3 000 tours et aussitôt un nuage d'huile s'étale sur mon pare-brise.

Deux Typhoon qui étaient dans le circuit se posent tant bien que mal, mais le contrôleur ne semble pas disposé à me donner un feu vert.

Je sors la tête de mon habitacle pour lui faire signe, au risque de recevoir une goutte d'huile bouillante dans l'œil. Toujours un feu rouge.

Diable, j'ai dû oublier quelque chose – et mon sacré moteur commence à chauffer. Mon radiateur est déjà à 95 degrés.

Un coup d'œil dans la voiture : mes volets sont bien à 15 degrés, mon radiateur est ouvert... Bon Dieu, c'est la radio !

Vite, je branche, et j'appelle :

— *Hullo Skydoor, Skydoor. Typhie 28 calling. May I scramble ?* (Allô Skydoor, Typhie 28 vous appelle. Puis-je décoller ?)

Le contrôleur répond en me donnant enfin un feu vert.

Bien. Je resserre mes *straps* (bretelles), je lâche les freins, je m'aligne soigneusement sur la ligne blanche qui marque le milieu de la piste de ciment et j'ouvre lentement les gaz, pied gauche à fond sur le palonnier.

— On m'avait bien prévenu que le Typhoon embarquait, mais à ce point-là... Et cet animal accélère, accélère... !

Je corrige tant que je peux, avec le frein, mais je suis quand même déporté dangereusement à droite...

À mi-piste, ma roue droite frôle l'herbe. Avec cet engin mieux vaut ne pas sortir du ciment.

Tant pis, je l'arrache du sol. Cet avion est d'une instabilité latérale effarante. Je continue quand même à dériver, et je n'ose pas trop baisser mon aile gauche, avec ces ailerons de malheur qui ne mordent qu'au-dessus de 150 km/h.

Heureusement qu'à la suite d'une série d'accidents dus à la même cause ils ont flanqué le hangar F par terre. Je passe quand même inconfortablement près du hangar E.

Je rentre mon train, mais j'oublie de bloquer les freins. Une vibration qui secoue l'avion de la queue aux bouts de plans me rappelle que les roues sont rentrées dans leurs cavités d'aile en tournant à toute vitesse. Pourvu que je n'aie pas fusillé mes pneus ! J'étais vraiment bien tranquille, derrière mon bureau de l'état-major à écrire mes mémoires...

Enfin, après quelques minutes, je reprends la main petit à petit et je me sens plus à l'aise. Les virages dérapent bien un peu, mais cela ne va pas trop mal.

Un petit piqué timide, pour me rendre compte. Bigre, quelle masse ! Avec ses sept tonnes, cet animal accélère sur la pente d'une façon prodigieuse.

Je constate avec satisfaction que cela file beaucoup plus vite que le Spitfire. Qu'est-ce que ce sera avec le Tempest ! Une demi-heure passe vite, et je commence à rassembler mon courage pour l'atterrissage.

D'abord un circuit pleins gaz à 400 km/h, pour nettoyer ces f... bougies qui s'encrassent vite. Mais ensuite, j'ai beau réduire les gaz, faire des queues de poisson, baisser mon radiateur, je n'arrive pas à réduire ma vitesse suffisamment pour descendre mes roues en toute sécurité.

Un circuit, moteur au ralenti à 300 à l'heure.

Un autre circuit à 280.

En désespoir de cause, je fais une chandelle, moteur réduit, qui me remonte de presque 300 mètres, mais réduit ma vitesse à 220.

À basse vitesse cet animal est terriblement instable, et la sortie de l'énorme train d'atterrissage a des conséquences imprévues sur le centrage. Là encore, quoique prévenu, je me laisse surprendre par des embardées qui ressemblent presque à des amorces de vrille.

Je demande l'autorisation de me poser. Prudemment, en ligne droite, avec une bonne réserve de vitesse, je fais mon approche, je baisse les volets, et tout va bien jusqu'à l'arrondi. Mais ces ailes épaisses qui semblent avoir des réserves de sustentation sont traîtresses ; à peine ai-je commencé à tâter le manche que la mécanique décroche, tombe comme une pierre en abattant sur l'aile gauche et rebondit avec le nez droit vers le ciel avec fracas.

Un coup de gaz afin d'amortir la chute, tout en luttant avec mes ailerons pour éviter de passer sur le dos.

Enfin, après deux ou trois sauts de mouton, des coups de freins retentissants, mon Typhoon maté roule cahin-caha sur la piste qui semble bien courte.

Je m'arrête quand même avant de rentrer dans le décor, au milieu d'un nuage de fumée et d'huile. Une forte odeur de caoutchouc brûlé se dégage de mes pauvres pneus qui ont vaillamment résisté aux sept tonnes dégringolant à 200 km/h.

Heureusement, on n'a pas trop remarqué mon mauvais atterrissage – il y en a eu de si mauvais cet après-midi, dont deux avec casse que, tant que la voiture est intacte, il est considéré comme une bonne « arrivée ».

Mon front est moite, mais le moral est meilleur.

*

Le Hawker Tempest-V, avec son formidable moteur Napier Sabre de 24 cylindres en H, était le chasseur le plus moderne, non seulement de la RAF, mais encore de toutes les forces alliées.

Sydney Camm, ingénieur en chef de Hawker – déjà dessinateur du fameux Hurricane – avait pris son dernier-né, le Typhoon, qui était un avion d'assaut, gros porteur, solide, massif, au profil d'aile épais et sustentateur, et, après six mois de travail, l'avait transformé en Tempest.

Fuselage prolongé de plus d'un mètre pour y emmagasiner 400 litres d'essence supplémentaires. Garde

Le cœur du « fauve ». L'incroyable moteur Napier Sabre avec ses 24 cylindres sans soupape, ses 48 bougies, 80 à 100 heures de TBO. Je me suis toujours demandé comment les mécaniciens pouvaient travailler sur cette mécanique compacte de 3 000 CV.

du train d'atterrissage augmentée, pour permettre l'emploi d'une énorme hélice quadripale de 4 mètres de diamètre. Pour accroître la stabilité au sol, écartement de près de 5 mètres des fines jambes oléopneumatiques ; des pneus spéciaux, de très petite taille – car ils devaient s'escamoter dans les ailes – furent étudiés par Dunlop. Les ailes elliptiques du Tempest étaient en effet si fines qu'il avait même fallu construire des canons spéciaux (Hispano type V) pour les y loger.

Poste de pilotage reculé pour améliorer la visibilité vers le bas, et cockpit réduit au strict minimum – une bulle de plastique transparent posée sur le profilé parfait de la carlingue...

La surface du plan fixe de direction avait été très augmentée pour assurer une impeccable stabilité dans les survitesses, et un jeu de volets d'intrados, courant sur presque toute la longueur du bord de fuite, avait été étudié pour donner le maximum de sécurité à l'atterrissage, qui se faisait cependant à une vitesse de près de 200 km/h.

Rien ne fut ménagé pour assurer au Tempest les performances maximales à base et moyenne altitude. Des réservoirs supplémentaires spéciaux furent même dessinés avec amour, avec des raccordements en perspex, pour accrocher sous les ailes. Le rivetage, les interactions, le polissage des surfaces furent soignés à un point inimaginable en temps de guerre.

Il en résulta un engin de chasse pure magnifique.

Racé, malgré son gros radiateur qui lui donnait une personnalité rageuse et volontaire, le Tempest était d'une finesse étonnante. Très lourd, avec ses sept tonnes de poids en charge, il disposait, grâce aux 2 CV de son moteur, d'un excédent de puissance considérable, et son accélération était phénoménale.

Le pilotage en était évidemment « pointu », mais les performances le compensaient bien : à 1 000 mètres, croisière économique à un tiers de la puissance (c'est-à-dire 950 CV) avec deux réservoirs supplémentaires de 250 litres chacun : 580 km/h au badin.

En croisière rapide (1 CV), sans réservoir supplémentaire : 640 km/h au badin.

Vitesse maxima en palier, à treize livres de *boost* à l'admission et 3 850 tours : 735 km/h à 5 000 mètres.

Aux deux altitudes de rétablissement, soit 5 000 mètres on frisait en piqué le 800 km/h.

En surpuissance – *emergency* – on pouvait pousser le moteur jusqu'à 3 CV et 4 000 tours, et la vitesse montait à près de 780 km/h.

En survitesse, le Tempest fut le seul appareil allié qui atteignit normalement, sans inconvénients prononcés de pilotage, des vitesses de l'ordre sonique, soit 10 km/h.

Avec son rayon d'action militaire de 700 kilomètres, soit 1 400 kilomètres d'autonomie, ses quatre canons de 20 alimentés de près de 800 obus dans les quatre casiers à munitions (près de 20 secondes de feu) et 1 800 litres dans ses réservoirs, le Tempest était le corsaire de jour idéal, digne pendant du Mosquito, corsaire de nuit. Hollande-Berlin et retour.

Les deux premiers groupes de Tempest (*Squadrons* 3 et 56 de la RAF) avaient été équipés et lancés en hâte, en juin 1944 contre les bombes volantes (V-1) qui menaçaient Londres. Près de 900 V-1 explosèrent en pleine mer sous leurs coups. Les Mustang et les P 47 Thunderbolt américains et les Spitfire de la RAF ne pouvaient rattraper ces engins diaboliques qu'en piqué, ce qui diminuait leurs chances de succès. Les Tempest, eux, pouvaient croiser calmement à demi-puissance, puis, à la vue d'un V-1, accélérer, prendre position et tirer sans hâte, grâce à leur vitesse.

Cependant, cette mise en service hâtive n'avait pas été sans inconvénients. Le moteur Sabre n'absorbait qu'en protestant l'essence à 130 d'octane.

Il y eut des incidents graves. Des ennuis de chemises de distribution (en effet, le Sabre était un

Le « fauve », roues et volets baissés pour l'atterrissage... Il terrorisait les jeunes pilotes.

moteur sans soupapes) ; des ennuis de lubrification, avec chutes verticales de la pression d'huile, des infiltrations de gaz carbonique dans le poste de pilotage, etc.

Le plus grave fut l'accumulation de vapeurs d'essence et d'huile dans la prise d'air du carburateur, où le moindre retour provoquait l'incendie à bord, suivi parfois très rapidement de l'explosion en l'air de l'appareil.

Aussitôt la menace des V-1 passée, les Tempest furent retirés des premières lignes. Tandis que les bases de l'organisation d'une escadre de quatre groupes étaient lancées, les techniciens de Hawker et de Napier, en collaboration étroite, travaillaient à éliminer tous ces défauts, en particulier la structure fragile de l'empennage !

Entre-temps, avec l'hiver 1944, la guerre entrait dans une période statique, les troupes alliées se reformant et consolidant leurs positions sur la rive gauche du Rhin.

Que devenait la Luftwaffe ? Pour le public en général, il était entendu que l'Allemagne n'avait plus d'avions ni de pilotes. Cette croyance était soigneusement entretenue par les services d'information alliés pour de multiples raisons :

En premier lieu, l'offensive de bombardement contre les usines d'aviation du Reich, malgré la destruction complète de Warnemund, de Marienbourg (usines Focke Wulf), Wiener Neustadt et Regensbourg (usines Messerschmitt) ne semblait pas avoir apporté de diminution visible dans les effectifs en ligne dont la Luftwaffe disposait.

Cela ne manquait pas de créer une situation gênante, d'autant plus que l'aviation américaine publiait des chiffres faramineux de 200 ou 300 chasseurs allemands abattus à chaque grande sortie sur l'Allemagne. Comme ces soi-disant résultats étaient obtenus au prix de pertes colossales (187 Forteresses Volantes sur 642 engagées dans le raid sur Schweinfurt le 14 octobre 1943) qui faisaient sourciller le public américain, un voile discret devait être étendu sur l'activité de la Luftwaffe.

Pour nous, qui étions en contact journalier avec la Luftwaffe, et à qui on ne pouvait évidemment pas cacher la situation véritable de ses effectifs, l'optimisme des services d'information (OWI américain) ne manquait pas de sel. Plus les Américains descendaient de chasseurs boches, plus il y en avait ! Cela devenait absurde !

Un fait était certain : l'offensive contre les usines de montage et les ateliers de réparations de l'aviation militaire allemande, quoique terriblement efficace, n'avait pas empêché la production de chasseurs de monter substantiellement de juillet 1943 à mars 1945. Les Allemands réussirent à maintenir une production mensuelle de 1 200 à 1 700 appareils (2 325 en novembre 1944).

Il faut évidemment ajouter que, sans ces bombardements, les Allemands auraient réalisé la production prévue d'environ 3 000 appareils par mois en 1944 et 4 500 au début de 1945.

Cette vitalité extraordinaire était due à deux choses :

1° La rapidité de la reconstruction et de la mise en état des usines bombardées.

2° Le nombre croissant d'usines souterraines invulnérables.

L'usine de Wiener Neustadt, par exemple, six semaines après ce qui semblait avoir été une destruction totale, était en mesure de sortir deux Messerschmitt-109 par jour. Deux semaines plus tard, elle en sortait neuf et, moins de trois mois après le raid, elle produisait ses quinze Messerschmitt-109 quotidiens.

C'était un vrai tour de force, et il fallut renouveler un coûteux raid de Forteresses (dont encore une centaine resta sur le carreau). Les Allemands ne pouvaient pas supporter ce petit jeu indéfiniment. Bien que les bombes des Forteresses Volantes ne fussent pas assez lourdes (75 à 150 kilos) pour détruire les machines-outils, les locaux devenaient intenables malgré les réparations de fortune.

C'est alors que les Allemands se mirent à enterrer leurs usines.

Le docteur Kalmmler, en liaison avec Goering, par l'intermédiaire du Sonderstab et du docteur Treiber, prit la direction de l'opération. Ce fut un tour de force extraordinaire.

Dès janvier 1944, les Allemands avaient recensé les carrières, les caves et tous les locaux propices. Souvent, même, ils déviérent des voies ferrées de plusieurs dizaines de kilomètres pour en utiliser les tunnels. Le métro de Berlin lui-même abrita des chaînes de montage.

Dès avril 1944, la Royal Air Force et les services de renseignements britanniques avaient la preuve formelle que les Allemands produisaient dans chacune de leurs trois usines souterraines au moins 300 avions complets mensuels et un grand nombre de moteurs.

Ce n'est que plus tard, lorsque l'on occupa l'Allemagne que l'on put évaluer toute l'étendue de ce travail de troglodytes.

En pleine forêt, près d'Alt Ruppin, les Russes découvrirent une clairière où, soigneusement camouflés, près de 100 Henshel-162 et FW-190 étaient rangés sous les arbres.

Un peu plus loin, suivant une voie de chemin de fer qui semblait se perdre dans une futaie, ils trouvèrent l'entrée d'une usine souterraine.

D'une superficie totale de plus de 25 000 mètres carrés, les ateliers avaient une capacité de production de quatre avions de chasse par jour.

Les avions étaient transportés par camions jusqu'à l'autostrade en construction Berlin-Hambourg, distante de quelques kilomètres, et l'une des sections complétées de l'autostrade, large de 60 mètres et longue de 4 000 mètres, parfaitement rectiligne, servait de piste d'essais. Les Me-262 étaient ensuite garés – et parfois même opéraient en vols de guerre – dans des abris échelonnés le long de ce magnifique aérodrome improvisé.

Dans la région de Trèves, plusieurs milliers d'ouvriers de chez Opel et Russelsheim travaillaient dans deux tunnels de chemin de fer entre Coblence et Trèves, produisant des accessoires – trains d'atterrissage pour la Mechanik Rochlitz, compresseurs et turbines pour avions à réaction pour la Mansfeldwerke de Breslau.

Dans les grandes carrières d'Halberstadt, près de l'aérodrome, des ailes et des fuselages de Focke Wulf-190-D9 étaient montés et transportés par camions jusqu'aux usines d'assemblage.

Dans le métro de Berlin, entre les stations de Bergstrasse et de Grenzalle, l'usine Henshel avait installé une chaîne de construction pour fuselages et empennages de Junker-188. Les fuselages complets, trop volumineux pour les sorties et les ascenseurs, étaient construits en deux parties et assemblés en plein air. Jusqu'à la Libération, les joints avaient d'ailleurs été produits par une firme parisienne.

Les galeries de mines de potasse de Halle et de Saale, élargies, abritaient chacune 800 ouvriers travaillant à des accessoires pneumatiques et électriques d'avions.

Les machines-outils et les chaînes de l'usine Messerschmitt de Regensbourg, après deux bombardements successifs, furent transportées en une semaine dans un grand tunnel routier à Eschenlhoe, en Bavière, et purent, trois mois plus tard, sortir 20 Messerschmitt-109 et 15 Messerschmitt-262 par semaine.

À Egeln, les troupes américaines trouvèrent une gigantesque souterraine qui sortait, en décembre 1944, six Focke Wulf « long nez » par jour, et en mars 1945 produisait ses dix Volkjaeger quotidiens ! On pourrait citer des dizaines de cas semblables.

Les Allemands étaient donc en mesure, contrairement à toutes les prévisions, de maintenir malgré les bombardements un niveau de production très élevé, de l'ordre de 2 000 avions par mois.

Qu'étaient ces avions et que valaient-ils ? Les Allemands sortaient en grande série :

1° Deux types de chasseurs orthodoxes monoplace monomoteurs : le Messerschmitt-109 de la série K et le Focke Wulf « long nez » de la série D.

2° Deux types de chasseurs à réaction monoplace, le Messerschmitt-262 et l'Henshel-162 Volksjaeger.

3° Un bombardier triplace, le Junker-188.

4° Un avion à réaction de reconnaissance et de bombardement monoplace : l'Arado-234.

Le Focke Wulf-190-D9 « long nez » était une version du Focke Wulf classique mais équipée d'un moteur de 12 cylindres en ligne Jumo-213 de 2 100 CV avec injection d'eau et de méthanol en surpuissance, au lieu du moteur normal en étoile BMW 801.

Ce remarquable appareil équipait environ 50 % des *jagd geschwader* en janvier 1945.

Très rapide (700 km/h), très souple aux ailerons, armé parfois d'un canon de 30 millimètres monté dans le moteur, de deux canons de 20 Mauser dans

Notre bel et dangereux principal adversaire, le Focke Wulf-D9
« long nez ». Une vraie voiture de course... avec en plus
un canon de 30 millimètres dans le nez !

la racine des ailes, le Focke Wulf-190-D9 était un adversaire redoutable. Ses performances générales le classaient dans la même catégorie que le Tempest et lui donnaient une marge de supériorité très nette sur les Mustang, Lightaing et Thunderbolt américains, ainsi que sur le Spitfire-XIV.

Équipé d'un Daimler Benz 605 de 1 CV, c'était l'équivalent en plus léger du Mustang et, bien piloté, le Messerschmitt-109K pouvait tenir tête à basse vitesse et avec succès à un Tempest.

Le Messerschmitt-262 à réaction était, avec ses deux turbines Jumo-004-B1 et ses quatre canons automatiques de 30 MK-108, l'avion de combat le plus sensationnel produit jusqu'alors. Premier avion à réaction utilisé effectivement en combat, construit en série, employé par les Allemands dès novembre 1944, le Messerschmitt-262 aurait pu être le roi des chasseurs.

Doué d'une vitesse foudroyante (frisant les 1 km/h), d'un formidable armement à longue portée de 4 canons de 30 avec 100 obus par canon, un blindage pour le pilote, très bien conçu de 89, cet appareil aurait pu révolutionner la guerre aérienne. Par surcroît il était d'une beauté sublime.

Malheureusement (ou plutôt, heureusement !), une fois de plus l'intuition d'Hitler opéra. Intervenant personnellement, après avoir assisté en avril 1943 à une démonstration de cet avion, il obligea le constructeur à modifier son appareil afin d'en faire un avion de bombardement destiné à opérer contre l'Angleterre.

Après un an perdu d'ordres et de contrordres, d'altérations et de discussions, devant l'offensive croissante des bombardements alliés, l'OKW (commandement suprême allemand) finit par convaincre Hitler. Le Messerschmitt-262 fut rendu à son rôle primitif de *kampfzerstorer* (destructeur de bombardiers).

Le Messerschmitt-262 était très délicat à piloter avec une charge au mètre carré de plus de 200 kilos, une vitesse d'atterrissage de 300 km/h et un décollage pénible qui le rendaient vulnérable en approche et au décollage.

Les turbines donnèrent aussi quelques déboires, et les pertes de pilotes en accidents furent indubitablement très élevées. La JG 52 perdit ainsi 23 pilotes en trois mois.

Cependant, la Luftwaffe pouvait mettre en ligne, dès janvier 1945, au moins 200 Me-262 dont un tiers était basé sur le fameux aérodrome de Rheine Hopsten, où une piste de ciment, longue de 2 800 mètres et large de 60, fut construite spécialement.

Le Volksjaeger – Chasseur du peuple – Henshel-162 était également un engin séduisant. Étudié spécialement pour la grande série, très simple de construction et de pilotage, équipé juste du strict nécessaire (deux canons de 30, une autonomie de 45 minutes) les Volksjaeger sortaient comme des petits pains de près de 25 usines éparpillées sur le territoire du Reich, mais trop tard.

Le Messerschmitt-262, la beauté faite avion. Un corps de requin avec deux ailes. Dix ans d'avance sur la technique occidentale. Quatre canons de 30 mm et 900 km/h. Grâce au ciel Hitler s'en est mêlé !

Le Junker-188, bimoteur rapide de bombardement à grand rayon d'action, quoique existant à plus de 800 exemplaires, toujours construit en petite série, fut sans doute sacrifié dans les derniers mois de la guerre. En effet, il pouvait difficilement opérer d'aérodromes de fortune, et les derniers stocks d'essence C3 (96 d'octane) nécessaire à ses moteurs BMW-803 et Jumo-213 étaient réservés pour les chasseurs, et les derniers aérodromes convenables pour les Me-262.

L'Arado-234, monoplace à réaction, était construit spécialement pour la reconnaissance et le bombardement. Moins rapide que le Me-262 (850 km/h), il emportait cependant, en plus de ses deux canons de 30 , soit 800 kilos de bombes, soit plusieurs appareils photo automatiques. Au moins trois *aufklarungs gruppen* (groupes de reconnaissance) furent équipés dès mi-1944, dont un basé en France.

Les Allemands avaient donc des appareils – et de bons appareils. Que valaient les pilotes qui les menaient au combat ? Étaient-ils à la hauteur de la tâche écrasante qui leur incombait ?

Le tour d'horizon est là plus délicat à faire. Cependant on peut répondre à la question.

Dans la Luftwaffe, il ne semble pas y avoir eu de moyen terme, et l'on pouvait diviser les pilotes allemands en deux catégories bien distinctes :

Les « as » – les *experten* –, soit 15 à 20 % des effectifs : pilotes réellement très supérieurs à la moyenne des pilotes alliés.

Le reste : courageux, mais incapables de tirer parti de leurs magnifiques appareils.

Cet écart était dû surtout à la hâte avec laquelle le nouveau personnel navigant – à la suite des grosses pertes de la bataille de Grande-Bretagne et de la campagne de Russie – était lancé dans la bagarre. Entraînement trop rapide, peu homogène, où une importance démesurée était donnée aux forces morales, à la doctrine de la Grande Allemagne et aux théories purement militaires, au détriment de l'instruction technique proprement dite. À ces défauts vint s'ajouter, dès fin 1943, une disette aiguë de carburant.

C'est ainsi qu'il y avait – fondant lentement dans la fournaise des cieux d'Europe – la bande héroïque des « vieux de la vieille » de la Luftwaffe, durs à cuire, aux 2 000 ou 3 000 heures de vol et 1 000 missions. Ces pilotes formés à l'école de la guerre d'Espagne, survivants des campagnes successives de la Luftwaffe depuis 1940, connaissaient leur métier à fond, avec toutes ses ficelles. À la fois prudents et sûrs d'eux-mêmes, maîtres de leurs machines, ils étaient fort dangereux.

De l'autre côté, les jeunes, au moral élevé, bridés cependant par une discipline de fer, étaient, en bien des circonstances, des proies relativement faciles dans le combat.

Quoi qu'il en soit, le « standard » des pilotes de chasse allemands rencontré était, en moyenne, beaucoup plus élevé en 1944 et début 1945 qu'à aucune autre époque depuis 1940.

Ce fait ne peut être expliqué – en dehors de considérations d'ordre purement moral, telles que la défense de la mère patrie, etc. – que parce que les unités d'élite de la chasse avaient la priorité absolue dans les attributions d'essence et de lubrifiant. Nous avions ainsi de fortes chances de ne rencontrer en combat que des pilotes très expérimentés, tandis qu'en 1942, 1943 et au début de 1944 il y avait un roulement de pilotes du front ouest au front soviétique, ce qui nous amenait souvent en contact avec des unités d'une valeur très moyenne qui plus tard furent concentrées exclusivement sur le front de l'Est. En principe, le front russe était pour la Luftwaffe un lieu où la quantité primait la qualité, et les meilleures formations étaient gardées en réserve pour tenir tête à la RAF et protéger les villes allemandes contre les bombardements diurnes américains.

Telle était, *grosso modo*, la situation générale de la Luftwaffe dans les derniers jours de 1944.

Il est un point sur lequel tous les pilotes de chasse anglais, français ou polonais étaient d'accord : la supériorité évidente des pilotes allemands survivants en 1944 et 1945. Les Américains, à leur habitude, considéraient qu'ils étaient, eux, les meilleurs. Les chiffres hollywoodiens de victoires des P-51 et P-47, et de Messerschmitt abattus par les mitrailleurs des Forteresses Volantes B-17 et B-24, démentiels et ridicules, nous amusaient par leur naïveté – ainsi probablement que la Luftwaffe... Nous comprenions bien que c'était pour la consommation du public aux USA auquel on n'osait donner que des chiffres de pertes très partiels, ce qui les confortait dans la conviction de leur supériorité.

L'étude après la guerre par des commissions spécialisées RAF et alliée des archives de la Luftwaffe, les films de combat visionnés, les comptes rendus des *jagd geschwader* et de l'intendance tenus régulièrement à jour jusqu'en mai 1945, permettent d'avoir une idée précise de la valeur des pilotes allemands. La Luftwaffe a perdu 25 525 chasseurs de jour et 4 881 chasseurs de nuit. À ces chiffres il faut ajouter 7 300 avions endommagés entre 10 et 60 %, pas toujours récupérables. Pour les pilotes, 11 300 tués, 3 600 prisonniers et 10 800 blessés, dont une moitié irrécupérable pour le pilotage. Les pertes en opérations aériennes des alliés ont dépassé en Europe de l'Ouest 40 000 avions, comprenant les pertes en combat aérien, par la DCA et en accidents divers, y compris les retours de mission. Les pilotes de chasse allemands ont revendiqué environ 25 000 victoires confirmées à l'Ouest et contrôlées. Cent cinq pilotes de chasse allemands revendiquèrent entre eux 15 000 victoires dont les trois quarts sur le front russe où les Soviétiques admettent avoir perdu 60 000 avions. Les chiffres officiels de la production russe, 1941, 1942, 1943 et 1945 donnent un total de 113 735 avions. En tenant compte du nombre des pilotes formés disponibles, on arrive, *grosso modo*, en y ajoutant les quelque 18 000 machines envoyées par les Alliés, aux chiffres vraisemblables donnés par la Luftwaffe.

Les services historiques alliés ont publié en 1964 dans une étude sur l'efficacité de l'aviation de chasse sur les bombardiers, les résultats obtenus par une seule unité de la Luftwaffe pendant le seul mois de juillet 1944. Il s'agit de la *jagd geschwader* 300. Dans cette escadre par exemple, commandant le 5e escadron, Konrad Bauer fut descendu sept fois et blessé six fois. Il a abattu 32 quadrimoteurs américains en trois mois.

La JG 300, avec ses 5 escadrons de 2 ou 3 escadrilles chacun, pouvait aligner en vol une centaine de Focke Wulf-190-A8 et D9 ainsi que 90 Messerschmitt-109K répartis sur trois aérodromes majeurs du nord-ouest de l'Allemagne et une demi-douzaine de petits terrains de dégagement.

Le 3 juillet 1944, au-dessus d'Oscherbelen, 38 FW-190 des escadrons I et II de la JG 300 interceptent le 492e Bomber Group de la 8e US Air Force. Ils attaquent en formation serrée par l'arrière les deux *boxes* bas de Liberator B-24. En quelques minutes, 26 bombardiers sont abattus. Un quart d'heure plus tard, l'escadron II, toujours de la JG 300, coince sur Halberstadt d'autres B-24 qui reviennent en désordre et en abattent 8. Au cours de ce combat l'adjudant-chef Gausmaier, équipier du *kommodore* Dahl, commandant la 300, abat un B-24, se bat contre 4 chasseurs P-38, en abat un avant d'être descendu lui-même. Il saute, est mitraillé par les chasseurs américains, est blessé et on trouve dix-sept trous dans son parachute. L'escorte américaine intervient alors. 38 FW-190 A8 handicapés par les canons de 30 qu'ils portaient en gondole – armement terrible contre les bombardiers – et 25 FW-D9 s'opposent à presque 150 P-47 et P-38 pendant plus de cinq minutes ; 9 P-38, et 4 P-47 sont abattus par les Allemands à court de munitions. Contre la destruction de 34 quadrimoteurs et de 13 chasseurs US, la JG 300 a perdu 12 avions, 6 pilotes tués et 4 blessés. Quatorze FW ont été endommagés, mais réparables. Pour la petite histoire, les mitrailleurs des

B-24 survivants et les escorteurs ont revendiqué au cours de ce combat 83 victoires. Cela peut à la rigueur s'expliquer quand les quelque 300 mitrailleurs des B-24 tirent sur les mêmes avions, et de bonne foi, quand un FW est touché, ils le revendiquent tous individuellement. Mais enfin, 71 de trop, c'est beaucoup !

Le 18 juillet, rebelote au-dessus de Munich. La II de la JG 300, épaulée par la I de la JG 3 commandée par Heinz Bär – soit ensemble 69 FW-D9 –, font en masse une attaque frontale sur les B-17, taudis que les Me-109 de la IV-JG 300 s'occupent de l'escorte. C'est la panique, de nombreux B-17 endommagés – 9 – se posent à Zurich Dubbendorf et sont internés en Suisse ; 37 autres sont abattus, 18 tombent en mer ou s'écrasent en Angleterre.

Le 27 juillet, la I-JG 300 accroche le 401 Bomber Group et abat en une seule passe 16 Forteresses B-17.

On ne peut terminer cette énumération sans citer la journée du 15 août, véritable massacre qui justifia un rapport spécial du général Eaker, commandant le bombardement américain en Grande-Bretagne, rapport qui demandait à la fois une pause de deux ou trois semaines et de réduire à quinze le nombre de missions demandées aux équipages, à la fois pour recompléter les unités en pilotes et en avions, leur donner un repos nécessaire et remonter leur moral, bien bas. En foi de quoi, si cela était refusé par le haut commandement, il déclinait toute responsabilité quant à l'avenir de l'utilisation opérationnelle de la 8e Air Force !!!

Ce 15 août, la I et la III JG 300 ont intercepté 240 B-17 au-dessus de Trieste. La III revendique 41 B-17, la I JG 300 36 et les Me-109 de la IV 17 chasseurs américains d'escorte. Toutes ces victoires ont été contrôlées par le relevé des pertes dans le rapport de l'État-Major de la 8e AF. La JG 300 perdit ce jour-là 16 avions et eut 38 avions endommagés dont une vingtaine à 60 %, donc irrécupérables ; 9 pilotes tués, 22 blessés. Le film de ciné-mitrailleuse du combat ce jour-là, de Konrad Bauer, « as » aux 80 victoires, pilotant un Focke Wulf-D9, contre 7 P-51 US, était un classique projeté dans les écoles de chasse de la Luftwaffe. Il avait abattu 3 adversaires, avait été blessé à la main perdant deux doigts, et avait ramené son avion endommagé à Nordhause, sa base ! Ses victoires étaient indiscutables.

La supériorité numérique alliée ne pouvait jouer que sur les réserves, car il n'y avait pas d'aérodromes en état et en nombre suffisant pour loger en Europe et à distance raisonnable du front plus d'un millier d'avions de chasse et d'assaut composant le 83 et le 84 Group de la Tactical Air Force.

La Luftwaffe, au contraire, habilement éparpillée sur une centaine de petits aérodromes groupés autour des grandes bases majeures du triangle Arnhem-Osnabruck-Coblence, pouvait opérer en force.

Les Messerschmitt-262 pouvaient se livrer impunément à des reconnaissances tactiques sur tout le front allié, et nous revîmes des formations allemandes importantes – parfois une centaine d'appareils – mitraillant et bombardant de jour en piqué nos troupes et nos convois.

Les avions de reconnaissance alliés et nos chasseurs bombardiers avaient la vie dure. Des formations de Typhoon perdaient parfois trois ou quatre appareils sur douze au cours de rencontres avec les FW-190 et les Me-109.

Les Spitfire étaient impuissants. Il n'y avait qu'une escadre de trois groupes de Spitfire-XIV, et le reste était équipé de Spitfire-IX-B ou de Spit-XVI (Spit-IX-B avec moteurs Rolls Royce construits par

Packard aux États-Unis). Tous les groupes de Spit-IX opéraient d'ailleurs la plupart du temps comme chasseurs bombardiers. Les boches, connaissant les qualités du Spit en combat tournoyant, évitaient soigneusement de s'accrocher à eux – mais les Spit n'avaient ni la vitesse ni le rayon d'action nécessaires pour forcer au combat les nouveaux chasseurs allemands.

L'état-major allié commençait à s'inquiéter sérieusement de cet état de choses. La situation était semblable dans le secteur américain du Luxembourg, mais avec moins d'acuité, car les Allemands savaient que l'attaque finale viendrait du nord de la Ruhr, et ils se concentraient sur la Hollande.

L'offensive de Rundstedt avait éclaté par surprise, et nos états-majors pour une fois se trouvaient en état d'infériorité au point de vue renseignements.

Les Messerschmitt-262 avaient parfaitement éclairé le général allemand sur la situation de nos troupes, tandis que nos avions de reconnaissance étaient neutralisés par la chasse allemande.

C'est pour remédier à cet état de faits, que l'escadre 122 de la RAF fut envoyée en Hollande, équipée de Tempest. C'était une unité d'élite de chasse pure, et sur elle reposait tout le système défensif et tactique du front britannique. Ne furent admis au début que des pilotes ayant au moins un tour complet d'opérations ou qui pouvaient justifier d'une expérience suffisante. Les *squadrons* 486 (Néo-Zélandais), 80, 56 et 274, auxquels fut adjoint le *squadron* 41, équipé de Spitfire-XIV, formèrent le *wing* 122. Le 3 vint plus tard.

Étant donné les performances des Tempest, un travail écrasant leur fut dévolu :

1° Neutralisation de la chasse allemande et surtout des avions à réaction.

2° Interdiction diurne du système ferroviaire du Reich, du Rhin à Berlin, par l'attaque systématique des locomotives.

Gonflée à bloc, se sentant la prunelle des yeux de la RAF, l'escadre des Tempest s'installa à Volkel, en Hollande, et fut lancée dans la bagarre.

Ce fut très dur. Volant par 12 ou par 24, les Tempest allèrent se cogner aux Focke Wulf jusque sur leurs aérodromes. Des sections de quatre volèrent en rase-mottes jusqu'à Berlin plusieurs fois par jour, laissant, à l'aller, les voies ferrées embouteillées de locomotives percées comme des écumoires et menant au retour une guerre impitoyable d'embuscade contre la Luftwaffe. Des paires de Tempest furent maintenues en état d'alerte immédiate, pilotes assis, sanglés, harnachés dans leurs cockpits, doigt sur le démarreur, prêts à décoller dès qu'un Me-262 franchissait nos lignes.

En 15 jours, 23 chasseurs allemands, dont 3 Me-262, furent descendus, et 89 locomotives détruites. Mais 21 Tempest restèrent sur le carreau. C'était du « donnant-donnant ».

C'est alors que survint le coup du 1er janvier 1945, qui devait encore décupler le travail du *wing* 122, et sa responsabilité.

*

1er janvier 1945

L'aube du 1er janvier 1945 se levait sur une situation peu réjouissante pour les forces armées allemandes. Après l'échec de l'offensive Rundstedt, les nazis, acculés au Rhin, pressés par les troupes russes en Pologne et en Tchécoslovaquie, étaient réduits à la défensive.

Cependant, à 7 h 45 environ, d'une vingtaine d'aérodromes couverts de neige, de fortes formations de Focke Wulf-190 et de Messerschmitt-109 décollaient...

À 8 h 05, un minuscule avion Taylorcraft « Auster » de réglage d'artillerie lançait par la radio un appel affolé :

« Viens de croiser formation d'au moins 200 Messerschmitt volant en rase-mottes sur cap 262 degrés... ». À 8 h 30, sur 27 bases alliées s'étendant de Bruxelles à Eindhoven, des dizaines d'avions anglais et américains finissaient de se consumer. Partout, de hautes colonnes de fumée noire montaient, droites comme des piliers de cathédrale, dans l'air calme où flottaient encore les petits nuages gris et blancs marquant l'éclatement de milliers d'obus de DCA.

Le général Speerle venait audacieusement de risquer un coup qui n'avait pas de précédent dans toute cette guerre : l'opération Bodenplate.

Il avait massé sur les aérodromes de Twente, Appledoorn, Aldhorn, Hagelo, Munster, Lippstaadt, Rheine, Neuenkirchen, Metelen, Harskanf, Teuge et sur toutes leurs bases satellites, une dizaine de *jagd geschwader* d'élite. On put plus tard identifier des JG 2, JG 3, JG 4, JG 5, JG 26, JG 27, JG 52, JG 53, et quelques autres formations réunissant environ 450 Focke Wulf-190-D9 et A8 et 400 Messerschmitt-109K.

La veille encore, les pilotes allemands ne connaissaient pas le but de l'opération. Le 31 décembre, au crépuscule, ils avaient décollé de leurs bases habituelles et s'étaient concentrés sur ces aérodromes.

À 21 heures, extinction des feux – pas de réveillon, pas de bars, juste un repas léger mais substantiel pour tout le personnel navigant.

À 5 heures, le 1er janvier, ils avaient été éveillés, puis on avait dévoilé, dans l'enthousiasme général, le plan magistral de Speerle. Goering lui-même fit un tour éclair des formations pour les encourager. Chaque pilote reçut une carte à grande échelle où étaient clairement indiqués tous les aérodromes et les bases aériennes des alliés (fruit des reconnaissances de Me-262) ainsi que les caps de retour, les points de repère et des instructions de route détaillées.

À l'heure H, ils décollèrent, se joignirent en trois formations massives de 300 appareils chacune, et ces trois forces, menées par trois Junker-188 conduisant la navigation, mirent le cap sur les lignes alliées.

L'une d'elles descendit, au ras des flots et des plages, le Zuiderzee et remonta jusqu'à Bruxelles. Une autre descendit en rase-mottes par Arnhem jusqu'à Eindhoven, et la troisième, passant par Venlo, déboucha sur les lignes américaines.

Ce fut une surprise complète.

Pendant presque une demi-heure, les Messerschmitt et les Focke Wulf mitraillèrent les avions alliés massés sur les pistes couvertes de verglas.

Quelques rares Spitfire réussirent à décoller sous les rafales.

Par un hasard extraordinaire, l'escadre 122, en force, faisait un *sweep* sur l'Allemagne, et, quand ils furent rappelés, la plupart des Tempest étaient à court de munitions. Volkel fut, par miracle, un des trois aérodromes épargnés.

Partout ailleurs, ce fut une catastrophe.

Rien qu'à Bruxelles-Evere, 123 avions des transports, des Forteresses Volantes, des Typhoon, des Spitfire, étaient anéantis.

À Eindhoven, une escadre canadienne de Typhoon, la 124, et une escadre polonaise de Spitfire, étaient complètement détruites.

En tout, près de 400 avions alliés détruits ou endommagés avaient été mis hors de combat en quelques minutes.

Les quelques Tempest et Spitfire qui purent courageusement intervenir descendirent dans le tas 36 Allemands, et les DCA anglaise et américaine en détruisirent 157, soit un total de 193 avions allemands dont les débris furent retrouvés après une semaine de recherches dans nos lignes.

Bien étudiée, magistralement exécutée, cette opération aurait été pour l'opinion publique, si elle avait été connue, un coup d'assommoir.

La censure américaine et les services de presse essayèrent de présenter cette attaque comme une grande victoire alliée, en publiant des chiffres absolument fantaisistes, dont on se moquait encore, trois mois après, dans les escadrilles.

Le succès de la Luftwaffe, au prix d'une perte de 280 appareils environ, dont au moins 50 par erreur de la *flak*, réussit à paralyser la Tactical Air Force pendant plus d'une semaine.

Par contre, ses pertes en pilotes tués ou blessés étaient infiniment plus graves : 214 pilotes, dont 3 commandants d'escadre, 6 commandants de *gruppen*, 10 commandants d'escadrons, 18 chefs d'escadrilles, soit 251 pilotes tués ou blessés. L'opération Bodenplate venait de briser les reins de la chasse allemande.

Ce n'est que grâce à l'action énergique du maréchal Broadhurst, commandant le 83 Group RAF (armée aérienne la plus éprouvée), qui mobilisa immédiatement dans un pool central tous les avions indemnes et fit un rappel rapide des réserves dans les parcs aéronautiques d'Angleterre, que l'on put, en 24 heures, réorganiser quelques groupes de combat pour tenir le front.

Je devais arriver à ce moment critique.

Le *wing* 122, dans la semaine qui suivit, fut pratiquement seul à assurer l'offensive aérienne, de l'aube au crépuscule, et perdit en 6 jours 10 pilotes et 20 avions.

Je passe Noël, les dernières heures qui me restent, en compagnie de Jacques, puis j'embarque avec armes et bagages dans le *duty* Anson.

C'est l'habituel voyage, monotone et inconfortable, à bord de la vieille cage à poules.

Les *duty* Anson transportent tout : les pilotes affectés aux unités du 83 Group, le courrier, les journaux, une bouteille de whisky par-ci par-là, du linge propre pour un mess, un uniforme revenant du teinturier pour un copain, parfois un chien ou une mascotte quelconque...

Tout cela entassé dans une cabine d'un mètre et demi sur trois. Tout vibre, il y a des courants d'air glacés qui viennent Dieu sait d'où, et le pire, c'est le mal de mer, inévitable après un quart d'heure.

Assis sur mon sac à parachute, frigorifié malgré mon *irvin jacket*, je rumine ma conversation avec Jacques, le cœur plein d'un curieux mélange d'amertume, d'angoisse et de hâte d'arriver.

Comme il est pénible, ce retour en opérations actives, comparé avec notre arrivée à Biggin Hill ou au 602, il y a bientôt trois ans.

J'ai hâte de retrouver la saine et franche ambiance de l'escadrille après quatre mois déprimants d'état-major et de France libérée... Mais aussi, je reconnais la vieille crispation de l'estomac, l'angoisse des départs au combat.

Comment vais-je tenir le coup ?

Après 300 missions de guerre, ce n'est plus avec l'enthousiasme du pilote frais émoulu de l'OTU, ni avec la sûre confiance en soi que donne la supériorité de l'expérience, que je reviens.

Je sais que l'on m'a expédié en vitesse, aussitôt le consentement français arraché, parce que les commandants d'escadrille manquaient pour les Tempest.

Pete Wyckheam, au GQG de la RAF, a du moins été franc avec moi : la 122e escadre a perdu en moyenne, dans les deux derniers mois, trois chefs d'escadrille et un commandant de groupe tous les quinze jours.

— *Good luck, Closter old boy, bags of promotion over in One two two Wing !* (Bonne chance ! Clostermann, mon vieux, la promotion est rapide à la 122e escadre !)

Évidemment, si je m'en tire, la promotion sera rapide.

Après trois mois de bureau et de confort, repartir en opérations sur un type d'avion que je ne connais pas, après une heure et demie de Typhoon et trois virées rapides sur Tempest, c'est non seulement risqué, mais presque idiot.

Je me revois à Warmwell, n'osant pas risquer un tonneau sur le Tempest, pas même un simple looping ! Comment vais-je réagir devant la *flak*, dont Jacques vient de me dire combien elle est devenue terrible ?

C'était déjà dur en Normandie...

Tant pis. Maintenant, on me foutra au moins la paix ! Je n'aurai plus à m'inquiéter du ministère de l'Air de Paris, avec ses incohérences, ses colonels FFI, ses « résistants », ses contre-ordres, et tous les individus louches, aux uniformes bizarres, qui ont apparu là-bas à la surface comme l'écume sur la confiture.

Les rares survivants de ce long effort de quatre ans avaient voulu à tout prix rentrer chez eux, fouler de nouveau le sol français, revoir les leurs, revivre la vie des rues de Paris ou le calme de leur petite ville natale...

Puis ils étaient revenus bien vite, étourdis, désorientés, mais pas encore amers.

On les avait accablés d'histoires de résistance, de faits héroïques, les mêmes phrases leur avaient été serinées mille fois :

— Vous avez de la chance d'avoir été à Londres. Nous, nous avons souffert. Si vous saviez ce que l'on risquait ! Malgré tout, nous avons mis les boches dehors.

— Vous ne pouvez pas comprendre, vous ne savez pas ce que c'est : un tel a été fusillé, tel autre a été torturé, déporté...

— Comment ! Vous êtes lieutenant pilote ? On voit bien qu'à Londres les galons et les palmes aux croix de guerre valsaient !

Ils ne comprenaient pas. Ils avaient fait de leur mieux. Ils ne voulaient pas de fleurs, pas de fêtes, pas de récompense, sinon leur foyer retrouvé, souvent en ruines. Ils préféraient se taire, mais dans leur cœur, il y avait le sentiment confus d'une lourde injustice.

Quelles épreuves avaient-ils connues ? Ils n'avaient risqué que de griller vivants, écrasés sous les débris d'un Spitfire, que de voir la terre bondir dans une ronde mortelle lorsque, emprisonné dans l'étroit cercueil de métal d'un cockpit aux glissières coincées, on compte les quatre, trois, deux secondes à vivre...

Une, deux, trois fois par jour, des mois durant, ils avaient lancé dans la *flak* une pauvre chair qui se crispait, se refusait au peloton d'exécution, manquée de peu à chaque fois, en attendant le jour fatal...

La guerre, pour nous, pardon papa, ce n'était pas, comme en 1914-1918 la course désespérée, baïonnette au canon, de milliers d'êtres humains se poussant mutuellement et se soutenant dans le massacre anonyme et forcé !

Pour nous, c'était l'acte volontaire, individuel, prévu, scientifique, du sacrifice ; c'était l'aiguillon de la peur qu'il faut, seul, briser quotidiennement dans la chair ; c'était la volonté que l'on sent partir en nausées amères et qu'il faut garder, reformer.

Il fallait le faire une fois, dix fois, cent fois, trois cents fois, se retremper après chaque mission dans une vie normale et saine ; atroce régime de douche écossaise ! Retrouver, au saut de l'avion des gens comme nous, en chair et en os, qui circulent, qui aiment, vont au cinéma, boivent dans des bars tranquilles, écoutent la radio en fumant une pipe, en lisant un livre – et qui ne doutent pas de vivre encore demain !

Quels nerfs faits de fibres humaines pouvaient tenir longtemps à ce régime ? X., modèle de bravoure pendant deux ans, en devenait une loque, honteux de lui-même. Un Gouby s'écrasait sur le camion qu'il mitraillait, trahi par ses réflexes usés. Un Mouchotte, les poumons dévorés par ses missions quotidiennes à 10 000 mètres d'altitude, s'évanouissait dans son Spitfire en plein combat et disparaissait.

Il n'y avait pas de relève. C'étaient toujours les mêmes qui volaient pour que la France fût présente dans le ciel.

Pendant que les autres...

Après la Libération, nous avons continué encore, pour échapper à l'ambiance fétide d'épuration, d'appétits, de servilité et de restes de Vichy, de haine et de femmes tondues, pour conserver ce qu'il nous restait d'illusions.

Quatre heures durant, je broie du noir, et l'Anson survole maintenant la Belgique.

Le pilote suit soigneusement les couloirs de sécurité entre les zones de DCA établies pour protéger Anvers de l'offensive des V-1.

Puis, c'est le sud de la Hollande, désespérément plat, ou les canaux découpent des damiers réguliers de neige.

Les routes sont encombrées de convois militaires.

Et voici un grand aérodrome, criblé de cratères de bombes, avec deux longues pistes de briques. Des carcasses de hangars, des bâtiments éventrés, puis, çà et là, de véritables colonies de romanichels : huttes-tonneaux de tôle ondulée, de bidons vides, tentes camouflées. Autour de chacun de ces campements, impeccablement alignés, une vingtaine de Spitfire ou de Tempest.

Un chasse-neige, enveloppé dans un nuage de poussière blanche, déblaie une des pistes.

Le navigateur de l'Anson se retourne :

— *Volkel*... dit-il simplement.

Une fusée verte part de la tour de contrôle, et l'Anson fait sa prise de terrain.

Le contrôleur arrive dans sa jeep comme je saute à terre et se présente :

— Desmond. Vous êtes Clostermann ? Nous avons entendu parler de vous par Lapsley. Oui, il est *wing commander* OPS chez Kenway. Je vous emmène au QG du *wing* tout de suite. Vos bagages seront transportés au mess...

L'escadre 122 de la RAF est commandée par le *wing commander* Brooker DSO, DFC.

Il me reçoit à la porte de sa roulotte, poste de commandement. Les présentations faites, je lui remets mes papiers d'affectation avec mes carnets de vol.

Tandis qu'il les examine en silence, je l'observe. Il semble bien las. Il doit avoir au moins trente ans et, quoique ses traits soient demeurés jeunes grâce à un embonpoint précoce, le cerne de ses yeux injectés de sang indique la fatigue.

— *Well, Pierre, I am glad to have you here*. Je suis heureux de vous avoir parmi nous. Comme vous le savez, on nous a mené la vie dure. Vous êtes affecté au *squadron* 274, et vous commanderez le A Flight. Vous tombez à pic, car Fairbanks, qui le commande, a été blessé par la *flak* ce matin, et Hibbert, le *senior flight commander* est parti en permission de dix jours hier ; vous commanderez donc le groupe jusqu'à son retour...

Comme j'embarque dans la jeep, il ajoute :

— Ne vous laissez pas trop impressionner par ce que les pilotes vous raconteront. Leur moral est un peu bas depuis quelques jours à cause des pertes et du mauvais temps.

Voici le compte rendu des opérations, potassez-le et rendez-le moi demain matin. Déballez vos affaires, on se retrouvera tout à l'heure au mess pour le dîner. Je vous présenterai vos pilotes...

*

Uden est une petite ville hollandaise de 2 000 habitants, tout à fait typique, avec ses maisons en briques, propres et coquettes, ses églises tous les 50 mètres et ses deux ou trois séminaires.

La jeep nous ramène cahin-caha dans la neige et la boue, sur les pavés glissants encombrés d'un convoi qui déroule interminablement son grondement et sa ferraille.

Ce convoi est une obsession. Le matin, quand nous partons, il passe dans un fracas de grincements de débrayage et de pétarades. Le soir,

L'énorme moteur Sabre bouchait la vue au roulage. Un mécanicien assis sur le bout de l'aile nous guidait.

lorsque nous revenons, il défile encore, masse noire et dangereuse où clignotent quelques feux de position et de convoyage.

De temps à autre, nous croisons un escadron de tanks qui monte vers le front dans un tonnerre olympien, avec ses équipages souriants accrochés à la carapace de leurs monstres.

Dans la cour du séminaire où nous logeons sont installées les remorques des génératrices d'électricité, dont les Diesel empestent. Des masses de fils les relient au bâtiment. L'officier mécanicien couve ses génératrices du matin au soir, surtout la nuit, avec amour. Cela ne l'empêche pas, chaque fois que nous avons une panne ou de la friture dans nos appareils récepteurs de radio, d'être agoni d'injures. Philosophe ; il a installé à la porte de sa roulotte un écriteau :

« Ne tirez pas sur l'électricien, il fait ce qu'il peut. »

On accède au mess des officiers du *wing* 122 par un grand corridor de collège, avec des rangées de portemanteaux courant le long des murs. À droite, les cuisines, le réfectoire et le bar. À gauche une salle de ping-pong et une bibliothèque. Les salles de classe ont été transformées en dortoirs. Un désordre effrayant y règne : lits de camp dans tous les sens, valises débordant de linge sale, fauteuils de style, tapis d'Orient ; vaisselle sale, mégots, seaux d'eau savonneuse, boue sèche, armes et munitions, bouteilles vides, journaux. Au premier étage, le tableau se répète sauf dans une salle longue de 25 mètres, large de 10, compartimentée jusqu'à mi-hauteur par des cloisons de bois qui forment des *boxes*, comme aux dortoirs des grands, dans les collèges. Là règne un ordre à peu près décent. Ce sont les vieux pilotes et les commandants d'unités qui y logent, et les ordonnances s'y retrouvent un peu.

À l'étage au-dessus vivent encore les séminaristes et nous les croisons parfois dans les escaliers lorsqu'ils vont aux offices à l'église, silencieux, perdus dans un monde spirituel qui ignore la guerre et plane au-dessus de ses maux. Hier, ils avaient pour compagnons des artilleurs allemands d'un bataillon de *flak*. Aujourd'hui, c'est une escadre de la RAF. Et demain ? Dieu seul le sait...

La vie est très calme à Volkel. L'ambiance du séminaire y est peut-être pour quelque chose. Le dimanche soir il traîne dans les couloirs un curieux parfum de bacon frit, de bière et d'encens !

Après le dîner frugal, les commandants d'escadrille inscrivent au grand tableau noir de la salle à manger les noms de pilotes en alerte à l'aube le lendemain matin, et qu'il faudra réveiller.

Les pilotes libres, après le thé, doivent en principe se mettre en tenue, rasés de frais, pour le soir. Ils font la queue dès 16 h 30, seau à la main, devant l'unique robinet d'eau chaude qu'alimente une chaudière à mazout où l'on brûle de l'essence à 130 d'octane... La chaudière proteste, et saute tous les trois jours avec de forts dégagements de chaleur, de lumière et de débris.

Les autres apparaissent à la nuit tombante, revenant de l'alerte ou d'une mission, crottés, épuisés. Ils dînent silencieusement, avalent un verre de bière au coin du bar et filent se coucher. Pour un bar d'escadrille, le nôtre est très calme – trop calme !

Le bar est toujours le baromètre du moral des pilotes dans une escadre. Ici le « Got some Inn » est bien morne. Et pourtant le comptoir est bien achalandé – mieux que jamais – grâce à tout ce que nous avons raflé dans les caves boches, au camion que le popotier mène tous les quinze jours à Paris au magasin central de la NAAFI, aux arrangements, enfin, que les débrouillards ont conclus avec des brasseries de Bruxelles. Jamais les cigarettes, les liqueurs, le whisky, le gin, le champagne ou la bière n'ont manqué.

Et cependant...

Mais sur notre tableau d'honneur, à une liste déjà trop longue de 113 pilotes perdus depuis le débarquement de Normandie, s'ajoutent les noms des 17 pilotes tués ou portés disparus le mois dernier... Et le mois de février s'annonce mal, avec 8 pilotes perdus en moins de dix jours.

Aussi voit-on les rares pilotes accoudés au bar, buvant leur pinte de lager sans mot dire, lisant les journaux de Londres de la veille, amenés par le duty Anson. Un ou deux petits groupes, dans un coin, discutent peut-être le coup à voix basse, tandis que quelques isolés, assis par terre, le verre entre les jambes, lisent leur courrier. Certains entrent en coup de vent, prennent leurs rations de chocolat et de cigarettes, boivent en vitesse un verre de bière et montent se coucher sans mot dire.

Vers 11 heures du soir, il n'y a plus un chat. Le barman somnole sur son tabouret. Un attardé sirote son whisky, accoudé à la cheminée. Le dernier programme de la BBC secoue en sourdine l'atmosphère lourde, bleuie de fumée de tabac.

4 heures. Le jet de lumière d'une lampe de poche qui écorche les yeux sous les paupières, une main secoue une épaule...

— *Time to get up, sir...*

Et le MP botté de caoutchouc, pointe un nom sur sa liste et repart silencieusement réveiller les autres pilotes en *readiness* à l'aube...

Il fait froid, on a la tête vide. Péniblement, nous sortons de la tiédeur des couvertures ; un coup de brosse à dents et on enfile le *battle-dress*, les pullovers, les bottes de vol, tout en fumant une cigarette qui écœure un peu. *Irving jacket* sur le dos, emmitouflé dans un passe-montagne, nous descendons jusqu'au réfectoire glacial dont les vitres givrées reflètent les pâles ampoules électriques.

Une barmaid mal éveillée apporte les saucisses grillées et le thé brûlant que l'on avale à cheval sur les bancs.

Des retardataires dévalent l'escalier, font claquer les portes, mettent une saucisse entre deux tranches de pain margarinées, jurent en avalant le thé trop chaud, et rejoignent au galop leurs camarades devant le perron.

Le camion est déjà là, les sous-officiers pilotes, cigarette aux lèvres, allongés sur les banquettes.

Comme commandant d'escadrille, j'ai droit à une jeep, et un soldat de la section des transports me l'a amenée. Accompagné de deux de mes chefs de patrouille, les mains engourdies par le froid, je démarre, fixant des yeux le feu rouge du camion déjà parti. Il y a du verglas et comme, depuis le coup du 1er janvier, il est interdit d'allumer les phares de véhicules sur la route, j'ai du mal à le suivre.

Un vent glacial souffle sur l'aérodrome, soulevant la neige, en nuages de poussière humide qui nous transpercent jusqu'aux os.

Dans la hutte du *dispersal,* le *time-keeper* a allumé le poêle, et sur le réchaud à pétrole la bouilloire commence à chanter. Dehors, le JJ-B – j'ai l'impression que mon avion, le premier à droite de notre baraquement, en secoue, du bout de l'aile, les planches déjà disjointes où le vent s'infiltre malgré les tapis d'Orient raflés Dieu sait où tendus sur les murs.

On assiste à une assemblée de somnambules. Mes pilotes font une et souvent deux missions par jour, très dures, et ont parfois douze heures d'alerte. Ils se couchent harassés et se lèvent fatigués encore. Les yeux lourds de sommeil, engourdis de froid, ils décrochent leurs parachutes, vérifient leurs casques, sortent en titubant, et se hissent sur les ailes glissantes pour préparer les avions.

Les mécanos aussi mènent une vie de chien. Avec ce froid, il faut une équipe de nuit toutes les 20 minutes pour démarrer les moteurs et les chauffer jusqu'à 110 degrés. Laisser l'huile de ces moteurs sans soupapes descendre à une température trop basse est une catastrophe, car il est impossible de décoller les manchons de distribution gelés. Aussi doit-on maintenir les moteurs chauds jour et nuit grâce à des « points fixes » successifs.

Il est 4 h 45. Le *time-keeper* sonne le *group control* et annonce que six avions Talbot sont en état d'alerte immédiate et s'appelleront Blue Section. Il donne ensuite la liste des noms des pilotes avec leur indicatif d'appel et leurs positions respectives dans la patrouille. Il me passe ensuite le téléphone, et c'est Lapsley à l'appareil.

— Hello Pierre, on s'est levé bien tôt ce matin ! Le temps est plutôt moche, mais le contrôleur ne veut pas relâcher l'état d'alerte, car à la faveur de ces maudits nuages, un ou deux avions à réaction peuvent très bien essayer de se faufiler pour prendre des photos de nos lignes...

— *All right ? Cheerio, be on your toes, just in case...* (Ça va ? Allons, debout !)

Je raccroche, et sors en frissonnant jeter un coup d'œil sur les appareils. Tout semble en ordre, et le jour commence à poindre. Les camions du Flying Control ramassent les lampes du balisage de nuit.

Avec ces nuages bas, cette neige fondue qui tombe maintenant sans arrêt, pas grande chance de voler. Brrr... je rentre vite... Silence complet sous la hutte. Affalés dans les fauteuils, les pilotes dorment. J'en profite pour compulser les livres d'ordres, les codes de radio et les derniers rapports de combats affichés sur la porte.

Le *time-keeper* recharge sans bruit la cheminée – mais le bois mouillé dégage une fumée jaune et malodorante.

Je finis par m'assoupir à mon tour...

Je suis réveillé en sursaut par l'arrivée bruyante du reste des pilotes, le *squadron leader* Fairbanks en tête. Un coup d'œil à ma montre – il est déjà 9 h 15.

Fairbanks, un Américain engagé dans la RCAF dès 1941, est un grand gars blond, aux traits fins comme ceux d'une fille, extrêmement sympathique.

Je me lève et me présente. Sa poignée de main est solide et franche. Malgré ses yeux bleus, quelque peu rêveurs, c'est un fonceur redoutable, et sa poitrine s'orne de la DCF. Il a en effet descendu quatorze boches, dont douze le mois dernier, y compris deux Messerschmitt-262 à réaction.

Il m'offre une cigarette, nous prenons une tasse de thé, je lui expose la situation pour ce matin et lui tends la feuille de météo qui se passe de commentaires. Nous nous asseyons, nous discutons le coup. Selon les bonnes traditions, nous nous trouvons une foule d'amis communs.

La tactique de Fairbanks est très intéressante et demande une certaine audace. Quel dommage que Jacques ne soit pas là ! Cela l'enchanterait.

Grosso modo, voici comment Fairbanks envisage le combat d'aujourd'hui :

L'aérodrome allemand le plus fréquenté est Rheine, où logent plus de 100 chasseurs. On va de Volkel à Rheine en 8 minutes, grâce à la vitesse du Tempest. Donc Fairbanks a pris l'habitude d'y aller à peu près une fois par jour, généralement vers les 17 heures, avec seulement deux ou trois coéquipiers, parfois même un seul. Arrivé dans les environs de Rheine, il se maintient à la hauteur des nuages – 1 000 mètres à cette époque – tout en tournant autour de l'aérodrome pendant presque un quart d'heure. De temps en temps, malgré la *flak* extrêmement dense et précise dans ce coin-là, il pique jusqu'au ras du sol, reste en rase-mottes pendant quelques secondes puis remonte rapidement dans les nuages. Il profite de ces quelques instants pour repérer tout avion ennemi dans le circuit.

Aussi Fairbanks trouve-t-il presque toujours le moyen d'accrocher une patrouille de Messerschmitt ou de Focke Wulf, qu'il attaque immédiatement à corps perdu afin de bénéficier de la surprise. Généralement, il en descend un, et rentre vite à l'abri des nuages.

En toute impartialité, il faut ajouter que cette tactique lui a permis d'obtenir un remarquable score personnel, mais qu'en revanche il laisse souvent un équipier sur le carreau.

— J'irai faire un tour ce soir à Rheine si le temps se dégage un peu. Si vous voulez voir comment j'opère, vous n'avez qu'à accompagner ma section en guise de réserve, et vous vous rendrez compte... Il faut que je me refasse la main, en sept jours de perm' on se rouille un peu !

*

Cet après-midi, le ciel est un véritable coupe-gorge. Nous avons recherché des trains sans beaucoup de succès dans la région de Brême. Fairbanks mène une section de 6 Tempest – avec moi comme numéro 2, Mossings comme numéro 3, Inglis comme numéro 4, Spence comme numéro 5 et Dunn comme numéro 6. Je l'ai prévenu avant le départ que sa section était déséquilibrée – trois jeunes pilotes sans expérience, c'est trop.

Nous attaquons un train quand même dans une gare de triage. Nous sommes accueillis par une *flak* dense et précise. Spence est touché à l'aile gauche et n'a que le temps de lâcher son réservoir supplémentaire en feu.

Fairbanks a mené son attaque trop piquée et j'ai eu un mal fou à le suivre ; la quarantaine d'obus que j'ai éparpillée dans la direction de la locomotive n'a pas dû lui faire grand mal. J'ai regrimpé dans les nuages très vite, encadré par les traceurs.

Décidément, mes nerfs ne peuvent plus supporter la *flak*.

Fairbanks nous promène ensuite pendant 10 minutes en zigzags jusqu'à Osnabruck et, renonçant à trouver un autre train, prend un cap 260 degrés qui nous ramène sur la Ruhr. 200 Lancaster y exécutent un grand raid de jour. C'est rare, car ce sont des oiseaux de nuit.

On a des chances par ici de rencontrer quelques Messerschmitt-109.

Le ciel, toujours très mauvais. Il y a une mince couche translucide de nuages 10/10e à 3 000 mètres et, en dessous, un enchevêtrement de petits cumulus entre lesquels nous naviguons. Tout à fait le genre de position d'où l'on ne voit rien et où l'on est vu de partout.

Le Contrôle nous appelle :

— *Hullo Talbot leader ? Canari please, canari please !* (Allô Talbot, faites chanter votre canari s'il vous plaît !)

— *Hullo Kenway, Talbot leader answering, canari coming up in ten seconds !* (Allô Kenway, leader Talbot vous répond. Mon canari chantera dans dix secondes !)

(Canari est le mot de code pour le poste émetteur spécial ultra secret qui équipe les Tempest et qui lance à la demande, en appuyant sur un bouton jaune placé à la droite du cockpit, un certain signal de radar. Ce signal a la propriété de doubler un écho de radar et d'en changer la couleur dans les tubes cathodiques. Ceci permet au contrôleur, avec beaucoup plus de précision que l'ancien modèle d'IFF, d'identifier, sur un écran encombré, telle ou telle formation entre plusieurs autres.)

— Tiens, il doit y avoir du monde dans les environs...

— *Hullo Talbot leader, Kenway calling, there are Huns around, coming back from the Ruhr. Can't give y ou anything definitive yet !* (Allô Talbot, Kenway vous appelle. Il y a des boches dans les environs qui reviennent de la Ruhr. Je n'ai pas encore d'informations précises à vous transmettre.)

Je retire la sécurité des canons et règle mon collimateur. Zut ! mon ampoule est grillée... Fébrilement j'enlève mes gants, je tâtonne dans le petit râtelier où sont accrochées les ampoules de rechange et dévisse la base du collimateur.

Un « long nez » file, intirable, à 700 km/h et 90 degrés !

— *Look out ! Huns coming down at 3 o'clock !* (Attention aux boches qui vous tombent dessus à 3 heures !)

J'étouffe un juron, et lève la tête à temps pour voir une bande de Focke Wulf qui s'égrènent à moins de 2 000 mètres et piquent sur nous. Instinctivement, je lâche tout et fais face à l'attaque avec les cinq autres avions.

La base de mon collimateur se balançant au bout du fil électrique m'arrive en pleine figure, mes gants tombent sous mon siège et un obus de 20 millimètres trouve le moyen d'exploser sur mon mât d'antenne criblant mon fuselage d'éclats...

Mauvais début ! Un Focke Wulf « long nez » me frôle – c'est le premier que je vois – et se défile en dessous par un demi-tonneau...

Quel remue-ménage !

— *Good bye chaps, I have had it !* (Adieu, les amis ! J'ai gagné.)

C'est la voix du pauvre Spence – son Tempest descend en vrille, toussant des flammes et de l'huile. Pauvre gros Spence, si fier de son bébé nouveau-né.

Maintenant, la grande danse. Les Focke Wulf, habilement divisés en groupes de cinq ou six, se collent à chacun de nous...

Sans collimateur, je tiraille au hasard et sans succès sur un Allemand qui se trémousse un instant devant moi. Désarmé, je n'ai plus rien à faire dans cette histoire. Je préviens Fairbanks qui ne répond pas, et décide de me retirer de la bagarre. Mon moteur commence à chauffer de façon inquiétante.

Devant moi, deux Focke Wulf sont entrés en collision, et leurs restes descendent lentement en semant une pluie de débris enflammés.

Un parachute s'ouvre et disparaît aussitôt dans un nuage...

Suivi de quatre Allemands, je fais une chandelle toute droite, et j'attends, le nez au ciel, que les commandes mollissent... une seconde d'angoisse... la perte de vitesse ne vient pas... mon Tempest vibre... Tant pis ! Je botte violemment du pied... le ciel tourne – un demi-tonneau... je suis sur le dos... je tire sur le manche... quelle manœuvre pitoyable ! Je n'ai pas le Tempest en main et ce n'est pas un Spitfire !

Un des Focke Wulf a facilement doublé ma manœuvre, et ses obus frôlent mon capot. Je pique maintenant à la verticale. Avec les sept tonnes de mon engin j'ai vite 650 km/h au badin, et je sème le Focke Wulf. Il faut vite que je redresse, car mon aile touchée vibre, un coin de revêtement étant déchiqueté par les éclats.

Je traverse le Rhin à moins de 50 mètres, salué par une *flak* déchaînée. J'ai d'ailleurs mal choisi mon endroit et je me retrouve sur la rive gauche en plein dans la poche allemande de Wesel, en rase-mottes.

Et quelle *flak !* Même les mitrailleuses se sont mises de la partie. Je comprends maintenant pourquoi tout le monde fait un détour au-dessus de Gorch.

Je manque Volkel dans la brume et me retrouve au diable Vauvert en pleine campagne hollandaise. Tous les moulins, tous les canaux et toutes les villes se ressemblent – impossible de faire le point par la carte. Je demande un *fix* à Desmond qui me ramène pile sur la base avec son premier vecteur.

Je me pose très mal, car mes volets ne veulent descendre qu'à moitié, et j'ai peur qu'ils me lâchent au milieu de ma prise de terrain...

Neige fondue. Sept tonnes embourbées et rétives.
Tous les pilotes sur le pont !

Inglis et Dunn viennent juste d'atterrir. Mossings est dans le circuit.

Deux Tempest ont été descendus. Inglis et Mossings ont endommagé chacun un boche et Dunn en a mouché légèrement trois. La violence du combat n'a pas permis de vérifier les résultats.

La soirée est plutôt sombre au mess...

*

J'observe au travers des carreaux sales la section Yellow du 274 qui revient d'une reconnaissance armée. Trois avions seulement dans le circuit sur quatre... encore, l'un des trois semble-t-il gravement endommagé par la *flak*.

Desmond m'appelle au téléphone et me demande de venir immédiatement à la tour de contrôle.

Alors que je saute dans la jeep, les deux premiers Tempest se posent en formation et, de la roulotte du chef de piste part une salve de fusées rouges à l'intention du troisième.

Desmond est sur le balcon de la tour, micro à la main. Sans prendre l'escalier, je le rejoins en vitesse par l'échelle extérieure.

— C'est Alex, me dit-il en me passant ses jumelles, donnez-lui quelques conseils.

Ce pauvre Alex, qui est un nouveau, a dû prendre un mauvais coup de 30 dans l'aile, et une jambe du train d'atterrissage ballotte, lamentable, avec une roue à moitié arrachée. Il faut à tout prix qu'elle rentre ; jamais il ne pourra se poser sur le ventre dans ces conditions.

— *Hullo Alex ! Pierre here, try to get your port leg up !* (Allô Alex, ici Pierre. Essaye de remonter ton train d'atterrissage gauche !)

Pas de réponse...

Je répète, en me dominant pour parler lentement et clairement. Quelques secondes après, enfin, la voix d'Alex, dans le haut-parleur me répond, hésitante et essoufflée...

— *Sorry, I cannot !* (Je ne peux pas !)

J'insiste :

— *Try again !* (Essaye donc encore !)

Le claironnement de son moteur, pleins gaz et hélice au petit pas, finit par ameuter tout le monde. Je vois des silhouettes grimper sur le toit des huttes, se presser aux portes et aux fenêtres.

Hibbert et Brooker arrivent, suivant anxieusement les évolutions de l'avion qui pique, remonte, bat des ailes pour essayer de débloquer cette maudite roue.

Finalement, après un piqué, un objet se détache de l'avion – M... c'est la roue ! – mais il reste encore la jambe avec son amortisseur oléopneumatique.

— *Alex ! try your CO_2 bottle !* (Alex, essaye ta bouteille de CO_2 !).

C'est sa dernière chance...

Avec mes jumelles, je vois la jambe d'amortisseur qui commence à remonter lentement, par saccades, presque encastrée dans la cavité de l'aile...

— *Hullo, Pierre, I have spent my CO_2, and the leg is not fully locked yet.* (Allô Pierre, j'ai épuisé la pression dans la bouteille et je n'ai pas réussi à verrouiller ma roue !)

Sa voix tremble. Pauvre gosse ! Comme je comprends son affolement, tout seul là-haut, se débattant contre toute cette mécanique devenue un piège mortel. Il me semble le voir, trempé de sueur, le souffle court, cognant désespérément sur son levier de train, appuyant quand même sur le siphon de la bouteille de CO_2, maintenant vide...

L'ambulance démarre, et va se placer en tête de piste, moteur au ralenti. La voiture-incendie suit.

Sur les marchepieds, les pompiers ressemblent à des scaphandriers, dans leurs costumes d'amiante...

La jeep du docteur arrive.

Alex me rappelle :

— *OK Desmond, coming-in for belly landing. Switching off !...* (OK ! Desmond, je vais me poser roues rentrées, sur le ventre. Je débranche la radio !)

— Bon Dieu, Clostermann, dites-lui donc de sauter ! me dit Brooker.

Trop tard ! il a débranché sa radio.

Le Tempest amorce sa prise de terrain.

Je dévale le long de l'échelle et bondis dans ma jeep. Le conducteur de la pompe débraye et passe en première... Les gens commencent à courir le long du *perimeter-track*...

Le Tempest descend et grandit vite. Le disque brillant de l'hélice se fractionne tout d'un coup quand Alex coupe les contacts Son arrondi est impeccable. Queue basse, volets braqués, il se rapproche de la piste en briques. Cette foutue jambe de train est à moitié sortie de nouveau !

J'appuie sur l'accélérateur, poursuivi par la cloche des pompiers et la sirène de l'ambulance...

Le Tempest va toucher – la couverture vitrée du cockpit voltige...

Ça y est ! – un raclement formidable, l'hélice se tord et les sept tonnes tombent à 200 à l'heure...

Dans un fracas de tonnerre et sous nos yeux horrifiés, l'avion rebondit en capotant à plus de 10 mètres de hauteur, puis s'écrase sur le dos, queue en avant dans une nappe de feu...

Les briques voltigent... une explosion sourde, une lueur aveuglante, et aussitôt des flammes hautes de 20 mètres qui tordent des volutes épaisses de fumée noire rayée d'éclairs...

Je freine à 50 mètres du brasier et saute de la jeep, pendant que la voiture-pompe se précipite littéralement dans les flammes, crachant la mousse carbonique de ses six lances à haute pression...

Les pompiers bondissent, hache à la main, suivis par les infirmiers...

À 30 mètres, la chaleur est telle que l'air brûle la gorge comme de l'alcool.

Une gerbe d'étincelles blanchâtres s'arrache de la fournaise et c'est la pétarade sèche des munitions qui commencent à sauter dans les casiers... les éclats sifflent...

Épouvantés, nous entendons nettement, perçant le vacarme, un hurlement affreux – puis un bras s'agite faiblement, au milieu de l'éblouissement et des craquements du métal qui fond.

Un des pompiers qui tente quand même de pénétrer dans cet enfer, s'écroule. On le ramène en arrière avec un crochet, comme une bûche noircie et fumante.

Il sort en titubant de son costume d'amiante sur lequel on distingue des gouttes d'aluminium fondu, et tombe à plat ventre, vomissant...

Les flammes ronflent, la fumée pique les yeux. Les pompiers déversent des centaines de litres de liquide laiteux qui éclabousse, se vaporise ou s'écoule sur les briques.

La chaleur diminue quand même, et l'on commence à entrevoir derrière les langues de feu, la carcasse fracassée du Tempest – le moteur éventré montrant ses viscères de cuivre souillés de terre, le squelette de l'empennage, le fuselage brisé en trois tronçons, les ailes éventrées par l'explosion des bandes d'obus.

Le feu est presque vaincu, on distingue vaguement des lueurs rouges ondulant sous la mousse qui bouillonne.

Pataugeant jusqu'aux genoux, on se précipite. L'horrible odeur de chair et de caoutchouc grillés prend à la gorge et retourne le cœur. Une poussière blanche de cendres impalpables d'aluminium retombe en pluie.

Puis, c'est le bruit des haches, qui déchirent ce qui reste du cockpit.

— *Easy chaps... easy...* (Doucement, doucement les gars !)

Les mains gantées d'amiante font basculer les débris enchevêtrés, rejettent des ferrailles rougies à blanc qui tombent sur l'herbe en grésillant.

... Et on voit...

Je ne sais ce qui me pousse en avant, plus près...

Délicatement, on dégage une masse informe, rouge et noire où adhèrent des lambeaux calcinés d'étoffe... les courroies du parachute et du harnais ont brûlé, mais on devine sous cette croûte saignante les boucles métalliques incandescentes qui ont rongé jusqu'à l'os...

Le médecin, un mouchoir sur la bouche, une seringue hypodermique à la main pique un peu au hasard dans cette chair rôtie – pour en finir – car on peut distinguer (serait-ce une hallucination ?), une sorte de pulsation irrégulière, comme si le cœur battait encore faiblement au-dessus de la déchirure béante des viscères éclatés...

Un spasme secoue les restes d'une jambe...

Je sens se glacer la sueur dans mon dos. Les jambes fauchées, je m'assois, coupé en deux par les nausées, dans la boue de cendres et de mousse...

*

Encore une journée infecte. Il neige, il vente. Le temps est bouché, involable. GCC maintient cependant en état d'alerte immédiate deux sections de Tempest – une de la 486 et une de la 56 – ainsi qu'une section de Spit-XIV du 41 Squadron. Ces trois sections se relayent, sans espoir de voler, depuis l'aube.

Vers 15 heures, le temps se dégage légèrement et les six Spitfire sont *scrambled*. Avec ce froid, ils ont du mal à démarrer leurs moteurs et nous les observons de nos fenêtres en ricanant. Finalement une paire décolle suivie, au moins trois minutes après, par le reste.

Un quart d'heure plus tard, les quatre derniers Spit se posent, n'ayant pu rejoindre dans les nuages, et annoncent cependant que la première paire a pris contact avec un avion à réaction.

Nous avons le fin mot de l'histoire le soir, au bar où les pilotes de la 41 mènent une vie infernale à tout le monde. Ils ne se sentent plus.

Le *flying officer* Johnny Reid DFC, peu de temps après avoir décollé, alors qu'il patrouillait le pont de Nimègue à 3 000 mètres d'altitude, avait repéré un des tout nouveaux oiseaux rares de la Luftwaffe – un Arado-234 – pénétrant dans nos lignes en rase-mottes.

Piquant à mort, plein tube, au risque de faire sauter ses plans, Johnny réussit à rattraper l'animal dans un virage, le tire à bout portant et le dépose gracieusement en flammes à moins de 100 mètres du QG de Broadhurst à Eindhoven.

L'AOC est ravi, car un groupe de journalistes américains a assisté à l'opération, et c'est le premier Arado-234 dont la destruction est homologuée.

Les pilotes du 41, après cet événement, raniment l'insupportable controverse Spitfire contre Tempest et nous harcèlent de leurs railleries : « Vous les Tempest... disent-ils, vous les rois de la vitesse, vous les champions, avec vos fers à repasser de sept tonnes, vos quatre canons, vous n'avez jamais été capables d'en attraper un beau comme ça ! C'était bien la peine de nous fatiguer les oreilles à longueur de journée avec vos piqués irrésistibles de chiens de plomb et votre croisière foudroyante !... »

Nous rétorquons naturellement que ce boche voulait se suicider à tout prix. Et puis, nous avons vu l'avion de Reid après l'atterrissage : le pauvre Spit a les ailes gondolées comme un accordéon, plus de peinture sur les plans, les rivets ont sauté et le fuselage est désaxé. Bon pour la ferraille ! Enfin, on exagère un peu !

Et nous terminons la discussion par un argument péremptoire qui a le don de vexer considérablement les pilotes de Spit, c'est que notre vitesse d'atterrissage est plus élevée presque que leur vitesse de croisière.

*

À la suite des récents coups durs – en particulier celui d'avant-hier – OPS et GCC décident que seuls des groupes comprenant au minimum huit avions pourront opérer profondément en territoire ennemi. De plus, les groupes exécuteront leurs *sweeps* deux par deux, suivant des routes parallèles, à moins de 100 kilomètres l'une de l'autre, de façon à pouvoir se prêter assistance.

Volant en position de chef de la patrouille Talbot, je mène un *sweep* de 8 Tempest du 274 dans la région de Hanovre. Le 486 opérera dans les environs.

Vers 15 h 05, après avoir jeté un coup d'œil sur les aérodromes de Hanovre et de Langenhagen, je tourne à gauche cap 320 degrés sur Wunstorf, d'où opèrent d'habitude deux escadres de Messerschmitt-109.

Par la radio je préviens Mackie qui mène la 486 :

— *Hullo Railroad, switching from H-Harry over to B-Baker.* (Allô Railroad je quitte la direction H, et je vais vers B.)

Wunstorf, avec ses deux grandes pistes en forme de croix de Saint-André, semble désert. Le terrain est pourtant en bon état. Laissant le lac Steinhuder sur la droite, je remonte vers Brême.

15 h 15. Nous sommes en vue de Hoya, base de chasseurs de nuit. Je décide un 360 degrés pour observer les environs et regrouper mes Tempest qui sont éparpillés dans le ciel sur près de 5 kilomètres.

— *Come on Talbot, pull your fingers, join up !* (Allons ! Talbot, réveillez-vous, rejoignez la formation !)

Pendant le virage je compte mes avions machinalement. Diable ! – où donc est passé le huitième ?

Je balance mon Tempest pour regarder dans l'angle mort de mes empennages.

Un échelon de trois Tempest de la 501. Sous leurs ailes les réservoirs aérodynamiques supplémentaires très coûteux dessinés par Sidney Camm lui-même, qui voulait que tout soit parfait.

— *Break Port Talbot !* (Dégagez à gauche, Talbot !)

J'ai juste le temps de crier le *break* dans le micro. Les 109 de Wunstorf sont là ! 1 000 mètres au-dessus, en impeccable formation, glissent une trentaine de Messerschmitt...

— *Flat-out, climbing. Don't let your speed drop !* (Grimpez à toute allure, et ne laissez pas votre vitesse tomber !)

Ils nous ont vus. Une seconde d'indécision, et ils sont maintenant à notre verticale, battant des ailes. Ils se divisent en deux groupes : l'un vire à gauche et l'autre à droite.

— *Hullo Railroad, better come and give us a hand. Forty 109 over Hoya.* (Allô Railroad, vous feriez mieux de venir vite nous donner un coup de main, Messerschmitt au-dessus de Hoya !)

J'appelle la 486. Mais ce sont les Tempest de la 501 qui répondent.

Je vais être pris en sandwich entre les deux formations ennemies. Autant essayer de redescendre vers Hanovre sans casse.

Que de préliminaires ! Ces boches sont inquiets et semblent flairer un piège.

Et voilà maintenant que Blue 4 et Blue 3 traînent à un kilomètre en arrière du reste de ma formation.

— *Join up Blue 3 and 4, for Christ's sake !* (Rejoignez Bleu 3 et 4, pour l'amour du ciel !)

Je vais tenter de maintenir le contact sans combattre jusqu'à l'arrivée de la 501. J'entends Kenway qui les amène vers nous au radar.

— *Join up Blue 3 and 4 !* (Bon Dieu ! rejoignez donc Bleu 3 et 4 !)

Ces deux idiots vont tout gâcher !

Ça y est ! Une quinzaine de 109 se détachent du groupe de gauche et piquent sur eux, et Blue 3, décidément stupide, ne semble pas les voir venir.

— *Talbot Blue 3, break !* (Talbot, Bleu 3, dégagez !)

Tant pis ! j'attaque.

— *Talbot, breaking port. Attack !* (Talbot, dégagez à gauche. Attaquez !)

Pleins gaz, je raccourcis mon virage et fonce au secours des deux traînards. Ah ! les idiots !

Le premier 109 tire une rafale au passage sur le *flying officer* Park, Blue 3. Une aile à demi arrachée par les obus de 20 , le Tempest part en vrille...

J'oblique sur ce Messerschmitt qui vire également vers moi. Il dérape, et je vois son énorme casserole d'hélice noire ornée de la spirale blanche des groupes de choc. Je tire mes quatre canons ensemble – un obus sur son aile gauche... un autre sur le capot... une petite explosion... le 109 passe à 20 mètres de moi, traînant une fine queue de fumée noire, et disparaît.

Le doigt sur la détente je défile au milieu de la masse compacte des 109 qui dévalent. Je n'ose bouger d'une ligne de peur d'une collision...

Je ne cesse de prévenir mes pilotes de garder leur vitesse au-dessus de 500 km/h. Le 109K tourne en effet mieux que nous à basse vitesse, et il faut se méfier de leur canon dans l'axe, dont les obus ne pardonnent pas. Le meilleur système est de s'engager dans une spirale descendante, accumuler de la vitesse jusqu'à 640 km/h, faire une chandelle en flèche et recommencer. De leur côté, les 109, qui nous savent plus rapides en piqué, cherchent à nous remonter jusqu'à 5 000 mètres, où nos Tempest sont lourds et nos moteurs poussifs...

Je fais une fausse manœuvre et me laisse coincer par quatre 109 agressifs qui ne me lâchent pas. Je les sème en descendant, mais, après ma ressource au ras du sol, ils regagnent et tirent tour à tour. Ce jeu d'ascenseur va mal finir...

C'est très désagréable : on voit leurs hélices, les traînées blanches au bout de leurs ailes, la grosse prise d'air du compresseur à gauche du capot – puis,

Les Messerschmitt-109 sont toujours présents et dangereux.

tout à coup, les flammes saccadées des canons de 20 qui tirent, avec au centre, plus calme, tirant par rafales, le canon de 30 dont les gros traceurs ondulent de façon bizarre. Au bout de quelques minutes, l'air est zébré par les traînées de fumée des traceuses qui s'enchevêtrent.

Mon moteur surchauffe, comme toujours.

Le sergent Campbell colle désespérément à ma queue et accompagne fidèlement mes manœuvres les plus violentes. Sa vie en dépend.

Il est cependant touché, et, dans un virage, je remarque son fuselage qui dégouline d'huile... Je lui crie par la radio de continuer normalement son virage tandis que je vais passer derrière lui pour le couvrir...

Manche au ventre, je ralentis, et il file devant.

La manœuvre me colle côte à côte avec un 109, un peu en dessous de lui. Le reflet du soleil sur l'habitacle m'empêche de voir la figure du pilote. C'est un Messerschmitt-109K dernier modèle, avec le nouveau gouvernail de direction en matière plastique. Il allonge pleins gaz avec injection de méthanol et essaye de barriquer autour de moi. Il passe lentement, sur le dos, au-dessus de mon cockpit, et, en levant la tête, je vois les grandes croix noires encadrées de jaune. Pour essayer de me glisser derrière lui, je réduis les gaz d'un coup sec sur la manette. Mais c'est un malin ; avant que je puisse esquisser un geste de défense il se rabat violemment, me tire une rafale mais me manque. Deux explosions se produisent alors sur l'aile du 109 qui déclenche, surpris à son tour et part en piqué.

C'est Campbell qui vient de le moucher et de me tirer d'affaire. Il était temps.

Une douzaine de 109 se sont dégagés du combat et tournoient entre les nuages au-dessus de nous en attendant la proie facile.

Un Tempest prend feu, et le pilote, *warrant officer* Alexander, saute.

Un autre s'écarte du *dog-fight* en zigzagant sans but : c'est encore cet infernal Blue 4, perpétuel endormi.

Suivi de Campbell dont le moteur cafouille visiblement, je fonce vers lui en tirant au passage une rafale sur un Messerschmitt que je touche peut-être d'un obus par le plus grand des hasards et qui s'écarte précipitamment en soufflant de la fumée de glycol par les pipes d'échappement.

Nous sommes à 1 000 mètres de Blue 4 lorsque six 109 dégringolent en ciseaux sur lui – trois à droite, trois à gauche... Par miracle il les voit arriver, mais, affolé, pique au lieu de grimper. Les 109 qui ont emmagasiné une marge de vitesse suffisante le rattrapent facilement...

— *Turn starboard, Blue 4 !* (Tournez à droite, Bleu 4 !)

Je lui crie de virer à droite de façon à passer sous moi et amener ses poursuivants à ma portée. Le Tempest suivi de trois 109 défile à moins de 500 mètres. Un des 109 ouvre le feu et je l'engage à 45 degrés.

Absorbé par son tir, il ne me voit pas venir...

Posément, je corrige : deux cercles de collimateur – un coup d'œil derrière par prudence – Campbell fidèlement me couvre.

Mes quatre canons déchirent l'air : un éclair sous le ventre du Messerschmitt, une gerbe d'étincelles, une secousse, et il explose, en pièces, les ailes arrachées, le moteur en feu. Il n'y a plus à sa place qu'un gros nuage de fumée noire et, plus bas, des débris enflammés encadrant un parachute qui descend lentement. Enfin une victoire !

— *Hullo Talbot Red leader, Red 2 calling, going home. Oil pressure !* (Allô leader Talbot, Rouge 2 vous appelle. Je rentre à la base. Ennuis de pression d'huile !)

C'est Campbell, dont la pression d'huile vient de f... le camp. C'était à prévoir. Rentrons !

— *Talbot aircraft, reform !* (Reformez, Talbot !)

À ce moment huit avions surgissent des nuages et piquent sur nous – un instant d'émotion. Mais ce sont les Tempest de la 501 qui s'accrochent aussitôt aux 109 éparpillés dans le ciel. Les boches n'insistent pas et, deux par deux, commencent à se défiler dans les nuages en grandes spirales ascendantes...

— *Talbot, rendez-vous over drome, angels 10.* (Talbot, rendez-vous au-dessus de cet aérodrome, à 10 000 pieds !)

Je donne rendez-vous à mes avions au-dessus de l'aérodrome de Hoya, à 10 000 pieds.

En m'y rendant, je pique au passage sur un avion que je vois brûler au sol afin de l'identifier : c'est un Tempest qui a capoté en cherchant à se poser sur le ventre dans un champ enneigé. Je repasse au ras du sol pour voir le matricule.

Bon Dieu ! c'est un des miens – JJ-Y – l'appareil de Gresswall qui était Blue 1. Pas trace du pilote qui doit avoir été brûlé, emprisonné dans son cockpit.

Je détache Red 4 pour escorter Campbell, et le ramener à Volkel par le chemin le plus court – cap direct 265 degrés. Puis je reviens via Osnabruck pour les couvrir de loin, avec mes deux avions restants auxquels s'est joint un des Railroad perdus.

À Volkel, Red 4 de retour m'apprend que le moteur de Campbell l'a lâché à 5 kilomètres du Rhin, qu'il a réussi de justesse à traverser en plané. Il s'est apparemment posé correctement sur le ventre près d'une batterie de campagne. En effet, après le dîner, Campbell est ramené en jeep par des artilleurs. Il est souriant malgré son front bandé, son œil au beurre noir et ses deux agrafes dans la lèvre.

*

Roulé en boule dans mon lit où je dors à moitié habillé, passe-montagne sur la tête, mon pardessus et mon *irving jacket* sur la couverture, je rêve... un rêve comme je les aime. Je vois à mes pieds dans l'eau claire d'un lac une carpe énorme qui va mordre à mon appât. Elle ouvre la gueule, je sens ma canne à pêche plier… Hélas ! je suis réveillé en sursaut. C'est une main qui secoue mon épaule. Un coup d'œil aux chiffres lumineux de ma montre : 5 h 10 – et nous sommes en alerte à 6 heures ! Pas de temps à perdre dans la bonne chaleur du lit ! Bigre, il fait un froid polaire. Chaussettes de coton sous les bas de laine montant jusqu'à mi-cuisse de mon pantalon de *battle-dress*, lourd pull blanc d'uniforme à col roulé par-dessus le foulard de soie qui va protéger mon cou quand je surveillerai le ciel, tournant la tête de droite à gauche… Alourdi comme un scaphandrier je dois plonger dans un monde hostile – météo, ciel couvert, *flak*, neige – et rencontrer avec un peu de chance éventuellement un Messerschmitt devenu rare depuis le 1er janvier et *Bodenplate* qui a coûté cher à tout le monde et plus encore proportionnellement à la Luftwaffe.

Je dégringole l'escalier pour rejoindre mes cinq pilotes qui sont d'alerte avec moi, mais il n'y a encore personne au mess. Trois ampoules se balancent éclairant d'une pâle lumière jaune les longues tables vides du réfectoire et la petite estrade du haut de laquelle en d'autres temps plus calmes, à l'usage des séminaristes, le moine lecteur d'un livre édifiant officiait.

Seul le sourire de la petite serveuse hollandaise apporte un mince rayon de soleil. Elle me soigne gentiment depuis que je réserve pour ses petits frères ma ration de chocolat. Ce matin elle a dissimulé un œuf précieux sous les *navy beans* – haricots en boîte américains à la sauce tomate et au lard – et les deux saucisses à la mie de pain de mon breakfast.

Elle est si mignonne avec ses yeux bleus ! Ah ! si… mais comme dit le verset : « Il y a un temps pour aimer et un temps pour la guerre ! »

Les pilotes arrivent bruyamment et rompent le charme.

Dépêchons.

« *Come on chaps, hurry up !* »

Dehors il fait encore nuit et la neige fondue qui est tombée et a gelé transforme en patinoire les marches du portail. Le cuisinier apporte le grand containeur thermos rempli de thé bouillant pour la piste et trois sacs de biscuits *scones* étouffe-chrétien !

Où est ma jeep ?

Le camion s'arrête en patinant et *chieffy* – le sergent-major qui dirige la maintenance de l'escadrille – saute et m'explique qu'un imbécile de la 56 l'a flanquée dans le fossé. Elle sera en état demain.

Nous embarquons comme des somnambules. La cigarette Woodbine de l'intendance que j'allume m'écœure dès la deuxième bouffée... Dieu qu'il fait froid et quand nous arrivons à la hutte de l'escadron nous sommes littéralement paralysés. Pour ne pas profiter de mon grade, je n'ai pas voulu voyager dans la cabine et suis resté derrière avec les pilotes.

À l'intérieur il ne fait pas beaucoup plus chaud que dehors. De temps en temps un mécano frigorifié revient de faire démarrer et chauffer un moteur. Il boit sa tasse de thé penché sur la maigre chaleur du petit poêle... Le *time-keeper* me lit la météo – infecte – qui vient de tomber du télétype. On aurait bien mieux fait de nous laisser dormir au lit et conserver nos calories ! Enfin, il faut faire comme si... Nous sortons dans cette nuit d'encre déposer nos parachutes dans les cockpits afin d'être prêts à décoller. *Primum vivere !* Obéir à la consigne et ne pas penser ! Comme il est nécessaire de faire démarrer ces fichus moteurs Sabre sans soupapes pour éviter que les manchons d'admission et d'échappement collent avec une huile figée, et les faire chauffer de deux heures en deux heures un quart d'heure durant, il faut compléter ensuite les réservoirs. Je plains les mécaniciens debout sur une aile glissante qui manipulent cette essence à 130 d'octane, glacée, qui brûle comme du feu.

Le moteur du JJ-Z refuse de démarrer. Nous sortons pour aider à brasser à la main l'énorme hélice de 4,40 mètres de diamètre. On s'y met à quatre. Il faut soulever l'un d'entre nous pour qu'il puisse s'accrocher à une pale afin de la faire tourner de tout son poids d'un quart de tour. Et on recommence... Après trois ou quatre pénibles tours complets, nous nous écartons et *chieffy* grimpe dans le poste – il sait parler au moteur Sabre, dit-on – et en effet il réussit à la deuxième cartouche, le raccroche *in extremis* d'un petit coup de manette quand il va s'étouffer. Les pots d'échappement crachent irrégulièrement, comme à regret, une fumée bleue chargée d'huile pendant une minute ou deux pour que, finalement, sollicité par une main experte, le moteur tourne rond avec le grondement sourd de ses 24 cylindres.

Toujours cette brume glacée qui dépose maintenant un dangereux miroir sur les ailes et en déforme le profil. Le camion de dégivrage va faire la tournée de tous les avions, l'un après l'autre, et souvent doit revenir nettoyer la couche de glace reformée du premier Tempest par lequel il a commencé ! Ouvrage de Pénélope.

Un pauvre filet de lumière filtre au-dessus du Rhin sous l'épais plafond plombé qui traîne au ras du sol. Une jeep accompagne sur la piste des fantômes ramassant les lampes de la rampe d'atterrissage. Il n'y a pas 100 mètres de visibilité horizontale.

Bon, ça suffit. Je téléphone au contrôle. Je réveille tout ce beau monde bien au chaud qui doit dormir sur ses consoles radar. « *No dice !* » – pas question de voler avec ce temps et il y a bien des chances pour qu'il en soit de même pour les Focke Wulf-190-D9 de Gütersloh que nous avons rencontrés hier soir au coin d'un bois... pardon, au coin d'un de ces nuages propices aux embuscades. Surpris les uns et les autres, nous nous sommes fait mutuellement très peur. C'est le drame de ces ciels bouchés d'hiver. Nous avons échangé sans résultat, en désordre, quelques rafales. MacLaren est touché mais réussit à rentrer. Je tire en cabré un beau D9 qui me glisse entre les doigts, me laissant sur place d'un coup de MW5[1]. C'est une expérience que je préfère ne pas répéter.

Mon ami Lapsley, le contrôleur en chef, se secoue enfin et demande ce qui ne va pas. Je garde mon calme et lui réponds de bien vouloir accepter de mettre un nez à la fenêtre. Il verra qu'il fait un temps à ne pas mettre une bicyclette dehors, et à plus forte raison un Tempest portant ma précieuse peau. Inutile de lui rappeler que depuis la grève chez Hawker nous sommes à court d'avions. La Group Support Unit nous a prévenus !

— *OK Pierre, hold on.* Et cinq minutes plus tard : « *Squadron release.* » Hurrah !

Le lendemain la météo est pire encore !

Cet hiver nous consent deux jours de répit, et la possibilité de boire le soir au bar de l'escadre un petit verre de genièvre Bols – don des citoyens hollandais d'Uden – pour nous réchauffer en regardant dans les pages d'un *Daily Mirror* vieux d'une semaine les aventures déshabillées de Jane, héroïne de la BD culte de la RAF !

7 h 55. Le jour se lève à peine quand nous entendons la batterie de canons Bofor du camp militaire d'Uden. Les cinq départs caractéristiques de leurs chargeurs s'égrènent et fusent quelque part dans le ciel, invisibles dans les nuages.

---

1. MW5 : dispositif d'injection de méthanol augmentant momentanément, mais considérablement, la puissance du moteur.

La scandaleuse grève de l'usine Hawker de Langlay en novembre 1944. La RAF dut renoncer à constituer une deuxième escadre de Tempest et même à la 122 nous fûmes à court d'avions. Sur cette photo de la chaîne abandonnée, à côté de deux ingénieurs qui évaluent les dégâts, une seule forme blanche travaille. C'est la femme d'un pilote de la RAF. Les syndicats exigèrent sa mise à pied et il fut nécessaire de la muter !

Arrive alors, et grandit en coup de vent comme le hurlement aigu d'une scie circulaire tranchant une bille de bois, l'éclat des réacteurs d'un Messerschmitt-262. Nous nous précipitons dehors à temps pour l'entrevoir traversant Volkel comme un bolide, au ras du sol, traînant une fine ligne de fumée grise qui ondule et perdure dans le brouillard. Il est déjà loin que l'on entend encore derrière lui l'air glacé se déchirer comme de la soie... Les Bofor de notre aérodrome tirent à leur tour alors qu'il est déjà passé. Nous demeurons figés sur le pas de la porte, à la fois admiratifs et envieux.

— *Jesus Christ, that bastard is fast !* (Doux Jésus, ce bâtard est rapide !)

C'est le troisième matin de suite qu'un 262 nous rend visite. Nous supposons qu'il fait une reco photo des différents terrains alliés de Belgique et de Hollande.

Inutile de chercher à courir après, et avec ce plafond bas on ne peut pas patrouiller à 2 000 ou 3 000 mètres, seule solution, en piquant à mort et avec un peu de chance pour l'amener à portée de nos canons. Il faudra trouver autre chose, probablement généraliser la tactique de Fairbanks, c'est-à-dire les coincer à l'atterrissage malgré les risques, et affronter la voûte de *flak* sous laquelle il se faufile pour se poser.

La camionnette de la NAAFI et de l'armée du Salut apporte du thé chaud et des biscuits. Nous laissons toujours servir en premier nos mécaniciens frigorifiés. Matinée trop calme. Pour passer ce temps de cochon je me plonge dans le livre favori des « intellectuels » de la RAF : *Pas d'orchidées pour miss Blandish*.

Opération Clarion. À grand renfort de publicité à la BBC, des centaines d'avions s'attaquent aux nœuds ferroviaires et aux gares de triage de l'Allemagne de l'Ouest, en préambule à la traversée du Rhin. Les chasseurs de la 2e TAF et du 83e Group – c'est-à-dire

Le camion de la NAAFI ou du YMCA apporte à 10 heures du matin et 4 heures de l'après-midi des biscuits et du thé chaud pour les mécaniciens et les pilotes qui se font un point d'honneur de laisser servir la mécanique en premier.

nous – sont chargés d'éliminer les trains circulant entre Osnabruck et Hambourg.

Loin d'être fana de ce genre de sport, je dois quand même mener ce matin une patrouille de six Tempest du 56 couverte par six Tempest du 274.

À la verticale de Kassel, comme tout le monde a les yeux rivés au sol à chercher une locomotive et aussi à cause de ces maudits nuages bas qui les ont cachés, une vingtaine de Focke Wulf-D9 « long nez », probablement de la JG 26 qui sévit généralement dans le coin, surgissent par notre travers droit.

« *Talbot break right.* »

C'est tout de suite une mêlée générale dans un espace limité par le plafond. C'est mal engagé. Pourtant j'ai un excellent numéro 2 qui ne me lâche pas, de trop près même, ce qui fait qu'il a les yeux fixés sur moi au lieu de surveiller mes arrières et les siens...

Au moment où je réussis à me placer sous le bon angle pour tirer un « long nez » je passe au travers d'une gerbe de traceuses, prends un impact sur l'aile droite et je dégage paniqué par un demi-tonneau sec et piqué, à temps pour voir mon équipier exploser littéralement. De la boule de flammes tombent en virevoltant deux ailes à cocarde. Je complète mon tonneau et manche au ventre en surpuissance je remonte au ras des nuages suivi de deux Tempest. Je me demande ce que f... les pilotes du 274, qui sont supposés nous couvrir, quand des Spitfire-XIV du *squadron* 41 qui traînent dans le coin, alertés par le contrôle, plongent dans la bagarre.

« *Talbot Red, let's get out !* » (« Talbot Rouge, fichons le camp ! »)

Je sonne la retraite car dans ce méli-mélo, nous avons dérivé vers un grand aérodrome dont la *flak* ouvre immédiatement le feu sur tout le monde, amis et ennemis. C'est sans doute Rheine Hopsten où, après tous les bombardements qu'ils ont subis, depuis deux semaines, les artilleurs sont très nerveux !

Trois Tempest filent à basse altitude, cap à l'ouest. Je les rejoins pour rentrer en compagnie. Ce sont des appareils du 486. Finalement nous avons abattu deux D9 – un pour le 274 et un autre pour le 56 – mais perdu quatre Spitfire. Il est curieux que notre escadron n° 56 de la RAF soit parfois opposé à la JG 56 de la Luftwaffe[1] !

Je vais avec Fairbanks vers Rheine en reco météo dans l'espoir de piquer un 262 au posé ! Je ne suis pas très enthousiaste. En route, nous longeons le

1. Les archives allemandes nous révèlent que le Feldwebel Gerstensorer de la JG 56 fut tué dans son D9 et deux autres pilotes blessés au cours de ce combat.

canal de Dortmund-Ems, et nous tombons sur un Focke Wulf solitaire qui nous fait face. « *Leave it to me !* » (« Laisse-le moi ! ») me crie Fairbanks, mais il a affaire à un malin qui manie comme un expert son vieux Focke Wulf-A8. Nous avons beau chercher à le prendre en ciseaux, en vain. Malheureusement pour lui il cherche à rompre après deux ou trois minutes et je l'ai une fraction de seconde dans le collimateur. Je tire sans grand espoir et à mille contre un je le touche. Il se parachute de justesse[1]. Tant mieux ! Nous faisons demi-tour, tombons sur une escadrille du 56 escortant des Typhoon et sommes attaqués alors par une bande de Mustang P-51 américains déchaînés. D'où sortent ces imbéciles dangereux ? Avant d'avoir le temps de dire ouf, ils descendent le *flight lieutenant* Green du 56. On les sème en surpuissance et le téléphone chauffe avec le QG US de Bruxelles.

Nous apprenons que ces demeurés qui n'ont rien à faire dans notre secteur ont également abattu deux Typhoon, et ces derniers clament *urbi et orbi* qu'ils tireront sur le premier P-51 qu'ils croiseront chez nous ! Quand apprendront-ils à identifier les avions alliés ? !

Le soir, de retour au mess, Fairbanks, après avoir confirmé mon 190, déclare à qui veut l'entendre que pour descendre un avion dans ces conditions, « faut que ce Français soit cocu ! »

Le temps s'est amélioré, et à 8 heures les trois escadrons de l'escadre 122 sont en l'air par sections de quatre, du Rhin à Berlin, à la recherche de locomotives.

Je mène la section Talbot Yellow, et cinq minutes après le décollage, en vue de la flèche

1. Le pilote était le FW Erich Lange du IIIe JG54.

endommagée de la cathédrale de Cologne qui émerge des ruines de la ville, nous attaquons trois trains qui se suivent au milieu d'un vrai feu d'artifice. Deux de mes avions sont touchés et rentrent à Volkel. Nous ne sommes plus qu'une paire. Je cherche en vain une autre section de Tempest pour me sentir moins seul, mais tout le monde s'est volatilisé. Tant pis. Je prends un cap de 90 degrés vers Berlin, en rase-mottes intégral et tout près d'Osnabruck je repère un long convoi de marchandises attelé à deux locomotives. Ce n'est qu'une aubaine relative, car il est stoppé, probablement prévenu, et il doit y avoir au moins trois wagons de *flak* dont les servants doivent nous suivre dans leurs grilles de visée ! Alors que je me pose la question : attaquer ou ne pas attaquer, des Focke Wulf nous tombent dessus. Peter West les a vus à temps et a prévenu pour que nous puissions faire face et tenter de nous réfugier dans les nuages, hélas pour une fois trop hauts, et ils nous coupent la route... Chacun pour soi maintenant. Un « long nez » vole un instant parallèlement à quelques mètres de moi. Il brille comme un sou neuf... Je reconnais les bandes noires et blanches de la JG 26 sur son fuselage. Ce sont toujours les mêmes que nous rencontrons. Nous nous regardons et dégageons moi à gauche, lui à droite... et plus rien, le ciel est vide. Je cherche Peter, ne le retrouve pas, mais rencontre miraculeusement une section du 274 et nous dénichons trois Dornier-215 en formation – rare trouvaille ! – qui sont abattus, les pauvres, dans les minutes qui suivent. J'abats celui des trois qui traînait : les quatre canons du Tempest ne pardonnent pas à bout portant. Peter a pu ramener son avion endommagé après avoir lui aussi descendu un Dornier.

Sur la fin de l'après-midi je mène en rase-mottes les deux sections Jaune et Bleu, tandis que d'autres partent en embuscade vers Rheine chercher un 262. Nous tirons au passage quelques camions sur l'autoroute de Brême.

Puis le temps se gâte et le plafond tombe vite sous ce ciel de traîne. Je pense qu'il va falloir rentrer avant que la visibilité empire, car je ne tiens pas à enfiler huit avions à 600 km/h dans ces nuages qui givrent certainement. Je sors les cartes de ma botte et baisse les yeux pour tenter de me repérer. Quand je relève la tête je n'ai que le temps de crier : « *Watch out, airfield ahead !* » (« Attention, aérodrome droit devant ! »). Impossible d'obliquer pour l'éviter. Je suis dans l'axe d'une piste sur laquelle deux Focke Wulf-D9 décollent. D'autres sont au parking. La tour de contrôle nous a vus, et le premier s'esquive en virant à la verticale, mais, doigt sur la détente j'arrive sur le deuxième comme il rentre son train d'atterrissage. Mes obus explosent sur la piste et sur le FW qui retombe, plante une aile et capote en laissant la longue traînée de flammes de son réservoir supplémentaire sur le ciment. Baissant la tête je continue sur ma lancée et tire sur une demi-douzaine de Ju-88 dissimulés sous des pins au bout d'une longue bretelle de roulage bien camouflée. Je vais trop vite pour bien tirer, surtout en dérapant. Pour ma peine je prends un 20 dans l'aile gauche ! Au retour, nous tombons sur un gros convoi routier d'au moins une trentaine de camions citernes parqués dans un bois, mais malheureusement pour eux les arbres n'ont pas encore de feuilles ! C'est un gigantesque feu d'artifice, les flammes montent à 100 mètres. Un Tempest passe au travers, c'est MacIntyre. Quand il sort je crois un instant qu'il est en feu. Quand il revient à Volkel, nous découvrons que la peinture de son avion est noircie et écaillée ![1]

---

1. Mon aérodrome était Aldhorn et le pilote allemand, l'*obertslieutnant* Bott, grièvement blessé, a survécu.

Nous rentrons pour apprendre à regret que Fairbanks a été abattu avec un autre avion de chez nous. Rheine Hopsten n'est pas payant. Hibbert qui est mon senior prend le commandement du *squadron*.

Grande discussion au QG de la 122 avec Lapsley, les commandants de la base et de l'escadre, et les deux autres commandants du groupe. Nous sommes à court d'avions avec cette scandaleuse grève chez Hawker. Le 274 m'a « piqué » deux Tempest et nous n'avons les uns et les autres qu'une douzaine d'avions au lieu des vingt-six réglementaires. J'apprends qu'une deuxième escadre de Tempest était prévue. C'est annulé. Demain la 486 va remplacer en principe la 274 ou la 56 envoyée au repos et quelques-uns de leurs pilotes distribués aux deux escadrons qui restent. C'est la même chose avec le déficit en pilotes. La 56 n'a plus que 14 pilotes sur les 24 indispensables. Les renforts sont neuf fois sur dix des pilotes sans expérience, alors que les règlements imposent sur Tempest des pilotes avec au moins un tour d'opérations. L'inconvénient majeur de cette situation est que nos escadrons ne peuvent pas voler en formation à plein effectif de douze – trois fois quatre – classique. Le *wing commander* Brooker décide que désormais nous volerons comme ils le faisaient à Malte et pour les mêmes raisons, par section de six – le *fluid six*. Finalement ce n'est pas une mauvaise idée, car c'est un petit dispositif très maniable, lequel peut affronter un adversaire très supérieur en nombre.

Après le déjeuner on m'envoie expérimenter le système par une mission de chasse libre sur un très grand itinéraire : Hanovre, Magdebourg, Kassel, à 500 pieds !

Une fois encore nous avons droit à une météo pourrie avec un ciel de traîne et de la brume. En conséquence, j'étudie soigneusement les zones de *flak*, mais en général elles changent de jour en jour, toujours plus denses.

À ma gauche, en échelon, deux paires dont une a pour numéro 1 un des deux Français qui sont arrivés à l'escadre la semaine dernière, le lieutenant Deleuze. Je fais un large détour pour éviter la DCA de Langenhagen, base majeure bien défendue où nichent des 262, quand soudain défilent à droite une douzaine de Focke Wulf-D9 dans le sens opposé. C'est le piège à c... classique. Tout le monde tourne la tête pour les voir et c'est à ce moment que déboulent de la gauche trois quarts arrière, quatre Focke Wulf qui tombent sur mes deux avions les plus à gauche. Un Tempest pique à la verticale, en feu, et s'écrase. Tout s'est passé si vite que je n'ai pas le temps de réagir. Deux autres de mes appareils sont touchés, et l'un d'eux – mauvais signe – traîne un filet de fumée blanche de glycol. Je décide de rentrer pour escorter mes éclopés.

À terre, je découvre que c'est Deleuze qui a été abattu[1]. C'était un pilote expérimenté qui était venu chez nous après avoir chassé les bombes volantes VI au 501 Squadron. En relisant son dossier, j'ai lu qu'à son deuxième vol sur Tempest, venant de Spit-V, il avait le 4 août 1944 abattu le premier V1 d'une série de huit à son actif, puis un Messerschmitt-109 en septembre. Il était un de ces jeunes pilotes français qui, arrivés très tôt en Angleterre avant la formation des FAFL, avaient été pris en mains par la RAF, et y étaient restés. Quand je lui avais demandé lors de

1. Son corps fut retrouvé fin 1946, en Hollande, au fond d'un profond cratère creusé par la chute de son avion, et identifié grâce au drapeau français qu'il portait enroulé à sa ceinture. C'était le drapeau qu'il avait arboré sur la petite barque avec laquelle il avait traversé la Manche vers l'Angleterre.

notre première rencontre pourquoi, il m'avait répondu que pour se battre contre les Allemands qui étaient à Paris, il se serait même engagé chez les Esquimaux !

*

J'ai vingt-quatre ans aujourd'hui. Le *squadron* 274 décimé qui a perdu la moitié de ses effectifs est renvoyé en Angleterre se reformer. En guise de cadeau d'anniversaire on me donne le commandement d'une escadrille du 3 Squadron.

Après les œufs figés et le bacon froid d'un mess endormi – où est donc ma petite Hollandaise ? – je monte au terrain prendre mon poste et faire plus ample connaissance avec mes nouveaux partenaires. Ces Anglais sont étonnants. Mes camarades du *wing* qui m'appelaient par mon prénom me

Un beau JF-E tout neuf sur lequel mes mécaniciens ont peint les 21 victoires que je possède déjà. C'est probablement le SN222 très endommagé plus tard par la *flak*. Le NV 994 fut mon deuxième « Grand Charles », mon dernier Tempest.

donnent maintenant du « sir », sans affectation. Pour eux c'est tout naturel et ils se fichent que je sois ou non français, au contraire je crois qu'ils pensent que cela donne à l'escadrille une touche d'originalité par rapport aux autres !

Le terrible hiver 1944-1945 finissant a laissé des taches de neige aux flancs des Ardennes où gisent encore les carcasses calcinées des chars Tigre et Panther de l'offensive Runstedt. Il reste le long des rives du Rhin quelques plaques de glace autour des épaves de chalands coulés.

Je grimpe sur l'aile de mon nouvel avion, immaculé et brillant, fleurant bon la peinture neuve, à peine arrivé de GSU (Group Support Unit, qui stocke les avions de remplacement au fur et à mesure qu'ils sortent d'usine, et les vérifie).

Il sera immatriculé JF-E.

Les mécaniciens peignent les petites croix noires des victoires que je possède déjà sous le cockpit. J'ajoute moi-même une croix de Lorraine sur le capot et décide de le baptiser « Le Grand Charles » en l'honneur de De Gaulle. Je ne suis pas sûr que l'intéressé appréciera si une bonne âme l'informe[1] !

Le ciel matinal est limpide à l'ouest, mais à l'est le vent pousse la fumée des incendies allumés par les bombardements des Lancaster la nuit et des B-17 le jour. Nous avons entendu le tonnerre des bombes sur les villes des environs toute la nuit et toute la matinée d'hier. Pauvres civils, toujours victimes...

Les ailes des avions fument dans le petit matin après le passage de la remorque de dégivrage. Les détonations des démarreurs Kaufman préludent à la

1. Après la guerre j'ai offert au Général une photo de mon « Grand Charles » qui l'a beaucoup amusé !

Le séminaire d'Uden, près de l'aérodrome de Volkel
où nous logions avec une cinquantaine de séminaristes
que notre présence laissait parfaitement indifférents !

pétarade hésitante et aux petites flammes bleues des pots d'échappement des moteurs qui chauffent longuement.

Je vais essayer mon Tempest et tirer avec ses canons pour être sûr que tout marche bien. Je plains le mécanicien qui doit, assis sur le bord d'attaque, me guider sur l'étroite bretelle de roulement. Il est là, dans le vent glacial de l'hélice, un flacon d'alcool et un chiffon à la main pour, en bout de piste, nettoyer le pare-brise de l'huile que ce moteur Sabre crache par tous ses pores au ralenti, puis sauter à terre en se courbant pour passer sous l'aile avant le décollage. J'ai un des nouveaux moteurs de 2 950 CV et une hélice Rotol à larges pales – ça déménage !

Je file vers le Rhin afin de faire tirer mes quatre canons dont les obus iront se perdre en Allemagne, pour vérifier ensuite les munitions restantes dans chacune des armes. Je zigzague entre les stratus bas et je cherche le fleuve quand sous moi émergent d'un couloir de nuages trois Me-109 puis un quatrième loin derrière. Je préviens à la radio et pique sur le traînard qui a les yeux fixés sur sa patrouille et ne me voit pas venir. Mes quatre canons fonctionnent parfaitement. Pourvu que la caméra ait été branchée... Le 109 passe sur le dos, traînant une fumée grise et le pilote saute. Il est bien bas et je ne vois pas de parachute dans les bancs de brume...

Grand carnaval cet après-midi autour de Rheine avec les Focke Wulf-D9 de la JG 26 qui protègent une paire de 262 à réaction qui se posent en se faufilant sous un véritable tunnel de *flak*. Les 20 et les 37 explosent dans le tas sans distinguer les Focke Wulf des Tempest.

D'un Tempest en feu un pilote saute. Il est bas, mais je vais trop vite pour voir s'il s'en tire. Au retour on fait les comptes et ce n'est pas brillant pour une première mission que je commande chez les Filmstar (notre nom de code du 3 Squadron). Nous avons perdu trois avions et abattu deux FW – un pour moi et un autre pour Ken Hughes. Les films de caméras mitrailleuses nous attribueront deux endommagés de plus. Donnant-donnant.

Les Messerschmitt-262 deviennent ennuyeux comme la pluie. Ces bolides à réaction apparaissent de plus en plus nombreux sur notre front. Tous les matins à l'aube et le soir au crépuscule, ils viennent individuellement, en rase-mottes, prendre leurs photos. Parfois, pour corser le programme, des patrouilles de trois viennent mitrailler ou bombarder nos lignes.

Pour les contrôleurs de Kenway, c'est un gibier très difficile à repérer au radar, car les postes de

GCI (*Ground Controlled Interception*) balayent trop lentement les 360 degrés de l'horizon pour suivre et fixer l'écho d'un 262 filant à 800 km/h au ras des arbres.

Le quartier général du 216 Army Group US ne comprend pas ces subtilités techniques, et abreuve GCC de notes impératives, exigeant que l'on fasse cesser ces reconnaissances armées de la Luftwaffe. Le pauvre *wing commander* Lapsley se casse la tête pour trouver un moyen d'intercepter les Messerschmitt-262 avec les Tempest faisant du 680 km/h à tout casser !

Finalement, avec Brooker, il met au point le *rat code* – le « code du rat » (appelé plus tard par les pilotes le « *bastard code* » !).

Le principe en est le suivant : deux paires de Tempest sont maintenues en permanence en état d'alerte immédiate renforcée, c'est-à-dire que les avions sont en position de décollage en bout de piste, avec les pilotes attachés dans leur cockpit, le doigt sur le démarreur, moteur chaud, radio branchée.

Dès qu'un Messerschmitt-262 franchit le Rhin vers nos lignes, Lapsley prévient de son poste de contrôle, directement en phonie, les pilotes en alerte dans les termes suivants :

— *Hullo, Talbot leader scramble rat, scramble rat !* (Allô Talbot, chasse au rat, chasse au rat !)

Immédiatement les moteurs sont démarrés, on lance trois fusées rouges pour libérer le circuit et donner la priorité aux chasseurs de rats.

Sans chercher à chasser un gibier trop rapide, la paire de Tempest file immédiatement sur Rheine-Hopsten, base des avions à réaction. Exactement huit minutes après que l'alarme a été donnée, les deux Tempest patrouillent à 3 000 mètres les abords de Rheine, et essayent d'accrocher le Me-262 au retour de sa mission, quand il doit ralentir pour baisser ses roues et ses volets avant de se poser.

En une semaine nous mettons au tapis de cette façon deux « rats ». Je n'ai pas de chance, et j'en manque un qui me file entre les doigts.

À propos, les artilleurs de DCA de Volkel ne se sentent plus. En effet, le *rat scramble* venait d'être donné ; je décollais suivi de mon numéro 2, quand un Messerschmitt-262 est passé en trombe sur le terrain, une centaine de mètres derrière moi. Par le plus grand des hasards, et par l'effet d'une bonté spéciale du Saint-Esprit, les deux canons Bofor des postes S.E. 4 et 5 étaient tournés dans la bonne direction, avec les servants en position. Chacun tira un chargeur, à 100 000 contre 1, et le Me-262 touché de plein fouet par un 40 s'écrase. Dans les débris, sur le corps du pilote on trouve ses papiers : Hauptman H.C. Butmann.

Les Allemands trouvent vite la parade contre la « chasse au rat ».

Les Me-262 reçoivent l'ordre de rentrer chez eux à toute vitesse, en rase-mottes – ce qui les rend très difficiles à repérer, grâce à leur camouflage – et de

Décollage de deux avions du 274 dans la neige poudreuse qui rend la piste en grilles glissante.

ne ralentir leur vitesse que dans l'allée de *flak* où ils peuvent, sous la protection d'un formidable barrage de *flak* légère, exécuter en toute sécurité leur manœuvre d'atterrissage. Dans le prolongement de la grande piste est-ouest de Rheine, sur une distance de huit kilomètres, 10 affûts quadruples de 20 étendent une ombrelle infranchissable d'acier et d'explosifs, sous laquelle l'avion ennemi se glisse et se pose tranquillement.

En une semaine nous perdons trois Tempest qui ont cherché à attaquer un 262 dans cette allée de *flak*. Inutile d'insister : des ordres formels sont donnés, défendant d'engager les 262 dans un rayon de 10 kilomètres autour de Rheine, ce qui restreint considérablement nos chances de les descendre.

*

Le 7 mars, le 3e corps de la 1re armée américaine atteint le Rhin à Remagen, et par un coup de chance inouï, trouve le pont Lunderdorff intact. La 9e division blindée a tôt fait de s'en emparer, et aussitôt, le général Bradley commence l'exploitation de la tête de pont. Cette enclave sur la rive droite du Rhin devient en deux jours une telle menace pour les Allemands que ceux-ci font des efforts désespérés pour couper le pont. La Luftwaffe est lancée dans l'aventure, et les chasseurs américains, qui ne disposent pas de bases convenables à distance raisonnable, sont vite débordés. On fait appel à la RAF et, comme seuls les Tempest ont un rayon d'action suffisant pour couvrir Remagen en partant de la Hollande, cette tâche supplémentaire nous incombe.

Je mène au crépuscule la première de ces missions de protection. À la tête de huit Tempest, nous descendons le cours du Rhin, nous passons

Cologne, et arrivons sur Remagen, accueillis par une DCA yankee enragée. Les artilleurs américains sont dans un tel état de nerfs que, même après que nous avons fait les signaux conventionnels de reconnaissance – et reçu l'accusé de réception ! – ils continuent à tirer de temps à autre une rafale de Bofor sur nous. À la troisième salve – qui me manque d'ailleurs de peu, puisque je récolte un éclat dans l'aile – je me sens peu disposé à servir longtemps de cible à ces messieurs. Je fais faire demi-tour à ma formation pour rentrer à la maison...

À cet instant, une véritable armada de sept ou huit Arado-234 escortés par une dizaine de Me-262, piquant sur le malheureux pont, est nez à nez avec nous, passant en trombe dessus et dessous.

Pleins gaz, je fonce derrière eux. Au moment précis où j'ouvre le feu sur un Arado-234 à plus de 1 000 mètres de portée, une vingtaine de Focke Wulf-190-D9 débouche des nuages à ma gauche. Trop c'est trop.

Tant pis ! Je préviens mes équipiers par radio, et je continue. La vitesse monte d'une façon affolante : 700 km/h. Je dévale une pente à 50 degrés environ ; les sept tonnes de mon avion tirées par 3 000 chevaux ont une formidable accélération. L'Arado redresse doucement, insensiblement, suivant une trajectoire qui doit l'amener au ras du Rhin, quelques centaines de mètres avant le pont. Je suis à 800 mètres, mais je n'ose pas tirer. Toujours derrière mon boche, j'arrive dans un effroyable barrage américain de 40 et de mitrailleuses lourdes... Je vois distinctement les deux bombes se détacher de l'Arado – l'une d'elles ricoche par-dessus le pont et l'autre percute dans le tablier. Je passe 40 mètres à gauche du point d'impact, au moment où elle explose. Mon avion est enlevé comme un fétu de paille, et à moitié retourné par la déflagration...

D'instinct, je réduis les gaz, et je tire sur le manche. Mon Tempest remonte comme une balle de revolver à 2 000 mètres, et je me retrouve suant de peur en plein nuage, à moitié sur le dos. Une vibration folle : mon moteur coupe, je reçois sur la figure une pluie de terre, de ferraille, d'huile et après une abatée violente comme un coup de faux, je tombe en vrille. La vrille du Tempest est la chose la plus violente qui existe : un tour, deux tours... et on est comme une loque, ballotté à toute volée, malgré les bretelles du harnais, contre les parois du cockpit.

Je sors du nuage toujours en vrille – la terre est là, à moins de 1 000 mètres. Je pousse à fond sur le manche tout en ouvrant pleins gaz. Le moteur tousse et reprend d'un seul coup, à en arracher le bâti du fuselage. La vrille se transforme en spirale ; je tâte doucement ma profondeur qui accroche – les champs arrivent cependant vite dans mon pare-brise...

Je rétablis à moins de 150 mètres.

J'ai eu chaud. Sous mon casque je sens mes cheveux trempés de sueur.

Je fais le point rapidement. Je suis sur la rive droite du Rhin, au nord de la tête de pont américaine. Je prends un cap 310 degrés pour rentrer et par radio je donne rendez-vous à ma patrouille au-dessus de Cologne à 4 000 mètres. Tout s'est calmé.

À ce moment, Kenway m'appelle :

— *Hullo Filmstar leader, Kenway calling, what's your position ? Over to you.* (Allô Filmstar, Kenway vous appelle. Quelle est votre position ? À vous !)

Je réponds brièvement :

— *Hullo Kenway, Filmstar leader answering, my approximate position is twenty miles North of Remagen, along Rhine. Out.* (Allô Kenway, ici Filmstar. Ma position est à environ 20 kilomètres de Remagen, au nord, le long du Rhin !)

C'est Lapsley qui contrôle personnellement à Kenway aujourd'hui, je reconnais sa voix un peu traînante, comme lui reconnaît la mienne.

— *OK. Pierre, look out, there is a couple of rats around. Out.* (OK ! Pierre, faites attention, il y a une paire de rats dans les environs !)

Bien, ouvrons l'œil. Je suis OK pour l'essence, et je décide de faire un tranquille 360 degrés sous les nuages pour essayer de repérer les deux rats en question.

Quelques secondes plus tard des traceuses de DCA montent le long du Rhin, et je distingue deux fines traînées de fumée au ras du sol.

C'est un 262. Quel magnifique avion, avec son fuselage triangulaire comme une tête de requin, ses minuscules ailes en flèche, ses deux turbines allongées, son camouflage gris moucheté de vert et d'ocre...

Cette fois je ne suis pas mal placé, entre l'animal et sa base. Je pique de nouveau comme un sourd pour emmagasiner le maximum de vitesse. Il ne m'a pas encore aperçu. Un léger virage aux ailerons, et j'arrive dessus en tangente. Soigneusement, je corrige au collimateur pour la vitesse et le *bullet drop*, quand soudain je vois deux longues flammes jaillir de ses tuyères. Il m'a vu et accélère à fond. Je suis bien aligné, à 600 mètres. Je tire une première rafale. Manqué. J'augmente la correction et je tire encore, vite, car il gagne sur moi. Cette fois je crois voir deux éclairs sur son fuselage – un troisième sur l'aile. La portée est maintenant de 500 mètres. Une explosion sur la turbine droite, qui vomit aussitôt un panache de fumée noire... Le 262 dérape violemment, et perd de l'altitude. Les vitesses s'équilibrent, à environ 600 mètres de portée. La fumée me gêne et je le manque encore. De curieuses boules rouges, qui flottent dans cette fumée, éblouissent. Bon Dieu ! mes deux canons gauches s'enrayent... Je vise plus à droite pour corriger le dérapage, et mes deux autres canons s'enrayent à leur tour. Le Me-262 continue sur un moteur. Je suis fou de rage. Mon système pneumatique a une fuite – pas de pression au cadran. J'en bave de fureur dans mon masque à oxygène. Je continue à suivre le 262 dans l'espoir que sa deuxième turbine surchauffera.

Au bout de quelques minutes c'est mon moteur à moi qui se met à chauffer. À regret j'abandonne et dois réduire. Je pense à l'imbécile qui a écrit dans le bulletin technique de l'Air Ministry que le Messerschmitt-262 était incapable de voler sur une turbine seulement (sauf allégé de son carburant ! J'avais oublié ce détail).

Dans cette aventure, ma patrouille doit s'impatienter au-dessus de Cologne. Par la radio je passe le commandement à MacCairn, et nous rentrons séparément à Volkel, à la nuit tombante.

Je suis d'une humeur massacrante. Pour arranger les choses, un de mes pneus crève en roulant : je dois attendre, sous un vent glacial, qu'il soit changé – et ce n'est pas facile – pour conduire mon taxi au parking avant d'aller dîner.

*

Dans l'aube grise qui étire de longues bandes de brume sur la plaine monotone couverte de neige, germe une colonne de fumée.

Puis une autre, un peu plus loin, qui persiste au ras du sol, poursuivant une chenille noire qui serpente sur la blancheur immaculée du paysage.

— *Train 2 o'clock Filmstar leader !* (Train à 2 heures, Filmstar !)

Les quatre Tempest glissent à 1 000 mètres d'altitude, dans l'air glacé, et leurs ailes polies accrochent les premières lueurs d'une aurore fade.

Les quatre canons de 20 millimètres du Tempest
tiraient ensemble 200 obus en 5 secondes !

Nous obliquons vers le deuxième train et, d'instinct, quatre mains gantées, transies de froid, poussent déjà au petit pas le levier de l'hélice.

On distingue maintenant la locomotive précédée du wagon de *flak*, et l'interminable convoi mixte qu'elle traîne péniblement.

Sans larguer les réservoirs supplémentaires, nous piquons légèrement, pleins gaz... 500... 520... 650 km/h.

Le sang monte à ma gorge soudain desséchée – toujours cette vieille frousse de la *flak*.

Plus que 3 000 ou 4 000 mètres. Je commence à aligner mon collimateur une vingtaine de mètres devant la locomotive.

Allons-y ! Je me penche en avant, crispé. Plus que 800 mètres. Le premier chapelet de traceuses – les éclairs saccadés du quadruple de *flak* 20 – les roues de la loco qui patinent, freins bloqués.

500 mètres. Je rase les sillons couverts de neige d'où s'envolent des corbeaux en débandade.

Fracas de mes canons – le chauffeur saute de sa cabine et roule dans le fossé. Mes obus explosent sur le remblai et perforent en dansant la masse noire qui grandit dans le collimateur. Puis dans un grand souffle, la cheminée vomit une éruption de flammes et de scories ourlée par la vapeur qui s'échappe des tubulures crevées...

Une pression sur le manche pour sauter les fils télégraphiques, une plongée rapide à travers la fumée et, à nouveau, le ciel dans mon pare-brise couvert de suie grasse.

Manche au ventre je dégage en zigzags. *Flak* ou ricochets de mon numéro 2, des charbons ardents voltigent autour de mon appareil. Les petits flocons blancs panachés de feu commencent à s'accrocher dans l'espace.

Un coup d'œil en arrière. La locomotive a disparu, enveloppée de suie et de vapeur qui fuse. Des hommes dégringolent des portières et dévalent le long du ballast comme des fourmis en délire.

Red 3 et Red 2 me rejoignent, tandis que Red 4 se débat encore dans les filets de la *flak* très dense crachée par les trois wagons de DCA.

Je fais décrire à ma patrouille une large orbite ascendante, et nous mettons le cap sur le deuxième train.

Attaque de train.

Il a certainement été prévenu par la radio : il est stoppé et sa fumée monte maintenant verticale. Je balance mes ailes, indécis. Inutile d'attaquer celui-là, car les servants de la *flak* doivent nous attendre, œil au viseur et pièces démuselées.

— *Hullo Filmstar, no use chaps, they have got the gen. Break away to starboard, one eight zero !* (Allô Filmstar, ce n'est pas la peine d'y aller, ils sont alertés. Prenez à gauche 180 degrés.)

Bon Dieu ! Red 4 est fou.

— *Filmstar Red 4, do not attack !* (Filmstar Rouge 4, n'attaquez pas !)

Le Tempest dévale quand même, pointé sur la loco.

— *Come back – break you fool !* (Reviens, imbécile ! Reviens donc !)

La *flak* ouvre le feu, et je vois les traînées de fumée qui s'égrènent sous les ailes de Patrick. Puis une petite explosion imperceptible le long du fuselage, le Tempest se retourne lentement, toujours lancé sur sa trajectoire, il frôle, déjà presque sur le dos, un des wagons et s'écrase, en bordure des rails...

Je jurerais avoir entendu l'explosion. Comme toujours, le champignon de lourde fumée noire, zébré de vapeur d'essence en feu, s'élèvent aussitôt des débris éparpillés. L'imbécile !

— *OK Filmstar, going home !* (OK Filmstar, on rentre à la maison.)

Sur le chemin du retour, nous attaquons trois autres trains.

Nouvelle tragédie à l'atterrissage. Bentley, mon numéro 3, touché par le *flak*, se pose le premier, en priorité. À 100 mètres du terrain, surgit soudain, sous lui, le *duty* Anson, qui fait une longue approche plate. Les deux pilotes ne peuvent se voir et convergent, en aveugles, l'un vers l'autre. Bentley a certainement débranché sa radio car il n'entend pas l'appel désespéré du contrôleur de piste. À la dernière seconde, l'Anson dégage brutalement mais trop tard. Les débris des deux avions flambent au pied de la roulotte de contrôle. Sept tués. L'Anson ramenait cinq nouveaux pilotes de renfort pour le *wing*.

Matinée glaciale et décevante. Nous sommes en *readiness* depuis 4 h 30. Mon équipe est épuisée et tous ces jeunes organismes fatigués réagissent mal contre le froid.

7 h 30. Ordres et contre-ordres se sont succédé et tout semble aller mal ce matin.

La poisse a commencé par les radiateurs des Diesel de secours qui ont éclaté soudain, éteignant la rampe d'atterrissage alors que le premier des trois Spitfire-XIV de la section Jaune du *squadron* 41 se posait. Celui qui le suivait a décroché d'une dizaine de mètres, s'est écrasé et a pris feu. Pilote indemne.

Le troisième, piloté par un jeune Polonais, Kalka, est resté pendant une dizaine de minutes au-dessus du terrain ; à court d'essence : détourné trop tard sur Eindhoven, le pilote a sauté.

Pressés frileusement sur le pas de la porte du *dispersal*, nous avons vaguement entrevu la silhouette du Spitfire entre les nuages, roues et volets baissés : la masse noire tournoyante du pilote tombant – claquement du parachute qui s'ouvre – fuite de la corolle pâle entraînée par le vent.

Une heure après, une jeep ramène son cadavre raidi, enveloppé dans la soie givrée du parachute. Le pauvre type était tombé dans la Meuse dont les

Charles Brown me photographie pour *Aeronautics* à mon retour scabreux d'une mission. La cigarette est supposée calmer mes nerfs. L'itinéraire de la mission est encore visible sur ma carte à côté de mon parachute.

eaux glacées n'ont pas pardonné. Une petite Hollandaise courageuse a plongé et l'a ramené, mort hélas par hydrocution.

Alors que le jour maussade se levait à contrecœur, quatre Nalgo ont décollé, menés par le *wing commander* Brooker. Une heure et demie plus tard, deux Tempest seulement sont rentrés.

Après avoir mitraillé dans la région d'Osnabruck un train dont la *flak* endormie n'avait réagi que mollement, la section s'était reformée. Soudain, Barry a vu une fine traînée de fumée qui filtrait du radiateur de son chef, inconscient du danger.

Brooker prévenu balançait son avion pour chercher à voir. Même dans le miroir rétroviseur, la fumée était imperceptible. Puis, soudain le Tempest a été secoué par un choc et une flamme s'est déroulée dans son sillage, longue et fine, comme une lame d'épée...

Des autres appareils, qui s'écartèrent précipitamment, on vit les deux mains gantées de Brooker s'acharner sur les attaches de la couverture vitrée de la cabine. Soudain son visage et son buste apparurent illuminés de pourpre – le feu avait fait irruption dans le cockpit.

Violemment le Tempest se retourna, dérapant sur le dos.

La gorge serrée, les coéquipiers de Brooker gardaient les yeux rivés sur l'avion désemparé. Ils ne virent pas deux ombres jaillir silencieusement de la brume irisée par l'aurore. Juste une traînée incandescente de traceuses, et les grandes croix noires entrevues sur les ailes des deux Focke Wulf aussitôt évanouies dans le ciel.

Un second Tempest partit en vrille, et ses détris enflammés rejoignirent le long de l'autostrade ceux de l'avion de Brooker.

*

Ces nouvelles provoquent une certaine émotion, et pourtant Brooker était resté si longtemps à la tête de l'escadrille qu'il était difficile de concevoir le *wing* 122 sans lui.

À 8 heures, pour la quatrième fois depuis ce matin, GCC nous remet en alerte renforcée, puis décommande dix minutes plus tard. Chaque fois, il faut ressortir à l'air glacé, se hisser avec le lourd parachute sur l'aile glissante, se déganter pour brancher les casques sur les prises de radio et d'oxygène ; nous revenons vite autour du poêle, les nerfs tendus, rejeter un dernier coup d'œil hâtif à la carte du secteur, avec sa trame noire de lignes de chemin de fer que l'on longera en rase-mottes, à la recherche d'un train dangereux à la *flak* démuselée.

J'observe mes pilotes – pas un mot d'échangé entre eux, pas même un regard, à peine un geste pour réclamer une cigarette ou du feu...

Soudain, la sonnerie grêle du téléphone, dans la cabine du planton, fige tout le monde sur place, la bouche sèche et l'estomac douloureux.

— *Back to normal state. 15 minutes readiness !* (Retour à la normale, alerte à quinze minutes.)

Explosion de fureur, coups de pied dans le malheureux seau à charbon – ce n'est pas un soulagement ; nous avons plutôt l'impression d'être joués...

Je passe ma mauvaise humeur sur Byrnes, un de mes nouveaux, qui traîne timidement sa tête de gosse apeuré, criblé de taches de rousseur. Cet imbécile a posé son parachute dans une flaque d'huile, hier ou avant-hier, et ne s'en est pas vanté. L'huile dévore les plis serrés de la soie plus sûrement que le feu – un parachute dans cet état ne résisterait pas au déclenchement de l'ouverture, à vitesse moyenne.

À 9 h 30, j'emmène mon équipe au mess. Je commande un deuxième breakfast – avec ce froid, je ne puis laisser mes pilotes sans manger de quatre heures jusqu'à midi.

À peine ai-je entamé mon assiette de porridge que le sergent du mess m'appelle au téléphone. La bouche pleine je réponds à Lapsley. C'est une patrouille à huit avions Osnabruck-Munster-Bremen, avec naturellement priorité d'attaque pour les trains. Décollage à 9 h 55. OK.

Coup de fil au *dispersal* pour prévenir.

Comme prévu le temps empire ; il commence à neiger. Les flocons collent au pare-brise et, pour rouler jusqu'à la piste, il nous faut prendre un mécano sur l'aile, pour guider. D'une main, il s'accroche au métal glacé, glissant, les deux jambes ballantes, et de l'autre il indique le chemin tout en essuyant les larmes qui coulent de ses yeux fouettés par le vent coupant.

Mon avion dérape sans arrêt sur la grille métallique de roulement : « Ils ne vont quand même pas nous laisser partir d'un temps pareil ! »

Je branche ma radio et j'appelle Desmond :

— *Hullo Desmond, Filmstar Red leader here pretty sticky. Any gen ?* (Allô Desmond, Filmstar Rouge vous parle. Un temps de cochon. Quoi de neuf ?)

— *Hullo Filmstar, Desmond answering, scramble now !* (Allô Filmstar, Desmond vous répond. Décollez maintenant.)

Nous sommes parvenus maintenant à l'intersection de la bande de roulement et de la piste en briques. Les mécanos, après un coup de chiffon sur le pare-brise, sautent à terre et partent en courant, courbés sous les rafales après l'adieu traditionnel du pouce en l'air.

Mes sept avions suivent bien et se disposent deux par deux sur la piste.

Byrnes, ému et nerveux, n'arrive pas à s'aligner correctement à mes côtés ; il maltraite ses freins et corrige à grands coups de moteur. Je détache mon masque et lui adresse, avec un sourire, un signe d'encouragement. Avec ce vent de travers, s'il s'affole, il va m'accrocher au décollage.

Il neige maintenant dru – on voit à peine le bout de la piste.

J'ouvre les gaz progressivement et, à peine mes roues rentrées, je vire à gauche. Je vois se glissant sous mes empennages le Tempest de Byrnes qui frôle les arbres dénudés et les toits blancs.

Sur les grilles, mes numéros 3 et 4 filent traînant derrière eux le nuage de neige soulevé par leurs hélices, tandis que la première paire de la section Bleu s'ébranle à son tour.

Après dix angoissantes minutes de grimpée en formation encastrée, au travers des nuages lourds de givre, nous émergeons 2 000 mètres au-dessus de Munster.

Les rues noires se croisent et s'entrecroisent entre les toits des maisons couverts de neige. La fumée et la vapeur des usines s'effilochent sous le vent et se fondent dans la blancheur de la plaine.

La ville semble morte.

La cathédrale est ceinturée d'un quartier bombardé – squelettes de charpentes noircies, trous béants de caves, montagnes de débris qui coulent jusque sur la place. À l'ombre des tours, étroitement parqués, une centaine de camions et quelques chars.

De l'autre côté du canal embouteillé de chalands immobilisés dans les glaces, la gare de triage presque déserte. Des cratères de bombes, des restes calcinés de wagons-citernes et, dans un coin, près d'une rotonde à locomotives, deux trains l'un contre l'autre, sous la protection des plates-formes de *flak* automatique dont les servants doivent suivre nos évolutions au travers des objectifs de leurs télémètres...

Soudain, j'ai l'inexplicable sensation qu'il y a quelque part une batterie de 88 – vite !

— *Filmstar Red, quick 180° starboard !* (Filmstar Rouge, 180° à droite, vite !)

Je ne sais pourquoi, sans attendre les quelques secondes réglementaires entre l'ordre et l'exécution, je vire aussitôt, sec. Mes avions surpris amorcent en désordre leur virage... et, juste dans ma queue, entre Byrnes – heureusement traînard – et moi-même, apparaissent trois éclairs qui se panachent de fumée sombre ! L'avion de Byrnes disparaît un instant.

Une voix anonyme pleurniche dans la radio :

— *Christ, that was bloody close !* (Seigneur ! C'était diablement près !)

La patrouille que je mène vole admirablement.

Être à la tête d'une formation est pour moi une fierté sans cesse renouvelée ; c'est un sentiment primaire, dans lequel n'entre aucune autre considération.

À ma gauche, impeccablement espacés, Red 3 et Red 4. À droite, tout de suite, Byrnes, Red 2. 500 mètres plus loin, la section Blue, MacCairn en tête, avec ses quatre avions étroitement groupés.

Le ciel, sous une voûte très élevée de nuages parfaitement unis, est de ce gris lumineux mais sans soleil que l'on ne trouve qu'en hiver. Mes Tempest se détachent comme des jouets magnifiques sur le mur de cumulus qui bloque l'horizon du Rhin jusqu'au ras des arbres.

Flottant miraculeusement à 2 500 mètres sur une couche d'air moins froide, un banc de nuages blancs s'approche – impression curieuse d'être figé sur place, immobile entre la plaine neigeuse et les stratus gris, avec ces masses imprécises et irréelles glissant à notre rencontre sur leur base plate...

Trêve de rêverie. Vais-je passer dessous ou dessus ?

Un tour d'horizon calme et scientifique ; je scrute attentivement le ciel que je découpe en tranches précises par un mouvement de la tête, de haut en bas.

Rien en l'air.

Rien au sol non plus. Il me semble bien entrevoir une file de camions garés le long de l'*autobahn* – mais je force mes yeux à passer sans les voir ; pas d'histoires avec la *flak* avant que nos réservoirs supplémentaires soient vidés.

La radio est étrangement silencieuse, nous devons être les seuls chasseurs de Kenway en l'air. Rien d'étonnant, avec ce temps de chien.

Je sens une envie de folâtrer avec ma patrouille entre ces nuages...

— « *Priority for the trains... Priority for the trains...* »

Dans ma conscience, j'entends encore la voix de Lapsley au téléphone.

« Priorité pour les trains ! » Évidemment, au-dessus du banc de nuages, je ne verrais pas les trains.

« Mon Dieu faites qu'il n'y ait pas de trains là en bas ! »

— *Hullo Filmstar Squadron, keep just below cloud base !* (Allô Filmstar Squadron, descendez au-dessous des nuages.)

Et, dix mètres au-dessous du plateau translucide, nous glissons...

Soudain la radio éclate en hurlements et en imprécations. Je sursaute, surpris – des milliers d'épingles semblent s'enfoncer dans ma langue, sur le dos de ma main et dans mes chevilles.

— *MacDuff Squadron, BREAK !* (MacDuff Squadron, *DÉGAGEZ !*)

— *Help !...* (À l'aide !...)

— *Look out Focke Wulf above !* (Attention ! Focke Wulf au-dessus !)

— *MacDuff leader, you have got a bastard on your tail !* (Leader MacDuff, vous avez un boche à vos trousses !)

Tiens ! on se bagarre quelque part dans le ciel. Automatiquement mes avions ont pris la formation de combat et, aux balancements des ailes, je devine que sept paires d'yeux excités fouillent le ciel.

Je ne connais pas l'indicatif « MacDuff » – c'est probablement un *squadron* de la 84e division aérienne.

Les nerfs tendus, je demande des explications à Kenway.

— *Hullo Kenway, Filmstar leader here. What's going on ?* (Allô Kenway, Filmstar vous parle. Que se passe-t-il ?)

Entre deux salves de jurons et de cris des MacDuff, Kenway me répond :

— *Hurry up, Filmstar leader, there is a big do over Rheine, steer 275°.* (Dépêchez-vous, Filmstar. Une grosse affaire au-dessus de Rheine, cap 275°.)

Point besoin de prévenir ma patrouille qui a entendu. Nous virons plein ouest, à toute vitesse, collimateur allumé, doigt sur la détente.

Coup d'œil à la carte – moins de 80 kilomètres, donc nous serons sur Rheine dans cinq minutes, trop tard probablement.

— *Filmstar, over to Channel C for Charlie. Keep your eyes peeled !* (Filmstar, passez sur la fréquence C, C comme Charles. Ouvrez bien les yeux.)

Je fais changer de fréquence radio, car la B est encombrée par les MacDuff...

Byrnes commence à traîner, selon les bonnes traditions des jeunes numéros 2.

J'ai le doigt sur le contact d'émission radio pour le rappeler à l'ordre, quand j'entends hurler sa voix surexcitée :

— *Red leader, aircrafts just above the clouds, quick, they are Huns !* (Leader Rouge, des avions au-dessus des nuages, vite, ce sont des boches !)

Bon Dieu ! Je lève la tête et je vois au travers de la couche translucide défiler une dizaine de silhouettes imprécises, traînant chacune un halo arc-en-ciel.

Je largue mes réservoirs, hélice au petit pas, moteur en surpuissance ; je me lance à la verticale au travers des nuages.

J'émerge droit dans le ciel, accroché à mon hélice, 100 mètres à peine sous des Focke Wulf volant en désordre...

Dans le cercle lumineux de mon collimateur, l'intrados d'une aile avec les grandes pattes du train d'atterrissage, les croix noires et le ventre bleu pâle d'un des boches me saute à la figure. Quelle chance !

J'écrase longuement la détente, secoué jusqu'à la moelle par mes quatre canons déchaînés...

Un effroyable déchirement – un grand panneau de tôle se détache du Focke Wulf « long nez » qui fait deux tonneaux, vomissant une nappe de feu et de débris.

Je l'évite de justesse. Son plan fauchant l'air n'est pas passé loin de mon gouvernail.

Ayant perdu ma vitesse acquise, j'essaye désespérément de compléter mon looping, car entraîné par mon réflexe je me suis mis dans la plus vulnérable des positions, et ce Focke Wulf n'était pas seul ! Je me retrouve stupidement sur le dos, comme une mouche dans une toile d'araignée, pendu à mes bretelles. Je mets le manche tout à gauche, mais les commandes n'accrochent plus. Toute sustentation enfuie, mon Tempest vibrant violemment se rabat et décroche en coup de fouet...

Bang ! – l'explosion aveuglante, juste devant mes yeux, déchire mes tympans. Je lâche tout et d'instinct je me couvre le visage de mes deux bras ! Odeur d'ozone et de caoutchouc d'un court-circuit, mêlée à l'âcre fumée écœurante de cordite...

Secoué, l'estomac entre les dents, la tête en bas, j'essaye en vain de remonter mes pieds sur le palonnier – mes jambes pèsent une tonne ! Un des instruments fracassés de ma planche de bord pend au bout de son fil devant mon nez, et j'entends dans ma radio le crépitement des étincelles bleues que je vois courir sur ma boîte de contacts électriques.

C'est sûrement un 20 qui m'a touché au raccord d'aile.

Pantelant, je rétablis machinalement aux ailerons 500 mètres au-dessous des nuages et mon moteur engorgé repart après quelques retentissants retours de flammes – *bloup ! bloup !*

Bang !

Encore !

Cette fois c'est un 20 dans le fuselage. J'en ressens le choc au travers de ma plaque de blindage dorsale comme un coup de marteau.

Frénétiquement, je bascule des deux mains et je vire. Le Focke Wulf moucheté de vert file devant mon pare-brise, deux aigrettes blanches au bout des plans, et remonte verticalement dans les nuages.

Maintenant ma radio est morte, pulvérisée par le dernier obus.

J'hésite – que faire ? Je vois émerger de la base du nuage, encadrée d'une cascade de débris enflammés, une forme inerte accrochée à un parachute à demi ouvert. Est-ce un des miens ?

Puis c'est un Focke Wulf, piquant à plein moteur, verticalement. Le petit point brillant fonce vers la terre comme un projectile – une bulle de feu qui éclate dans la neige, et la fumée se gonfle aussitôt en champignon, vite entraîné par le vent.

Le lieutenant Söffing et l'*obertslieutnant* Dortenmann, les champions de la chasse aux Tempest de la JG 26 à la fin de la guerre. À eux deux ils ont abattu 14 Tempest en 60 jours !

Au loin quelques petites croix noires s'estompent...

Et le ciel est soudain vide. Plus un avion. Mes avions et les boches se sont évanouis.

Je vais rentrer. Un coup d'œil circonspect tout autour, et je me baisse pour réajuster mon gyroscope. Je constate alors que mes jambes tremblent et que, sous les gants fourrés, mes mains humides sont affreusement douloureuses, à demi paralysées par la crispation nerveuse sur le manche et la manette des gaz.

Le retour à Volkel est un cauchemar. Je m'égare pendant près d'un quart d'heure, sans radio, dans une tourmente de neige qui estompe les contours du paysage et efface les points de repère. Je perds un peu la tête, traverse le Rhin à deux reprises, salué par les traceuses de *flak*, et je vais finalement échouer sur un aérodrome américain, 150 kilomètres au sud de la Hollande. En me posant à l'aveuglette, je frôle la cheminée en tôle d'une hutte et, mal en point, mon Tempest sans volets s'arrête à quelques mètres d'un Lightning...

Je suis tellement épuisé que les mécanos américains m'aident à sortir de mon cockpit[1].

*

1. Je me souviens encore de ce 13 avril 1945. Nous avons perdu 3 Tempest sur 6 et abattu seulement un Focke Wulf-D9, le mien, qui était, nous l'avons appris après la guerre, piloté par le lieutenant Erich Asmus. Il avait 23 ans et ses restes retrouvés dans les débris de son avion ont été enterrés sans identification dans le cimetière du petit village de Nadesdorf. Ce n'est qu'en 1955 que sa mère a pu retrouver sa tombe grâce à son nom gravé à l'intérieur de son étui à cigarettes en argent conservé dans l'armoire aux archives du village.
Nous avions ce jour-là – piètre consolation – rencontré 12 Focke Wulf-D9 avec entre autres les as de la KJ 26, Soffing et Dortemann qui commandait, remportant une victoire et en partageant une autre avec le lieutenant Konrad.

Walter Nowotny a été tué. Notre adversaire des cieux de Normandie et d'Allemagne est décédé avant-hier des suites de ses brûlures à l'hôpital d'Osnabruck.

La Luftwaffe, dont il est le héros, ne survivra pas longtemps à sa mort qui est comme le point final de cette guerre aérienne.

Au mess, ce soir, son nom revient souvent dans la conversation. Nous en parlons sans rancune et sans haine. Chacun évoque les souvenirs qui se rattachent à lui, avec respect, avec affection presque. C'est la première fois que j'entends une conversation sur ce ton dans la RAF, et c'est aussi la première fois que je sens s'exprimer ouvertement cette curieuse solidarité entre les chasseurs, au-dessus de toutes les tragédies et de tous les préjugés.

Cette guerre aura vu d'effroyables massacres d'êtres humains, des villes écrasées sous les bombes, les boucheries d'Oradour et de Dresde, les ruines de Hambourg. Nous-mêmes avons ressenti un haut-le-cœur en voyant nos obus exploser dans une rue de village paisible, fauchant, autour du char allemand que l'on attaquait, des femmes et des enfants. Devant cela, les combats avec les Messerschmitt étaient quelque chose de propre, bien au-dessus des combats de l'armée de terre, dans la boue et le sang, dans le vacarme des machines à chenilles, rampantes et puantes...

Combats du ciel : gracieuses arabesques d'une danse de moucherons argentés – dentelle diaphane des traînées blanches condensées – Focke Wulf glissant comme des jouets, dans l'infini... OK pour les poètes !

Mais il est aussi chez nous des combats moins nobles : ces mitraillages de trains dans l'aube grise des matins d'hiver, où l'on essaie de rester sourd aux hurlements de terreur que l'on imagine, de ne pas voir nos obus fracasser les bois, faire voler les vitres en éclats, les mécaniciens qui se tordent dans les jets brûlants de vapeur, toute cette humanité prise au piège dans les wagons, affolée par le vacarme de nos moteurs et les aboiements de la *flak*... toute cette besogne inhumaine, immorale, que nous devons faire parce que nous sommes des soldats et que c'est la guerre.

Notre revanche, aujourd'hui, c'est de saluer un ennemi brave qui vient de mourir, de proclamer que Nowotny nous appartient, qu'il fait partie de notre sphère où nous n'admettons ni les idéologies, ni les haines ni les frontières. Cette camaraderie-là n'a rien à voir avec le patriotisme, la démocratie, le nazisme ou l'humanité. Tous ces garçons, ce soir, le comprennent d'instinct. Et s'il en est qui haussent les épaules, c'est qu'ils ne peuvent pas savoir – ils ne sont pas pilotes de chasse.

La conversation est tombée, les verres de bière sont vides, la radio s'est tue parce qu'il est minuit passé. Bruce Cole qui n'est ni poète ni philosophe, laisse tomber ce mot : « Le premier qui a osé peindre une cocarde sur l'aile d'un avion était un salaud ! »

Nous connaissions nos adversaires habituels.

En mai 1944, Jacques et Yule avaient eu une rencontre assez mouvementée avec Oesau et la JG 2 au-dessus du Havre.

Maintes fois en Normandie, avec la 602, nous avions eu maille à partir avec lui. Il avait mitraillé notre *strip* le 21 juin au matin, il avait abattu trois Dakota transporteurs d'essence au-dessus de Bazenville et, quelques jours plus tard, avait livré combat à une formation mixte de Thunderbolt américains et de Spitfire norvégiens sur Arromanches, qui avait perdu trois P-47 et deux Spitfire, tandis qu'un 109 s'écrasait à 100 mètres de notre mess.

À cette époque, l'autre patron de la 26, Priller, était déjà un grand as de la Luftwaffe et commandait les trois groupes de chasse de Dreux. Ses sorties étaient faciles à identifier parce qu'il menait toujours ses Messerschmitt-109 en pilotant lui-même un Focke Wulf-190.

Plus tard, nous avons trouvé Nowotny en Allemagne, où il commandait la JG 44 à Rheine-Hopsten. La Luftwaffe, depuis l'affaire du 1er janvier, n'avait pratiquement plus de direction centrale, et la liberté individuelle était laissée aux escadres. Seules de vagues directives générales étaient envoyées à leurs commandants, avec complète latitude quant à l'exécution. Chaque groupement de la Luftwaffe gravitait autour d'un aérodrome principal, auquel étaient rattachées plusieurs bases satellites. Avec leurs états-majors, leurs contrôles d'opérations, leurs services de ravitaillement, de *flak* et de réparations, ces unités autonomes ne dépendaient du QG Central que de très loin.

Nowotny, à Rheine-Hopsten, était le patron du *kommando* « Novi » JG 44 dispersé sur les aérodromes satellites d'Hopsten : Nordhorn, Plantlunne, Neuenkirchen, Lungen, Hesepe, et Bramsha. Les effectifs du JG 44 se composaient d'environ 40 Messerschmitt-109, 45 Focke Wulf-190-D9, et d'une vingtaine de Messerschmitt-262 à réaction. Un *staffel* de Junker-88 chasseurs de nuit y était attaché.

Cela représentait, avec les réserves tactiques, environ 150 appareils de combat sous les ordres de ce lieutenant-colonel qui avait 22 ans.

Les services de l'Intelligence alliés lui attribuaient je crois une soixantaine de victoires confirmées sur notre front, et plus de 200 sur le front russe. Il avait su se faire respecter de tous. Lors de la fusillade de quarante-sept pilotes alliés qui avaient tenté de s'évader de captivité, il avait adressé à Hitler lui-même une protestation dont les échos étaient parvenus jusqu'à nous.

Le 15 mars dernier, je menais une section de quatre Tempest dans un *rat scramble* sur Rheine-Hopsten, à 2 500 mètres d'altitude. Soudain, nous vîmes apparaître en rase-mottes, un Messerschmitt-262 sans camouflage, ses ailes polies brillant au soleil. Il était déjà dans le couloir de *flak*, et amorçait sa prise de terrain. Le barrage de traceuses s'élevait pour couvrir son approche. Je décidai, suivant les nouveaux ordres, de ne pas attaquer dans ces conditions, lorsque, sans prévenir, le numéro 4 de ma patrouille se lança à la verticale vers le petit point brillant qui se rapprochait de la longue piste en ciment. Bob Clark, lancé comme une balle, traversa par miracle, sans être touché, le mur de *flak*, et tira une longue rafale sur le Me-262 argenté qui était dans la phase finale de son atterrissage... Le Me-262 s'écrasa en flammes juste à la lisière de l'aérodrome.

Quinze jours plus tard, nous avons cru, par recoupements, interrogatoires de prisonniers, et par des documents capturés, que ce Me-262 était piloté par Nowotny. Ce n'était pas le cas.

Gerhard Barkhorn, Gunther Rall, Walter Nowotny et Priller étaient bien connus de nous, car ils s'étaient battus en Russie et en Europe de l'Ouest, contrairement à Marseille et à Hartman qui avaient uniquement opéré respectivement en Afrique du Nord et en Russie.

Nowotny – Novi pour ses camarades – s'était engagé à 18 ans dans la Luftwaffe et c'est le 29 juillet 1941 au matin qu'il remporte ses trois premières victoires au-dessus de l'île d'Oesel en Estonie. Dans l'après-midi de ce même jour, il est abattu par un chasseur russe dans la mer. Il passe la nuit dans son radeau à ramer

Un Tempest de la 486 au décollage.

avec ses mains, rejoint la côte où heureusement pour lui l'avant-garde allemande venait d'arriver ! À 22 ans, il était major et le premier pilote allemand à remporter 250 victoires et fut le neuvième et dernier à recevoir la croix de Chevalier avec épées et diamants. Galland, général des chasseurs, lui donna le commandement de ce que l'on appela le « Nowotny Kommando ». Une cinquantaine de Messerschmitt-262-A1 sous ses ordres furent basés à Achmer et Hesepe près d'Osnabruck. Deux autres escadres de chasse furent formées à Rheine, la JG 7 et la I-JG 54, tandis que par la volonté d'Hitler ce merveilleux appareil était transformé en bombardier – pur-sang tirant un tombereau de pierres – dans les KJ 6, KJ 27, la III de la KJ 54 et à Prague la KJ 7. Comme le seul moyen d'attraper le 262 était de le surprendre pendant les manœuvres d'atterrissage, la Luftwaffe après avoir perdu plusieurs pilotes chevronnés, les approches des 262 furent couvertes par les FW-D9 de la JG 26 ainsi qu'une centaine de Me-109 rattachés à cette unité... sans compter une densité de flak *légère et moyenne jamais vue (même plus tard à Hanoï pendant la guerre du Viêt-nam), de défense le long du périmètre des trois aérodromes. Nowotny avait 255 victoires à son actif quand après avoir abattu trois B-17 il fut attaqué par plusieurs P-51. À court de pétrole, Novi revint à basse altitude vers Achmer, ramassa un oiseau dans son réacteur gauche qui prit feu, et fut probablement tiré alors par un P-51. Il s'écrasa en flammes verticalement sur la piste. Il semble bien que cette version soit la bonne. En tout état de cause c'est la conclusion de l'enquête ordonnée par Galland. Le 262 abattu par Bob Clark à Rheine était probablement piloté par Hermann Buchner qui avait abattu 12 B-17 et B-24 avec son 262, qu'il a réussi quand même à poser gravement endommagé. Le film de Clark justifiait sa demande de victoire, car en tout état de cause l'avion à réaction était certainement irréparable.*

Tout le monde est allé se coucher. Nous nous attardons, Bruce Cole, Clark et moi, à regarder, dans une revue d'aviation, *Der Adler*, que nous avons trouvée à Gorch, un article illustré sur Nowotny. – Voici son portrait, pris le jour même où il reçut la Croix de Fer avec épées, diamants et feuilles de chêne – la plus haute distinction militaire allemande. Un visage fatigué, un peu triste, le menton et la bouche volontaires.

— *All right now, time to go to bed. What a pity that type was not wearing our uniform.* (C'est bon ! Il est l'heure d'aller au lit. Quel dommage que ce type n'ait pas porté notre uniforme.)

Ernest Hemingway, dans ses *Mémoires de guerre*, raconte dans le magazine *Colliers* du 14 août 1945 sa visite au *squadron* numéro 3, en février 1945.

Walter Nowotny. « Novi » avait été décoré de la cravate de chevalier de la Croix de Fer avec feuille de chêne, épées et diamants. Il mourut à 24 ans, *kommodore* de la JG 44 aux commandes de son Me-262 à réaction.

Le Tempest est un superbe avion à la silhouette raide et brutale. C'est le plus rapide avion du monde et il est solide comme une mule. On dit qu'il vole à 400 miles à l'heure et qu'il dépasse en piqué le bruit de son moteur. J'ai assisté à un départ d'une chasse au rat à réaction. Aussitôt après le « pop » de la fusée d'alerte, on entendait la détonation du démarreur et monter le vacarme du moteur. Alors le Tempest roulait maladroitement sur ses longues pattes et décollait avec le hurlement de 200 scies circulaires tranchant dans une bille d'acajou. Cinquante-sept secondes après le signal, il s'accrochait un peu au ciel et remontait dans son ventre ses longues pattes. Qu'y a-t-il de plus beau que ce grand avion ?

[...]

Dans cet escadron de la Royal Air Force il y avait des pilotes venus de tout le Commonwealth, anglais, canadiens, australiens, néo-zélandais ainsi qu'un français gaulliste extraverti qui avait abattu de nombreux avions ennemis.

*

L'escadre est menée pendant toute la semaine à un train d'enfer. Ses trois groupes perdent 12 pilotes. Nous détruisons 14 avions allemands et 52 locomotives. Au 274, nous sommes réduits à 11 pilotes et 16 avions. C'est une vie impossible. La Group Support Unit peut nous fournir des avions neufs malgré la grève, mais les pilotes de Tempest ne courent pas les rues.

Le 20 mars au matin, le *duty* Anson nous a amené 4 sergents pilotes et un adjudant-chef. Le dernier de ces 5 nouvelles recrues se faisait tuer le 23 mars. Nos vieux, éreintés par leurs deux ou trois sorties quotidiennes, avaient déjà trop à faire à sauver leur propre peau, pour pouvoir s'occuper des nouveaux.

Les obus de 20 millimètres de nos Spitfire sont sans merci pour le personnel au sol. Les renforts allemands en souffriront terriblement.

Les pauvres gosses que l'on recevait, contrairement au règlement, frais émoulus d'OTU, avaient juste trois ou quatre heures de vol sur Tempest. Effrayés par leurs machines, qu'ils pilotaient à grand-peine, ils se faisaient massacrer par la *flak* et les Messerschmitt-109.

Brown était un de ces 4 sergents pilotes. Dès son arrivée à Volkel, vers 10 heures du matin, j'avais été obligé de lui faire exécuter un test de canons sur un de nos nouveaux Tempest avant midi. Il était ensuite parti déjeuner au mess avec ses bagages et, avant même qu'il puisse les déballer, il était rappelé au *dispersal* pour une mission de guerre.

Menés par Hibbert, dans une section de quatre, ils avaient accroché une douzaine de Focke Wulf et, par le plus grand des hasards, il avait réussi à en endommager un et à rentrer. Mais Hibbert et Humphries avaient été descendus.

Le soir même, tandis que mes pilotes partaient pour le thé, je l'avais gardé avec moi pour tenir l'alerte immédiate. Dix minutes plus tard nous sommes *scrambled* sur Wesel à 3 000 mètres d'altitude. Nous arrivons juste à temps pour voir un Messerschmitt-262 à réaction disparaître dans les nuages. Une seconde de déception et, d'instinct, je dégage. Quatre Focke Wulf sont sur nous et le pauvre Brown est précipité comme une torche sur les bords du Rhin.

Je me plains amèrement de la situation au Group Control. Mes pilotes sont à bout de nerfs ainsi qu'en témoigne la multitude d'accidents bêtes qui se succèdent sans interruption – trains fauchés, collisions au sol, freins brûlés, pneus crevés, mauvais atterrissages, décollages hélice au grand pas...

Mon escadrille ne peut durer ainsi – j'ai eu entre le 15 février et le 15 mars 9 pilotes tués ou portés disparus sur un effectif en ligne de 24 ! Sur les pilotes qui composaient le 274 du temps de Fairbanks, seuls deux officiers, un sergent et moi-même survivons.

On ne peut que me montrer les ordres impératifs de GCC : il faut tenir jusqu'à la traversée du Rhin.

Première mission de couverture à 3 heures du matin sur Wesel attaquée par la première brigade de commandos. Un épais nuage de débris, de poussière et de fumée plane encore sur la ville qui a été bombardée par 150 Lancaster portant chacun deux bombes de 5 tonnes.

Dans le circuit de l'aérodrome, c'est un méli-mélo effroyable de Tempest et de Spitfire qui se frôlent dans l'obscurité à 500 kilomètres à l'heure. Il faut des nerfs solides pour tenir 10 minutes dans cette sarabande de feux verts et rouges où l'on cherche à former les sections en ordre de patrouille. Rien à signaler.

À 10 heures, nous décollons à nouveau pour escorter les 669 avions et les 429 planeurs de la RAF venus d'Angleterre, transportant la 6e division aéroportée britannique.

C'est un spectacle dantesque. Des milliers de parachutes blancs descendent au milieu d'un enfer de *flak* lourde, moyenne et légère, tandis que des Dakota s'écrasent en feu et que les planeurs se fracassent sur les lignes à haute tension dans des gerbes de flammes et d'étincelles bleuâtres.

Les Typhoon attaquent à la rocket tous les emplacements de DCA allemands. Nous sommes dirigés par les postes avancés de radio-contrôle sur les colonnes de renfort.

La chasse de la Luftwaffe n'intervient pratiquement pas. Le bombardement massif de Rheine et des aérodromes tactiques, qui a eu lieu hier, l'a laissée temporairement *knock-out*.

Nous mitraillons un train blindé près de Ringerberg et un convoi de chars à Bocholt, dans les rues mêmes de la ville. C'est impressionnant. Nous descendons au ras des toits, crachant de nos quatre canons... Les tuiles voltigent, les obus de *flak* explosent le long des murs, les camions brûlent, les habitants affolés courent de tous côtés, s'abritent sous les porches... Danny touché de plein fouet par un 37 percute à 600 km/h dans un pâté de maisons près de l'église. Quel gâchis !

Après le lunch, troisième mission. Je mène une patrouille mixte du *squadron* 56 et du 274.

Nous survolons le viaduc de Bielefeld, pulvérisé il y a trois jours par les ondes de choc de 14 bombes de 10 tonnes. Les cratères ont plus de 100 mètres de diamètre.

L'objectif principal de notre mission étant d'interdire tout trafic routier dans le triangle Bielefeld, Altenbecken et Armsberg, je divise mon dispositif en paires qui agiront indépendamment l'une de l'autre.

Je mitraille deux camions transportant des troupes – les pauvres diables ne m'entendent pas arriver à cause du bruit de leurs moteurs. Après deux passes, il n'y a plus sur la route que deux carcasses qui flambent et des corps déchiquetés, allongés sur le macadam. Mon numéro 2 perd le contact et je me retrouve seul.

Je tire ensuite quelques obus sur une locomotive abritée dans une gare de triage et suis accueilli par une *flak* de 20 , folle.

Je tourne dix minutes durant au-dessus du point de rendez-vous, attendant mes avions, et nous rentrons à Volkel sans Redge, abattu près d'Armsberg par un Messerschmitt-109 en maraude.

18 h 50. Coup de fil de Lapsley. Il demande une patrouille très expérimentée de quatre avions pour surveiller Rheine. Il semble que les Allemands vont essayer d'évacuer leurs avions à réaction vers l'intérieur, profitant des dernières minutes de crépuscule. GCC insiste pour que je mène cette patrouille car les avions rentreront à la nuit.

Amour-propre ? J'accepte avant même d'avoir réfléchi. Ce brave Lapsley doit trouver cela tout naturel – il m'a connu à Ashford en 43, en Normandie en 44 et, comme toujours, il table sur mon enthousiasme. Oui, mais avec 40 missions de guerre en 20 jours, l'enthousiasme est légèrement refroidi.

Toute honte bue, je téléphone au mess afin d'essayer de toucher Gordon Milne et lui demander de prendre ma place. Le planton s'énerve au bout du fil pendant cinq minutes sans le trouver et l'heure de décollage approche.

Tant pis. J'ordonne au sergent-chef mécanicien d'ajouter mon avion au tableau :

— *Hello Ron, stick JF-E on the board, I'll fly her !* (OK ! Bon, mettez JF-E au tableau, je le piloterai !)

Je prends mes précautions et j'emmène une très bonne équipe : l'inénarrable Tiny l'Australien est mon numéro 2 – Torpy sera mon numéro 4 et Peter West le numéro 3.

Peu d'instructions à donner, c'est une sorte de chasse libre.

19 h 10.

Nous sommes à quelques kilomètres de Rheine, couverts par des cumulus épars qui traînent bas leur panse gonflée de pluie.

Il fait déjà sombre, et une longue écharpe de brume laiteuse contourne les collines d'Hopstein, dissimulant le canal de Dortmund-Ems et ses écluses détruites.

Rheine semble avoir été terriblement bombardée – ses trois grands hangars se sont écroulés, et la silhouette familière de la tour de contrôle flanquée de ses redoutables postes de *flak* a disparu. Cela fait presque de la peine – curieux quand même ! – de voir Rheine, où nous avons laissé tant de nos camarades et soutenu tant de dures bagarres avec la JG 52 et la 44, dans un pareil état.

Il semble y régner une agitation fébrile. Dans les bois, le long des pistes de dispersion, on distingue des lumières qui courent, et ces deux longues traînées brillantes sont probablement les turboréacteurs d'un Messerschmitt-262 qui se prépare à partir.

Un bon nombre de taxis ont probablement filé discrètement dans l'ombre.

— *Hello, Pierre, bloody silly can't see a thing !* (Allô Pierre, c'est idiot, on n'y voit rien !)

— *Shut up !* (Tais-toi !)

J'envoie promener Peter, mais il a raison, on n'y voit rien.

Je décide de faire un large circuit sur l'aérodrome, à 400 mètres d'altitude, et de rentrer. Mon collimateur mal réglé m'éblouit et, après bien des tâtonnements, je le baisse jusqu'à ne distinguer dans le pare-brise qu'un filament rougeâtre en forme de cercle.

Un dernier coup d'œil circulaire. Soudain, distinctement, apparaissent à ma gauche les deux fines rangées violettes des pots d'échappement d'un bimoteur.

— *Look out Filmstar Red ! attacking 9 o'clock !* (Attention, attaquons à 9 heures !)

C'est un Junker-88 chasseur de nuit.

Dans l'ombre qui déforme les proportions et détruit les distances, il est énorme dans mon collimateur. Nerveusement, je tire au jugé une longue rafale dans la masse noire qui file, et je dégage.

Décidément, je suis verni. Trois explosions rapides et sèches comme des points de morse – et une nappe de feu se déverse des réservoirs crevés de l'aile droite, éclairant le long fuselage frappé de la croix noire...

Puis, très nette, en surimpression sur cette masse lumineuse, la silhouette d'un Tempest... Une fraction de seconde de cauchemar, et un immense éblouissement emplit le ciel...

C'est le pauvre Tiny qui m'a suivi aveuglément et qui a percuté, avant de pouvoir esquisser un geste, dans le Junker-88 touché à mort.

Lentement, la cascade des débris incandescents des deux appareils s'éparpille et s'éteint dans la forêt de Mettingen submergée bientôt par la nuit.

Effaré, je perds un moment tout contrôle de mon avion et pendant quelques minutes je zigzague en aveugle au ras du sol...

— *Look out, Pierre, flak !*

Mon Dieu ! Je suis au ras d'une bande grise semée de cratères, encadrée de ruines ; à la lueur des premières traceuses, je vois des hommes qui courent autour de deux ou trois Focke Wulf « long nez » dont les moteurs tournent !

C'est Rheine. C'est le déchaînement de sa formidable *flak* de canons automatiques et de mitrailleuses lourdes...

Dans la nuit, une trame lumineuse et impénétrable se tisse. Des charbons ardents ondulent, accrochent des grappes d'éclairs rageurs sous les nuages, dans les arbres, autour de mes ailes. Filons !

Désespérément, je mets pleins gaz et je grimpe, accroché à mon hélice.

Soudain, deux gifles brûlantes – *bang ! bang !* – miaulement des shrapnells qui perforent les feuilles d'aluminium, puanteur du métal oxydé, du caoutchouc brûlé, de la cordite – nausée de peur. Ça y est ! C'est fini... C'est donc ainsi ? !

Ma jambe droite bat comme un cœur, lourde... Cette sensation d'avoir mis le pied dans l'eau, avec mes orteils qui se crispent dans une masse gluante...

Et cette vibration qui augmente, me secoue, si forte que mon horizon gyroscopique se décroche. Dans mes écouteurs, il n'y a plus de voies amies. Ma radio n'est plus une bouée de sauvetage : c'est un enfer de craquements, de sifflements assourdissants...

Je me mords la langue jusqu'au sang. Les idées reviennent.

Je réduis les gaz et l'amplitude des vibrations diminue ; mes empennages ont dû encaisser dur.

Un courant d'air glace le cockpit, le froid me réveille.

Tout est calme ; là-bas, la lune s'est levée ; elle semble rouler sur la plaine hollandaise, écrasée par les nuages.

Rentrer vite – vite sentir la terre et voir des visages amis.

Je mets le cap au jugé sur les incendies qui bordent le Rhin. Je longe le canal de Twente en reprenant péniblement de l'altitude.

Dix minutes de concentration sur mes instruments qui paraissent fous – ces altimètres, *turn-and-bank*, indicateurs de pression, de température, ces auxiliaires si fidèles me lâchent maintenant derrière leurs vitres brisées...

Voilà Nimègue et son grand pont suspendu. Le Rhin agrippe au passage les dernières lueurs des incendies d'Arnhem et semble rouler des caillots de sang.

J'essaie successivement mes six longueurs d'ondes – j'appelle Kenway, Desmond – sans résultats. Mes circuits électriques fusillés, sans radio et sans feux de position, je vais me faire tirer par la DCA amie. D'instinct je vérifie les courroies de mon parachute.

Je suis la Meuse et, à Gennep, je retrouve la voie de chemin de fer qui me guide vers Volkel.

L'aérodrome est éteint, et les grandes pistes sont peu distinctes.

Bon Dieu ! qu'attendent-ils pour allumer la rampe ? Ces idiots du Flying Control ne reconnaissent-ils pas le son d'un moteur Sabre ? Je pique sur la tour de contrôle en battant des ailes – que diable ! les types de la DCA connaissent bien la silhouette d'un Tempest...

D'un seul coup, comme un arbre de Noël, Volkel s'illumine. Enfin !

Je refais un passage lent, battant encore des ailes pour montrer que je suis en difficulté. Je vois les phares de l'ambulance et le projecteur du crash-wagon.

Je vais me poser sur le ventre. Je crois ne pouvoir sauter en parachute à cause de ma jambe, ayant, de plus, la glissière gauche de mon habitacle faussée par un éclat. J'actionne sans résultat le dispositif de largage.

La douleur monte maintenant jusqu'à la hanche, je ne sens plus le palonnier...

Machinalement je commence une approche trop rapide, avec 45 degrés de volets. L'avion est très mou. Je me crispe sur la manœuvre. Soudain le coup de masse de la peur me tombe sur la nuque, glacial, les tenailles de l'angoisse me serrent derrière les oreilles...

De toutes mes forces, je lutte contre la vision d'Alex grillant dans son taxi sur cette même piste – je coupe les contacts, j'arrondis entre les deux rangées de torches du balisage.

Bon Dieu, du sang-froid ! J'ai dans la gorge une boule qui m'étouffe... attention !... ne pas laisser l'animal décrocher... Les balises défilent... je le tâte... encore un peu... voilà la première des huit balises rouges qui indiquent la fin de la piste...

Allons-y ! je le bourre sur le nez pour remonter la queue et, d'un coup d'aileron, délibérément, je percute une aile pour amortir le choc – peut-être éviterai-je ainsi de capoter !

Mon pauvre Tempest est pris comme un fétu dans un étau géant. Un premier choc ! l'appareil rebondit, me projetant contre les parois de la cabine... le hood s'envole... les ailes se broient dans une prodigieuse cabriole... les tôles se déchirent... je croise mes bras devant ma figure... Un raclement atroce, fracas de jugement dernier... un soubresaut d'une telle violence qu'une des bretelles du harnais de sécurité casse. Projeté en avant... mon visage écrasé sur le collimateur – une grande lueur rouge... plus de mâchoires... le goût du sang... des écailles de dents crissent dans ma bouche...

Silence étourdissant... une bouffée brûlante saute à ma figure : le premier obus qui claque, dans le brasier...

Une lame de couteau m'entaille l'épaule, coupe les courroies du parachute, des doigts maladroits s'accrochent à mes manches déchirées, à mon cou – Attention !... ma jambe ! – *My leg, look out !* – la chaleur ronge les poumons... Des mains qui font mal m'arrachent du cockpit broyé...

Le gargouillement des extincteurs à mousse, le ronflement de la pompe, des cris...

On me traîne dans l'herbe humide. On me roule dans une couverture. Des myriades d'étoiles rouges, vertes, éblouissantes, s'écrasent sous mes paupières fermées, contre mes yeux. L'air que je respire est glacé, il écœure...

Une odeur d'alcool – douleur aiguë au bras...

Plus rien.

Mon Dieu, et ma jambe ! Je comprends soudain... C'est un éclat que j'ai récolté sur Rheine – je ne ressens qu'un élancement irritant...

En tout cas, cela me fera bien un peu de tranquillité !

J'ai faim, j'ai sommeil. Le sommeil est le plus fort. Je m'endors paisiblement.

Quatre jours plus tard, je reviens à Volkel à temps pour filer sur Warmwell, dans le *duty* Anson, choisir un beau Tempest tout neuf avec la nouvelle hélice Rotol. Je rejoins le surlendemain le *squadron* 3 que je commande désormais au *wing* 122 (B 112 Rheine).

*

Le *flight lieutenant* Vassiliardes DFC, DFM a été tué ce matin ; il y avait à peine trois jours qu'il commandait la 2e escadrille du *squadron* 486.

Le docteur et le *padre* vont être désolés.

Pauvre Vass ! Cependant, il l'a bien cherché. La chance extraordinaire qui l'a longtemps couvert contre toutes ses imprudences a dû se lasser. Il s'est bêtement laissé accrocher dans un piège de *flak* et, par-dessus le marché, il a entraîné Railroad Blue 2 et Blue 3 avec lui.

Nous étions en patrouille, ce matin, lorsque cela s'est passé. Nous avons pu suivre tout le drame par la radio.

Vass avait abandonné son secteur après quelques minutes. Il s'agissait, il faut l'avouer, d'une mission monotone, mais la couverture des têtes de pont était chose indispensable.

Emmenant sa section de quatre appareils, il avait pénétré jusqu'à une trentaine de kilomètres dans les lignes allemandes, et commencé d'attaquer des camions, dans une zone pourtant bien connue pour la densité de sa *flak*.

À un croisement de routes, il y avait un embouteillage. Vass, pour le mitrailler, dut foncer à travers un barrage très dense de *flak* et son numéro 2 s'écrasa en flammes. Prudents, ses numéros et 4 refusèrent de le suivre.

Vass décida quand même de refaire une deuxième attaque, ordonnant péremptoirement à son numéro 3 de l'accompagner.

— *For Christ's sake, Blue 1, don't go back in there ! Too much flak !* (Pour l'amour du Christ, Bleu 1, ne retournez pas, là ! il y a trop de *flak !*)

Malgré cet appel désespéré de Bleu 3, Vass refit sa passe. Son appareil fut sans doute touché une première fois, et nous l'entendîmes crier dans la radio :

— *I have been hit !* (Je suis touché !)

Bleu 4, qui n'avait réussi à éviter les débris que de justesse, nous raconta plus tard que l'appareil de Vass s'était littéralement désintégré dans une nappe de feu. Quant à Blue 3 (Stanley), il ne revint jamais, disparu corps et biens.

Je suis en patrouille avec Peter West, Longley et Don dans les environs de l'Elbe.

Nous avons mitraillé un train dans une petite gare de triage. Sans grands résultats.

Beaucoup de *flak*, très précise, et l'appareil de Don est atteint ; il saute péniblement de son Tempest en feu, pour tomber en plein sur la batterie de DCA boche. Il va être bien reçu !

Il ne sera pas longtemps prisonnier, du train dont vont les choses, et il a maintenant plus de chances que nous d'assister vivant à la fin de cette histoire !

Sur de petites routes secondaires, nous mitraillons au passage quelques camions affolés. Les trois aérodromes que nous apercevons semblent désertés par la Luftwaffe. Plus de trains en marche dans les environs ; il est inutile de courir au suicide pour perforer quelques locomotives dans des triages couverts par la *flak*. Nous finissons par jouer à cache-cache avec des Storch. Les pauvres ! C'est du tir aux pigeons !

Décidément, l'Allemagne regorge de *flak*. Il y en a partout, même dans les coins les plus inattendus. On tombe parfois sur un petit chemin de campagne bien paisible où cheminent deux ou trois camions, on fait une passe et *whooof !* le ciel est rempli de traceurs de 20 millimètres.

Les convois routiers militaires allemands doivent maintenant suivre des itinéraires détournés, soigneusement étudiés, couverts tout au long par des batteries de DCA légères. Comme tout ce qui circule aujourd'hui est, par la force des choses, militaire, donc soumis à des ordres très stricts, le jeu n'en vaut plus la chandelle. Inutile de risquer un Tempest, bêtement, pour le simple plaisir de pulvériser un véhicule de la Wehrmacht.

Cinq autres sections de quatre Tempest font également des reconnaissances armées dans les environs. C'est pour la forme, car cet après-midi il ne semble rester aucun objectif intéressant.

Par principe, je demeure quand même sur le qui-vive : on peut fort bien tomber inopinément sur quelque Focke Wulf en maraude.

J'ai d'ailleurs la conviction que mes pilotes ne sont pas très en forme. On les a crevés depuis un mois, et ils doivent en être au stade de dépression morale où l'on accepte bon gré mal gré de risquer sa peau sur n'importe quoi, mais sans faire d'effort pour rechercher l'occasion.

Ce qui confirme mon opinion, c'est que chaque fois que je descends en dessous de 800 mètres, pour mieux observer les petites routes encaissées, mes deux coéquipiers se mettent à zigzaguer comme s'ils avaient toute la *flak* du monde à leurs trousses. Ils descendent à contrecœur avec moi, puis s'empressent de remonter à 1 000 mètres...

Cela n'empêche heureusement pas Peter West d'ouvrir l'œil.

— *Look out Filmstar Red 1, aircraft 4 o'clock !* (Attention ! Filmstar Rouge 1, avion à 4 heures !)

— *OK, Filmstar Red, breaking starboard and climbing.* (OK ! Filmstar, virez à droite et grimpez !)

Un avion se profile au ras des arbres, se rapproche rapidement. Un curieux appareil que je ne puis identifier.

Il ne nous aperçoit qu'à la dernière minute, car nous sommes juste sous le plafond de nuages, dans l'ombre. Il dégage très rapidement, et je puis le voir un instant de plan. C'est évidemment un Allemand – ses plans frappés des croix noires l'indiquent – mais c'est un étrange oiseau !

Pleins gaz, je cherche à couper à l'intérieur de son virage, mais il file étonnamment vite.

Longley, mieux placé, tire sur lui sans résultat.

L'avion inconnu a fait demi-tour et se sauve à tire d'ailes. C'est vraiment un phénomène. Ses empennages sont cruciformes et il a, semble-t-il, non seulement une hélice tractive normale à l'avant, mais encore une hélice propulsive derrière les gouvernails de direction, tout à la queue. Son moteur avant est un « en ligne », capoté comme le Jumo-203 du Focke Wulf-190-D9, avec un radiateur annulaire ; l'autre moteur est noyé dans le fuselage, derrière le pilote. Les deux longues traînées qui s'étirent dans son sillage indiquent qu'il vole en surpuissance, et le filet blanc de ses pots d'échappement montre qu'il se sert de GM-1.

J'hésite à enclencher ma surpuissance, car même à 3 CV nous ne l'aurons pas. Nous faisons presque du 700 km/h et il gagne largement sur nous.

Je le filme à tout hasard, pour le cas où l'on pourrait déceler des traces de propulsion par réaction. Il est vrai qu'avec cette lumière blafarde, le développement ne donnera pas grand-chose.

Longley essaie de le poursuivre un peu, et y renonce rapidement ; il tire, hors de portée, une rafale inutile dont les traceuses voltigent dans le paysage.

— *Hullo Red 4, keep your ammo, no use shooting at the bastard !* (Allô Rouge 4, gardez vos munitions, inutile de tirer sur ce bâtard !)

C'est gâcher des munitions !

Par acquis de conscience, je pousse jusqu'à l'Elbe. Il y pleut et la visibilité est très mauvaise ! Nous survolons un pont de bateaux allemands, qui tient péniblement contre la violence du courant. Pas âme qui vive, mais la *flak* se déchaîne.

Nous nous écartons précipitamment.

— Rentrons !... sale journée !

Je m'applique à lire mes cartes et à me repérer dans la crasse, encadré de près par mes deux Tempest.

Comme l'essence baisse, je finis par me décider à demander un cap à Kenway, mais à ce moment, la fréquence est bien encombrée... On entend dans la radio la section Filmstar Blue. D'après ce que je puis saisir de leur infernal bavardage, ils ont accroché dans les environs de Steinhuder un malheureux Junker-88 qu'ils sont en train de massacrer.

Pendant presque une minute, ce ne sont que hurlements frénétiques de chiens à la curée, puis tout se tait soudain. Le Junker-88 doit flamber au coin d'un champ...

Tout en appelant Kenway, je prends note mentalement de les eng... pour leur discipline radio.

À Rheine, dans la roulotte de Varga, l'*intelligence officer*, nous discutons de l'identité de notre avion mystérieux pendant presque une heure. Finalement, ses caractéristiques semblent coïncider avec celles du Dornier-335, le dernier-né des chasseurs d'assaut allemands.

Comme c'est la première rencontre d'un tel appareil en combat, je fais plusieurs croquis en rassemblant mes souvenirs pour le GQG. On me demande un rapport destiné aux services de renseignements, sur ses qualités de maniabilité et ses performances approximatives. Que dire, sauf qu'il est rapide ? Mais c'est encore un prototype.

La page de mes notes d'avril 1945 sur laquelle j'ai fait, de mémoire, pour l'officier de renseignements, un croquis du Dornier-335 entrevu.

Je passe le reste de l'après-midi à mettre de l'ordre dans les paperasses du groupe. Quelle corvée !

Longley est reparti avec une section de chez nous pour une reconnaissance armée. Quand il se pose, nous apprenons qu'ils ont rencontré – mais cette fois-ci, ils l'ont abattu – encore un avion phénoménal.

Longley me raconte que, longeant l'autostrade Berlin-Hambourg en construction, ils avaient aperçu, à l'endroit où elle borde le lac de Neu Ruppin, un avion au ras de l'eau. Cet avion, roues et volets baissés, semblait se préparer à atterrir sur l'autostrade. Malgré la *flak*, Longley croit l'avoir descendu.

C'était un Henshel-162, ou Volksjaeger à réaction.

Cela semble confirmer les rapports que nous avons sur la production en masse des He-162 dans des usines souterraines des environs de Neu Ruppin. Mais, jusqu'à maintenant, on n'avait jamais pu s'expliquer comment ces appareils étaient essayés. Le seul aérodrome des environs, celui de Ruppin justement, avait été soigneusement bombardé et rendu inutilisable. De plus, la couverture photo bihebdomadaire n'avait jamais révélé la présence d'un seul avion sur ce terrain depuis bientôt trois mois.

Ainsi donc, nous avons la preuve qu'une section de l'autostrade, longue de 4 000 mètres et large de 55, parfaitement rectiligne, sert de piste d'essais. Les appareils sont probablement garés dans des abris camouflés, tout au long, dans les bois bordant l'autostrade.

Décidément, nous en découvrons de nouvelles tous les jours. Les nazis ont réussi à transformer l'Allemagne en boîte à surprises.

*

Le GCC nous empoisonne, comme d'habitude. Ce soir, au crépuscule, ils veulent que nous fournissions une patrouille pour la couverture du secteur Brême-Hambourg.

En effet, la Luftwaffe a réagi en force ces jours derniers le long de l'autostrade. Des escadrilles ont mitraillé et bombardé nos colonnes avancées, entravant considérablement leur marche et leur ravitaillement.

Nous sommes d'accord sur le principe de la patrouille, mais le GCC ne semble pas comprendre que Rheine-Hopsten où nous sommes maintenant n'a qu'une piste en bon état, très courte et à peine équipée pour le vol de nuit.

Le GCC oublie également que la Luftwaffe attaque immédiatement après le coucher – théorique – du soleil. Dans le brouillard qui s'élève des marécages de l'Elbe et les nuages bas qui reflètent les dernières lueurs du crépuscule, vouloir accrocher des Focke Wulf opérant par petits groupes équivaut à chercher une aiguille dans une meule de foin.

Nous sommes d'ailleurs très à court d'avions. *Chieffy*, interrogé avec diplomatie, ne laisse entrevoir que neuf appareils disponibles – dix au plus pour 20 heures.

Je décide alors d'adopter un moyen terme, de laisser six Tempest à Bruce Cole pour la reconnaissance armée normale et de garder le reste.

Ayant carte blanche, et ne connaissant pas encore très bien mes hommes, je choisis MacIntyre et Gordon, que je veux essayer dans une mission difficile.

Nous décollons à 16 h 36.

Gordon a du mal à démarrer son moteur et nous perdons dix précieuses minutes de crépuscule à l'attendre en tournant en rond.

À 16 h 45, je mets le cap sur Brême, en rase-mottes.

Pas grand-chose à voir : quelques vagues rafales de traceuses à l'horizon, dont la lueur est effacée par les éclairs d'orage. Des maisons flambent.

Çà et là, dans les vastes forêts de pins, des incendies s'étirent sournoisement.

Survient une pluie battante qui entraîne plus bas encore les nuages. Nous volons au ras des arbres.

Je puis tout juste apercevoir l'avion de Gordon. La visibilité devient de plus en plus mauvaise. C'est inquiétant. Les boches vont sûrement sortir, mais je ne tiens pas à m'aventurer en rase-mottes sur le territoire ennemi.

Je cherche à percer des yeux la brume. Hambourg est quelque part devant moi, tout près, dans la crasse, avec ses formidables défenses de *flak*. Tant pis, je fais demi-tour !...

— *180 degree port, Filmstar White, GO !* (180 degrés gauche, Filmstar Blanc, *GO !*)

Je me raccroche désespérément à l'autostrade, toute droite, dont la blancheur même a été barbouillée de taches irrégulières de goudron en guise de camouflage. C'est le seul point de repère certain dans cette mélasse : elle délimite approximativement les positions de nos troupes avancées.

Il est à peu près 17 h 30. La pluie redouble.

Nous passons en trombe au-dessus de colonnes blindées anglaises et américaines, provoquant d'ailleurs une panique considérable. Il semble bien que ces idiots de « pongos » n'apprendront jamais à distinguer nos avions de ceux des Allemands.

Nous survolons un escadron de tanks « Churchill » éparpillé autour d'un champ et les hommes courent de tous côtés se jeter à l'abri des chars, sous les chenilles et dans les fossés...

Comme ils se sont fait mitrailler tous les soirs derniers dans ces environs – et vers cette heure-ci en général – ils prennent leurs précautions. D'ailleurs, nous devons être les premiers chasseurs de la RAF à opérer à une heure si tardive dans ces parages.

Sale temps. On pourrait passer à 500 mètres d'un régiment de Focke Wulf sans les voir.

Je surveille quand même, très attentivement.

18 h 20. Du coin de l'œil, j'aperçois quelque part derrière ma queue, une fusée rouge et verte monter de nos lignes, suivie aussitôt d'une éruption de traceuses qui se perdent dans les nuages.

Diable ! il se passe quelque chose – des boches, peut-être ! J'amorce un virage à gauche tout en prévenant mes coéquipiers :

— *Look out Filmstar White, 180 degree port and keep your eyes open !* (Attention, Filmstar Blanc, 180 degrés à gauche et ouvrez l'œil !)

À ce moment, je ressens un choc violent juste sous mon siège, en même temps qu'une vive brûlure à la jambe. Des projectiles traceurs défilent très près de mon Tempest...

— Ça alors, c'est le comble ! Ce sont ces crétins de fantassins qui nous tirent dessus et qui, pour une fois, visent potablement !

Je dégage d'un virage sec, tout en leur criant par la radio toute une série d'invectives aussi variées qu'inutiles, car il ne peuvent m'entendre.

Mes deux coéquipiers suivent ma manœuvre, serrés eux aussi de très près par des rafales de plus en plus denses. Nous battons des ailes, allumons nos feux de position – toute la gamme des signaux de reconnaissance y passe. Rien à faire...

En désespoir de cause, je vais baisser mon train d'atterrissage lorsque, soudain, comme un banc de poissons défilant sous une barque – des Focke Wulf apparaissent !

Absolument collées au sol, leurs silhouettes allongées et rapides semblent glisser entre les arbres, poursuivies par les éruptions des bombes à retardement qu'ils sèment sur un de nos parcs à tanks.

— *Focke Wulf at 2 o'clock Filmstar ! Attacking !*

Je bascule mon Tempest et, pleins gaz, je pique vers eux. Mais au moment même où je commence à caresser la détente, l'instinct me fait tourner la tête : une douzaine de Focke Wulf émerge en formation serrée des nuages, à 500 mètres de mes deux coéquipiers...

Pendant ce temps, la DCA redouble – la pluie aussi.

Les Focke Wulf – ce sont de magnifiques « longs nez », avec la spirale blanche autour de la casserole d'hélice noire – dégagent dans tous les sens.

La visibilité est encore pire que tout à l'heure. Cela n'empêche pas deux boches de faire chacun une passe frontale sur moi – si rapprochées qu'elles me laissent tout pantelant. Mon souci est d'abord d'éviter une collision dans l'ombre. Ce serait trop bête ! Je n'ai d'ailleurs pas encore eu une véritable occasion de tirer.

Tout à coup, la radio mugit. Gordon, dans une panique folle, se met à hurler sans arrêt des phrases incohérentes. Il vient d'être touché coup sur coup par notre DCA et par un Focke Wulf.

Un Tempest, en effet – le sien, à ce qu'il me semble – traîne une longue queue de fumée grise, monte à la verticale dans les nuages, poursuivi par quatre Focke Wulf...

Pauvre Gordon ! Je ne peux plus rien pour lui.

— *Look out Pierre, Break, Break !* (Attention, Pierre, dégage, dégage !)

Avant même d'avoir pu comprendre que l'appel s'adresse à moi, j'ai tiré sec sur le manche – mais trop tard : je suis touché quelque part sous mon réservoir d'essence. Le choc est si fort que mes pieds ont sauté du palonnier. Une fumée âcre, puant la cordite, emplit mon cockpit. Dans un éclair, j'entrevois une aile carrée, frappée de la croix noire qui fauche l'air pas loin de moi, et le remous du Focke Wulf est si violent que, cette fois-ci, le manche s'échappe presque de mes mains...

Instinctivement je redresse au ras des arbres, et, tandis qu'une atroce nausée de peur me monte à la bouche, je vois une courte flamme claire me lécher les pieds. C'est sans doute le fluide hydraulique.

Le feu ! Je sens sa chaleur à travers mes bottes, avivant les premiers élancements douloureux de ma jambe droite blessée.

Je me baisse. À tâtons, du bout de mon gant, je cherche à localiser la source de cette flamme.

Bang ! J'encaisse un autre impact. Cette fois mon moteur a un raté net – mon cœur aussi.

Tout en exécutant un dérapage violent qui me colle contre la paroi de mon appareil, je réduis les gaz un instant, puis les rouvre lentement, à bloc : le moteur répond, normal...

Manche au ventre, je remonte jusqu'à la base des nuages.

Tout autour, dans un désordre effarant, les Focke Wulf mitraillent, grimpent, descendent, tournent.

Dans la pénombre, j'en remarque un qui vire vers moi, balançant rapidement ses ailes courtes, et qui m'engage. Je renverse aussitôt, faisant face, je file une rafale trois quarts avant, le manque évidemment, et je passe en trombe à peine quelques mètres sous lui. Je cabre aussitôt tout en poussant fermement sur le palonnier gauche. Mon Tempest tremble, amorce un décrochage, mais tourne tout de même, étonnamment serré, deux filets blancs de condensation au bout des ailes. Le Focke Wulf, surpris, semble indécis – il amorce un virage à droite – dérape, rétablit – puis tourne à gauche...

Ça c'est la gaffe ! Maintenant c'est moi qui suis en bonne position, à moins de 200 mètres de portée.

Vite, avant qu'il ait le temps de s'engager à fond dans sa manœuvre, je corrige – dix degrés – soit un cercle de collimateur.

Une longue rafale des quatre canons... des éclairs qui semblent rebondir en illuminant le fuselage gris et les ailes du Focke Wulf. Des débris voltigent dans une fumée qui s'épaissit à vue d'œil. Le cockpit vitré se détache en tournoyant, et je vois le pilote, les deux bras collés au fuselage par la vitesse, qui cherche à sauter...

Puis le Focke Wulf bascule à moins de 50 mètres, se rattrape un instant, percute au sol, rebondit, fauche un pin dans une gerbe d'étincelles et de feu, puis s'écrase finalement dans un chemin creux. L'explosion est formidable et, comme une lampe de magnésium, illumine violemment le paysage à plusieurs centaines de mètres à la ronde !

Et d'un !

Le temps, maintenant, semble se dégager. Le banc de brume se déchire, dévoilant à l'horizon une grande bande de ciel humide et jaune qui éclaire d'une lueur blafarde les grandes forêts de sapins qui viennent mourir dans les marécages.

À gauche, un incendie violent ; c'est le parc de nos tanks qui brûle avec ses camions-citernes et ses transports de munitions. Comme de gros papillons de nuit, quatre Focke Wulf tournoient autour des flammes et, de temps en temps, l'un d'eux crache une rafale dans la fournaise.

Je n'ose les attaquer, je sens les autres rôder dans l'ombre.

Holà ! Un avion solitaire glisse au ras des arbres vers Brême, dont les hautes cheminées découpent sur le crépuscule des silhouettes féodales.

La température de mon moteur est de 125 degrés et ma pression d'huile est tombée à 55. À regret, j'ouvre mon radiateur et réduis l'admission ; le nombre de tours/minute tombe jusqu'à 3 500. Je gagne tout de même sur le Focke Wulf, qui doit rentrer chez lui, ses munitions épuisées.

Nous sommes au-dessus de Brême : il me devance encore de mille mètres environ. Cette aventure risque de m'entraîner un peu loin ; je referme le radiateur en ouvrant les gaz à fond... Le « Grand Charles » répond instantanément...

Nous survolons maintenant la Weser, à l'entrée des docks.

En trombe, nous passons entre les débris du grand pont transbordeur. De chaque côté s'élèvent les charpentes calcinées des magasins ; les quelques grues et derricks encore debout, se tendent comme des squelettes noirs.

Soudain une grappe de *flak* s'égrène entre le Focke Wulf et moi – de brèves lueurs blanches, entre lesquelles glissent des boules brunes, à droite, ça gauche... À peine sont-elles passées en frôlant mes ailes, que d'autres sortent du néant, comme par miracle...

La *flak* automatique s'en mêle, et les traceurs orange se reflètent sur l'eau noire et huileuse, d'où émergent des coques chavirées, pareilles à des cadavres d'énormes cétacés.

Je m'efforce de ne pas perdre de vue mon Focke Wulf. Il se détache, heureusement, sur le ciel crépusculaire éclairé par une pleine lune.

La *flak* redouble un instant d'intensité. Un *clang !* retentit dans mon dos – puis, tout à coup, les traceuses s'éteignent et disparaissent...

Voilà qui est louche ! Un coup d'œil en arrière ne donne immédiatement l'explication de phénomène :

je croise six Focke Wulf serrés en échelon – pots d'échappement rougis à blanc !

D'un coup de poignet, je brise le fil de plomb qui ferme l'encoche de la surpuissance « *Emergency* », et j'y pousse à fond la manette. C'est la première fois que j'ai l'occasion de m'en servir sur un Tempest. L'effet en est extraordinaire et immédiat. L'avion bondit littéralement en avant, avec un ronflement de chaudière sous pression, tiré par 3 CV déchaînés...

En quelques secondes je fais du 680 km/h au cadran et, tout en rattrapant à grande avance mon fuyard, je laisse sur place mes poursuivants éventuels.

J'ai bientôt réduit la distance à moins de 200 mètres. Bien qu'ébloui par mon collimateur, dans cette ombre, je l'ai parfaitement dans l'axe et posément je tire deux longues rafales... Le Focke Wulf bascule et s'écrase à plat, droit devant lui dans une prairie marécageuse, en soulevant une gerbe de boue. Par miracle, il ne capote pas...

Sans m'attarder, je monte en chandelle vers les nuages, et retombe sur l'aile pour faire face aux autres...

Ils se sont évanouis dans l'ombre. Ils ont dû faire demi-tour.

Je refais un passage sur le Focke Wulf que j'ai abattu.

Et de deux !

Maintenant, il fait presque nuit noire.

Mon moteur réglé très bas, à un régime de croisière (il faut le refroidir et économiser l'essence), cap au sud, je reprends lentement de l'altitude.

Des minutes se passent. Je m'applique à trouver un point de repère quand mon moteur a un raté violent. Une gerbe d'étincelles défile de chaque côté de mon cockpit. Avec un choc au cœur, je m'aperçois que la flamme renaît, intermittente entre mes pieds. C'est mon réservoir de fluide hydraulique qui, percé d'éclats, a fui sous mes pieds. Le liquide, détrempant un des conduits électriques, a provoqué un court-circuit entre les pédales du palonnier ; une fumée acide me prend à la gorge à travers mon masque à oxygène.

Pour comble d'agréments, une batterie de DCA – et de DCA *alliée* – profite de ce moment pour ouvrir le feu, et m'encadrer d'une douzaine d'obus de 76 millimètres.

Décidé à sauter immédiatement si le feu s'aggrave, je vérifie rapidement mes courroies. Je prends de l'altitude pour avoir une bonne marge de sécurité et j'appelle Kenway à mon secours. Kenway heureusement répond aussitôt et me donne un cap pour Rheine.

Après dix minutes d'anxiété, au cours desquelles Kenway me traite comme une mère poule, je finis par apercevoir deux lignes de points lumineux clignotant au ras du sol. Une fusée blanche monte en tournoyant.

Enfin Rheine.

Vais-je sauter en parachute ? Dois-je risquer un atterrissage roues rentrées ?

Mon expérience du 24 mars devrait m'en dégoûter. Mais, plus fort que ma volonté, il y a le vieil instinct du pilote qui répugne à sacrifier sa machine, ce bon vieux JF-E que j'avais choisi à Warmwell avec tant d'amour.

Mon système hydraulique est hors d'action – plus de fluide dans les conduites – et je ne veux pas chercher à descendre mon train pour rester avec une roue à demi sortie...

De plus, le régime de mon moteur baisse nettement, avec des sautes de plus de 1 000 tours...

— *Hullo Desmond. Filmstar leader calling. Landing wheels up!* (Allô Desmond, leader Filmstar vous appelle, je me pose roues rentrées !)

Avant de détacher ma prise de radio, j'entends Desmond qui me souhaite bonne chance.

Je fais une prise de terrain bien droite, assez vite pour avoir de la marge, me débarrasse de mon habitacle vitré que je fais sauter et bien aligné avec la rangée gauche des balises, je me pose sur l'herbe.

Fracas formidable... étincelles... chocs...

À ma grande surprise, tout s'est passé parfaitement cette fois-ci, et, avec 100 mètres de raclements et de soubresauts, mon Tempest s'arrête, légèrement en travers.

L'ambulance et les pompiers arrivent immédiatement, et je saute en vitesse de mon taxi déjà enveloppé d'une épaisse fumée blanche. Les extincteurs à mousse entrent aussitôt en action.

Mes pilotes viennent me chercher en jeep, et j'ai la surprise de trouver les deux reporters d'*Aeronautics*,

FW-190 D9 en alerte. Comme chez nous les parachutes sont posés sur l'empennage horizontal, bretelles pendantes, prêts à être endossés en vitesse !

Montgomery et Charles Brown, le fameux photographe de la RAF, qui me pressent les mains avec effusion. Ils en sont encore tout blancs d'émotion. Ce sont de vieux amis.

Ils se remettent vite au bar, tandis que je vais remplir mes rapports de combat. Je commence par exprimer à Higgins – notre biffin de liaison – tous les sentiments que les événements de tout à l'heure ont pu me suggérer à l'égard de l'armée.

Le plus amusant de l'affaire, est que MacIntyre, premier arrivé, annonce qu'il a vu Gordon filer dans les nuages, crachant de l'huile et de la fumée : or, Gordon est là, revenu tant bien que mal ! Lui-même me croyait mort...

Finalement, nous jubilons tous les trois. Résultat de l'affaire : deux Focke Wulf détruits par moi, un autre endommagé par Gordon – un Tempest irréparable (le mien) et deux autres, catégorie B, endommagés, mais réparables aussi sur place par nos services de maintenance. Bilan passable.

Publié en 1952, dans l'Histoire de la JG 26 qui était alors notre adversaire direct et dont deux pilotes, Waldemar Soffing et Hans Dortemann avaient abattu respectivement 4 et 4 Tempest en avril, dont celui de MacIntyre et le mien probablement, j'ai retrouvé à propos de ce que j'avais écrit sur cette mission du 19 avril dans Le Grand Cirque, *le commentaire suivant :*

*« Quoique quelque peu enjolivée, Clostermann donne une bonne description de la JG 26 entre Brême et Hambourg au crépuscule et du combat qui s'ensuivit. Les pilotes des deux D9 du 7*e staffel *abattus par le pilote français, étaient les* uffz *Schumacher et Simmer. Comme ce combat s'est déroulé à la nuit tombante, dans des conditions de très mauvaise visibilité et sous la pluie, il est difficile de savoir comme cela s'est exacte-*

ment passé. Simmer fut certainement, près de Hollenstedt, le premier abattu par le Tempest alors qu'il mitraillait une colonne américaine. »

(Nota : Il y a une erreur dans les archives allemandes : il s'agissait d'une division blindée britannique.)

*

Les Allemands ont inauguré un nouveau mode d'opération pour leurs chasseurs. Tous leurs grands aérodromes sont devenus assez malsains depuis la traversée du Rhin par nos troupes – ils ont été bombardés en grand style.

La Luftwaffe n'a plus assez d'appareils pour se payer le luxe de les voir détruire inutilement au sol. Maintenant les *jagd geschwader* et les *Jabo* n'ont plus de domicile fixe.

Tout le long de la rive droite de l'Elbe, en exécution du Plan 1943 de défense aérienne du Reich, l'organisation Todt avait construit près de 150 aérodromes secondaires, destinés aux opérations de chasse défensive contre les grands raids de jour américains.

Ces bases, équipées généralement d'une bonne piste en dur (bitume ou béton) de 1 000 à 1 500 mètres, d'une excellente infrastructure (hangars et autres), étaient idéales pour la mise en œuvre de ce système de chassé-croisé. Dans les trois quarts des cas, elles se trouvaient trop loin pour être bombardées. Elles n'étaient jamais occupées qu'en passant. Le plus souvent désertes, elles ne justifiaient pas, surtout dans la période actuelle, des bombardements en règle.

Huit escadres de chasse allemandes environ – soit environ 800 chasseurs et chasseurs-bombardiers – menaient alors, entre ces bases, une existence nomade.

L'échelon roulant déménageait pendant la nuit. Les mécaniciens préparaient les hangars, et les camions-citernes étaient dissimulés dans les bois de sapins. Au petit jour, les avions se posaient et, vers 10 heures du matin, ils exécutaient, partant de leur nouveau « home », leur sortie de guerre.

Après quelques jours – jamais plus d'une semaine – la *geschwader* changeait de base à nouveau.

Grâce à cette méthode, les Allemands arrivaient à harceler très efficacement nos troupes, surtout le matin et le soir. Un nombre croissant de convois de ravitaillement lancés en flèche vers nos colonnes blindées restaient en route, mitraillés ou bombardés en vol rasant.

L'armée s'en plaignit amèrement au QG de la Tactical Air Force.

La TAF renvoie la balle à la 2e division aérienne (groupe 2) qui n'en peut mais : ses Mitchell et ses Boston surchargés font déjà leurs trois sorties quotidiennes sur des objectifs tactiques, et la maintenance est pénible. Le groupe 2 s'adresse à son tour au groupe 84 – mais les unités de chasse de celui-ci sont stationnées trop loin pour intervenir.

Finalement, le groupe 83 se retrouve avec le bébé entre les bras. Comme d'habitude, c'est notre escadre de Tempest qui hérite de l'emploi : elle seule est équipée d'avions suffisamment rapides pour (théoriquement) ne pas se faire massacrer par la *flak* ; elle possède un assez grand rayon d'action pour dénicher les *geschwader* dans leurs nids les plus lointains.

Nous recevons de l'Intelligence force détails sur la nouvelle organisation qui ne sont pas faits pour nous enchanter.

La Luftwaffe, pour permettre à ses chasseurs d'opérer avec une tranquillité relative, a fourni au moins un bataillon de *flak* – ou *abteilung* – par aérodrome. Ces *abteilungen* sont rattachés aux escadres de chasse et comprennent généralement trois batte-

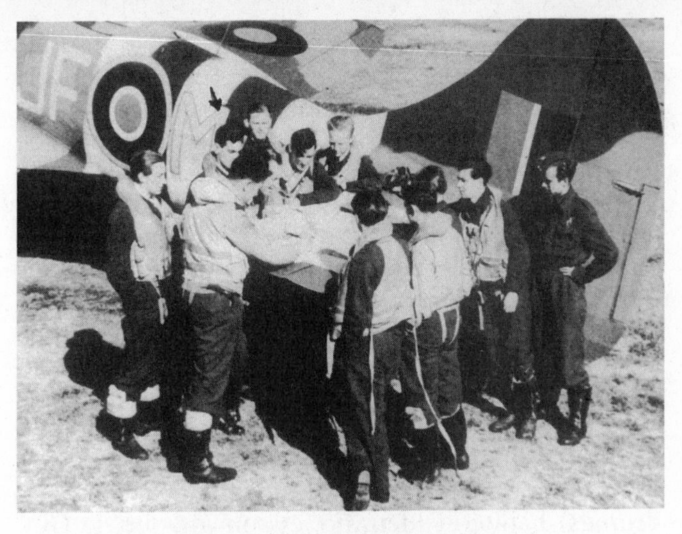

Juste avant une mission urgente,
je briefe mes pilotes « sur le pouce »...

ries de *flak* automatique : une de 37 (neuf canons sur affûts simples) et deux de 20 (huit tubes) sur affûts doubles ou quadruples.

Les *abteilungen* accompagnent les *geschwader* dans leurs déplacements et sont toujours les premiers à pied d'œuvre sur les nouvelles bases.

Ces formidables défenses antiaériennes, avec leurs servants quotidiennement entraînés – et pour cause – et leurs armes équipées soit de collimateurs gyroscopiques, soit de viseurs à correction automatique, rendent les attaques éminemment dangereuses.

Toujours sur le qui-vive, avec des relais de guetteurs expérimentés dans un rayon de 10 kilomètres, un *abteilung* peut, en une fraction de seconde, étendre une véritable nappe infranchissable de projectiles traceurs au-dessus de l'aérodrome qu'il défend. Tout appareil pris en vol rasant dans un tel réseau de flak a très peu de chances d'échapper aux quelque 150 projectiles à la seconde crachés par les canons du bataillon.

Nous faisons grise mine. Depuis les aventures de Rheine, personne ne veut plus se frotter à la *flak* d'aérodrome. Personnellement, je suis toujours poursuivi par mon « *flak-complex* » maladif et, par conséquent, j'ai peu d'entrain pour remonter le moral de mes pilotes.

Les deux premières opérations de mitraillage d'aérodrome montées par GCC à la suite de ces nouveaux événements ont échoué : les nids sont vides.

Pour permettre, à la suite de ces échecs, une mise en action plus rapide entre le repérage d'un *einsatz* (nom donné par la Luftwaffe à ces nouveaux aérodromes) habité et identifié, et son attaque, le GCC met en place un nouveau dispositif.

L'escadre canadienne de reconnaissance (le *wing* 49) peut nous faire connaître directement, sans passer par le GCC, un objectif intéressant. Toutes affaires cessantes, nous préparons l'opération avec nos effectifs, et nous prévenons GCC qui tient un groupe de Typhoon anti-*flak* en alerte immédiate à notre disposition.

Le nouveau dispositif entre en action à l'aube ce matin. Les groupes 56 et 486 ayant été les heureuses victimes des deux opérations manquées précédemment, c'est mon *squadron* 3 qui prend l'alerte immédiate.

L'attente est insupportable. Je n'ai jamais peut-être été plus nerveux et mes pilotes, qui n'en mènent pas large, eux non plus, le remarquent vite.

— *You look as happy, sir, as a cartoon duck who got a brick on is head...*

— Vous paraissez, mon commandant, remarque Wormsley, heureux comme un canard de dessin animé qui vient de recevoir une brique sur la tête !

Lorsque j'ai établi l'ordre de vol, à l'aube, il n'y avait pas beaucoup d'enthousiasme parmi les sept choisis. Sauf chez Bay Adams, mon Australien ; il est imperturbable et n'a peur ni de Dieu ni du Diable.

La nervosité finit par contaminer les mécanos eux-mêmes qui ne tiennent plus en place. Toutes les deux minutes la porte du *pilot's room* s'entrouvre et une face inquiète interroge :

— *Nothing doing, sir ?* (Encore rien ?)

Midi sonne, et la situation devient intolérable. Le temps est très orageux J'ai interdit énergiquement de prononcer le mot « *flak* » : une livre d'amende pour les « *flak happy* ». On pourrait, dans la salle, couper le silence au couteau.

Nous sommes en alerte depuis 5 h 55. La consommation de thé et de cigarettes est effrayante. On marche sur un tapis de mégots.

Finalement je m'enferme dans mon bureau avec Adj, près du téléphone, et j'essaye de me changer les idées en vous[1] écrivant. Je déchire trois lettres et j'y renonce...

— Adj, je prends la jeep et je file au Control voir la dernière météo. Si quelque chose arrive entre-temps, faites tirer une fusée blanche.

À peine suis-je assis dans la jeep que j'entends la sonnerie du téléphone.

Je bondis. Dans le *dispersal* tout le monde est debout, les yeux anxieux...

C'est le *wing* 49.

Je dicte à Ken Hughes :

« *Schwerin Aerodrome – 30 plus Messerschmitt seen by reco at 11,40, landing About 100 A/C on base – 15 Arados two seaters – Refuelling point 500 yards S-E. of main hangar. Map 829 GA II° – Good Luck !* » (« Aérodrome

1. Il s'agit de mes parents.

de Schwerin, 30 plus Messerschmitt se posant aperçus par un Spitfire de reconnaissance. Il y a environ 100 avions sur cette base, dont 15 Arado biplace. Les soutes à essence sont à 500 yards sud-est du hangar principal. Le plan de l'aérodrome est sur l'annuaire des bases allemandes, au n° 829, tome II. Bonne chance ! »)

Un coup d'œil circulaire sur mes pilotes.

Silence.

— *Well, That's it !* (Bon, nous y voilà !) soupire philosophiquement Wormsley...

— Vite Adj, sautez dans la jeep, ramenez-moi l'officier de l'Intelligence et l'annuaire des aérodromes allemands, tome II.

Ken Hugues a déjà découvert Schwerin sur la carte murale – 50 kilomètres au sud-est de Lubeck – 1 230 kilomètres à parcourir.

Adj, qui revient en trombe avec Spy, me remet l'album ouvert à la page 829 : Schwerin. Un bel aérodrome au bord d'un grand lac à l'ouest de la ville du même nom. Mais c'est très loin : 1 300 kilomètres aller et retour.

J'en fais un croquis rapide au tableau noir : les trois pistes en herbe, en triangle, les hangars, la disposition probable des avions telle que me l'a indiquée le *wing* 49.

Les boches se sont posés à 11 h 40. Il est 12 h 10. Il faut bien une heure pour faire le plein des avions avec les camions-citernes et les réarmer. Nous avons juste le temps de les rencontrer au nid avant qu'ils soient envolés, dispersés ou camouflés dans les bois de sapins.

Je donne mes dernières instructions, tandis que Spy téléphone au GCC pour annoncer le show et demander les Typhoon Rocket :

— Il faudra en route passer très au sud de Hambourg. Nous attaquerons du nord au sud, simultanément, tous les huit en *line abreast* à 100 mètres d'intervalle latéral. Vitesse 650 à 700 km/h.

Chaque avion choisira son objectif droit devant au cours du piqué – pas de changement de direction à la dernière seconde. Ouvrir le feu à 1 000 mètres, tir continu jusqu'à bout portant. Restez collés au sol, comptez jusqu'à vingt et dégagez en éventail en grimpant au maximum...

Le rendez-vous est fixé avec les Typhoon pour 13 heures – c'est tard, je le regrette, mais ils ne peuvent arriver plus tôt.

Les Typhoon descendront de 8 000 à 3 000 pieds, trente secondes avant nous, pour faire une diversion, et ils lâcheront leur salve de rockets sur les postes de *flak* qu'ils pourront repérer.

Car il y aura de la *flak !*

(Sourire un peu forcé.)

Souvenez-vous que la surprise, la vitesse et surtout le rase-mottes intégral, à zéro pied, sont notre meilleure défense. Inutile de battre des ailes et se donner l'illusion que l'on déroute les servants de *flak* ; vous y perdez quelques précieux kilomètres de vitesse, et vous risquez par surcroît d'accrocher une aile au sol.

Un dernier conseil : si vous êtes touchés et devez abandonner votre appareil, la méthode la plus sûre, je le rappelle, est la suivante : manche au ventre – larguez le *hood* – mettez-vous en boule – attendez quelques secondes – poussez violemment le manche en avant avec les pieds... Vous avez 90 chances sur 100 d'être éjectés hors du cockpit... Je ne vous le souhaite évidemment pas !

Aucune question ?

En avant !

— *Hullo Kenway, Filmstar leader calling. What about the Typhie-boys ?* (Allô Kenway, ici Filmstar. Que se passe-t-il avec les Typhoon ?)

Je commence à m'inquiéter. Nous avons franchi l'Elbe et déjà, à l'horizon, le lac Schweriner se dessine clairement. Pas trace de Typhoon.

Quelques minutes après, Kenway ennuyé me répond :

— *Hullo Filmstar leader, sorry old boy, there is a cock-up about the Typhies, Do your best if you can without !* (Allô Filmstar ! Je suis désolé, mon vieux, mais il y a un contretemps avec les Typhoon. Faites pour le mieux sans eux !)

C'est gai, pas de Typhoon anti-*flak*. Qu'est-ce que l'on va déguster !

Ma voix doit trembler légèrement lorsque j'appelle ma patrouille pour la former en dispositif d'attaque.

— *Attack formation. Go Filmstar !*

Bordé de sapins, un grand lac bleu, coupé en son milieu par une presqu'île où s'élève la ville de Schwerin. Un petit bijou de ville accrochée à son rocher, avec des clochers bulbes Renaissance et des tuiles vernissées.

À l'ouest, un bel aérodrome, intact, avec ses bâtiments, ses hangars camouflés, comme il ne doit plus en rester beaucoup en Allemagne.

Nous sommes à 14 000 pieds, et je défile franchement à gauche, comme si nous continuions notre route.

Je scrute attentivement le terrain : les petites croix sombres des avions parqués aux points indiqués se détachent sur le clair gazon printanier. Je repère surtout une, deux, quatre, cinq tours de *flak* dont le soleil projette nettement l'ombre sur le périmètre.

— *Lock out Filmstar leader, flak at 6 o'clock !*

En effet, 200 mètres derrière la formation, il y a une éclosion de cinq flocons noirs de 37 ...

Bon ! Encore cinq secondes et j'attaque. L'objectif est derrière nous et nous sommes face au soleil.

La peur me coupe le souffle. Autant le combat purement aérien contre les chasseurs m'a toujours laissé calme – sauf au début – autant la *flak*...

— *Drop your babies Filmstar !*

Il faut vite larguer les réservoirs supplémentaires et foncer...

Mon ventre se crispe à m'en donner la nausée – l'avantage du monoplace est que l'on peut crever de peur sans que personne le remarque.

— *Quick 180 port GO !*

Un 180 degrés rapide à gauche nous ramène face à l'aérodrome, soleil dans le dos.

— *Diving – flat out Filmstar !* (Piquons, pleins gaz !)

On pique...

Mes sept Tempest sont échelonnés à ma gauche en formation impeccable malgré le piqué presque vertical.

— *Smell of flowers !* (Parfum de fleurs [code pour la *flak*] !), ricane la voix de Bay Adams dans les écouteurs.

La *flak !* Bon Dieu, quelle *flak !* Toute la surface de l'aérodrome s'illumine des départs de 20 et de 37 : il doit y avoir au moins vingt postes !

Le tapis de flocons blancs des 20 s'étale au-dessous de nous, et les flocons noirs des 37 émergent en chapelets réguliers de cinq ou six.

Quelle *flak !*

La peur physique est la chose la plus atroce dont on puisse souffrir – le cœur me monte à la bouche, je suis en sueur, de cette sueur instantanée de la chair qui se révolte. Mes orteils crispés nagent dans mes bottes. Quelle absurdité !

Nous plongeons désespérément dans la fumée des éclatements et des traceurs... à droite... à gauche... ils se croisent... claquent autour de nos ailes avec des éclairs perfides qui frappent les yeux.

Nous sommes à 1 500 mètres du périmètre où des hommes courent... 50 mètres d'altitude.

— *Lower for Christ's sake !* (Plus bas encore !)

Plus bas ! Plus bas ! au nom du Christ – ma voix doit être hystérique... Pourtant je n'ai plus de peur. Elle est chassée par l'action.

La grande surface de gazon, coupée par les pistes, tangue et me saute à la figure : nous faisons plus de 600 km/h !

Un premier hangar... un camion-citerne... et voilà les Messerschmitt perchés maladroitement sur leur étroit train d'atterrissage, une trentaine, avec des figures accroupies sous les ailes.

Trop à gauche, malheureusement. Hors de ma ligne de tir...

Un groupe d'Arado, une douzaine, surgit dans mon collimateur. Je tire, je tire frénétiquement, doigt crispé sur la détente.

Mes obus dessinent un ruban d'explosions qui serpente entre les Arado, grimpe sur les fuselages, frappe sur les moteurs... de la fumée... un des avions explose juste comme je le saute, et mon Tempest est à peine soulevé par la bouffée brûlante.

Un Tempest touche le sol et le fuselage rebondit comme une balle dans une gerbe de débris d'ailes et d'empennages fracassés... Qui ?

Encore des hangars, en face. Je tire une deuxième rafale... des explosions sur les tôles ondulées des portes, sur les montants en profilés métalliques...

— *Lock out Red 2 !* (Attention Rouge 2 !)

Bon Dieu, mon numéro 2 m'arrive dessus, hors de contrôle, à une allure folle. Il a perdu son *hood*...

À 600 km/h, il percute sur ma droite une tour de *flak* qu'il coupe en deux en dessous de la plate-forme. La charpente de bois voltige... Une grappe d'hommes accrochés à un canon s'écroule dans le vide.

Le Tempest s'écrase en bordure, sur un groupe de petites maisons, creusant un prodigieux sillon de lumière ; le moteur s'est détaché dans un tourbillon de flammes et de débris qui voltigent dans le ciel...

C'est fini... presque.

Un, deux, trois... les traceuses s'acharnent... je baisse la tête et me recroqueville derrière mon blindage dorsal... douze, treize... quatorze... je vais tricher... un chargeur de 37 m'encadre de si près que je ne perçois que l'éblouissement des éclatements sans en voir la fumée... grêle d'éclats qui tambourinent sur mon fuselage... dix-neuf... vingt !

Je tire sur la profondeur et remonte droit vers le ciel... La *flak* continue.

Un coup d'œil en arrière vers Schwerin, qui s'estompe sous mon gouvernail de profondeur.

300 mètres en dessous, un Tempest remonte en zigzags, tenacement poursuivi par les traceurs.

Des incendies près des hangars, des colonnes de fumée grasse chargée de flammes... un feu d'artifice de bombes au magnésium qui explosent.

Le Tempest solitaire me rattrape, balance des ailes et reforme *line abreast*.

— *Hullo Filmstar Aircrafts, Reform, South of target, angel ten...* (Allô Filmstar, reformez au sud de l'objectif à 10 000 pieds.)

— *Hullo Pierre, Red 3 here. You know, I think the rest had it !* (Allô Pierre, ici Rouge 3. Je pense qu'il ne reste pas grand monde. Les autres y sont passés !)

Bay me dit que le reste a été descendu !

Impossible ! Je scrute les 360 degrés de l'horizon, la formidable pyramide d'éclatements de *flak* qui s'élève jusqu'aux nuages, au-dessus de Schwerin, et qui persiste dans l'air calme...

Personne en l'air.

13 h 04. Nous avons attaqué à 13 h 03...

Ce cauchemar a duré peut-être trente-cinq secondes depuis le début du piqué d'attaque, et nous avons perdu six avions sur huit !.. Quelle connerie !

Nous retraversons l'Elbe. Mes nerfs douloureux commencent à se dénouer et les tremblements cessent dans mes jarrets. Inutile de penser aux autres. À quoi bon ?

Encore une mission. Les 56 et 486 feront les deux prochaines. Encore peut-être une journée de répit...

Voilà Rheine...

— *Hullo Desmond, Filmstar over base. May we pancake ?* (Allô Desmond, ici Filmstar au-dessus de la base. Pouvons-nous atterrir ?)

D'un geste machinal je descends mes roues. Je réduis les gaz... Sensation sans cesse renouvelée de renaître, au moment où les pneus hurlent sur le ciment.

Le GCC nous envoie à l'instant les photos de l'opération de Schwerin. Elles sont très nettes. C'est un Canadien de la 496e escadre qui les a prises trois heures après notre mitraillage. Il a été accueilli par une *flak* très nerveuse et, comme pour prendre ses obliques il a dû passer très bas, il a été blessé.

Par un miracle de courage et de volonté, il a ramené son Spitfire-XIV endommagé et les photos.

Nous examinons les clichés avec attention. Vraiment, le jeu n'en vaut pas la chandelle. Il semble que deux Messerschmitt aient été détruits par l'explosion d'un camion-citerne et, entre deux bâtiments bombardés du hall de montage des usines Focke Wulf, on voit un tracteur qui en remorque un autre visiblement endommagé. Le seul dégât important semble être mon groupe d'Arado dont cinq sont définitivement détruits. Mais ce n'était pas là le

Ce sont peut-être les Me-109 de Schwerin.

but de l'opération, et c'est une bien maigre compensation pour la perte de six Tempest et de leurs pilotes.

La *flak* a vraiment la partie trop belle. Je l'indique dans mon rapport mensuel d'opérations et, pour une fois, le GCC en tient compte car il renonce à ce genre de mission.

Nous avons appris plus tard que Schwerin avait un statut particulier et prévu pour des missions spéciales.

L'aérodrome abritait deux Heinkel-III spéciaux, équipés de réservoirs supplémentaires et de deux couchettes dans la soute à bombes. Il y avait également trois ou quatre Me-108 Taifun de liaison. Ces avions, sous le contrôle direct de la Chancellerie, étaient en principe destinés à permettre l'évacuation vers la Norvège ou la Suède des personnages du régime et avec les Heinkel, via l'Espagne vers l'Amérique du Sud.

C'est de cet aérodrome qu'est parti Skorzeny vers Madrid, et également qu'Anna Reich et le général Grimm ont décollé en Fieseler Storch vers Berlin et la Chancellerie assiégée par les Russes en avril 1945 dans l'espoir d'évacuer Hitler. Le Focke Wulf Kondor, quadrimoteur personnel d'Hitler, était basé jadis à Schwerin. Tout cela expliquait l'incroyable densité de DCA protégeant cette base, trois bataillons au moins de « Vierlingsflak » – quadruples de 20 !

*

La garde de la base vient d'arrêter, dans une ferme voisine où il s'était caché, un Luxembourgeois ancien observateur dans la Luftwaffe. J'assiste à l'interrogatoire. Le pauvre bougre n'est pas rassuré et répond volontiers à toutes les questions que lui pose Abund, notre *intelligence officer*.

C'est d'ailleurs un spécimen intéressant, car il a travaillé d'août 1943 au 25 septembre 1944 à Lechfeld comme observateur à la quatrième escadrille de JG 44 de Galland.

En effet, Lechfeld était un centre d'essais pour les Messerschmitt-262 à réaction, et le prisonnier était un ami intime de Fritz Wendel, le chef-pilote d'essais de Messerschmitt.

D'après lui, les performances du 262 sont les suivantes : vitesse maximum 900 km/h à 7 000 mètres – vitesse d'atterrissage 280 km/h au minimum. Il ne semble pas que le 262 soit équipé de cabine étanche, car il n'a jamais vu Wendel porter les vêtements de vol spéciaux ; cependant, il lui a déclaré qu'il avait déjà monté jusqu'à 12 700 mètres.

Tous les avions de ce type, que notre prisonnier a vus, portaient la lettre v peinte en blanc, suivie d'un numéro, sur la grille de la prise d'air des turbines. Il est incapable de nous dire si cela correspond à un numéro de série. Comme d'ailleurs il semble que le chiffre le plus élevé qu'il ait vu soit « V-15 », il suggère qu'il s'agit de prototypes. En effet V peut fort bien signifier : « Versuchs » c'est-à-dire « série de développement ».

On trouve, cachés dans ses effets, un grand nombre de documents secrets que nous transmettons au QG.

« Curly » (le Frisé) Walker reçoit aujourd'hui sa Distinguished Flying Cross, et nous décidons de le photographier avec tout le cérémonial d'usage. C'est également son anniversaire, et sa note de bar après les festivités sera difficilement couverte par trois mois de paye. Nous l'appelons le « frisé » à cause de son crâne rond, dénudé par une calvitie précoce – il a vingt-huit ans mais en paraît trente-cinq. Comme c'est le plus ancien pilote survivant du groupe, avec Ken Hughes, je le propose pour prendre le commandement de l'escadrille « B », en remplacement de Gordon Milne descendu par un 262 la semaine dernière.

*

22 avril

Tant va la cruche à l'eau... Il est 1 heure du matin, après la *party* endiablée célébrant mon retour sain et sauf, et qui va coûter cher sur ma note de mess.

Je suis encore sous le choc de m'être fait stupidement avoir – c'est toujours ce que l'on pense – par, je suppose (par amour-propre) un « as » de la *jagd geschwader* 301, soit probablement de la JG 26.

Hier, 21 donc, je me suis fait piéger et ma modestie proverbiale en a pris un vieux coup. Je passe mon temps à prévenir mes pilotes de se méfier, car dans chaque formation de la Luftwaffe il y a toujours deux ou trois « chibanis » qui ont survécu à l'Espagne, la Pologne, la France, Londres et souvent la Russie et qui en ont plus oublié sur le *dog-*

Les six commandants d'escadrille de l'escadre 122. Le premier à partir de la gauche est Bay Adams, le troisième Ken Hughes, Bruce Cole est le quatrième et je suis le cinquième. Le deuxième est un nouveau dont j'ai oublié le nom. Le crâne de Curly au deuxième rang !

fight (combat tournoyant) que tout ce que notre modeste expérience comparée à la leur nous a appris ! En général je les repère à temps d'instinct, rien qu'à leur façon de voler, avec ces battements d'aile pour bien voir, ces zigzags de précaution rapides contre les surprises. Alors il n'y a qu'une seule solution, ne pas les engager et souvent, impuissant, les voir croquer un pigeon qui n'écoute pas les conseils ! J'ai lu dans *Le Livre de la jungle* de Kipling, une belle phrase qui s'applique comme un gant à ces « as » de la Luftwaffe qui ont souvent une centaine de victoires (et des vraies) : « Le tigre n'a pas d'odeur, le tigre ne fait pas de bruit, mais on sait que le tigre est là. Quelque chose s'installe dans l'ombre et c'est le tigre qui vous attend ! »

Un tigre ne m'a pas raté, et il fallait bien que cela m'arrive un jour !

Hier donc, je mène un *fluid six* dans une patrouille de routine le long de l'autoroute Osnabruck-Hambourg. Nous volons à 6 000 pieds, trop haut pour les 20 et trop bas en principe pour les 88. Nous slalomons entre des formations nuageuses dont certaines ont commencé à cumulifier, scrutant le sol pour tenter d'apercevoir un train ou mieux encore une paire de Dornier se faufilant au ras des arbres, quand déboule de derrière un nuage, le contournant comme un bolide, un Focke Wulf-D9. J'ai à peine le temps de tourner la tête, l'œil attiré par un éclat de soleil sur le plexiglas de son cockpit, qu'il ouvre le feu sur mon ailier gauche qui explose littéralement, se glisse sous moi et tire à ma droite sur MacKenzie dont le Tempest vrille une demi-aile arrachée... et le Focke Wulf continue dans son piqué vers le lac, à une vitesse qui le rend inattrapable. Tout s'est passé tellement vite que nous n'avons pas pu réagir.

Un instant, l'image de mon ami MacKenzie et de son magnifique chien me vient à l'esprit avec une bouffée de rage... Celui-là, je l'aurai ! Je passe sur le dos et dégringole à la verticale vers la minuscule croix brillante qui file là, en bas, vers la Dummersee. Attention de ne pas le perdre des yeux. Je casse le fil de plomb de la surpuissante *emergency* et avec mes sept tonnes et maintenant 3 000 chevaux, je suis vite à la *not to exceed* de 550 miles indiqués. Je sens le nez s'alourdir et je ramène la manette en arrière. « *Bay, Yellow 2 and Filmstar 3, give me top cover. I will eat that bastard !* » (Bay, Jaune 2 et Filmstar 3, couvrez-moi ! Je vais dévorer ce bâtard.)

Je contrôle en redressant au ras du grand lac un début de dangereux marsouinage dû à ma vitesse excessive. Le Focke Wulf est toujours là et semble ne m'avoir pas vu encore. Il est un peu plus d'un kilomètre devant moi, une dizaine de mètres au-dessus de la surface, balançant ses ailes doucement. J'ai le soleil couchant dans le dos qui me rend peut-être trop visible. Je me rapproche légèrement de côté pour éviter le remous de son hélice, je ne suis plus qu'à environ 500 mètres. Il ne m'a toujours pas vu et je me penche pour ajuster la luminosité de mon collimateur trop forte qui m'éblouit. Je lève les yeux, le doigt sur la détente de mes quatre canons et... plus de Focke Wulf ! Vieux malin, il m'a proprement endormi tout en me voyant venir du coin de l'œil. Je le retrouve maintenant 500 mètres au-dessus de moi, grimpant à la verticale comme un bolide. Me tordant le cou, je tire sur le manche comme un fou pour le suivre. On monte, on monte, je tire trop pour l'encadrer dans mon collimateur, je sens l'avion qui tremble, prélude à la perte de vitesse : la vrille est interdite sur le Tempest en dessous de 3 000 pieds. Aïe ! Je réenclenche la surpuissance, mon Tempest danse un instant sur une pointe d'épingle. Je me bats avec les ailerons et cherche des yeux mon Focke Wulf qui a de nouveau disparu, et *bang ! bang !* Mon cœur s'arrête quand avec un grand choc l'hélice s'arrête aussi. Un obus a touché le moteur qui vomit sur mon pare-brise un flot d'huile. Ma plaque de blindage a encaissé les éclats de l'autre 20 millimètres. Je suis trop bas pour sauter et mon avion plane comme un fer à repasser. Je pique tout de suite pour conserver de la vitesse, car je vais me poser sur le ventre. Je n'ai pas d'autre choix.

Il y a, à l'embouchure d'une petite rivière qui se jette dans le lac, une grande prairie verte que je puis tout juste atteindre. À ce moment, une ombre passe au-dessus de moi. C'est un splendide Focke Wulf-D9 « long nez », sur le dos, tournant une barrique autour de mon avion. Je vois parfaitement le pilote qui me regarde et les petites flammes bleues de ses pipes d'échappement car il réduit à mort pour ne pas me dépasser. J'ai le temps de remarquer la bande noire et blanche sur son fuselage et son empennage peint en jaune... J'apprendrai plus tard que ce sont les insignes de la JG 26. Il m'a bien eu !

Je détache mon parachute, serre à mort mes bretelles, ma ceinture de sécurité et je largue ma verrière. Plus que quelques secondes. Miracle, mes volets descendent, je me pose roues rentrées, droit devant soulevant une cascade de boue liquide noire qui obscurcit mon cockpit et couvre l'avion. C'est une carrière de tourbe, et mon Tempest s'arrête intact après une longue glissade sur cette patinoire.

Je saute complètement paniqué, retenu un instant par le tube en caoutchouc de mon masque à oxygène que j'ai oublié de détacher, qui casse et me renvoie dans la figure l'embout de cuivre. Je dérape sur l'aile boueuse, tombe assis dans la gadoue, et j'entends le bruit du moteur du Focke Wulf qui revient vers moi. Il passe en éclair quelques mètres au-dessus de ma tête, je vois sa casserole avec la spirale blanche et noire m'arriver entre les deux yeux. Je me couvre instinctivement le visage mais il ne tire pas, bat simplement des ailes en signe d'adieu, et disparaît derrière une rangée de peupliers ! Une quinzaine de FW-D9 cap vers l'est me survole.

Choqué, complètement abruti, j'entends au loin ma patrouille de Tempest qui doit me chercher. Tout cela s'est passé si vite que je me demande si je n'ai pas rêvé. J'allume une cigarette, mais j'ai la bouche si sèche que je la recrache. Mon cœur cogne à s'en briser dans ma poitrine et je n'arrive pas à reprendre mon souffle.

Problème : suis-je derrière les lignes allemandes ? Tout est tellement fluide. Des chars roulent sur l'autoroute qui est cachée par une colline.

Le tonnerre des tirs d'artillerie est incessant. J'entends le moteur d'un véhicule s'approchant sur le petit chemin qui borde la carrière de tourbe. C'est une jeep avec trois soldats américains qui me collent aussitôt une mitraillette sur le ventre. Les ailes de la RAF sur mon *battle-dress*, le France sur mon épaule et la cocarde bien visible sur le flanc de mon avion, finissent par les convaincre, mais pas avant d'avoir été délesté de ma montre, de mon portefeuille, de mon revolver et reçu un coup de crosse dans les reins. Finalement alerté par le QG de la 122 Wing, apparaît, deux heures plus tard, un petit Stinson-105 américain qui se pose acrobatiquement sur une bretelle en construction de l'autoroute et m'embarque en voltige pour me ramener chez moi.

Comme c'est l'heure du dîner je vais directement au mess pour être accueilli par une salve d'applaudissements, tandis que deux de mes pilotes brandissent une pancarte sur laquelle il est écrit : « *Leave it to me, it is a piece of cake !* » (« Laissez-le-moi, c'est du gâteau ! ») Bay Adams prétend que c'est ce que j'ai dit à la radio après lui avoir ordonné de me couvrir ! Je ne suis pas sûr que ce furent mes mots exacts, mais cette phrase allait me poursuivre jusqu'à la fin de la guerre[1] !

1. La RAF publiait chaque mois un bulletin confidentiel qui donnait des conseils, etc., mais qui surtout épinglait nos plus grosses bêtises à titre d'exemple. Dans cet esprit, dans chaque numéro, un parmi les 10 000 pilotes de la RAF était décoré de l'ordre du Doigt inamovible – order of the Irremovable Finger. « Enlève le doigt de

Quand le FW-190 D9 avait surpris ma patrouille près du lac Dummer, il abattait deux Tempest. Celui de MacKenzie avait littéralement explosé dans une boule de flammes qui tombait comme une comète avec une longue queue de feu et de débris. Walker le « frisé » et Bay Adams avaient surveillé en vain dans l'espoir de voir un parachute.

Nos pertes depuis trois mois étaient telles que nous étions devenus non point indifférents, mais blindés. Pourtant, cette fois-là, nous avons été touchés au cœur, et voici pourquoi.

En novembre dernier, MacKenzie avait fait la connaissance d'un gardien du zoo d'Anvers. Avec la guerre et l'occupation allemande il était devenu impossible de nourrir les carnivores qui furent abattus – les herbivores ne posaient pas trop de problèmes. Le gardien avait recueilli trois chiots d'une chienne huskye sibérienne qui avait été couverte par un loup gris canadien. Mac en avait acheté un, et l'avait ramené dans un sac à parachute...

C'était un chien de toute beauté – le plus beau que j'avais jamais vu... Il avait vite démontré à la fois un attachement exclusif pour son maître et en même temps une incroyable férocité agressive. Impossible évidemment de le caresser ni même de l'approcher. De son père loup il avait également hérité des crocs respectables. Il ne lâchait pas Mac d'une semelle, couchait sous son lit, ne pouvait être nourri que par lui. Nook, c'était son nom, s'allon-

---

ton nez et occupe-toi un peu de ce qui se passe dans le ciel autour de toi ! » Dans une autre rubrique étaient publiées les illustres dernières paroles du mois. J'y ai eu évidemment droit dans le dernier bulletin de juin 1945, avec ce commentaire : « Our forcefull Frenchman, notre sacré Français, a fini sa guerre en beauté en laissant pour nos archives une phrase immortelle : "*Leave it to me*" », etc. Et c'est ainsi que l'on écrit l'Histoire !

MacKenzie avec le fidèle chien Nook, magnifique chiot alors âgé de trois mois, croisement de samoyède et de loup.

geait près des cales du parking de l'avion de son maître attendait toujours son retour de mission.
Le jour où MacKenzie a été abattu – et tué – Nook l'a attendu comme d'habitude. Il a attendu couché là, sans

bouger, sans boire ni manger, inapprochable, quatre jours et quatre nuits. Au matin du cinquième jour les MP l'ont retrouvé le long de la piste. Il avait tenté de revenir à sa place, mais la décharge de chevrotines du fermier allemand était mortelle... Il a toujours nié, mais nous avons supposé que Nook avait attaqué ses moutons.

Ce soir-là, quand nous avons enterré Nook le fidèle, tout le monde avait les yeux humides.

Werner Molge, qui commandait la 7/JG 26, avec qui je me suis longuement entretenu en 1996 à Cologne lors d'une réunion de pilotes de chasse à propos de la jagd geschwader *26, m'avait dit, concernant les recherches qu'il avait faites pour savoir le nom du pilote qui m'avait abattu en avril 1945, qu'il en avait trouvé trois probables – deux à la JG 26 et un à la 301.*

En effet à la JG 26 deux pilotes avaient la réputation d'être des « tueurs » de Tempest : Soffing et Dortemann. Dortemann en particulier avait abattu – et cela fut confirmé par les archives RAF – entre le 28 mars et le 30 avril 8 Tempest sur les 14 homologués à la JG 26. À la JG 301, la date de mon aventure coïncidait également avec une victoire de Rudi Wulf.

D'après Molge, Dortemann, patron de la I JG 26 qui avait revendiqué deux victoires et un endommagé dans la région du lac Dummer était le candidat le plus vraisemblable. En réalité, il avait abattu trois Tempest et non deux, persuadé que le premier de mes avions sur lequel il avait tiré n'avait été qu'endommagé car il ne l'avait pas vu en feu. Cela prouve deux choses : une, que les pilotes allemands, surtout des « as » comme le staffelkapitan *Dortenmann, ne revendiquaient des victoires que lorsqu'ils étaient assurés, et deux, qu'ils étaient de sacrés pilotes !*

*

Deux Néo-Zélandais viennent de jouer un sale tour au commandant administratif de l'escadre. Hier soir, après une *mess-party* mouvementée, organisée en l'honneur du départ de « Smoky » Shrader qui prend le commandement des avions à réaction Meteor du groupe 616 – deux pilotes de la 486 se sont éclipsés en douce...

Dehors, le premier objet qui dut s'offrir à leurs yeux légèrement troublés par les libations fut la jeep personnelle de Jamieson.

Ils sautèrent dedans, démarrèrent, et partirent faire un tour au clair de lune sur les routes voisines.

Ils commencèrent par forcer un barrage de la garde, essuyèrent sans dommage une salve de mitraillette, et continuèrent à toute vitesse vers Belsen...

À mi-chemin, ils prennent en écharpe une Buick d'état-major.

Werber Molge et son « long nez ». Il commandait la II de la JG 26. Il avait recherché pour moi quel était le pilote qui m'avait abattu le 22 avril. Il m'avait donné les noms de Söffing, de Dortenmann et de Rudy Wulf.

Ils trouvent le moyen de s'éclipser indemnes dans les bois, laissant deux *commodores*, assez secoués, s'extirper péniblement des débris de leur carrosse.

L'histoire fit naturellement du bruit, mais on ne retrouva pas nos deux plaisantins qui réussirent à regagner le mess dans la nuit, sans être repérés, et qui ne soufflèrent mot de l'aventure.

Avec une remarquable solidarité, tous les pilotes de la 486 se donnèrent mutuellement des alibis à l'épreuve des interrogatoires les plus habiles des MP.

Aujourd'hui, vers midi, Jamieson reçoit un rapport sulfureux du GQG, dans lequel il se fait incendier, et où on lui conseille, dans l'intérêt même de sa carrière future dans la RAF, de veiller un peu à ce que ses pilotes respectent un minimum de discipline.

Quelques heures après l'arrivée du rapport en question, Jamieson me fait appeler pour me remettre le commandement provisoire de l'escadre en remplacement de « Smoky » en attendant la nomination d'un nouveau *wing-co* définitif.

Après dix minutes de monologue, il me met entre les mains un dossier de 20 centimètres d'épaisseur – rapports, courrier en retard – tout en me recommandant de ne pas me faire tuer trop vite, car il en a par-dessus le dos de changer de *wing commander flying* toutes les semaines.

Brooker était le second wing commander, *commandant l'escadre 122 que nous perdions en soixante jours. Le premier fut le fameux Beaumont – qui avait réalisé les premiers essais opérationnels du Tempest, et qui connaissait cet avion mieux que tout autre. Il fut abattu à la tête de huit Tempest en faisant une troisième passe sur un train chargé de troupes, ce qui était une imprudence majeure. Quinze jours à peine après*

Brooker, son remplaçant, « Jim » K.F. Thiele, attaquant lui aussi un train, fut descendu à son tour par la flak. *Dans l'escadre il ne restait plus que moi comme pilote expérimenté. À mon tour – mais cette fois temporairement faisant fonction de* wing commander, *me retrouvant faute de candidat – ce que les Anglais appelaient* « acting, unpaid and temporary ! » *– c'est-à-dire faisant fonction à titre temporaire et sans solde ! – à la tête de la 122. Pendant un mois j'ai brassé et signé du papier. À cette époque, par manque d'avions, de pilotes, et le type d'opérations dont nous étions chargés, on ne volait plus par douze ou vingt-quatre mais par quatre ou six, parfois et exceptionnellement par huit, ce qui ne justifiait plus la présence d'un lieutenant-colonel à la tête du dispositif comme par le passé. Nous perdions quand même un nombre considérable de pilotes en perforant ces maudites locomotives et on n'avait pas intérêt à se faire descendre près d'un train immobilisé par notre tir car les passagers furieux qui attendaient souvent pendant des heures et des heures vous faisaient souvent subir un mauvais sort ! Quand on avait endommagé deux ou trois locos sur la même ligne du Reicheisenbahn, ses horaires ne signifiaient plus grand-chose.*

Broadhurst me téléphone pour me convoquer à son QG de Celle.

Je fais peindre en vitesse la casserole de mon hélice couleur réglementaire « œuf de canard » en rouge vif pour frimer (illégalement !).

Une demi-heure plus tard je me pose à Celle, où je suis reçu avec tous les honneurs par l'aide de camp de Broadhurst, qui n'est autre que mon vieux copain du *wing* 125, Burgess, dit « Bugs ».

Assis sur l'herbe, en rond autour du Flying Control, il y a près d'un millier de prisonniers français qui viennent d'être délivrés par notre avance et que la RAF rapatrie en France par avion.

Les malheureux semblent n'avoir pas pu suivre le rythme des événements. Ils sont là, tournant dans tous les sens, désorientés, affolés presque par les soins que les Anglais leur prodiguent. Ils ont cependant conservé au moins un trait bien français : ils passent leur temps à râler, et ne semblent pas comprendre que ces soldats et ces pilotes de la RAF se privent de plusieurs semaines de rations pour leur offrir des cigarettes ou des douceurs. Ils ont encore de la tenue. Il est vrai que ce sont des chasseurs à pied, et leurs officiers, qui ne les ont jamais lâchés, semblent les avoir toujours en main.

Je parle à quelques-uns, en attendant que la voiture arrive. Ils sont inquiets sur l'accueil qui leur sera fait en France. Ils me demandent ce que je pense de De Gaulle... Au bout de quelques minutes, je suis entouré par une centaine d'entre eux. La voiture arrive et je serre vite des mains.

Broadhurst me reçoit très gentiment, comme de coutume, et m'annonce que le Roi vient de signer le décret et la citation qui m'accordent une barre à ma DFC. Il me dit qu'il écrira au général Valin à l'État-Major de Paris à mon propos et lui expédiera ma liste provisoire de victoires. Nous passons ensuite en revue la situation de l'escadre et le programme des opérations futures. Il faut faire un dernier effort ; les Allemands sont à bout, mais il faut surtout éviter qu'ils réussissent à faire passer suffisamment d'effectifs en Norvège pour y continuer la lutte.

Il m'invite ensuite à prendre le thé, et vers cinq heures, je rentre, me sentant le maître du monde...

Sur l'aérodrome, il y a foule autour de mon « Grand Charles », et les soldats français se montrent du doigt les croix noires de mes victoires et la grande croix blanche de Lorraine sur le radiateur.

Je fais un décollage à l'américaine en leur honneur, malgré la piste exiguë et ensuite un « passage au ras des marguerites », puis je repars sur Fassberg.

Je travaille jusqu'à minuit avec Charlie, Abund et Rap pour mettre à jour le courrier en retard.

*

3 mai 1945

Nous avons la sensation très nette de donner le dernier coup de collier. Combien de temps la résistance allemande durera-t-elle ?

Si les Allemands veulent tenir sur la ligne du canal de Kiel, dans les îles du Danemark et en Norvège, ils peuvent certainement le faire pendant encore au moins deux mois sous la protection courageuse de leur chasse.

L'évacuation s'effectue en assez bon ordre. Tous les aérodromes du Danemark sont pleins à craquer d'avions de transport et de combat. Dans toutes les anses, les estuaires, le long des plages, des flottes entières d'hydravions Blom et Vhoss et Dornier sont au mouillage.

Leurs stocks d'essence leur permettent certainement, pour quelque temps encore, une défense efficace – théoriquement du moins.

D'heure en heure la manœuvre de retrait sur la Norvège s'accentue. Le grand convoi naval de Kiel, le flot interminable des avions à travers le Skagerrak, la résistance au sol qui s'obstine, en sont des indices sûrs.

De plus en plus également, nos avions de bombardement de la 2e Région aérienne (groupe 2) sont distancés et ne peuvent opérer de leurs bases avec des charges utiles suffisantes. Nous ne pouvons, pour les mêmes raisons, compter sur aucune aide efficace des Marauder de la 9e armée de l'air américaine.

C'est donc encore à notre pauvre 83e division aérienne de se sacrifier.

Un coup de téléphone de Broadhurst suivi d'un autre de Lapsley nous le confirment. Comme consolation, on nous annonce que tous les moyens possibles sont employés à mettre en état, aussitôt après leur capture, les aérodromes de la région de Lubeck, qui pourront accueillir nos appareils éclopés. Des Belly *landing strips*[1] sont déjà installés à Ratzburg, à Schwartzemberg et sur l'aérodrome même de Lubeck, où des ambulances seront stationnées en permanence à partir de 13 h 30 aujourd'hui. Si par hasard quelque autre aérodrome non miné, plus au nord, était occupé par nos troupes, les têtes de piste seraient marquées de bandes « rouge électrique ».

Étant donné que le *wing commander* Brooker n'est pas encore remplacé, que Mackie vient de partir au repos, que Jimmy Thiele a été descendu et que « Smoky » Shrader vient de prendre le commandement de la 616, équipée de Meteor à réaction, je suis toujours le commandant par intérim de l'escadre.

Rien qu'au *squadron* n° 3, nous avons sept avions au hangar (*flak*, fuites d'huile, changements de bougies, *flak* encore et toujours...). L'avion de Ken Hughes ressemble à une gigantesque salière, avec son bord d'attaque, sa casserole d'hélice et son radiateur criblés d'éclats. Johnny Walker a un trou de 50 centimètres de diamètre dans son plan fixe

1. Piste d'atterrissages forcés sur le ventre.

vertical. Mes mécanos finissent de réparer en vitesse deux trous gros comme le poing dans le fuselage de mon « Grand Charles ».

Le personnel de l'échelon n'a pas la moitié de son matériel disponible, les hangars sont ouverts à tous vents, il y pleut et il y fait froid. Nous manquons de munitions et de pièces, car les convois n'ont pu suivre notre avance rapide.

Tous ces détails d'organisation de la base sont une grosse responsabilité et le commandant administratif de l'escadre, Jamieson, qui n'est pas à prendre avec des pincettes depuis le coup de la jeep, ne m'aide pas beaucoup.

Je pense toujours à ma promotion. Ma situation – si ce n'était l'esprit chic et sportif des Anglais – serait gênante, car enfin je ne suis que lieutenant, je commande même si c'est provisoire, des officiers supérieurs anglais, 120 pilotes et 900 hommes. Je sais bien que le QG de Londres fait des efforts pour me donner satisfaction. À Paris, on s'en moque. La politique est la seule préoccupation et ce n'est pas à ceux qui combattent encore que l'on se préoccupe de donner du galon.

Cela ne m'a pas empêché de faire deux missions aujourd'hui. Je rentre vanné.

Le *wing* a perdu, dans la matinée, trois pilotes – dont « *baby* » Austin et le *flight officer* Blee, deux des meilleurs du *squadron* néo-zélandais 486.

*

Je lis dans le bulletin confidentiel d'informations, *Tactical Air Force 83,* que l'escadre 145 est en Hollande. La 145e est française et comprend le 341 « Alsace » commandé par Jaco Andrieux, le 340 « Île-de-France » et le 345 « Berry » commandé par Henri de Bordas. On y retrouve un petit noyau survivant de copains FAFL, la plupart récupérés dans des escadrons de la RAF avec lesquels ils se battaient depuis longtemps, certains ayant réussi à survivre depuis 1941...

Mon propre *squadron* est *release* pour deux jours. Lourdes pertes et moral bas... Un transport pour Bruxelles et six chambres dans un hôtel de la ville sont prévus. Bruxelles ne m'emballe pas, d'autant que plus que mes fonds sont en baisse ! Je vais donc essayer de rendre visite à mes amis français.

Question : où donc est basée la 145 ?

Je me pends au téléphone du mess et au bout d'un quart d'heure l'apoplexie me guette ! Je passe d'un service à l'autre, et mon vocabulaire du « *Please, could you be kind...* » à « *Do not be a bloody fool* »... n'arrange pas les choses.

Notre *spy* (officier d'Intelligence) qui m'observe de son fauteuil en rigolant, me dit de ne plus me fatiguer à tourner la manivelle car dans son coffre il a tout ce genre d'informations !

Il revient dix minutes plus tard avec le numéro et le code secret du 145e Wing. Comme c'est l'heure du dîner, j'ai Jaco au bout du fil en dix minutes.

— Viens déjeuner avec nous demain !

— OK, mais où perchez-vous ?

Jaco tente de m'épeler un nom hollandais à multiples syllabes, imprononçables pour un chrétien normal : Herto quelque chose... sur les bords de la Maas ! Comme cette langue n'a ni père ni mère, de guerre lasse Jaco me donne les coordonnées géographiques : 51° 42 N et 5° 18 E !

— À demain donc !

Je suis à 6 000 pieds quand j'aperçois finalement le terrain, avec une cinquantaine de Spitfire alignés le long des campements et des bâtiments.

Belle occasion pour frimer un peu... Pleins gaz, hélice au petit pas, 3 000 tours, je pique à 40 degrés et redresse très bas, traversant l'aérodrome au ras du sol à 650 km/h dans un fracas de jugement dernier, vent arrière !

Satisfait, j'ai le temps de voir tout le monde jaillir des portes...

Mon coup de musique est réussi. Je fais ma ressource dans un gracieux renversement, réduisant, et je m'aligne moteur au ralenti, volets baissés en finale...

Satisfait de moi, je commence mon arrondi quand une fusée rouge explose littéralement sur mon nez. Une fusée rouge c'est l'ordre impératif de remettre instantanément les gaz – ce que je fais ! Je baisse la main pour remonter mon train d'atterrissage et... aïe, il est relevé ! M... J'allais me poser train rentré, me couvrant de ridicule (en plus du risque en Tempest !) jusqu'à la fin de mes jours !

Je complète mon circuit et je me pose sur la pointe des pieds, pas faraud !

Au sortir de l'avion je suis accueilli par Jaco et Poupy pliés en deux !

— Mon cher Clo-Clo, quel magnifique radada, mais pourquoi n'être pas allé jusqu'au bout du spectacle ? Un Tempest sur le ventre, c'est rare, et quel succès !

Grâce au ciel, Jaco qui m'attendait au balcon de la tour de contrôle quand je me suis annoncé par la radio, a vu mon avion volets baissés, moteur au ralenti, en finale sans roues a compris et se ruant sur le pistolet à signaux m'a tiré dans les yeux la rouge qui m'a sauvé.

Les émotions creusant, nous faisons un excellent déjeuner à la française et je rentre ensuite à Volkel sous la pluie et satisfait de ma journée.

Les pilotes ne sont pas encore rentrés de Bruxelles et de Niemegen, j'ai donc encore une journée tranquille et je prends une jeep pour faire une promenade dans les bois merveilleux qui entourent Volkel. D'un seul coup la guerre est loin !

Le soir, dans un mess vide après le dîner, sur une table dans un coin, à la lumière tremblotante d'une ampoule au mur – notre électricien a encore fait des siennes avec ses génératrices ! – je fais sur mon cahier l'inventaire de la semaine précédente. Ce n'est pas brillant et le moral n'y est pas... Depuis quelque temps j'ai l'impression de n'avoir réussi que provisoirement à m'évader de ce monde de fous sans frontière entre la vie et la mort. C'est toujours cet équilibre instable sur le fil de la chance, sur lequel on glisse sans filet avec pour seul balancier le courage, la peur et l'expérience de bientôt trois années de combat.

Je sais que demain il faudra renouveler l'effort, avec des réflexes moins rapides peut-être, émoussés par la fatigue... Je pense bien à vous et cela me soutient. *(Nota : il s'agit de mes parents auxquels j'écrivais ce soir-là !)*

J'entends le car des permissionnaires qui arrive – chansons, cris, chahut dans l'escalier – je finis ma bière et file au lit discrètement.

Charlie, l'officier mécanicien chef du *wing*, m'apporte la liste des avions disponibles de l'escadre. Nous en avons 27 – en réalité 23 – sur 95 dont nous devrions normalement disposer. Il m'en promet quatre autres pour 17 heures. Il est 15 h 30.

J'envoie Ken Hughes, Johnny, Walker, mes deux Australiens Torpy et Bay, avec Longley comme réserve, exécuter la courte reconnaissance armée dans la région de Flensburg demandée par le QG.

Ken est un type prudent, et ne se fera pas descendre du monde sans raison.

Je continue à étudier les rapports de combat individuels de la matinée, élaborant avec Abund le « *wing report* » pour le GQG.

Pas moyen de camoufler notre déficience d'appareils. Le moral des pilotes n'est pas sensationnel non plus, et j'espère bien que l'on ne nous donnera pas d'*anti-shipping* à faire.

La *flak* joue un rôle de plus en plus grand dans la vie de mes pilotes – soit dit sans jeux de mots de mauvais goût. J'en sens l'obsession dans toutes les conversations, à table, au bar, au cours des briefings.

Pour en être convaincu, il suffit d'observer l'âpreté avec laquelle ceux qui reviennent de mission sont interrogés sur la densité de feu et les positions de DCA par ceux qui vont partir. Le mot « *flak* » est sur toutes les lèvres, à chaque instant.

Je fume cigarette sur cigarette, et bois tasse de thé sur tasse de thé. Mes dents et ma mâchoire me font souffrir depuis mon atterrissage mouvementé du 24 mars.

J'ai une explication assez vive avec le biffin de liaison de la 2e armée canadienne – décidément, les gens en kaki ne me reviennent pas – il ne semble même pas au courant des opérations terrestres. Je dois me déranger moi-même pour dépouiller les bandes de télétypes et faire le point. Où sont donc les amis et les ennemis ?

La situation à terre est assez confuse, avec des poussées en flèche d'éléments blindés vers Kiel, Elmshorn (au nord de Hambourg) contre quelques forts noyaux de résistance axés sur les aérodromes de Neumunster, Bad Segeberg et leurs satellites.

La Luftwaffe va continuer à se battre jusqu'à la dernière seconde de la dernière heure et couvre les opérations de retraite des troupes et l'évacuation des états-majors vers la Norvège en Junker-88, Junker-52, Heinkel-111 et surtout Fieseler Storch, qui profitent, pour se faufiler, des couches de brume qui couvrent, tôt le matin et au coucher du soleil, la région des lacs Poner.

Les nuages assez bas (plafond à moins de 1 000 mètres) qui couvrent la base de la péninsule danoise depuis quelques jours, sont peu favorables aux patrouilles d'interdiction. La *flak* est si dense que dès qu'un de nos taxis émerge sous les nuages à cette faible altitude, il est aussitôt pris à partie par les dizaines de pièces automatiques qui couvrent de leurs feux croisés les grandes artères routières de Eutin à Kiel et surtout les autostrades Neumunster à Rendsburg et Schleswig à Flensburg.

Tout cela n'est pas très encourageant.

17 h 20. Je sors pour assister à l'atterrissage des avions du 56 et du *squadron* 3 qui reviennent de mission.

Le pauvre Brocklenhurst a eu son appareil durement touché par la *flak*, juste le long de l'autostrade de Flensburg. Plutôt que de se poser roues rentrées, il préfère sauter en parachute. Il s'en tire très bien, mais la jeep qui part à sa recherche a un mal fou à le retrouver accroché à un arbre. Entraîné par le vent il a dérivé profondément dans la forêt d'Orel.

La section de Ken ramène un score de 23 camions détruits et 65 endommagés – un vrai record – ainsi que deux Junker-52 descendus le long de la côte par Longley.

Très bien, cela va meubler mon rapport. D'un autre côté, Longley me tracasse. Il devient de plus en plus imprudent et, sachant, que, son tour d'opérations fini, il sera rapatrié vers la Nouvelle-Zélande, il profite de ses dernières heures de vol pour chercher à décrocher sa DFC.

Il va falloir que je le freine un peu. Quoi qu'il en soit, avec ses six victoires homologuées et 200 missions, je vais le proposer.

Tous les avions, sauf celui de Brocklenhurst, sont revenus. Sur les neuf, six seront ravitaillés et réarmés dans dix minutes.

Comme je me prépare à retourner à notre *dispersal,* des Beaufighter torpilleurs passent en rase-mottes dans un grondement de tonnerre, au-dessus de chez nous, revenant du nord.

Il y en a des nuées, au moins la force de trois escadres. Ils reviennent du *shipping-strike* monstre organisé contre le fameux convoi de Kiel[1].

L'un d'eux, traînant la longue queue de fumée noire d'un moteur en feu, essaie de se poser chez nous. Il se met en vrille à 500 mètres du terrain et s'écrase près de la piscine avec une épouvantable explosion.

Les pompiers et l'ambulance se précipitent...

— Bon Dieu, pourquoi donc se pressent-ils tant ? souffle Peter West – il ne doit pas rester grand-chose.

En effet, dix minutes plus tard, l'ambulance revient lentement, ramenant les lamentables débris carbonisés de l'observateur et du pilote.

On parle encore de cet événement au mess une heure après, lorsque « Spy » me saute dessus :

— *Scrambler, sir.*

Que peut-on me vouloir à cette heure ?

Je saute dans ma jeep, et me précipite à l'Intelligence Room.

---

1. Le Cap Arcona est coulé au cours de cette opération – hélas il transportait 3 000 prisonniers alliés... Quelques survivants seulement.

Le scrambler est un nouvel appareil de radiotéléphonie à ondes ultracourtes, reliant les escadres au GQG et qui a la curieuse propriété de brouiller les ondes à l'émetteur et de les débrouiller au récepteur. Tout message intercepté en route par l'ennemi n'est ainsi qu'un charabia invraisemblable. C'est rapide, cela évite le chiffrage, et c'est pratique.

Lapsley à l'appareil.

La conversation est courte :

— Pierre, de combien d'avions disposez-vous ?

Un coup d'œil au tableau des disponibilités.

— Vingt-cinq, *sir !*

— Bien, Prenez note pour exécution immédiate ; je confirme par télex :

*Les Allemands évacuent en masse la base aéronavale de Grossembrode vers la Norvège stop référence N 54,22 E 11,05 stop plus de 50 gros avions transporteurs en charge au sol et mouillage stop très forte couverture probable de chasse adverse stop menez tous effectifs disponibles sur objectif désigné stop mitraillage si possible stop modalités d'exécution à votre discrétion stop prévenez Kenway de vos dispositions au moins dix minutes à l'avance stop essaierai de vous donner Typhoon anti-*flak *stop n'y comptez pas trop stop bonne chance stop.*

Je remercie. Je raccroche à la fois excité et furieux. Charmant, après une telle journée, de nous faire repartir, à 6 heures du soir, et surtout sur un objectif de ce genre !

— Planton ! État d'alerte n° 1. Immédiatement !

Le planton se précipite et, quelques secondes après, le ronflement des Klackson secoue Fassberg.

J'examine la carte au mur. Il y a environ 140 kilomètres en ligne droite jusqu'à Grossembrode, mais la météo nous annonce que la baie de Lubeck et la région de Hambourg sont complètement bouchées. Les nuages – une formation orageuse de cumulus avec fortes averses – montent jusqu'à 6 000 mètres.

Il faudra faire un détour par le nord.

Des crissements de pneus sur le ciment. Les jeeps commencent à arriver avec les pilotes entassés les uns sur les autres. Le thé dînatoire interrompu, la journée écrasante ne sont pas faits pour les mettre de bonne humeur. Quelques-uns mastiquent des sandwiches faits à la hâte.

Tout le monde présent ? Bien. Je leur expose la situation rapidement.

— Nous n'avons pas assez d'appareils disponibles pour voler en escadre par escadrilles. Donc, nous volerons en deux fois trois sections de quatre appareils échelonnés sur la droite. Je mènerai la première formation de 12 Tempest et MacDonald, du 486, mènera la deuxième. Ainsi, je l'espère, j'aurai bien mes 24 appareils en main.

Je ne puis fournir immédiatement de détails d'exécution, me réservant de donner sur place les ordres nécessaires par la radio. Ce sera une question d'opportunité beaucoup plus que de plan réglé à l'avance. Je ne possède d'ailleurs ni les données nécessaires, ni le temps suffisant pour élaborer une méthode d'attaque...

— Réglez vos montres. Il est 17 h 37. Démarrage des moteurs à 18 h 15. Je décollerai numéro 1, ferai une large orbite sur l'aérodrome pour permettre aux 24 appareils de se former convenablement, et à 18 h 25, cap sur l'objectif... Aucune question ?... faites vite !

Je prends comme coéquipiers pour ma section de quatre le *flight lieutenant* Bone, le *flight officer* Dug Worley et le jeune sergent Crow, dont ce sera la troisième mission de guerre. Ce n'est pas fameux dans l'ensemble, mais je n'ai pas le choix, et je ne puis décemment demander à des pilotes qui ont déjà fait deux ou trois missions dans la journée, qui sont crevés de fatigue, d'en faire une quatrième qui sera certainement très dure.

18 h 00.

Mon « Grand Charles » est prêt. Le moteur tourne déjà et mon mécano Gray, allongé sur l'aile, me signale de son pouce en l'air que tout va bien.

La vaste place cimentée de Fassberg, encadrée par les grands hangars sombres, est en ébullition.

Tout en m'attachant, je jette un coup d'œil. Les moteurs tournent, les cartouches de démarreur claquent, les mécanos galopent de tous côtés, portant des parachutes ou des cartes oubliées à la dernière minute. Les pilotes grimpent dans les taxis, tout gauches dans leurs Mae West et leur harnais de parachute.

18 h 16. Enlevez les cales !...

À 18 h 25, alors que le soleil est encore haut sur l'horizon, et que de grosses masses nuageuses roulent vers l'est, je mets le cap au nord, prenant lentement de l'altitude.

La formation ce soir est désastreuse. Avec des éléments appartenant à trois unités différentes, il n'est pas très commode de composer une équipe homogène.

— *Come on Filmstar, pull your bleeding fingers out !* (Allez Filmstar, réveillez-vous !)

La section Bleu, qui devrait être à ma gauche, se promène 500 mètres au-dessus, à ma droite. Les Jaunes 2, 3 et 4 traînent à plus d'un kilomètre derrière nous.

Nerveux et de mauvaise humeur, je les rappelle à l'ordre par radio, sans ménagements.

Nous contournons Hambourg pour éviter le nuage de fumée sale qui s'élève à perte de vue des incendies de la ville.

Enfin, ma formation se décide à rentrer dans l'ordre...

À Nenmunster, que nous survolons à 3 000 mètres, nous sommes tirés (très mal d'ailleurs) par une batterie de 88 et nous obliquons à droite sur un cap de 052°.

Le temps se gâte, et je suis obligé de faire de larges zigzags pour éviter des formations de cumulus qui montent très haut dans le ciel, comme de grandes tours blanches.

— *Hullo Kenway. Any gen ?* (Allô Kenway, quoi de neuf ?)

— *Hullo Filmstar leader, Kenway answering, nothing at all !* (Rien du tout.)

Kenway n'a aucune information à me passer, pas même le contre-ordre que j'espérais intimement.

Nous sommes à peine à une trentaine de kilomètres de l'objectif qu'une couche impénétrable de nuages nous barre la route.

Je pique, suivi de ma formation pour essayer de passer dessous, mais nous rencontrons une pluie battante et une visibilité nulle. Je fais exécuter un rapide 180 degrés en remontant, puis un deuxième 180 degrés pour revenir sur notre cap primitif.

Que faire ? Un avion seul, ou une paire à la rigueur, pourrait tenter de passer avec succès ; mais pour une formation compacte de 24 appareils c'est non seulement délicat, mais encore très risqué...

J'explique par la radio en termes voilés la situation à Kenway :

— *Hullo Kenway, Filmstar here, the weather stinks !* (Allô Kenway, ici Filmstar. Le temps est infect.)

La réponse de Kenway est nette et son ton impératif :

— *Filmstar leader, force on regardless !* (Tant pis ! Filmstar, foncez quand même !)

Bien ! en avant, quand même.

— *Cloud formation. Go !*

Je divise mon dispositif en sections indépendantes de quatre qui se mettent aussitôt en formation encastrée. Nous tenterons ainsi de traverser les nuages sur un cap donné, et de nous retrouver – pas trop dispersés, je l'espère – de l'autre côté.

Nous nous enfonçons dans l'orage et nous nous perdons de vue.

Diable ! Ça remue, et je me concentre sérieusement sur mes instruments, avec de temps à autre un coup d'œil en coin pour mes coéquipiers qui collent tant qu'ils peuvent, et ne crânent pas.

La couche n'est pas épaisse heureusement. Quelques minutes après, nous émergeons au-dessus du détroit de Fenmharn, près d'Helligshaven.

Le ciel est dégagé et, devant nous, pas une ombre jusqu'à l'horizon.

Mon cockpit, qui était très embué, s'éclaircit et je me prépare à faire le point...

— *Look out Filmstar leader !*

— Attention !

En une fraction de seconde, l'air s'est peuplé d'une incroyable masse tourbillonnante d'avions... Un spectacle inoubliable !

En bas à droite, le grand aérodrome de Grossembrode, avec son bassin d'hydravions et ses pistes grouillant d'appareils multimoteurs, et, plus loin, la mer calme avec quelques navires au mouillage...

Derrière nous, un mur solide de nuages d'où émergent en désordre, à des altitudes diverses, les sections de Tempest.

Autour de nous, des dispositifs importants de chasseurs allemands qui patrouillent. L'un d'eux nous a déjà repérés et fonce sur la section Jaune.

Devant nous, soit au sol, soit décollant, des avions de transport qui représentent théoriquement mon objectif prioritaire.

En l'air, environ peut-être une cinquantaine d'avions de chasse ennemis. Un groupe à 500 mètres d'altitude. Un autre à 1 000 mètres. Un troisième à 1 500 mètres et deux autres à notre niveau, c'est-à-dire environ 3 000 mètres.

Et je ne dispose que de 24 Tempest !

Ma décision est vite prise. Les sections Filmstar Jaune et Bleu attaqueront les chasseurs au-dessus de nous, et les sections Rose, Noir et Blanc, commandées par MacDonald, engageront les Focke Wulf en dessous... j'essaierai entre-temps de me glisser avec ma section Rouge jusqu'à l'aérodrome de le mitrailler et de f... le camp vite !

— *Hullo Filmstar, Yellow and Blue climb and attack fighters above. Pink, Black and White engage Huns below. Filmstar Red diving for straffe... Go !... and after get out quickly.*

Suivi de près par mes trois coéquipiers, je lâche mes réservoirs supplémentaires et pique à la verticale, passant en trombe à plus de 600 km/h à travers une formation de Focke Wulf qui s'égaille dans le ciel comme une volée d'hirondelles...

Je redresse doucement en réduisant légèrement les gaz, suivant une trajectoire qui m'amène en rase-mottes sur l'aérodrome, du sud-ouest au nord-est.

Une *flak* déchaînée nous accueille.

J'arrive en bordure du bassin à plus de 600 à l'heure au badin, à 20 mètres d'altitude, et tout de suite j'ouvre le feu.

La surface moirée du mouillage est couverte de Dornier-24 et 18 au point mort. Trois lignes blanches d'écume marquent le sillage de trois appareils ennemis qui viennent de décoller. Sur des berceaux à roues, une rangée de Blom et Vhoss est alignée sur les rampes de mise à flot.

Ma patrouille et moi concentrons le feu sur un des BV 138. Les amarres du berceau se rompent, et je passe au-dessus de l'énorme masse fumante qui bascule sur le plan incliné, tombe à la mer et commence à couler.

La flak redouble.

Un éclair à ma droite, et un Tempest désemparé percute en mer dans une gerbe d'écume.

Bon Dieu ! Les bateaux ancrés au large sont armés, et l'un d'eux est un torpilleur de gros tonnage qui fait feu de toutes ses pièces.

Instinctivement, je rentre la tête dans les épaules, et, toujours en rase-mottes, j'oblique légèrement à gauche, si vite que je ne puis tirer sur les Dornier, puis renverse vivement à droite derrière un Junker-252 qui décolle et qui déjà grossit de façon alarmante dans mon collimateur. Je le tire d'une longue rafale continue jusqu'à ce que la collision semble imminente, dégage de justesse, et vois en me retournant le Ju-252, deux moteurs en feu, planter une aile !

Entraîné par ma vitesse, je suis déjà loin – droit sur le torpilleur qui crache de toutes ses pièces de DCA. Je passe à dix mètres de sa fine étrave, au ras de l'eau qui bouillonne de mille geysers soulevés par la *flak*. J'entrevois des silhouettes blanches qui s'agitent sur le pont, et les langues de feu de ses pièces qui semblent jaillir de toute la superstructure camouflée.

Des obus traceurs ricochent sur l'eau et explosent tout autour dans un rayon de 500 mètres. Des shrapnells fauchent un banc de mouettes qui retombent de tous côtés, affolées et sanglantes.

Ouf ! enfin hors de portée !

Je suis en sueur, et j'ai la gorge si serrée que je ne puis articuler un mot à la radio. Comme j'ai, sans m'en rendre compte, retenu mon souffle pendant toute l'attaque, mon cœur bat sourdement, à se décrocher dans ma poitrine.

Je reprends de l'altitude dans un large virage à gauche.

Sale situation ! Un combat acharné se déroule au-dessus de l'aérodrome. Trois avions descendent en flammes – amis ou ennemis – je ne puis distinguer d'ici, ils sont trop loin. Un autre, pulvérisé, égrène ses débris incandescents dans le ciel, et un cinquième tombe en vrille, filant une traînée de vapeur blanche.

D'autres brûlent écrasés au sol.

La radio ne transmet qu'un fouillis inintelligible d'appels, de jurons, de cris forcenés entremêlés de vibrations de canons qui tirent.

Près du torpilleur, au milieu d'une tache d'écume, les restes d'un avion flambent, et de la nappe d'essence enflammée s'élèvent de lourdes volutes de fumée noire ponctuée d'éclairs.

Que sont devenus mes trois coéquipiers ? Pas une trace dans le ciel. J'ai vu un Tempest percuter à ma droite au début de l'attaque, donc vraisemblablement celui de Bone. L'appareil abattu par un des navires allemands est celui de Crow, j'en suis sûr. Quant à Worley, il est invisible.

Je délibère un instant. Vais-je essayer de rejoindre le combat contre les chasseurs allemands qui fait rage au-dessus d'Helligshaven, ou tenter une deuxième passe de mitraillage à la faveur de la panique qui doit régner sur la base allemande ?

J'incline à contrecœur pour la deuxième solution. Je redescends au niveau de la mer et commence à contourner à toute vitesse l'île de Fehnmarn.

Soudain, je suis nez à nez avec des Dornier-24, probablement ceux qui avaient décollé de Grossembrode quelques secondes avant notre attaque, et dont j'avais repéré les sillages.

Les Do-24 sont de gros hydravions trimoteurs d'environ 19 tonnes, de vitesse assez basse, quoique bien armés défensivement.

Revenu de ma surprise, j'exécute un large renversement qui me tient en dehors de leurs feux croisés, ouvre les gaz à fond et me rapproche en zigzag, prenant des photos. Puis, posément, tout en restant hors de portée de leurs mitrailleuses, j'ajuste le premier.

Au bout de deux salves, un de ses moteurs est en feu et l'autre tousse ; il tente un amerrissage forcé, mais, de ce côté-ci du promontoire, la mer est grosse, il se pose cependant. Aïe ! Il portait des croix rouges ! Pourquoi ?

Je me dirige aussitôt sur deux autres qui essaient de se défiler au ras de l'eau. De longues traînées noires s'échappent de leurs moteurs poussés à fond.

Ils font un peu pitié. Avec mes 400 kilomètres à l'heure de marge de vitesse et mes quatre canons, c'est un peu le passe-boule traditionnel.

Je choisis celui de gauche qui, lourdement chargé, traîne un peu derrière l'autre. Mais cette fois, au dernier moment, l'animal exécute un virage fort habile. Entraîné par ma vitesse, je dois comme un imbécile, virer à bout portant sous le feu du mitrailleur arrière, qui me touche de trois balles. Grâce au ciel, ce ne sont que des pétoires de 7,7 millimètres.

Une glissade me remet en position de tir et, à moins de 100 mètres, mes obus ravagent le fuselage. Ses réservoirs d'aile prennent feu. Le mitrailleur de queue cesse de tirer.

En quelques secondes, l'appareil est enveloppé de flammes. Le pilote cherche à prendre de l'altitude pour permettre à son équipage de sauter, mais il est trop bas. Trois hommes sautent, cependant ; un seul parachute s'ouvre et se referme immédiatement, happé par une vague.

Le gros trimoteur n'est plus qu'une boule de feu qui roule à quelques mètres de la crête des vagues dans une épaisse traînée de fumée noire. Quelques secondes après, il explose.

Deux navires « pièges à *flak* » après l'armistice, débarrassés de leur artillerie. Cependant les plates-formes subsistent. Elles portaient : a) 2 quadruples de 20 mm. b) 2 tubes simples de 37 mm. c) 2 doubles 37 mm. d) 2 quadruples de 20 mm. C'était un ensemble terrifiant qui pouvait dresser un rideau presque infranchissable d'acier et d'explosifs. Les Allemands les nommaient *Sperrgrecher*.

Je cherche le troisième qui s'est évanoui par miracle dans le paysage, planqué quelque part derrière une des petites îles du détroit.

L'affaire m'a fait complètement contourner Fenhmarn, et je monte à 1 000 mètres. Voilà Grossembrode derrière la montagne...

Je ravale ma salive, resserre d'un geste machinal mon harnais de sûreté, et pique à nouveau sur l'aérodrome pour une nouvelle passe de mitraillage.

Cette fois, je les prends par surprise. La *flak* est occupée ailleurs, et les artilleurs tiraillent un peu au hasard dans la direction générale de la mêlée des chasseurs boches et des Tempest...

Je passe en coup de vent entre deux hangars, et débouche à plein moteur sur le terrain. Il y a tant d'avions entassés les uns sur les autres que je ne sais lesquels choisir.

Droit dans mon collimateur, il y a une rangée d'énormes Arado-232 de transport. J'ai le temps d'apercevoir, avant que mes obus explosent sur les deux premiers, les curieux fuselages à poutre, les grosses carlingues à deux étages, les vingt-quatre roues du train d'atterrissage qui supportent les gigantesques machines.

Un obus de *flak* explose à quelques mètres de mon avion et le secoue violemment. Hors de portée, je dégage en spirale ascendante, et me retrouve en plein milieu de la bagarre, qui commence d'ailleurs à mollir.

J'essaie de rallier mes avions, mais dans ce désordre c'est difficile.

La première chose qui s'offre à mes yeux est un Tempest qui pique, tournant aux ailerons, de plus en plus vite – puis les deux ailes se détachent... Quelques secondes après une flamme claire jaillit entre deux haies... pas de parachute...

Des Focke Wulf essayent de m'embarquer dans un « dog-fight », mais je m'en débarrasse vite en dégageant sous eux.

Le Tempest-JF-H – piloté par Bay l'Australien – est en difficulté ; son moteur fume. Cependant, il s'est accroché avec un Messerschmitt qui se défend très adroitement en réduisant sa vitesse graduellement et qui commence à gagner sérieusement sur le Tempest.

J'oblique vers le 109 et l'engage par surprise pour lui faire peur. Fumée tout de suite.

Surpris, le pilote du Me-109 renverse instinctivement son virage et Bay, maintenant en position, tire à son tour, le touchant à nouveau.

Affolé le boche renverse encore – il redégage – Bay tire... une seconde de flottement, puis une aile frappée de la grande croix noire se replie, en feu.

Le boche saute sans difficulté, mais son parachute file et se met en torche.

Enfin, mes Tempest commencent à se reformer et, deux par deux, se dégagent prudemment de la bagarre. Les boches lâchent pied et, un à un, se retournent. Ils piquent vers Grossembrode d'où s'élève une colonne de fumée – probablement les deux Arado qui brûlent...

Un Focke Wulf traînard s'est glissé au milieu de nous et bat désespérément des ailes. Suivi de Bay je l'accroche aussitôt, le touche et mes culasses claquent, réarmant à vide – plus de munitions...

Le Focke Wulf cependant ralentit. Bay tire à bout portant, et le pulvérise. Il éclate comme une grenade...

Cette fois, le parachute s'est ouvert.

Le soleil maintenant a glissé, là-bas, derrière les îles danoises et, dans le crépuscule lumineux, ma patrouille se reforme.

Je compte mes avions : deux, quatre, huit, dix, douze – et puis cinq autres, plus bas, qui rejoignent péniblement, touchés sans doute.

Dans la nuit qui commence à estomper les grandes lignes du paysage, feux de position allumés nous rentrons à Fassberg.

L'air tiède et calme du soir secoue doucement les ailes du « Grand Charles ».

Comme nous approchons de Fassberg, roues et volets sortis, je pense à la tête que va faire notre officier mécanicien Mitchell. Je lui ramène dix-sept avions sur vingt-quatre.

*

Puis ce fut l'armistice, comme une lourde porte qui se ferme. Huit jours incompréhensibles – un indéfinissable mélange de joies et de regrets. Manifestations bruyantes coupées de grands calmes intermittents, et surtout ce silence inaccoutumé, épais, pesant sur l'aérodrome, sur les avions bâchés, les escadrilles mortes et les pistes vides...

La détente des nerfs bandés fut effroyable, douloureuse comme une naissance.

C'était à en hurler.

Ce soir-là au mess, c'était une extraordinaire veillée funèbre. Les pilotes étaient affalés sur les sièges – pas une conversation, pas un chant.

Vers 11 heures du soir, Bay brancha la radio. La BBC transmettait un reportage sur les rues de Londres et de Paris où la foule bruyante donnait libre cours à sa joie.

Tous les yeux se tournèrent vers l'appareil et, dans ces yeux, il y avait comme une sorte de haine.

C'était si clair et si nouveau pour moi que, surpris, j'interrogeai Ken du regard. J'entendis alors un choc et une cascade de verre brisé. Quelqu'un a lancé à toute volée une bouteille vers tout ce bruit, vers tous ces gens qui venaient sans pudeur nous imposer les manifestations de leur soulagement et de leur délivrance. Pas malin...

Partant se coucher, un à un, mes pilotes se levèrent, et dans le mess silencieux il n'y eut plus que Ken, et le barman indifférent.

De l'appareil de TSF filtrait un grésillement lamentable.

Je levai à nouveau les yeux sur Ken Hughes. Point besoin de paroles, nous nous comprenions. Une demi-heure – une heure peut-être – passa. Et alors, je le jure, j'ai soudain senti qu'ils étaient tous là, autour de nous dans l'ombre et la fumée de cigarettes, comme des gosses que l'on a punis injustement et qui sont tristes.

— MacKenzie... Jimmy Kelly... Mouse Manson... le petit Kidd... Bone... Sheperd... Brooker... Gordon... et aussi des uniformes sombres, aux galons d'or ternis... qui ne reverraient pas la France : Mouchotte... Mezillis... Béraud... Pierrot Degail – tous, tous ceux qui étaient partis un beau matin avec leurs Spitfire et leurs Tempest et qui n'étaient pas revenus.

— *Well, Pierre, that's the end of it. They won't need us any more...* (Eh bien ! Pierre, c'est la fin cette fois. Ils n'auront plus besoin de nous !)

Nous partîmes nous coucher, et je refermai doucement la porte, pour ne pas éveiller le barman qui dormait sur son tabouret, et aussi pour ne pas déranger « les autres ».

On affiche au tableau l'ordre du jour de Broadhurst patron de la 83e armée aérienne (83 Group comportant 120 *squadrons* dont 80 de chasse) qui est lu sans enthousiasme par les pilotes fatigués par tout le blabla victorieux de la radio, de la presse et des hommes politiques.

« Le score de la 122 Wing à la fin des hostilités est de 391 – avions détruits, 27 probables, 275 endommagés, 1 615 camions, 78 locomotives détruites et 1 079 endommagées. Pratiquement soixante pour cent des attaques de locos par toute la RAF ont été l'œuvre des pilotes de la 122 quand elle était équipée de Tempest. Dans cette escadre, le standard de tir des pilotes a été très au-dessus de la moyenne et les résultats air-sol imbattables. Quant au tir air-air une seule escadre de la TAF (Tactical Air Force) a fait mieux que la 122, en la battant d'une demi-victoire.

« Signé : Vice-air marshall *Harry B. Broadhurst KCB, DSO, AFC, DFC.* »

*

Nous sommes le 9 mai, et déjà la guerre nous semble lointaine. Les pilotes commencent à faire des projets pour leur retour chez eux. Un aide de camp de Broady (comme nous le nommons) m'a fait savoir discrètement que cela ne serait pas quand même de sitôt, et de continuer les vols d'entraînement car les choses commencent à tourner à l'aigre avec les Russes... Nous recevons même l'ordre de maintenir les armes de nos avions chargées !

Nous sommes en train de déjeuner quand nous entendons le sifflement caractéristique des turbines d'avions à réaction. Nous nous précipitons dehors pour voir une formation impeccable de 5 Messerschmitt-262 amorcer leur prise terrain après un break somptueux.

Le commandant RAF Régiment de la DCA du terrain vient vers moi en courant :

— Qu'est-ce que je fais ? Je fais ouvrir le feu ?

— Ne soyez pas idiot mon vieux, la guerre est finie, on ne va pas la recommencer pour vous faire plaisir !

Les 262 se posent impeccablement, sauf le dernier, le chef, reconnaissable aux deux chevrons noirs peints sur le fuselage, qui fait volontairement en bout de piste un cheval de bois qui affale le train pour ne pas livrer son avion intact.

J'arrive à toute vitesse dans ma jeep. Le pilote est là, debout dans son poste, se recoiffant dans son rétroviseur. Cheveux trop longs, casquette cassée, foulard de soie blanc, magnifique combinaison de cuir noir, et au col la cravate de Chevalier de la Croix de Fer avec feuilles de chêne. Très haut dans la hiérarchie des décorations. C'est sans doute un as, mais je ne comprends pas grand-chose au grade que je lis sur ses épaulettes. Je saute de la jeep vers lui et, ça s'est fait inconsciemment, nous nous sommes serré la main. Il a dégrafé l'étui de son revolver et me l'a tendu. Un rare vrai Luger d'avant-guerre à crosse de bois quadrillée. Il me dit – et c'est un comble – en un français impeccable :

— Je suppose que je dois vous donner ceci.

Je lui demande comment se fait-il qu'il parle français.

— J'ai vu le « France » sur votre épaule, et votre casquette n'est pas anglaise, vous êtes lieutenant, pourquoi des galons différents sur votre *battle-dress ?* On a toujours parlé le français à la maison. Nous sommes de Cologne, nous habitons au bord du Rhin et nous passions nos vacances en France avant la guerre.

Sur ce, arrivent deux de mes commandants d'escadrille avec leur jeep. Je leur dis : « Ramassez les autres. Je ne sais pas ce que l'on va en faire, mais en attendant emmenez-les au mess boire et manger – mess des officiers évidemment ! »

Mon *oberstlieutnant* me dit qu'il aimerait bien se laver. Je l'emmène dans ma chambre, lui passe un rasoir, la crème à raser. Il prend sa douche, sort enroulé dans la serviette de bain. Il est bien bâti, mais avec des cicatrices partout ! Il m'explique : il a été descendu cinq fois, quatre fois blessé et sauté trois fois...

Avec l'aide de mécaniciens allemands
nous remettons en route les 262 de Prague.
Nous sommes fascinés par ces avions à réaction.

Une heure s'est écoulée depuis que les 262 ont atterri, quand on entend le bruit d'un moteur d'avion de faible puissance. C'est un petit quadriplace de liaison allemand, un Messerschmitt-108 qui se pose sans cérémonie. C'est l'ordonnance de mon *oberst* qui amène tout simplement ses valises ! Ces Allemands sont incroyables ! Il arrive de Prague assiégée, avec deux infirmières qu'ils n'ont pas voulu laisser aux mains des Russes[1] ! Il monte jusque chez moi ses bagages. Claquement de talons. Salut impeccable – pas nazi car ça ne se faisait pas dans la chasse de la Luftwaffe – salut classique, main à la visière.

Mon teuton toujours en caleçon déballe une valise, sort une paire de bottes astiquées comme des miroirs, une veste blanche d'uniforme drôlement élégante. Les chasseurs sont en Allemagne les aristocrates des armées. Il fouille dans ses affaires, me tend son carnet de vol frappé du grand insigne doré de pilote, aigle et swastika. Je jette un coup d'œil sur les dernières pages. Il a une centaine de victoires. En le ramenant au mess boire un verre, je le fais passer, comme il me l'a demandé, voir un Tempest de près. Le mien, pour qu'il remarque les croix noires sur le fuselage. Cela n'a évidemment pas le don de l'impressionner. Par contre il trouve l'avion magnifique.

Au mess je bois une bière avec mon Allemand assis très décontracté dans un fauteuil. Je me pends au téléphone pour tenter d'appeler le QG de la IIe armée canadienne dont dépend tout le secteur. Je suis à la limite de la crise quand finalement j'ai quelqu'un au bout du fil. Probablement un planton, et j'entends en bruit de fond que ça braille, ça

---

1. Les 262 venaient de la III KG (J) 7 basée à Ruzyne près de Prague.

chante, on célèbre l'armistice ! Mon caporal au bout du fil, probablement pieds sur le bureau, bouteille de whisky à portée de main, se fout éperdument de ce que je lui dis.

— J'ai ici cinq prisonniers. Que dois-je en faire ?

L'autre ricane et me répond qu'ils en ont cinq millions, que je peux aller au diable, et il raccroche !

Dans ces conditions, nous invitons nos Allemands à dîner avec nos pilotes, la bière coule à flots. Sans parler la même langue on trouve le moyen de s'entendre avec les gestes de la main classiques et universels des chasseurs racontant un combat, une grande carte d'Allemagne est étalée sur la table... Nous nous sommes rencontrés ici, on s'est battu là !... Bref, c'est la mafia de la Chasse dans toute sa splendeur !

Cela a duré huit jours... mais nous ne pouvions pas les garder clandestinement plus longtemps car il y a toujours les rampants imbéciles qui n'ont pas fait une heure de guerre et qui veulent maintenant se rattraper en protestant d'abord et en nous dénonçant ensuite ! Deux Allemands ont demandé des vêtements civils pour rentrer chez eux, et les autres sont partis pour le camp de prisonniers chargés d'oranges, de chocolat et de cigarettes. Pourquoi pas ? Ils s'étaient bien battus, avaient, eux, toujours traité correctement nos pilotes descendus. La guerre était finie, ils étaient des survivants honorables et nous aussi. Dans la piscine du sous-sol – c'était un de ces splendides mess de la Luftwaffe du temps de paix – tous en maillot de bain, bien malin qui aurait pu nous différencier !

12 mai 1945

La guerre est finie et bien finie. La discipline se relâche malgré les instructions des « grands chefs » ! Une affaire comique nous démontre que même les instructions du *supreme commander* (Ike Eisenhower) sur la « fraternisation » avec les citoyennes ennemies ne sont pas respectées quand une bonne occasion se présente ! Le ridicule ne tue plus. Notre « chef suprême » a oublié de donner aux pilotes le mode d'emploi pour identifier dans l'immense bordel de l'Allemagne de 1945 les fesses allemandes interdites des fesses autorisées des travailleuses déportées, Polonaises, Balkaniques ou Européennes...

Hier matin, le toubib vient me voir pour me dire avec des précautions oratoires et les explications embarrassées d'un gentleman anglais abordant un sujet scabreux, que deux pilotes d'un de nos escadrons ont ramassé une bonne dose de ce que l'on appelle pudiquement des MST ! Peste ! Et la pénicilline alors ? ce n'est pas pour les chiens ! « Hé oui, je vais les guérir », me répond-il, mais le règlement exige qu'il fasse un rapport.

Qu'il attende la semaine prochaine, qu'il les soigne et j'aviserai.

Il ne réagit pas mais son air pincé m'inquiète. Je n'ai pas l'intention de laisser sanctionner des pilotes qui se battent depuis six mois et qui n'ont eu qu'un seul week-end pluvieux à Bruxelles pour relaxer. Cela cependant risque de faire une histoire car, pas plus tard que la semaine dernière, un rappel furibond des ordres d'Eisenhower a été affiché dans tous les mess. En attendant, la question est : où diable ces imbéciles ont-ils pu attraper cela ? Comment – je m'en doute – mais où et avec qui ? Je convoque et interroge les « coupables » qui arrivent en marchant avec précaution. Je leur dis qu'ils ont de la chance que je sois – ah ! ah ! – un mécréant français, que je trouve cela *very funny*, que les Américains sont des faux culs hypocrites et coincés, etc., et que j'ai l'intention, dans la mesure du possible, d'étouffer l'affaire. Ils doivent cependant tout me dire. Leur sourire entendu m'impose de leur affirmer que je n'ai pas l'intention de profiter de leurs informations pour mon usage personnel !

J'apprends alors que, chassant le chevreuil avec deux copains – autre chose formellement interdite – dans cette magnifique forêt qui avait appartenu à Goering, ils avaient entendu de la musique au fond des bois et en cherchant bien étaient tombés sur le somptueux pavillon de chasse du propriétaire. Cet édifice était habité par une douzaine de donzelles probablement raflées dans les territoires occupés pour le repos des guerriers teutons. Les filles, fuyant la débâcle et les combats, s'étaient réfugiées là. D'incroyables réserves de vins fins, de champagne, de conserves de luxe, de caviar, leur avaient permis de survivre. Mes « explorateurs » – peu partageux ! – avaient prudemment gardé pour eux leur découverte, visitant discrètement le soir venu ce chalet où ce petit monde menait la grande vie.

J'explique au toubib qu'il doit garder l'affaire secrète pour l'honneur de la RAF, et que pour le remercier de son esprit de corps je lui signe une permission de huit jours pour Paris ou Bruxelles. Quant à mes fornicateurs, je leur impose le silence sous peine de sanctions allant de l'internement dans la Tour de Londres à la décapitation sur Trafalgar Square !

*

Après la comédie, la tragédie. Le choc de la collision de Bremenshaven du 12 mai 1945 évacuera cette stupide affaire qui va sans doute disparaître dans les paperasses. J'ai encore ce soir une sueur froide en couchant sur le papier l'histoire du drame d'hier que je tente d'analyser – sur un plan tech-

Les pilotes de la KJ 7 à Prague. Quatre d'entre eux et leur chef sont venus se poser chez nous avec leurs Messerschmitt-262 le 12 mai 1945. « Eux et nous »... À part leurs magnifiques blousons de cuir noir que nous leur envions, ils n'étaient pas différents de nous.

nique comme au plan personnel. Je n'ai jamais frôlé la mort d'aussi près !

Montgomery – notre 83e division de la TAF soutient ses opérations et couvre son secteur – a invité le commandant en chef soviétique, le maréchal Joukov, à visiter ce qu'il reste de Hambourg après les raids des nuits des 24/25 et 28/29 juillet – c'est-à-dire pratiquement rien de la deuxième plus grande ville d'Allemagne ! À cette occasion, la RAF fera une démonstration de force au-dessus de Brême, utile après l'affaire des ponts de bateaux coupés sur l'Elbe à Wittenberg et le lancer de 5 000 paras russes pour occuper l'île danoise de Bornholm. Les relations se sont beaucoup rafraîchies entre les Soviets et les Alliés.

C'est une invention stupide d'état-major, très délicate à mettre en œuvre comme le QG le demande : faire défiler une quarantaine d'escadres soit une centaine d'escadrons de B-25, de Mosquito, de

Typhoon, de Tempest ainsi que de Spitfire, est une gageure. Une Form D – ordre opérationnel – tombe sur notre télex indiquant le timing serré, les points d'attente, les altitudes, l'ordre du défilé, la fréquence radio d'un contrôle central ! Je l'étudie avec les deux autres commandants d'escadrons. C'est un dangereux casse-tête. Vouloir faire naviguer simultanément plus de 1 000 avions aux performances si différentes dans un cube relativement réduit est à la limite de l'imprudence – et les pilotes utilisent un autre qualificatif ! Chaque escadre aligne en principe trois escadrons de 12 avions en vol. Chacune reçoit un numéro. Nous avons le numéro 18 et nous devons nous insérer entre le 17, des Mosquito, et le 19, des Spitfire-XIV.

Douze points d'attente sont prévus – le nôtre, Winsen, un petit patelin sur un coude de l'Elbe au sud de Hambourg – a pour code Oscar, et chacun doit prendre place dans le défilé selon les instructions de Jupiter, le contrôleur. Au breakfast, j'apprends que le nouveau *wing-co*, Mackie, enfin arrivé hier pour prendre le commandement de l'escadre, appelé au QG de Schleswig, ne peut pas rentrer à temps et c'est à moi qu'incombe la responsabilité de la diriger dans ce show dément ! J'ai tout juste le temps de briefer les 36 pilotes choisis. J'explique brièvement que l'on volera jusqu'au point d'attente en formation ouverte afin de ne pas avoir déjà les nerfs à cran au moment de la formation serrée de parade du défilé proprement dit. Attention aux manœuvres éventuelles que nous pouvons être obligés de faire – ralentir, accélérer ou virer, ce qui ne sera pas facile. Je fais la recommandation vitale de passer sur réservoirs principaux quand je donnerai l'ordre « *Close formation. Go !* ». Il y aura une palanquée de Spitfire – peut-être 500 ou 600 – et pour défiler à 11 h 55 comme nous l'indique la Form D, il faudra ouvrir l'œil pour passer derrière le numéro 17, des Mosquito heureusement faciles à reconnaître, et avant le 19, un *wing* de Spitfire parmi dix ou quinze autres. Quand on pense que les Américains afin de former 300 B-17 Forteresses Volantes réveillent les équipages à 3 h 45, petit déjeuner de 4 h 30 à 5 heures, puis deux heures pour assembler tout ce monde en *boxes* et finalement mettre le cap sur l'objectif à 7 heures, on peut aisément comprendre que les radars allemands aient si souvent alerté à temps la défense de la Luftwaffe !

Au fur et à mesure que l'heure du décollage approche je sens l'anxiété m'envahir. Pourtant le décollage et la mise en formation se passent sans problème. Comme on approche de Winsen, le contrôle m'appelle :

— *Hullo Filmstar, there is some delay. The new timing is 12 h 05. Orbit Oscar until we call you.*

Un peu de retard est un euphémisme car les invectives que j'entends dans la radio en disent long. Cela m'oblige maintenant à faire exécuter à tout mon monde un lent et prudent virage de 360 degrés – environ 10 kilomètres de rayon dans ces conditions.

C'est à 12 h 10 que le contrôle m'ordonne de me diriger vers Hambourg. Comme deux ou trois douzaines d'essaims de guêpes dans le ciel, des escadrons tentent de s'installer – chacun à sa place, sans se tromper – dans une longue file indienne. Finalement j'aperçois Hambourg, avec les deux cheminées d'usine miraculeusement intactes et les murs de la cathédrale détruite sur lesquels je dois m'aligner pour mon passage sur Bremenshaven. Je cherche mon 17 des yeux...

— *Filmstar leader, Blue One calling. Mosquitos 10 o'clock slightly above !*

C'est Ken Hughes, toujours alerte. Ce sont bien mes 17, il faut donc obliquer en douceur vers la gauche et nous former en parade.

Je transpire à grosses gouttes, le soleil tape au travers du plexiglas et je pilote crispé car il faut ralentir légèrement, j'ouvre mon cockpit. Ce n'est pas facile, étant trop près des Mosquito, et leur sillage nous chahute. Nous sommes cependant bien dans l'axe d'une grande avenue nettoyée au bulldozer de ses débris et de ses ruines. Il doit rester quand même à Hambourg que nous survolons des dizaines de milliers de cadavres sous les gravats noircis par l'immense incendie qui a fait près de 100 000 victimes sous 5 000 tonnes de bombes lors des deux épouvantables raids de l'opération Gomorrhe. Le quai de Brême est couvert de voitures et autour de l'estrade où sont les généraux américains et anglais escortant Joukov un carré de troupes alignées rend les honneurs. C'est au bénéfice de tout ce monde que nous transpirons ! J'ai à peine le temps de voir le port littéralement couvert d'épaves, les hangars écroulés et les grues effondrées...

Ouf ! Nous sommes passés, un peu bas, mais la formation a été qualifiée de correcte lors de l'enquête des autorités. Reprenant de l'altitude en tournant lentement à gauche cap sur Volkel, à 3 000 pieds j'ordonne d'ouvrir la formation afin de soulager les nerfs de tous. Les avions commencent à s'écarter en dansant dans ce beau ciel bleu.

C'est alors, brutal dans mes écouteurs, un hurlement : « *Christ* ! » En même temps je vois, incrédule, voltiger des débris d'avion et un fracas de jugement dernier résonne dans mon fuselage. Terreur absolue ! Longtemps dans mes cauchemars je m'en souviendrai. Le petit nuage que j'avais choisi pour tenir mon cap sans avoir à le vérifier constamment sur mon gyro-directionnel, disparaît en coup de fouet au-dessus de ma tête, remplacé droit dans mes yeux par des champs et une grande croix rouge entre des tentes d'un hôpital de campagne. Tout se met à tournoyer, tout se bouscule. L'automatisme de l'instinct de survie prend le dessus. Secoué comme une souris dans la gueule d'un chat... Que s'est-il passé ? Vite sortir de ce piège sinon je vais mourir. Agir, vite, vite, vite. La vrille brutale me colle au flanc de mon poste de pilotage. Mon bras pèse une tonne pour larguer la verrière et soudain je suis violemment éjecté par la force centrifuge. Une de mes bottes reste accrochée au siège et mon casque est arraché de ma tête par les fils des écouteurs restés branchés. Mes mains tâtonnent sur ma poitrine pour trouver la poignée d'ouverture du parachute. Je panique. La terre me saute à la figure. Avec un double claquement comme deux coups de canon mon parachute se déploie *in extremis* et me catapulte dans un grand mouvement de bascule qui me fait passer sur le dos au travers d'une haie. La coupole me traîne jusqu'à une clôture de barbelés qu'elle accroche... Miracle... C'est fini. Je suis vivant ! Je déboucle en tremblant mon harnais comme un automate. Je reste assis, gorge bloquée, sans souffle, et sens des secousses dans le sol – les avions qui percutent. Quatre colonnes de fumée noire panachées de flammes. Je me relève avec dans la bouche le goût amer et la sécheresse de la panique. Où sont les autres ? Je vois la torche entortillée d'un parachute à peine ouvert dans le champ voisin, pas loin. Je cours vers lui en titubant et butte sur un corps intact, enfoncé les bras en croix dans la terre. Mon Dieu, c'est Peter ! Là-haut des avions tournent. Deux se détachent et font un passage au-dessus de moi en battant des ailes. Jambes molles, je retombe assis, glacé, je vomis. Je n'ai qu'une envie : m'allonger et dormir. Une voix m'interpelle en allemand – je reconnais vaguement le mot *krankenwagen* (ambulance). C'est une femme qui se penche sur moi, me prend par le bras pour me soutenir et m'aider à marcher en boitant – ma jambe sans botte saigne sous mon pantalon déchiré – jusqu'à la ferme. Un verre de schnaps. Ça va mieux ! Elle envoie un petit garçon en sentinelle sur la route. Trois quarts d'heure plus tard, hélés par l'enfant, arrivent une jeep et une ambulance qui me cherchent. C'est le *group captain* Jamieson en personne, atterré, me disant que les trois autres sont morts – Peter qui a sauté trop bas et Campbell et Robertson qui n'ont pu se dégager à temps. Quel malheur pour ces garçons après une année très dure de guerre, de finir ainsi !

Que faudra-t-il que j'écrive à leurs mères qui avaient vécu leurs angoisses au jour le jour, pour finalement être rassurées par la fin des combats et qui vont apprendre ça ?

D'après les témoignages et le rapport de la commission d'enquête. C'est probablement mon numéro 2 qui a omis de passer sur ses réservoirs principaux, et quand ses réservoirs supplémentaires vides ont fait couper le moteur, son avion se trouvait en formation serrée à deux mètres du mien. Son Tempest est littéralement tombé sur le numéro 3 qui a cabré violemment projetant ensuite en l'air le numéro 2 dont l'hélice a tranché net mon fuselage. La pluie des débris a désemparé le numéro 4 ! C'est un miracle qu'avec la débandade instantanée de 30 Tempest dans le ciel il n'y ait pas eu d'autres collisions !

Le *wing* partit pour Copenhague. Nous sommes chargés d'escorter le général Demsey, commandant à la IIe armée canadienne qui doit recevoir la reddition des forces allemandes dans l'île de Copenhague couvertes par le croiseur lourd Königsberg qui menace d'ouvrir le feu sur la ville si les FFI locaux touchent un cheveu d'un soldat allemand. L'avion de Demsey est un Dakota qui se traîne à 300 km/h.

Je décide donc que malgré les instructions impératives de ne pas nous poser à Copenhague, comme nous n'aurons pas assez d'essence à cette basse vitesse pour faire l'aller et le retour, que nous atterrirons. Les sept pilotes que je choisis accueillent cette mission avec enthousiasme, la réputation des Danoises ayant depuis fort longtemps franchi les frontières. Aussitôt dit aussitôt fait, et après un passage prudent au ras du croiseur Königsberg qui arbore un immense pavillon de combat à croix gammée nous atterrissons à Kaastrup, aéroport de la capitale. En attendant l'arrivée de l'essence spéciale à 130 d'octane indispensable à nos moteurs, pendant quelques jours nous sommes pris par l'ambiance grisante de la libération.

Quinze jours plus tard notre escadre fut invitée par le roi Christian à être les hôtes de ville de Copenhague. La Royal Air Force décida alors d'organiser pour la presse internationale un immense meeting aérien, le 1er juillet suivant. Je fus chargé de faire la présentation solo du Tempest. Si j'avais su lire les signes, je n'aurais pas dû voler contre mon instinct. Le « Grand Charles » avait une fuite d'huile – la même qu'au matin du 12 mai. Obstiné, par respect humain, j'empruntai encore le nouvel avion de Bruce pour le meeting.

Mes avions défilèrent impeccablement au ras de la foule et des drapeaux rouges à croix blanche qui pavoisaient la ville. Alors que le mauvais sort que je redoutais confusément semblait écarté, je fis cette stupide erreur de jugement. Puis, tout s'en est mêlé : mon train d'atterrissage ne descendait qu'à moitié, le moteur ne répondait pas à mon appel désespéré. À 300 à l'heure, mon Tempest éventra la roulotte de contrôle, et se désintégra sur un demi-kilomètre, en semant des débris broyés d'ailes, de moteur et d'empennages.

Le « Grand Charles » à Fassberg début avril, avec ses 23 victoires RAF et ses probables dont certains seront homologués.

L'ambulance me ramassa indemne, hébété, et je compris que c'était l'ultime effort, que c'était le dernier miracle, et le dernier avertissement du Destin qui se lassait.

Pour l'anecdote, l'ambulance qui m'avait ramassé un peu K-O dans les débris de mon Tempest entre les « dents de tigre » antichar du rivage en bordure de l'aérodrome, a été stoppée devant la tribune d'honneur par les MP. L'*air marshall* Broadhurst et le roi du Danemark voulaient des nouvelles de mon état. Rassuré, le roi me serra la main et me dit en français : « Bonne chance ». Broadhurst qui me connaissait depuis 1943, s'est penché vers moi et à voix basse, avec un sourire ironique : « *Well*, Clostermann, vous ne manquez jamais une bonne occasion de faire l'intéressant ! »...

Quelques jours plus tard, invité au château royal à Copenhague, le roi Christian X, le 23 juin 1945, me décorait de l'ordre du Dannebröd !

*

27 août 1945

J'ai fait ma demande de démobilisation qui a été acceptée. J'ai été ce matin prendre congé de Broadhurst et de la RAF. Mackie le Néo-Zélandais est confirmé dans le commandement du *wing* 122.

Pour aller au quartier général de Schleswig, j'ai voulu prendre le « Grand Charles » et, au retour, je suis monté avec lui très haut dans le ciel d'été sans nuages, car ce n'était que là que je pouvais lui dire adieu.

Ensemble, nous avons fusé une dernière fois, droit vers le soleil. Nous avons fait un looping – deux, peut-être – quelques tonneaux bien lents, fignolés, amoureux, pour que je puisse emporter dans les doigts la vibration de ses ailes obéissantes et souples.

Et j'ai pleuré, dans son cockpit étroit – comme jamais plus de ma vie je ne pleurerai, je le sais – quand j'ai senti le ciment de la piste effleurer ses roues, et que d'un grand geste du poignet, je l'ai assis au sol comme une fleur que l'on coupe...

Comme toujours j'ai soigneusement dégorgé son moteur, j'ai abaissé un à un tous les contacts, éteint les voyants, enlevé les bretelles, les fils et les tuyaux qui me rattachaient à lui comme un enfant à sa mère. Et quand mes pilotes et mes mécaniciens qui m'attendaient ont vu ma tête basse et mes épaules secouées par les sanglots, ils ont compris, et sont repartis silencieux vers le *dispersal*.

Je suis assis à côté du pilote du Mitchell qui me ramène à Paris. Je suis en uniforme de la RAF car les Américains n'acceptent de prendre en stop que des Anglais. En roulant pour prendre sa piste, il longe les avions du *wing* – mes Tempest – impeccablement rangés aile à aile comme pour une revue. Près d'eux, les pilotes et les mécaniciens agitent les bras.

Dans une heure le B-25 américain va me ramener à Paris. Il est aussi difficile de dire adieu à un avion qu'à une femme chérie. Seule une mère peut vous porter et vous sauver la vie comme lui !

Un peu à l'écart, mon « Grand Charles », mon vieux JFE, avec sa casserole rouge, les croix noires de nos victoires sous le cockpit, trapu, volontaire, puissant avec sa grande hélice quadripale immobile que je ne démarrerai plus.

C'est la page qui tourne, douloureuse.

Enlevé dans le hurlement strident de ses moteurs américains, le Mitchell accélère et décolle. J'écrase mon visage contre la vitre pour revoir une fois encore derrière son gouvernail, l'aérodrome de Lubeck, les petites croix brillantes sur le gazon, qui diminuent et s'estompent dans le brouillard du soir.

Gêné, le pilote détourne la tête.

C'est fini Je ne verrai plus mes Tempest s'aligner derrière le « Grand Charles » pour les départs, maladroits sur leurs grandes pattes, tendant au vent de leurs hélices la gueule béante de leur radiateur, avec les figures confiantes des pilotes penchées au-dehors de leurs cockpits, attendant mon signal...

Mais l'orgueil me monte à la gorge chassant le chagrin quand je pense à vous, mes avions, et surtout à vous, mes chers amis de la RAF que j'ai eu le privilège de connaître et d'aimer, avec vos uniformes couleur des brumes d'Angleterre...

La paix retrouvée je fais mes adieux à l'armée de l'air en Alsace.

Le Grand Cirque est parti.

Le public a été satisfait. Le programme était assez chargé, les acteurs pas trop mauvais, et les lions ont dévoré le dompteur.

On en reparlera en famille quelques jours encore. Et même quand tout sera oublié – la fanfare, le feu d'artifice et les beaux uniformes –, sur la place du village subsistera encore l'auréole de sciure de la piste et les trous des piquets.

La pluie et l'oubli en effaceront vite les traces.

DIX ANS APRÈS : L'ALGÉRIE

Dix ans après la fin de la guerre 1939-1945, après les tristes mésaventures de l'Indochine, de la Tunisie et du Maroc, commençaient les événements de l'Algérie qui allaient dégénérer en une véritable guerre dépassant vite le stade de la guérilla. Elle devait nous coûter 24 275 soldats tués dont 7 501 appelés, 1 495 légionnaires, 1 047 membres de l'armée de l'air et 192 PN dont les avions furent abattus par ceux que l'on appelait au début des HLL – des hors-la-loi – et plus tard les hommes de l'ALN – armée de libération nationale algérienne. Comme des milliers d'autres officiers de réserve, étant donné mon âge, mon grade et le maintien à jour de mon pilotage, j'ai été rappelé. J'ai jugé que ma qualité de député à l'Assemblée nationale ne me dispensait point de répondre à cette convocation. Mes connaissances furent mises à profit par la création d'un premier poste de PCA – poste de commandement air – et l'expérience s'avérant utile, deux autres postes furent ensuite créés, confiés à deux grands pilotes de chasse – les colonels Andrieux et Ezanno. Nous volions tous les trois sur Broussard, avion parfaitement adapté à ce travail.

Les missions étaient évidemment très différentes de celles de la « Grande Guerre numéro 2 », et comme je continuais à tenir presque quotidiennement un journal très complet, j'ai pensé que les deux exemples typiques suivants choisis parmi ces textes donnent une idée proche de la réalité de ce qu'elles furent – observation, liaison et guidage de chasse ainsi que du terrain sur lequel elles se déroulaient.

*

4 octobre 1956

Je suis confortablement installé sur une chaise longue à l'ombre du tonneau en tôle ondulée qui abrite le mess des pilotes de l'ELO 3 mai à l'oued Hamimine. J'y gare mon Broussard ZL équipé pour l'observation et le guidage de chasse, muni d'une caméra-photo oblique, d'un lance-grenades marqueuses Alkan et toute la gamme des postes de radio en phonie utilisés par l'Air, la Marine et l'armée de la VHF au PRC 10 en passant par l'ART 13 pour communiquer en graphie à très longue distance avec les états-majors. J'emporte toujours en mission opérationnelle un jeu complet de cartes au 200 000 et au 50 000 quadrillées Lambert, une réserve d'eau et un grand Thermos 10 litres, des rations américaines, trois sacs de couchage, ma mitraillette Thomson (cadeau de mariage de mon Compagnon Jacques Mansion, héros des SAS ! !), un fusil mitrailleur, une carabine US munitions et chargeurs. Mon équipage se compose du capitaine Maichin, et de Perrin qui se relaient comme radio navigateurs, ainsi que de deux mécaniciens PN, Kopi et Nivelet, avec leurs « boîtes à clous ». Bref, je suis toujours prêt à filer de Didjelli à la frontière marocaine, d'El-Oued à Mécheria pour, comme l'indique la définition de ma mission permanente de PCA : « Repérer, juger, rendre compte, suggérer moyens aériens nécessaires et guider l'appui feu. »

C'est un travail passionnant qui n'est pas sans risques car presque toujours quand on subodore la présence de HLL (hors la loi en jargon militaire de l'époque) pour les obliger à se démasquer il faut leur offrir une cible tentante afin qu'ils ouvrent le feu signalant ainsi leur position. Je ne compte plus les impacts de balles dans mon avion – une fois 18 à l'oued Hallaïl, et même une fois dans la visière de ma casquette de base-ball, une autre qui a traversé ma ceinture de *battle-dress*, etc., et donc malgré tout, à part quelques frousses rétrospectives, rien de vraiment grave. Mon ange gardien avait repris lui aussi du service !

À 15 h 45 le planton déboule de la salle radio avec un message griffonné au crayon, arraché d'un bloc.

« *Afflou (destin). Attention, avant de se poser être certain terrain occupé par amis. Devrez observer si au sol (terrain) hélicoptère ou T6 (peut-être). Si doute contacter Djelfa et s'y poser.* » Signé : Ct Brillault, commandement Algérie-Air.

Retour d'une mission sur le barrage. Je me suis fait tirer à partir de Sakiet et on compte les impacts (7) sur le capot de mon Zoulou-Lima.

(J'ai toujours dans mon carnet de vol, en souvenir, le message original, et voici le récit de cette opération tel que je l'ai rédigé à Oran le soir du 9 octobre 1956.)

Branle-bas de combat. En un quart d'heure mon avion, les armes, les munitions, les cartes et les pleins des réservoirs sont vérifiés. À 16 h 20 je décolle et prends un cap direct pour Djelfa, balise de Tiaret affichée sur mon radio-compas. Nous traversons la plaine aride du Chellala, toute rose sous les rayons du soleil couchant. Après deux heures de vol, alors que la nuit tombe je repère la colonne blanche lumineuse du projecteur d'appel de Djelfa braqué verticalement vers les premières étoiles d'un ciel jade et violet. Je me pose entre les deux lignes de flammes tremblotantes des lampes à pétrole qui marquent la piste.

L'escadrille de Djelfa perdue aux confins sud de l'Algérie n'est pas bien riche. On y couche sous la tente malgré le froid glacial des nuits présahariennes. Leur matériel – des SIPA – est usé jusqu'à la corde, donc économisé par le commandement d'Alger faute de pouvoir le remplacer. En conséquence le nombre des RAV de routine indispensables est réduit au minimum et les activités des fellaghas ont redoublé dans le triangle Aflou, Geryville, Bou-Saada sous la forme d'embuscades plus meurtrières les unes que les autres.

Les premiers détails sur le coup dur d'Aflou – le deuxième en quinze jours – arrivent seulement. Le PCA local m'explique que l'embuscade a eu lieu à l'heure du déjeuner, que les pertes sont, dit-on, très lourdes et que les SIPA alertés trop tard n'ont pu intervenir pour tenter de dégager notre colonne. On ne savait rien de la bande.

À l'aube, je suis à la verticale d'Aflou et décris deux larges cercles autour du petit bourg au fond d'un cirque de hautes collines qui semble endormi sauf au centre, une place où autour d'un *command-car* des camions déchargent des troupes.

Par SCR 300 je demande des renseignements sur la piste et je suis prévenu qu'il n'y a point de ravitaillement mais qu'un camion-citerne d'essence est attendu. La piste sommaire est ouverte en tranchée au travers d'une bosse. Je vois une jeep au pied d'un mât auquel deux hommes hissent une manche à air toute neuve. Je me pose avec précaution et le chauffeur de la jeep se présente, annonce que le colonel s'est rendu sur les lieux de l'embuscade où il m'attend.

Je prends ma Thomson et deux chargeurs avant d'embarquer, et le chauffeur me rappelle respectueusement que les PM ne doivent pas être armés à bord des véhicules. Nous passons par la ville dont les rues sont vides à l'exception des patrouilles postées aux chicanes de barbelés à chaque croisement. Pas un musulman n'est visible. Par les portes ouvertes on entrevoit des petits groupes tapis dans l'ombre, immobiles.

Nous prenons au passage une automitrailleuse d'escorte qui démarre dans une pétarade d'échappement et prend la route de Gerryville. Nous prenons un chemin qui monte et qui serpente entre deux talus de plus en plus escarpés dans les bois touffus du Djebel Oukal. C'est un coupe-gorge et je prends ma Thomson sous le bras, main sur le levier d'armement, scrutant attentivement les chênes-lièges et les broussailles qui flanquent la route.

Soudain, près d'un virage à angle droit le chauffeur freine – c'est là. Je vois d'abord un EBR Panhard renversé dans le fossé, son canon planté dans la terre molle du remblai, une roue arrachée dans le cratère ouvert par l'obus de 155 piégé dont l'explosion a dû donner le signal de l'embuscade. Deux ambulances barrent la piste, les brancardiers enlèvent avec précaution de la tourelle une forme casquée de cuir.

Le colonel est un peu plus loin, accroupi auprès du corps d'un jeune soldat au visage encore pâle – il n'est pas depuis longtemps en Algérie, pauvre petit gars du contingent, roulé en boule dans son treillis flottant trempé de sang, deux paires de chaussettes aux pieds et ses godillots trop grands posés sur le bord de la route que les assaillants n'ont probablement pas eu le temps d'emporter. Entre les carcasses de plusieurs GMC les brancards recouverts de couvertures brunes s'alignent. Il y en a beaucoup. Une odeur tenace de caoutchouc brûlé prend à la gorge mêlée à une odeur de mort. En queue du convoi, le half-track qui fermait la marche gît dans la terre rouge au milieu d'une plaque de cendres noires. Sa peinture carbonisée est boursouflée et écaillée. Une grenade a explosé à l'intérieur...

Il n'y a sur la soixantaine d'hommes que trois survivants blessés dont un aspirant – qui ont fait les morts. Pas croyable !

— C'est, m'explique le colonel, l'embuscade classique qui se répète *ad nauseam*. Une bande bien armée et bien renseignée s'embusque dans les chênes-lièges, trois ou quatre fusils mitrailleurs croisant leurs feux dans le virage, la mine détonée à distance sous le blindé de tête bloquant le convoi, et après c'est facile. Les hommes empêtrés dans les bâches et les ridelles cloués dans les camions par des rafales bien ajustées, les officiers tués presque tout de suite dans les cabines des conducteurs ou dans la jeep, grenades offensives, corps à corps rapide et les survivants achevés... Ensuite c'est la curée, la rafle des armes, des munitions et des équipements, et ensuite la fuite, vite, vite.

La bande qui a fait le coup a récupéré quatre FM, une bonne douzaine de pistolets mitrailleurs et les fusils. Ajoutés à son armement propre, cela va en faire un adversaire dangereux et puissant dans ces montagnes sauvages.

— De quel côté ont-ils filé, mon colonel ?

— On ne sait pas grand-chose, la bande est peut-être du coin, mais c'est à vous et à vos avions de les retrouver. Dès cet après-midi nous mettrons en place un bouclage autour du djebel Amour en espérant qu'ils sont encore là ! Mais n'y comptez pas trop, ils ont seize heures d'avance et doivent drôlement cavaler !

Allons bon ! Dans ce genre de guerre il faut se résigner à ces affaires qui se répètent avec une triste monotonie que l'on ne veut pas plus comprendre à Alger qu'à Paris. Les fellaghas ne jouent pas le jeu, ils jouent leur jeu ! Ils ont les montagnes et les embuscades, nous avons les chasseurs à réaction et les blindés et, à part les paras et les légionnaires, pas grand monde pour se mesurer avec des ombres qui parcourent vingt kilomètres dans la nuit sur des terrains où même les chèvres ne s'aventurent pas – le tout avec un dé à coudre d'eau et un morceau de galette dans l'estomac ! Ce sont des faits objectifs dont il faut tenir compte pour ne pas s'engager par frustration dans la compétition de la cruauté.

Quand je reviens à Aflou, les pleins de mon avion sont faits et Nivelet me dit que l'on attend les hélicoptères de Félix Brunet et les « bananes » de la Marine. Sur la route commence à défiler un interminable convoi de camions transportant les troupes embarquées au nord, à Mascara ou à Bou-Saada. C'est un mouvement d'une ampleur inusitée qui démontre la panique que la nouvelle a dû produire au Gouvernement général.

À 10 heures du matin, conférence avec le PCA de Djelfa, les officiers d'état-major, une paire de colonels et un général très énervés, pour discuter de la répartition et de l'orientation du travail des recherches aériennes. On me dit qu'il y aurait eu cette nuit une embuscade près de Bou-Alam, mais à mon modeste avis, cette bande après son triste exploit ne se serait pas manifestée ainsi, dévoilant la direction d'un repli improbable vers l'ouest. La route normale des bandes est imposée par la géographie et le relief. La dorsale de djebels offrant un couloir protégé jusqu'aux Aurès passe par les Ksours du sud, les OuleidNaïls et les monts du Zab. À partir de là les Katibas ou remontent vers le nord pour le Hodna, ou obliquent vers les Nementchas par le Metili et le Cheffa en contournant la plaine de Biskra. Me voilà bien avancé, et l'officier de renseignements du Cercle ajoute – ce que j'ignorais – que les bandes du FLN évitent la région de Gerryville tenue par des éléments MNA d'origine rezeigat et passent toujours par les versants sud des chaînes présahariennes.

Les recherches vont être compliquées. Le maire d'Aflou m'apprend que des centaines de nomades Arbaa et Sait Atba des régions de Laghouat et de Ouargla qui campent par ici vont descendre dans le sud pour la récolte des dattes. On me dit que ces nomades, quoique travaillés de plus en plus par les agitateurs nationalistes, n'ont pris jusqu'à maintenant aucune part active à la rébellion. Ils se contentent de compter les coups, et s'ils agrémentent parfois leurs revenus par la contrebande d'armes, c'est purement occasionnel ou atavique et cela ne tire pas à conséquence !

En attendant les deux Broussards de renfort que j'ai demandé à Oran, je vais commencer ma reconnaissance à vue dans un rayon de 75 kilomètres d'Aflou avec une attention particulière pour le sud-est par lequel les HLL peuvent tenter de décrocher en se mêlant aux migrations des nomades.

C'est un « foutoir » de première ! Partout, dans l'Oulad Yacoub et le long du Mzi où coule encore par endroits un mince filet d'eau, les nomades plient bagages. Il y a quelque chose d'impressionnant dans cet exode massif qui commence à s'ébranler doucement sous mes yeux et qui accélère de minute en minute. Le téléphone du bled – cette extraordinaire télépathie – a dû fonctionner, distribuant les nouvelles de l'embuscade et de l'arrivée des troupes. Cette marée humaine poussée par la crainte décampe vers le sud, fuyant les représailles, les incidents violents, les pressions des fellaghas et des soldats – les uns exigeant d'être cachés, les autres voulant arracher des renseignements.

Entre 11 heures et 15 heures la vallée qui borde l'Amour se transforme à vue d'œil. Les campements se disloquent, les tentes sont repliées, les feux éteints. Sur les chameaux baraqués les fardeaux de ballots s'échafaudent !

Moteur réduit je survole à quelques mètres chaque caravane. Avec mon équipage nous essayons de deviner ce qu'il peut y avoir dans le chargement des animaux, ainsi que sous les burnous et les voiles. Hommes déguisés en femmes ? Piquets de tentes enveloppés dans les tapis ou fusils ?

En principe nous passons rapidement en revue les groupes où il y a une proportion normale de femmes et d'enfants trottinant derrière les bêtes. Mais comment voir les visages ? – au son du moteur les voiles remontent, les manteaux recouvrent les têtes. Je surveille les pieds pour voir si j'aperçois des Pataugas, signe infaillible pour identifier les fellaghas...

Trois heures durant je tourne autour du flot humain en fuite qui s'écoule sur les bancs de sable de l'oued Mzi et serpente entre les lauriers roses et les roseaux des berges accompagnant le cours souterrain de l'eau sous les graviers.

À première vue, rien de suspect. Les chameaux bien en bosse balancent sans effort leurs paniers jumelés suivis par les chamelles grises plus gracieuses, au col de cygne syncopant leur allure amblée. Les guerbas remplies aux trous creusés dans le lit de l'oued ruissellent...

Cet exode est d'un calme biblique, mais qu'y a-t-il dans les couffins en fibre de palmiers, sous les blocs de sel ? Des munitions ? Et derrière les rideaux des palanquins, des femmes ou des blessés ? Les fagots sur le dos des bourricots contiennent-ils des mitraillettes ? Comment savoir ?

Je dicte au passage à Maichain mes observations ; en marquant la position et l'heure sur la carte, il note : « Les hommes de telle caravane portent des chapeaux de paille kabyles à large bord brodés. » S'agit-il d'émigrés du Grand Atlas marocain ? Que diable viennent-ils f... par ici ? Ces turbans encordonnés du Nord en poil de chèvre, ces calottes berbères en laine, tout cela voudrait sans doute dire quelque chose pour un ethnologue ou un officier expérimenté des Affaires indigènes, mais nous, comment pouvons-nous dire si la présence de tel ou tel groupe est normale ?

À 15 h 30 nous en avons assez et avons faim, nous rentrons donc nous restaurer pour repartir un peu plus tard, mais pour donner un coup de sonde vers le nord ?

Nous passons en revue les contreforts ouest de l'Amour jusqu'à la montagne de sel du Mimouna. Par ici c'est l'immobilité totale. Aussi bien dans la plaine que dans la vallée du Guedou, les nomades n'ont pas bougé. Dans ce secteur l'observation n'est pas facile. Je passe parfois deux ou trois fois au-dessus du même coteau pour discerner les tentes parfaitement camouflées. Les gourbis de pierres sèches, les enclos de jujubier se voient bien, surtout le soir, comme maintenant, grâce aux ombres portées. Par contre, les tentes basses en poil de chameau décolorées par le soleil, largement étalées dans la poussière, se fondent dans le paysage et même en les frôlant avec les roues il est presque impossible de les distinguer des monticules de sable éoliens dressés par le vent autour de chaque arbuste. Les chameaux entravés sont au pacage généralement loin des camps.

Les ombres du couchant commencent à grimper au flanc des collines, nous sommes fatigués et nous rentrons.

J'ai souvent emmené le général Vanuxen en PC volant. Son secteur des Aurès Nementchas était le plus dur, mais il était sur le terrain sans doute le meilleur des généraux d'Algérie.

À l'aube du 6 octobre, le bouclage de l'Amour a commencé dans une débauche de véhicules dont les files serrées s'étendent à perte de vue sur la piste d'El Amir. C'est vite un embouteillage inextricable. Les paras ont été héliportés sur le plateau pour couper la retraite d'éventuels HLL sourds et aveugles surpris par miracle.

Quand je reviens faire mon rapport le soir, nous avons volé sept heures et rigoureusement rien vu.

L'ambiance n'est pas très cordiale au PC de campagne et le général me donne des ordres brefs mais explicites : « Démerdez-vous, mais trouvez-les avant ce soir sinon Alger fera un drame. »

Évidemment, selon le journal de France que me tend Félix Brunet en rigolant, le ministre Gouverneur général vient de faire un discours expliquant que « la rébellion agonisante en est à son dernier quart d'heure (!) Seules survivent quelques bandes décimées par la faim, traquées par les populations amies, neutralisées par le quadrillage ».

Populations amies ? Quadrillage ?

Trois cents fellaghas en uniforme, avec armes et bagages, s'éclipsent dans la nature après un coup comme celui d'Aflou, à travers une région peuplée et personne ne parle, pas même un enfant, impossible d'obtenir une indication sur l'itinéraire de fuite de la bande. Comment briser cette complicité du silence ?

Bien. Nous allons, mon équipage et moi tenter autre chose. Nous allons faire l'est en coupant par le désert, puis nous crapahuterons le Bou-Kahil. S'ils veulent se défiler vers les Aurès, c'est le dernier coin où ils peuvent se réfugier.

Nous n'avons, au bout de deux heures de vol audessus du paysage lunaire de l'Azreg, vu qu'une misérable caravane composée d'un chameau étique et de quatre bourricots abrités au creux d'une falaise. Le soleil écrase tout et sous nos yeux écorchés à vif, le paysage et l'avion tanguent dans les vagues d'air chaud qui étale sur la hamada brûlée le lac miraculeux d'un mirage.

Un peu plus tard, dans une faille ouverte au flanc du Bou-Kahil par un oued saisonnier, j'entrevois quelques flaques d'eau qui luisent entre les roseaux. Ouvrons l'œil, car quand il y a de l'eau dans ces coins perdus, il y a du monde. En effet, 500 mètres plus loin, au bord d'une mare plus importante, du linge sèche sur les galets. Un sentier presque invisible serpente entre les figuiers de barbarie. Je réduis le moteur, passe l'hélice au grand pas pour diminuer le bruit et Nivelet voit une minuscule colonne de fumée bleue, transparente qui se confond avec la brume de chaleur. J'oblique vers elle et je tombe sur une pauvre mechta parfaitement camouflée entre deux replis de terrain. Quelques masures misérables de pierres sèches et de toub, une plate-forme de terre battue avec le trou béant d'un silo romain à blé. Une dizaine d'hommes sont assis en rond, le fusil en travers des genoux. Aucun ne bouge et quand je fais demi-tour tous baissent la tête, mains à plat sur les cuisses. Derrière moi j'entends Nivelet qui arme la mitrailleuse de sabord, juste en cas...

— Maichain, vous avez vu les huttes brûlées ? Qu'en pensez-vous ?

Il y a deux plaques circulaires de cendres noires sur le pourtour, avec un petit tas gris au centre fumant encore discrètement.

Curieux village : pas de femmes, pas d'enfants courant pour voir l'avion, pas un animal, mais derrière un buisson des cadavres de chiens jetés pêle-mêle les uns sur les autres... Énigmes toujours renouvelées de ce travail de détective. Je me méfie, mais pourtant pas un geste offensif de la part de ces hommes armés. Que font-ils là, sans réagir, vêtus de djellabas grises rayées de brun au capuchon pointu, typiquement rifaines ?

Amis ? Ennemis ? MNA ? Petite bande en transit ou autodéfense de villageois réunis pour se défendre contre le FLN ? Et ce linge, là, en bas, qui l'a lavé ? Certainement pas les hommes...

— Maichain, prenez note et nous signalerons au retour. Il y en a marre, on rentre, passez-moi le cap du retour !

En virant je rase une pente entre deux djebels où s'ouvre une petite vallée.

— Mon commandant, regardez là-bas, à gauche !

Les voilà enfin ! Dans le fond d'un thalweg, entre les rochers rouges et les touffes de lentisques, des hommes kaki courent, surpris par l'irruption soudaine de l'avion dont le moteur au ralenti a dû leur sembler lointain et qui a éclaté soudain sur leurs têtes quand nous avons sauté la crête ! Des hommes dégringolent les pentes en zigzag comme des garennes affolés, jaillissant de l'ombre des buissons, sautant de pierre en pierre à grandes foulées, fusils tendus au bout des bras écartés pour garder l'équilibre. Les djellabas des guetteurs bondissant le long du vallon claquent au vent découvrant les jambes maigres et les pieds nus !

Instantanément la montagne s'anime d'un fourmillement fébrile d'hommes et d'animaux et Nivelet ouvre le feu ; les douilles sautent dans la cabine, et d'un bouquet de jujubiers un troupeau de bourricots terrifiés, regimbant, ruant, surgit. Quelques-uns ont encore sur le dos des blessés ficelés à des cacolets de fortune. D'autres portent des sacs et des caisses qui versent dans les épineux.

Un homme éventre un container de munitions et une poignée de cartouches brille au soleil. Les porteurs de fusils-mitrailleurs se jettent à plat ventre dans la poussière, et déjà, appuyant son arme sur l'épaule d'un camarade en guise d'affût, un fellagha ouvre le feu à son tour.

— Maichain, passez un message d'alerte à la VHF !

— Mon commandant, nous sommes trop bas pour transmettre dans ce trou, il faut prendre de l'altitude.

Les balles doivent commencer à siffler, il y a quelques traceuses, et par ma vitre ouverte j'entends distinctement les ondes de choc des projectiles qui claquent. Je me dis que si je grimpe je vais perdre le contact et ils vont vite se fondre dans la nature !

La région est assez malsaine pour risquer de se faire descendre par une balle malheureuse et ça tiraille de partout, là, en bas. Plein moteur je remonte donc, tandis que Maichain s'égosille à la radio sans succès.

— Mon commandant, personne ne répond à mes appels. J'entends bien des Mistral mais ils ne doivent pas me recevoir.

— Essayez sur les fréquences civiles, et si vous avez un avion de transport demandez-lui de passer le message à Quasimodo.

— Rien à faire, il n'y a rien là non plus !

— Merde ! On rentre, il est déjà très tard et cela sera juste.

C'était bien la peine ! Nous nous étions décarcassés pendant trois jours, et maintenant que nous les avions dénichés, pas moyen de prévenir. Le temps de retourner à portée de SCR 300 de Bou-Saada, qui passera le message par téléphone à Aflou pour faire venir les P-47 d'Oran qui sont les seuls à avoir le rayon d'action pour venir jusqu'ici ? La nuit sera noire et demain matin tout sera à refaire parce que les HLL en fuite auront parcouru 40 kilomètres vers le nord ou vers le sud, et se seront dispersés dans des cachettes sûres.

Le hamada, plaine sans fin, à l'herbe brûlée,
permettait de poser mon Broussard partout pendant
les missions présahariennes d'observation.

Finalement, ce n'est qu'à la verticale de Djelfa qu'un avion intercepte mon appel et transmet à Aflou. Comme la nuit est tombée je reviens sur mes pas et me pose à Djelfa.

À terre je me pends au téléphone, furieux, et on me répond que l'opération est terminée car les hélicos sont repartis pour conduire le ministre Lacoste et une palanquée de journalistes assister encore à une cérémonie – bidon comme les autres – de ralliement d'un douar de la Soummam.

*

On me met en place avec mon Broussard et mon équipage à la Senia (base d'Oran) pour guider le lendemain matin à 11 heures les hélicoptères de Brunet après avoir marqué un objectif difficile dont j'aurai les photos, et un bombardement par les B-26 avec des bombes antipersonnel VT. Ce bombardement préludera à une opération par les fusiliers marins de Ponchardier sur le djebel Tadejera et je dois ensuite guider la chasse qui les protégera. Je laisse mon équipage à la base et pars coucher à mon petit hôtel habituel après avoir dîné au Grillon.

La sonnerie du téléphone est sans pitié et me déchire les oreilles. J'arrache, à moitié endormi, le combiné de son support au mur. La conversation est brève :

— Ici les OPS. Bonjour, mon commandant. Nous vous envoyons une jeep vous prendre dans quinze minutes. Il y a un gros sac dans le nord. Le colonel vous briefera lui-même.

— OK, prévenez mon équipage.

— C'est fait, mon commandant. Le mécano est déjà à l'avion avec les armuriers pour monter l'arme de bord et le grenadeur. Le navigateur étudie la carte avec le colonel.

— Bien. Merci, à tout de suite.

J'essaye de rassembler mes idées. Il est moins de 4 heures. Ce n'est pas chrétien !

La ville est silencieuse. La nuit dehors tire en traits noirs les fentes des volets à la fenêtre de la chambre. Je tends l'oreille. Il ne pleut pas, et à intervalles réguliers la basse chantante d'une sirène de navire annonce le brouillard et un beau temps pour la fin de la matinée.

Je saute du lit, un coin de serviette mouillée sur le visage, un coup de brosse sur les dents. En trois minutes je suis habillé – simplement ma combinaison de vol sur mon caleçon et un Tee-shirt. Je sangle mon ceinturon avec l'étui de ma précieuse Luger. J'enfile mon blouson fourré sur le tout et je dégringole calot sur la tête l'escalier sans attendre l'ascenseur trop lent. Le veilleur de nuit musulman est affalé dans un fauteuil – je lis dans son regard narquois qu'il a sans doute écouté la communication téléphonique.

J'attends le transport sur les marches de l'entrée. En face, dans le renfoncement d'une palissade je vois un groupe de petits yaouleds serrés autour d'un brasero minuscule, attendant sur le trottoir mouillé la distribution des paquets de journaux qu'ils vont vendre. Ils me font pitié ces pauvres gosses... Plus loin, deux agents engourdis, dos à dos, immobiles, le doigt sur la gâchette de la mitraillette. Leurs cirés noirs luisent à la lumière du réverbère. Plaqués au sol par la nuit froide, les stratus de mer étalent sur Oran le brouillard habituel que l'aube commence à condenser en poussière humide et salée. Je prendrai bien un café mais le bistrot espagnol du coin est encore fermé. La jeep, phares allumés, se range en voltige au bord du trottoir sortant les policiers de leur torpeur.

— Foutu temps, mon commandant !

Je n'ai pas tellement envie de faire la conversation. J'embarque et vite le mess et un bon café pour chasser le goût de savon dentifrice qui m'agace. Mais il faudra assister au briefing d'abord – ils auront peut-être là du café ! Retardé par les barrages de territoriaux zélés et hargneux, j'arrive aux OPS où règne une agitation bien inaccoutumée à cette heure. Le colonel est en conférence sur l'estrade devant la carte du secteur avec deux officiers de l'armée de terre très excités. L'aspirant de renseignements et l'opérateur sous-off sont pendus au téléphone.

Je suis accueilli par un : « Ah, vous voilà enfin ! Je vous présente le fameux commandant Clostermann qui va travailler pour vous ce matin. Comme vous pouvez voir, l'armée de l'air ne se fiche pas de vous. Vous lui exposerez l'aide que vous attendez de lui ! »... Et allez donc ! Et pas de café par-dessus le marché !

C'est l'histoire maintenant classique. Une bande de fellaghas descendant du djebel à la faveur de la nuit tente un coup de main sur une petite ville de la côte. Comme toujours c'est la panique, les communications interrompues, les fausses nouvelles, les poteaux téléphoniques abattus, les fils coupés, les messages radio incompréhensibles ! Les troupes alertées à Mostaganem et Rélizane embarquent à la hâte dans les camions pour tenter le bouclage, tandis que le sous-préfet local et le maire encombrent les ondes de leurs appels au secours. Le briefing du colonel est bref :

— Les gendarmes, le CRS du coin ainsi que le détachement d'artilleurs cantonné sur place vont essayer de tenir le coup jusqu'à l'arrivée des renforts. Alors Clostermann, filez sur place voir ce qui se passe, rendez compte. Tâchez de repérer les gus qui ont l'air bien armés et résolus. Je mets en alerte pour vous les P-47 avec deux patrouilles de Mistral à votre botte. J'ai fait réveiller les réservistes du CERO dont les Vanneau seront à votre disposition pour meubler les entractes. Contactez dès que vous serez sur les lieux, les artilleurs ou la gendarmerie, *channel* 14 sur SCR 300. Ne prenez pas de risques inutiles, mais il faut que ces messieurs soient parfaitement renseignés sur les positions et les déplacements de HLL pour le bouclage. Si les hélicos de Brunet rentrent à temps, nous les mettrons en place sur une DZ que vous choisirez et marquerez.

— Bien compris, mon colonel, mais... (je lui montre la fenêtre : derrière les vitres le jour naissant essaye sans succès de percer le brouillard épais) vous croyez que cela se lèvera avant 10 heures ?

— Ne vous en faites pas, la nappe de stratus est au ras du sol. Cassaigne est à 300 mètres au-dessus du niveau de la mer. C'est probablement dégagé là-bas... Pour les Mistral, contrairement aux P-47 qui peuvent attendre pour rentrer, vous ne me les demanderez que si c'est absolument nécessaire. On se débrouillera pour les faire poser à Blida. OK ? Bien. Décollage à 6 heures.

Sacrés biffins ! Ils se sont fait couillonner et leurs services de renseignement n'ont rien vu venir. Je dois à la vérité d'ajouter que l'Air local ne vaut pas mieux. La Senia dort, soigneusement emmitouflée dans son manteau de brouillard. Comme toutes les grandes bases du temps de paix en Afrique du Nord, elle se défend avec succès contre la guerre qu'elle veut ignorer, bien retranchée derrière le rempart infranchissable des habitudes du temps de paix ! Les unités opérationnelles de passage sont des gêneurs qui empêchent de danser en rond. Pas de repas pour elles en dehors d'horaires stricts de wagons-lits, impraticable pour des équipages en alerte permanente, pas de transport, pas de lits, pas de couvertures... Au parking des ELO je trouve mon équipage battant la semelle sous l'aile de mon avion, moteur déjà chaud, paré. Par la fenêtre arrière gauche le canon de la mitrailleuse de sabord est bien visible. Naturellement ils n'ont pas eu de petit déjeuner, le mess des sous-off est encore fermé et le juteux les a virés. Bon, je ne décollerai pas avant qu'ils se soient restaurés et réchauffés. Je les emmène au mess des officiers où ça fait un drame. Je fais un grand cinéma, sors mon pistolet et menace de faire des cartons sur les bouteilles de whisky du bar. Le gérant nous sert alors quand même un café et du pain de la veille tartiné de beurre rance, la menace ayant fait son effet. « Je ferai un rapport au colonel. Vous n'avez pas le droit, commandant, d'amener des sous-officiers ici ! » Je lui réponds en lui expliquant de façon clinique où il peut mettre son rapport ! Je sais que l'histoire fera vite le tour du menu peuple brimé de la base. Bon pour mon image d'original dangereux ! La prochaine fois on sera plus aimable avec nous...

Je roule avec précaution pour prendre la piste 25 en service. On ne voit pas à 50 mètres. La condensation ruisselle sur mon capot et mon pare-brise quand je m'aligne. La brise se lève, mais elle est encore imperceptible et commence seulement à pousser doucement les volutes du brouillard accrochées à l'herbe.

Décollage aux instruments, ouvrant les gaz progressivement, manche au neutre, les yeux fixés sur le gyrodirectionnel, laissant l'avion décoller tout seul. À peine les roues freinées, je suis en VSV intégral mais cela ne dure pas ; 60 secondes plus tard j'émerge de la couche, rentre les volets et réduis la puissance. Le soleil est éblouissant sur la blancheur immaculée des nuages. Je m'aperçois que j'ai oublié mes lunettes de soleil à l'hôtel dans la poche de mon uniforme. M... ! J'abaisse le pare-soleil qui m'enlève un peu de visibilité.

— Perrin, please, affichez-moi au radio compas 415 – Mike deux fois – c'est Mostaganem.

Kopi pendant ce temps, agenouillé à l'arrière, retire la longue bande de balles du casier et arme la mitrailleuse. Devant nous le djebel Tessala émerge des stratus comme une île désolée. Loin devant, à contre-jour, le grand massif du Dahara, brun et violet, dessine une côte fantastique battue par une mer figée de nuages. Il se prolonge jusqu'à Alger, qu'il domine. Les fellaghas y sont presque chez eux et il est pratiquement encore impénétrable à nos troupes.

— Kopi, n'oubliez pas d'enlever la goupille de sécurité du grenadeur !

Il enfile soigneusement dans le chargeur de l'Alkan les gros cylindres gris des grenades fumigènes type 106 destinées à marquer les objectifs pour les chasseurs.

— Perrin, essayez d'avoir quelqu'un au 300. Je garde la VHF et passe le TVB au contrôle.

Nous approchons de l'objectif. Le relief se dégage comme prévu, mais les Braz masquent encore le soleil. Mostaganem est invisible. J'entrevois cependant au travers un trou dans la couche le courant limoneux du Cheliff et c'est Bellevue au-dessous.

Deux colonnes de fumée au flanc du djebel Lakkaf en face indiquent des incendies sérieux. L'accrochage doit se situer dans ce coin. Cassaigne groupe un peu à gauche ses maisons blanches sur un contrefort en pente douce entre des vignes et des champs labourés. Je descends et tourne autour de l'église. Les rues sont désertes et il y a un barrage de barbelés à chaque extrémité du village. Au croisement des deux rues principales, il y a un embouteillage de GMC de l'armée et de camions civils, probablement réquisitionnés à la coopérative, embarquant des troupes derrière ce qui semble être la mairie.

Perrin essaye de trafiquer avec le sol, mais comme d'habitude leurs batteries de SCR 300 sont aux trois quarts à plat et leurs émissions incompréhensibles ! Ils ont l'habitude d'appeler tous les avions « Papillon », ce qui est réservé aux Piper de l'ALAT. Notre indicatif est « Calcin » et nous prions les artilleurs de bien vouloir l'utiliser. Je dis à Perrin de les prévenir que nous allons tenter de voir ce qui se passe le long de la route de Renault, et que nous rendrons compte.

Je remonte, zigzaguant en rase-mottes la route jusqu'au plateau. C'est la mise en scène classique de l'accrochage, toujours la même, à quelques circonstances près. Là, abrité par deux half-tracks immobiles, quatre gendarmes en uniforme sombre font de grands signes. Plus loin des soldats tirent un blessé par les pieds vers une guérite en pierres, de cantonnier. Tout le long du fossé bordant la route, les effectifs d'une ou deux compagnies de biffins couchés sont disséminés. Un officier debout, jumelles aux yeux, se profile derrière un moignon de poteau télégraphique. Que voit-il ? En dessous, dans un champ en pente douce, un tracteur et une meule brûlent près d'un camion à ridelles renversées. Les HLL ont tenté de détruire une petite ligne de transport électrique, et quelques pylônes tordus, repliés, traînent leurs câbles par terre.

— Allô, allô Calcin, Calcin, ici Perroquet vert, les fellaghas occupent sans doute la grande mechta au sud, cote 401.

Ils ont enfin compris mon indicatif et je demande à Perrin de rechercher la cote 402 sur la carte. La coopération air-sol n'est pas facilitée par les méthodes de transmissions et de lecture de carte. L'armée de terre utilise les courbes de niveau et les cotes comme points de repère et un poste de radio différent du nôtre. L'air utilise les quadrillages Lambert, avec ses grilles codifiées, précis et faciles à lire. Je reprends donc une centaine de mètres d'altitude pour augmenter mon champ de vision. Je reste en régime économique car je subodore que cette affaire va durer.

La mechta de la cote 402 n'est qu'un monceau de ruines. Quelques foyers couvent encore dans les angles des maçonneries disloquées, et une colonne de fumée bleue monte toute droite dans le ciel calme du matin. Rien n'a survécu au passage de la bande. Je cherche à deviner le drame à travers les murs noircis, les poutres enchevêtrées et carbonisées des toits effondrés. J'ai déjà trois fois visité au sol des scènes de tragédies semblables, et j'imagine facilement ce que l'observation aérienne me refuse... les cadavres affreusement mutilés et défigurés des habitants, l'odeur douceâtre de la mort, le bourdonnement des mouches vertes, le bétail égorgé dont les dépouilles commencent à ballonner dans l'air tiède, la boue de suie et de sang entre les pierres. Et je suis sûr qu'il y a encore, sans que je puisse rien faire, un enfant épargné ou oublié pleurant dans un coin... Le vacarme de l'avion dérange à peine les chiens jaunes faméliques qui errent dans les décombres, oreilles basses, queue entre les pattes, pris entre la peur instinctive animale de la mort et la faim. À chaque passage les corbeaux et les charognards s'envolent se percher dans les eucalyptus. Sur un tas d'immondices, une aigrette blanche picore les entrailles d'une brebis égorgée.

— C'est dégueulasse ! me dit Perrin. Et il ajoute : mais où sont-ils ?

Je baisse quelques degrés de volets pour me ralentir, et j'oblique vers la grande ferme européenne dont l'attaque cette nuit a déclenché l'alerte. De loin elle paraissait vaguement intacte, mais de près ! Portes défoncées, volets blindés arrachés par l'explosion des grenades, carreaux brisés, les meubles et le linge jetés pêle-mêle sur le perron auprès duquel un berger allemand, reins brisés, se traîne sur ses pattes de devant... Les étables et la grange ont été incendiées et des balles de foin fument encore. À côté, deux corps. Sans doute le couple de colons à demi décapités. Dans le verger, derrière le poulailler saccagé où les volailles ont été massacrées à coups de bâton, tous les arbres fruitiers gisent, troncs sciés à un mètre du sol. Rien ne semble avoir été épargné par la folie de destruction des assaillants. Le personnel musulman de la ferme a dû s'enfuir – il n'y a pas d'autres cadavres – ou alors, de gré ou de force, il a accompagné les rebelles, qui n'ont quand même pas eu le temps en quelques heures d'opérer ces ravages eux-mêmes. Comme d'habitude ils ont trouvé ce que j'appellerai de la main-d'œuvre et des complicités locales.

Alors allons voir l'autre mechta un peu plus loin. Pourquoi a-t-elle été épargnée ? Les fellaghas sont forcément passés par là, car elle est sur le chemin de leur probable repaire quelque part entre l'Hallouda et le Dahara.

Une douzaine de gourbis en pierres sèches, coiffés de chaume, serrés les uns contre les autres entre les petites murettes de toub et les enclos d'épineux pour le bétail. Du linge étendu, des écheveaux de laine multicolore fraîchement teinte séchant accrochés aux jujubiers. La baraque en planches de l'épicier recouvertes de tôle ondulée et dans un coin une vieille carrosserie de voiture rouillée. Tout cela grouille de formes voilées, de djellabas, de gosses et d'animaux. Les habitants évacuent, et le passage bas de l'avion déclenche la panique. Les gamins cherchent à réunir en troupeaux les chèvres affolées des enclos. Les femmes déménagent à la hâte leurs pitoyables trésors – théières, marmites à couscous, bidons à pétrole vides, paillasses, couvertures rapiécées, tapis de prière...

Toujours pas de traces des HLL. Pas un homme valide. Seules les femmes et des vieillards chassant les bourricots chargés de hardes, de ballots, des mulets traînant des charrettes débordant d'enfants, de meubles misérables, de poules attachées par les pattes, tout cela dégringole en débandade le sentier qui mène à l'oued à sec en contrebas.

— Mon commandant, à gauche, regardez à gauche !

Une dizaine de soldats en treillis de campagne réglementaire, coiffés de chapeaux de brousse s'avancent en tirailleurs vers le douar.

— Perrin, c'est bizarre, que foutent-ils par ici ? Tâchez de le contacter sur *channel* 16 et prévenez Perroquet de les rappeler.

Attention ! Les voilà. Parfaitement camouflés entre les ceps, les fellaghas attendaient dans la grande vigne et ils dévalent maintenant au pas de course vers la mechta. Le petit groupe que j'ai pris pour une patrouille amie les dirige par cris et par gestes. Ils ont l'air bien armés et je repère au moins trois fusils mitrailleurs. Déjà les premiers hommes sautent les murs et s'engouffrent dans les gourbis, bousculant les habitants retardataires. Une femme, un bébé accroché au dos, un autre dans les bras, court après des enfants épouvantés, tandis que deux autres s'obstinent à tirer un matelas sur lequel sont ficelés une chaise, un vieux pneu, un broc émaillé. Un vieillard, agrippé au cou d'un âne emballé qu'un gosse tente de retenir, culbute dans les figuiers de barbarie !

Bon Dieu, je ne peux pas lâcher la chasse sur ces pauvres gens et ce méli-mélo, et je vais donc mettre en *stand-by* les P-47 qui viennent d'arriver sur les lieux. Ils sont six, indicatif Épervier rouge, et Athos contrôle me dit que quatre Vanneau du CERO indicatif Camel noir, sont en route. L'évacuation de la mechta s'accélère et je m'éloigne hors de portée des fusils et des mitraillettes, mais à ma surprise personne ne tire encore sur nous.

— Mon commandant, je crois comprendre que l'autorité civile nous ordonne de faire bombarder la mechta. Son émission est très mauvaise.

— Perrin, répondez que les villageois évacuent et quand ils seront hors d'atteinte je déclencherai l'ap-

L'hélicoptère du général. Je l'attends dans mon Broussard pour une mission d'observation et de PC le long de la frontière algéro-tunisienne.

pui feu ; mais je pense qu'il vaut mieux attendre que le bouclage soit en place.

— Rien à faire, mon commandant, il prétend que les habitants de la mechta sont complices et il exige que l'on fasse tirer les avions.

— Il y a des femmes et des enfants !

— Je lui ai dit !

— Bonsoir ! Alors qu'il aille se faire voir. C'est moi qui commande les avions et de quel droit un sous-préfet peut me donner des ordres opérationnels ?

C'est encore un aspect décourageant de cette affaire infernale – quand les fellaghas ne détruisent pas un village, nous le démolissons parce qu'il devient *ipso facto* suspect. Quand il n'est pas rasé par nous, il est automatiquement d'une loyauté douteuse à l'égard des HLL, qui en massacrent alors les habitants !

Le douar est maintenant vide et les réfugiés dégringolent la pente vers l'abri précaire d'une carrière.

À la radio le préfet râle dur et me dit qu'il va faire tirer au canon les AMX qui viennent d'arriver. C'est un crétin, car les renforts arrivent, et c'est du temps gagné pour le bouclage. Mais ce crétin ne veut pas comprendre et je vois l'éclair d'un obus de 75 au centre du douar. Les fellaghas commencent immédiatement à tirer sur mon Broussard, se couchent, prennent position derrière les murettes. Un nuage de poussière sur la piste rejoignant la route du Cheliff annonce pourtant l'arrivée de la garnison de Mostaganem qu'un Piper Club de l'ALAT accompagne en décrivant des huit au-dessus de la colonne.

— Allô leader Épervier, ici Calcin, je vais marquer votre objectif dans dix secondes. Pas de roquettes, armes de bord seulement. Attention au fumigène blanc, au centre de la cible. Attaquez sur un axe 090 degrés.

Je dégage de l'autre côté du coteau pour prendre un peu d'altitude afin de piquer, accélérer et placer mon fumigène en affrontant leur feu concentré. Je m'aperçois que dans l'énervement du départ on a oublié les gilets pare-balles. Ce sont des monstruosités trop lourdes des surplus américains, mais utiles quand on s'assoit dessus pour des raisons évidentes !

— Allez, on y va ! Kopi a tiré au passage avec la mitrailleuse pour faire le maximum de bruit. Pas d'économies... et que Perrin dise à ces imbéciles de cesser leurs tirs d'artillerie.

Je respire un grand coup, vire sec, pouce sur le bouton de contact du grenadeur placé sur la manette des gaz, revenant pleins gaz sur la mechta. Je reste en dessous de la ligne de crête le plus longtemps possible pour me dissimuler à la vue des fellaghas. À la dernière seconde, roues rasant le plateau, je débouche sur les toits, appuie sur la détente. Le fil de sécurité claque dans le lance-bombes. La 106 est bien partie. Je pousse l'avion plus bas sur l'esplanade et j'ai l'impression que mon hélice va faucher les formes qui s'esquivent ou se jettent à plat ventre avec des mouvements bizarres de cinéma au ralenti. J'entends par la vitre ouverte les coups de cravache des ondes de choc des balles frôlant l'avion ! *Clac-clang-clac*... un choc dans le fuselage, un autre plus près et le plafonnier éclate en mille fragments de verre. Je planque l'avion derrière le rideau d'eucalyptus quand une dernière balle tirée de l'arrière passe en vrombissant entre Kopi et Perrin, et sort en perçant le côté droit du pare-brise... Je me retourne. Tout va bien, Kopi tire avec la mitrailleuse. La cabine est envahie par l'odeur de la poudre et les douilles vides roulent sur le plancher entre les sièges.

— Allô Calcin, ici Épervier. Dégagez mon axe plus vite. J'attaque !

— OK, tirez une salve de roquettes pour voir !

Bien, la grenade a fonctionné et je dégage. La mitrailleuse est enrayée et j'entends dans le téléphone de bord Kopi jurer entre ses dents. Arc-bouté au plafond, pieds calés contre les parois pour garder son équilibre dans mes manœuvres violentes, il essaye de dégager avec un tournevis les balles coincées ! Le moteur tourne rond, les impacts ne sont pas graves, les commandes répondent normalement et les instruments ne décèlent aucune anomalie. On continue donc. Sur la route de Renault il y a maintenant foule. Trois AMX, deux *half-traks*, une traction avant civile – « l'autorité » sans doute – une ambulance. Autour du poste de radio il y a un groupe de civils et de militaires aux premières loges pour assister sans risque à l'appui feu aérien, comme au cirque. Un instant je pense leur lâcher dessus un fumigène, rien que pour rire un peu.

Le guidage d'un appui feu impose une parfaite coordination entre l'avion PC volant et les chasseurs rapides. L'objectif est marqué par une grenade spéciale émettant une fumée blanche visible à plusieurs kilomètres. Sa mise en place expose l'avion d'observation au tir adverse, d'autant plus que pour vérifier le résultat de chaque passe et surveiller les mouvements de l'ennemi, il faut continuer à décrire des huit à basse altitude et être à chaque fois presque à bout portant. Heureusement le moteur Pratt est increvable et a la réputation de pouvoir éventuellement continuer à tourner avec un cylindre en moins !

Je surveille du coin de l'œil la première passe des P-47. Dès qu'ils sont bien engagés dans leur piqué, je calcule mon virage descendant pour croiser leur trajectoire à la hauteur de la mechta. C'est le moment crucial car on ne peut pas voir les deux chasseurs qui piquent au-dessus et en arrière dans le même axe. Un timing parfait est nécessaire pour ne pas les gêner, ou pire, risquer de traverser leur salve.

Il faut cependant arriver au but une seconde ou deux après la retombée des éclats et des ricochets pour régler le tir pour la passe suivante. Dans un fracas de train express qui domine le bruit de mon moteur, je vois passer les roquettes en haut de mon pare-brise – quatre traînées de flammes ronflantes suivies de quatre autres. Mon avion est secoué par le vent des hélices des P-47 me doublant en trombe, 20 mètres au-dessus, ailes empanachées d'éclairs, semant 16 traînées brillantes de douilles vides.

Les roquettes sont inutiles contre ce type d'objectifs. Le tir a été très bon, mais je leur dis de conserver leurs roquettes pour plus tard.

La *katiba* s'est instantanément dispersée, et les fellaghas courent dans tous les sens comme les fourmis affolées d'une fourmilière écrasée. Je sais par expérience qu'ils vont se terrer, disparaître, se fondre littéralement dans le paysage. Finalement, j'aurai préféré au départ des Mistral dont les canons de 20 millimètres sont plus efficaces en antipersonnel. Le défaut des 12,7 des P-47 réside dans leur solidité et leur précision. Quand elles touchent, elles tuent, mais un centimètre à côté, elles font un trou dans la terre. La fusée sensible de l'obus de 20 millimètres explose au contraire, même au contact d'une feuille, arrosant d'éclats mortels un rayon d'une vingtaine de mètres ! Une salve de trois secondes bien concentrée dans la ressource déroule au sol un tapis létal d'une cinquantaine de mètres de long sur trente de large !

Les deux premiers P-47 remontent comme de gros tonneaux brillants que la paire suivante tire déjà et que la troisième commence son piqué. C'est la noria de *straffing* parfaite.

Cloc ! Clac ! Deux nouveaux impacts, cette fois dans l'aile.

Kopi n'arrive pas à désenrayer l'arme, et la qualifie – avec juste raison ! – de saloperie préhistorique. À mon prochain passage à Alger, je vais me payer une veste pare-balles en plastique dernier cri que j'ai vue dans la vitrine d'un tailleur.

Perrin est d'un calme olympien. Son micro à la main il rend compte de la situation au général qui vient d'arriver, et qui va commander l'opération. Quant à Kopi, dont la mitrailleuse fonctionne à nouveau, il a l'avantage moral de la riposte et l'odeur de la poudre ! Par-dessus mon épaule, je le vois penché sur son arme, fasciné par le déroulement de la bande qui saute comme un serpent à chaque pression des pouces sur les gâchettes.

Le bouclage est maintenant en place et je le vois progresser sur les sentiers qui convergent vers la mechta qui n'est plus qu'une ruine en feu. Sous le tir des P-47 et des Vanneau, la *katiba* rebelle s'est émiettée en petits groupes tournoyants qui s'assemblent et se défont sous mes yeux comme des gouttes d'eau vaporisant sur une plaque de fer rougie. Ils se couchent ou s'agenouillent au passage à chaque passe, tirant sur les avions, courant entre les oliviers, profitant du moindre relief. Je ne comprends pas où les fellaghas veulent en venir. Ils avaient eu largement le temps de décrocher au lieu de se laisser acculer à ce plateau où ils étaient voués au massacre. La partie est maintenant jouée pour eux, car la nuit et encore trop éloignée pour qu'ils puissent espérer s'esquiver à la faveur de l'obscurité. Quand le soleil se couchera, il n'y en aura plus un seul vivant sur les quelque 150 ou 200 rebelles. Ils ripostent avec le courage du désespoir, concentrant leur tir contre les avions et sur moi qu'ils savent être la source de ce déluge de fer et de feu. Un P-47 à ma surprise est touché et s'éloigne, égrenant un chapelet de fumées noires, secoué par les ratés du moteur. Le pilote doit être un peu jeune et panique un peu. Je lui dis de se taire, pour pouvoir lui expliquer qu'il a une bande de crash à Mostaganem. Qu'il prenne le cap 230, c'est à moins de 35 kilomètres. Qu'il réduise, passe son hélice au grand pas et si son moteur se coupe, qu'il garde une bonne marge de vitesse pour virer ! J'appelle le Piper Club qui se tient un peu à l'écart pour lui dire de suivre l'avion endommagé et de voir ce qui va se passer.

Les HLL sont maintenant divisés en trois groupes distincts. L'un est revenu sur ses pas et s'est retranché dans les ruines de la mechta d'où il ne sera pas facile à débusquer. Un autre s'est concentré autour de deux marabouts – un blanc et un rose –

sur l'éperon de la falaise dominant l'oued. Le troisième file vers le sud entre les éboulis de rochers par paquets de cinq ou dix hommes déjà pris à partie par nos armes automatiques.

Je dirige les Mistral vers le marabout rose qui disparaît dans un nuage de poussière, et quand il se dissipe, le petit édifice s'est évanoui, volatilisé avec ses occupants par les salves de roquettes. Ensuite les Mistral commencent au canon le nettoyage du bois d'oliviers. Les grappes d'explosions serpentent entre les troncs, sur les branches hachées. La fumée de mes grenades s'épaissit, piquetée des flammes rapides des obus. Vers 11 heures du matin, il ne reste plus que des tas de ruines et des corps sous les débris.

Je suis un peu écœuré par le spectacle. Je sais que l'écrasement par les avions est préférable au corps à corps d'infanterie au cours duquel nous aurions des pertes certaines devant l'armement puissant des rebelles. C'est quand même un gâchis pathétique. Comment avons-nous pu en arriver là après un demi-siècle de stupidité politique ? Comme souvent, cette bande est composée en partie d'anciens soldats de l'armée française. La façon dont ils manœuvrent sous le feu le prouve. Les trois quarts restant sont un mélange de villageois, d'étudiants d'Alger ou de Paris, pauvres gamins tuant et mourant pour un idéal... Je comprends pourquoi Malraux a fait dire à son Tchen de *La Condition humaine* : « Je sais de quel poids pèse pour chaque cause le sang versé pour elle. »

Il y a quatre heures que les patrouilles de Mistral et de P-47 s'acharnent et se succèdent sur la cote 547. C'est maintenant autour du marabout blanc qu'un groupe s'est organisé. Quelques-uns, à plat ventre sur la coupole avec deux mitrailleuses tirent sur les avions et une de ces armes tire même avec des balles traceuses...

Cette affaire n'en finit pas. Je suis fatigué, j'ai l'estomac vide et les nerfs à bout. La sueur ruisselle le long de mes sourcils, une balle a traversé la longue visière de plexiglas bleu de ma casquette de base-ball dont je me sers à la pêche et à laquelle je tiens. L'élastique de mon laryngophone trempé me meurtrit la gorge, mes gants sont noirs de transpiration et mes doigts crispés sur la manette sont engourdis. Une balle a déchiré une bande de capitonnage à la hauteur du longeron principal et une autre brisé le pare-soleil. Tout le plateau est maintenant recouvert d'une couche de fumée et de poussière. Au moment où Kopi me tape sur l'épaule et me prévient que nous avons épuisé nos fumigènes, un autre *clang* – et cette fois c'est plus grave. Il y a un trou gros comme le poing dans l'aile gauche, et une traînée d'essence pulvérisée s'échappe, filant vers les gouvernails. Instinctivement je dérape un peu vers la droite pour éloigner le pot d'échappement, et Kopi se penche au-dessus de moi pour tourner le robinet du by-pass sur le réservoir percé pour en tirer le maximum et éviter un transfert du réservoir intact. Kopi me dit que dès que le moteur coupe, de brancher la pompe électrique. Il ne nous reste dans le réservoir droit que 60 litres, alors il est temps de rentrer. D'ailleurs la lampe rouge du réservoir gauche clignote son avertissement.

Je préviens Athos que je regagne la Senia et qu'il est inutile de prévoir les hélicoptères car l'affaire se termine. La mission a pratiquement duré cinq heures et j'en ai plein le dos ! Quand je fais mon approche, mes réservoirs sont à sec, les deux lampes rouges sont allumées. Comme on ne sait jamais avec ces quelques impacts, je fais une longue approche directe et prudente, pompe branchée pour éviter un désamorçage du moteur à la dernière minute. Kopi toujours vigilant m'empêche de baisser les volets. Des gouttes d'essence tremblent dans les filets d'air le long du bord de fuite. Le vérin électrique de commande pouvait provoquer une étincelle et l'explosion de l'aile envahie par les vapeurs d'essence.

Au parking encombré d'hélicoptères, il y a foule pour examiner l'avion. Les gens sont déçus par les tout petits trous. Le colonel et les deux biffins du matin sont là pour m'interroger. Je ne suis pas loquace et leur réponds que je veux déjeuner avant tout.

— Clo-Clo, t'as bien raison. Je vais avec toi et tu vas me raconter. J'ai fait chou blanc, et j'aurai mieux fait de faire la mission de Cassaigne !

C'est mon ami et compagnon Ponchardier. Débarrassé du briefing, nous partons déjeuner en ville au Grillon ensemble, manger une douzaine d'huîtres et un steak. La frousse creuse, m'a-t-on dit !

Extraits de *Appui-feu sur l'oued Hallaïl*
Flammarion, 1958.

Promotion à la dignité de Grand Officier de la Légion d'honneur
(Décret 31 décembre 1958)

Clostermann Pierre, Commandant (R)

Officier supérieur, pilote de chasse aux titres de guerre étincelants. Volontaire pour servir en Algérie dans le cadre des opérations de maintien de l'ordre, s'est dépensé sans compter dans les missions les plus dangereuses au cours desquelles son appareil est plusieurs fois atteint par le tir rebelle.

S'est particulièrement distingué le 15 et le 16 octobre 1956 où son action dans le guidage de la chasse est déterminante et permet la mise hors de combat de nombreux rebelles. Le 27 janvier 1957 a permis avec plein succès, l'encerclement d'une importante bande rebelle.

Chasseur aux 33 victoires aériennes, qui incarne les plus belles traditions françaises. Totalise 950 heures de vol de guerre en 550 missions opérationnelles dont 348 heures en 116 missions au titre du maintien de l'ordre en AFN

Signé : Charles de Gaulle.

CINQUANTE ANS APRÈS

Nous sommes aujourd'hui le 8 mai 1995, cinquante après cet armistice qui arriva enfin sur une Europe ruinée, encore drapée comme d'un crêpe de deuil par la fumée d'incendies qui seront également bien longs à s'éteindre dans le cœur des hommes ! Le massacre des innocents, de millions d'êtres humains ensevelis sous les gravats, égorgés dans les steppes, tués sur les champs de bataille de France, d'Allemagne et de Russie, tandis que d'autres millions vont errer encore longtemps, poussés par la peur, fuyant la barbarie, mourant de faim et de froid entre des murs écroulés et les débris encore fumants des villes où ils ont vécu et qu'ils ne reconnaissent plus !

Je regarde nos ministres, avec notre Président, se presser dans la tribune d'honneur pour célébrer NOTRE victoire. Ces hommes sont les héritiers de ceux qui avaient lâché sur la France les chiens du désastre en 1940 et dont la philosophie politique n'a pas changé. Je pense à ce que fut cette époque qui nous a menés à la guerre, et pour beaucoup de mes amis et camarades des FAFL, à la mort. Le misérabilisme des chansons populaires, les ouvriers qui travaillaient trente heures de moins que les Allemands par semaine, et surtout la nationalisation à un bien mauvais moment de notre industrie aéronautique, désorganisant la production en série et retardant dramatiquement la sortie d'avions prometteurs comme le Dewoitine 520, l'Arsenal, les Bloch 174, 152 et 155, le Leo 45 et le Bréguet 691.

L'atmosphère générale de grèves, de désordre moral industriel et politique n'améliorait pas les affaires de la France. Quand je regarde aujourd'hui les photos des ministres et présidents du Conseil qui se succédaient alors sur le perron de l'Élysée, j'ai un haut-le-cœur devant ces personnages médiocres aux costumes fripés, souvent mal rasés, l'éternelle gauloise qui était devenue en emblème national collée au coin de la lèvre inférieure, leurs feutres avachis... Doux Jésus, c'était cela mon pays qui allait affronter l'Allemagne ! Quand on voit les images d'outre-Rhin dans les films de Leni Riefenstahl, les J.O. de 1936, les congrès de Nuremberg, de cette jeunesse sportive fanatisée qui allait former une armée musclée en chemise et en short qui allait dévaler chez nous... Mon Dieu !... Ces pauvres types qui nous gouvernaient, devant ces images, devaient bien savoir que nous ne serions défendus que par des mobilisés ou des réservistes rétifs engoncés dans des uniformes de 1918, avec bandes molletières, sac à dos, couverture roulée, casque, fusil et baïonnettes archaïques... étaient aveugles. Ils préféraient faire de la petite politique, du social au mauvais moment qui allait mener deux millions de Français à de longs congés payés derrière les barbelés allemands.

Une anecdote illustre bien ce laisser-aller général, que Lindbergh m'a racontée quand il est venu à Mérignac dans les années 1960 voir le Mystère 20. Invité en 1938 à essayer le Morane 406 encore pratiquement à l'état de pré-série, il fut choqué par le désordre qui régnait dans les hangars de Villacoublay, la saleté de l'avion qu'il devait piloter, les mécaniciens en salopette et casquette prolétaire, fumant autour de la machine. L'avion lui-même par contre, avait des commandes homogènes excellentes, mais des performances de montée et de vitesse inférieures à celles du Messerschmitt-109 et de l'Heinkel-112 qu'il avait pilotés à Augsbourg... Son diagnostic devait se révéler exact en mai 1940, et cela donne la mesure des qualités et du courage des pilotes de chasse français des escadrons équipés de 406. Tout ce qu'il avait vu en France et en Angleterre l'avait convaincu que les Alliés auraient du mal à subir le choc de l'Allemagne, et que pour les USA, encore plus mal préparés, l'isolationnisme était la seule solution pour laisser venir et voir. Il eut le courage de le dire publiquement. Cela lui fut d'ailleurs injustement reproché, mais c'était aussi en ce temps-là mais bien hypocritement dissimulée, la conviction de Roosevelt, dissimulation qui coûta bien des vies aux démocraties et la défaite de 1940 à la France propulsée seule en première ligne d'une bataille que ses dirigeants n'avaient ni prévue ni préparée. Mais ceci est une autre histoire que les années ont un peu estompée dans nos mémoires.

Pour mes camarades anglais de la Royal Air Force et ceux des Forces Aériennes Françaises Libres, le soir de la victoire, le 8 mai 1945, fut simplement celui où nous nous sommes couchés sachant enfin que le lendemain matin nous pourrions nous lever en paix, sans risquer d'être tué !

Avant les cérémonies de l'anniversaire du 8 Mai, nous avions célébré celui du Débarquement. Sur mon bureau, toujours sous mes yeux, à côté de celle de mon père, une photo de De Gaulle dédicacée affectueusement. C'est celle prise le 14 juin 1944 à

Courseulles. Il vient de poser le pied en Normandie, et il est assis dans la jeep de Boislambert et de Béthouard. Il a une cigarette aux lèvres et un regard triste, tellement triste et lointain. Je suis persuadé qu'en cet instant il pense aux quatre longues années, jour pour jour, qui sont passées depuis qu'il est entré le 14 juin 1940, « naufragé de la désolation » comme il l'a écrit, dans ce modeste bureau vide de Seamore Grove à Londres où la France allait revivre ! Que d'espoirs et de désespoirs, quel combat sans merci envers tout et contre tous, amis, alliés et ennemis pour qu'en cet instant, finalement sur le sable de cette plage, la roue du destin finisse de tourner. Cet homme que tous invoquent aujourd'hui et que bien peu ont aimé et compris, avait le 18 juin, en quelques phrases inspirées, donné un sens à ma vie et aussi à ma mort si les dés de la fortune avaient roulé du mauvais côté.

J'écoute les discours des politiques qui se bousculent devant les micros et les caméras pour commenter l'événement. Bien vite j'éteins la télévision. Où étaient-ils quand nous mourions ? À Washington ? À Alger sur les plages ou alors à Vichy rédigeant des petites fiches sur « les gaullistes et les communistes » ?

En ce 8 mai 1995 bien lointaine est cette guerre stupide, pourtant suffisamment présente à mon esprit pour que j'aime en oublier certains moments. Je savais quand je tuais un ennemi en abattant son avion que je ne risquais pas de marcher sur un corps carbonisé, car il était généralement enfoui au fond d'un cratère creusé dans un champ par la chute de son avion. Pas de cadavre, pas de photos d'enfants ou d'épouses aimés sur la dépouille – donc pas de remords. Notre guerre de pilotes de chasse

À Courseulles le 14 juin 1944. Le Général vient de débarquer en France. Assis dans la jeep de Béthouard, une cigarette aux lèvres, son regard est triste et lointain... Quatre longues années d'espoirs et de désespoirs.

était cliniquement propre, artistiquement saine, pas de sang, pas de viscères éclatés... Rien que le soleil d'une explosion dans le bleu du ciel suivie d'une cascade de grumeaux d'aluminium en fusion. C'était la virevolte poignante d'ombres et de lumières des plans d'un avion qui vrille sa valse lente de mort entre les Messerschmitt et les Spitfire se croisant et s'entrecroisant ailes illuminées par le tir des armes. Ceux qui sont touchés à mort traînent des colonnes de fumée sombre entre des rails de traceuses.

Ce ciel où la pitié n'existait pas, mais où quand même subsistait le respect de l'autre, de celui dont grâce à Dieu je ne voyais pas le visage dans sa boîte de métal ornée de la croix noire, inscrite dans le cercle lumineux du collimateur. Alors, secoué jusqu'à la moelle des os par le tir de mes canons, j'oubliais l'homme qui disparaissait dans les explosions de mes obus de 20 millimètres sur son fuselage. Le pire était que j'avais bonne conscience ! Et pourtant j'exhalais le « ouf » involontaire de ma respiration longtemps retenue quand s'ouvrait, clouée, là-dessous, sur le vert des champs de France, la corolle d'un parachute. Ami ou ennemi, peu importait, c'était un frère pilote qui allait vivre !

Frère pilote ! Le grand mot est lâché. Oui, car nous avions tout, ces pilotes allemands et nous, pour être des amis, pour nous comprendre mieux que les autres, car nous avions la même jeunesse, la même passion des beaux avions rapides qui nous permettaient de boire le ciel à larges goulées ! Mais hélas, nous devions nous entre-tuer pour satisfaire la folie des uns et la lâcheté de ceux qui nous gouvernaient. C'étaient ces gens-là qui retournaient les cartes de ce baccarat tragique dont nous devions payer les mises.

Mon ami Ezer Wezman, le grand pilote, président d'Israël, répétait aux Juifs européens qui ne vivaient un demi-siècle après Auschwitz que dans une haine stérile des Allemands et la mémoire agressive de la Shoa :

« Dans l'existence, si tu ne sais plus où tu vas retourne-toi et tu sauras d'où tu viens. Mais si tu veux aller de l'avant, ne regarde plus en arrière comme si tu n'avais que des phares dans le dos pour éclairer ta route vers l'avenir. »

Cela devait être plus difficile pour eux que pour nous. La leçon de cet anniversaire a été sans doute que personne ne peut jeter la pierre à l'autre. Comment, sauf à dire « c'est bien fait pour eux », avons-nous pu accepter les drames de 1939-1945, les centaines de milliers de morts de Hiroshima, de Dresde, de Tokyo, de Hambourg ? Comment faire pour imposer des limites à l'horreur sécrétée comme un venin par l'homme ? Doit-on, comme le Nemrod de Victor Hugo, tirer une flèche vers le ciel pour le punir ?

C'est à cause de tout cela que je n'ai pas voulu le 6 juin 1995 dans ce petit matin brumeux du 50e Anniversaire du Débarquement, me mêler à la foule plus intéressée par le spectacle des grands de ce monde dans la tribune d'honneur que par la commémoration. Nous avons préféré, quelques amis anglais et français, avec mes camarades Jacques Remlinger et Johnny Johnson, rendre un hommage à ceux des escadres 125 et 126 qui n'étaient pas revenus, opérant des petits terrains de Longues, Bazenville et Sainte-Croix. Deux modestes monuments nous honoraient que nous avons inaugurés avec nos survivants, les écoliers et le conseil municipal des trois villages. Précédé par le chant triomphant, reconnaissable entre tous de son moteur Rolls Royce Merlin, un Spitfire solitaire nous a alors survolés en rase-mottes à toute vitesse comme un fantôme de notre passé... Nous étions les vainqueurs dont on ne parlait pas – la RAF et les FAFL furent complètement oubliées dans les cérémonies officielles.

Nous sommes alors rentrés chez nous, bras dessus, bras dessous, en nous racontant ces grands coups de notre folklore, que les chasseurs, jamais étouffés par la modestie, répètent toujours !

C'était définitivement la fin de notre belle histoire.

*

Pour conclure cette longue histoire commencée en 1940, je dois cet hommage à mes camarades des Forces Aériennes Françaises Libres :

Les pilotes des FAFL n'ont pas été ces Français dont parle Valéry, qui « assis dans un coin soignaient leur histoire attendant des jours meilleurs et enfilaient des perles ». Nous fûmes de Gide, ces insoumis, sel de la terre.

Parmi ceux qui ont préféré être des irréductibles plutôt que des agenouillés, les pilotes PN et paras des Forces Aériennes Françaises Libres ont une place à part. D'abord parce qu'ils « n'étaient pas beaucoup, ils se sont beaucoup battus » (Charles de Gaulle), et ensuite, comme l'a écrit l'historien militaire, le général Christienne : « Leur mode de combat, sa continuité, son intensité, les risques majeurs qu'ils courent en permanence en font une population très particulière des FFL. Très jeunes et se battant très tôt, ils se battent constamment ! »

Combien de Français savent que dans la nuit du 15 au 16 juillet 1940, un mois à peine après l'appel du 18 juin, un avion Wellington du *squadron* 149 de la RAF, mené par un équipage français composé des lieutenants Roques et Jacob, ainsi que du sergent Morel, bombardait la Ruhr ? Les FAFL venaient de

En plus dans la Royal Air Force, le Squadron Leader vous sert du CHRISTMAS PUDDING à Nöel.

Un des merveilleux dessins de Hooper, le père de *Pilot Officer Prune*. Un pilote de la France Libre et un pilote de la RAF font l'éducation d'un « mieux vaut tard que jamais ». Ce dernier comme les nouveaux convertis arbore une énorme croix de Lorraine !

naître au feu, et le demi-siècle qui vient de passer a lissé les souvenirs, effacé les faiblesses dans le brouillard d'un oubli où chacun peut trouver le repos de sa conscience !

Si l'on jette un regard sans passion sur 1939-1945, il est évident qu'en face des dizaines de milliers d'aviateurs alliés engagés dans cette guerre nous n'étions qu'une minuscule cohorte. La RAF a perdu autant de personnel (71 000 hommes tués, 300 000 blessés) que l'ensemble des forces américaines de terre engagées en Europe !

Cependant, la bataille perdue de 1940 avait déposé sur les épaules de la France Libre l'incroyable responsabilité de démentir l'Histoire trop souvent écrite dans ces années de fer par certains alliés pour qui la France vaincue n'était plus qu'une pauvre fille à violer et à dépouiller sur le trottoir de Vichy !

Il aura fallu le miracle du 18 juin pour que la France vainqueur de la Marne et de Verdun, qui n'était plus en 1940 qu'une moitié de nation, humiliée et honteuse, se retrouve en 1945 à égalité de droits mondiaux avec les USA, l'Angleterre, l'URSS et la Chine, qui ont aligné des millions d'hommes pour vaincre Hitler.

À ce miracle, les FAFL ont participé, soutenant à la face de Roosevelt et de Churchill l'action de De Gaulle. Peu nombreux, certes, mais ses équipages et ses pilotes se sont battus avec brio partout. Nous avons semé nos morts dans les sables du Tibesti, du Tchad et de l'Éthiopie, en Crète et à Malte, dans les eaux tièdes de Tarente ou glacées de la mer du Nord, dans les vagues de l'Atlantique, dans les neiges de Russie, dans les fjords de Norvège, les vertes prairies de l'Angleterre, au-dessus de l'Allemagne et de notre terre de France. Leurs tombes – quand on retrouvait une croix de bois à côté des débris écrasés ou brûlés de leurs avions –

étaient un peu comme les bornes que plantaient les Romains aux limites de l'Empire. Elles marquaient notre présence et notre volonté de combattre pour l'honneur.

Ceux qui se sont engagés volontaires avant le débarquement américain en Afrique du Nord de novembre 1942, ont seuls droit à cette appellation FAFL qui vaut pour nous toutes les décorations.

Les opérationnels, pilotes, navigateurs, mitrailleurs, mécaniciens, ainsi que les parachutistes SAS « Long Range Desert Group » qui faisaient partie des FAFL étaient un peu plus d'un millier seulement. Sur les 604 personnels navigants on a enregistré 412 tués au combat, dont 206 pilotes sur 287, plus 25 prisonniers, parmi eux le lieutenant Schedoer assassiné par la Gestapo lors de la fameuse évasion du camp de Sagan. Chez les paras SAS ce fut pire, une trentaine seulement sur les 215 premiers de la France Libre après les opérations de Crète, de Libye, de Bretagne au débarquement et Arnhem.

Quelques exemples illustrent la cruauté des pertes. En considérant uniquement la journée du 22 juin 1940 et l'aérodrome de Toulouse, un avion Goeland en décolle vers l'Angleterre avec six pilotes à bord. Aux commandes Beguin, tué le 26 novembre 1944 ; le lieutenant Ricard, tué le 26 janvier 1942 ; le capitaine Casparius, tué le 26 novembre 1942 ; le capitaine Roques, tué le 23 avril 1943 ; le commandant Schloesing, tué le 26 août 1944. Sur les six, cinq sont morts en action. En ce même jour, 22 juin, trois Dewoitine-520 partent pour Londres pilotés par le lieutenant Feuillerat, tué le 19 novembre 1940 ; le lieutenant Littolf, tué le 16 juillet 1943 et le lieutenant Reilhac, tué le 14 mars 1943. Encore de Toulouse, le même 22 juin 1940, deux Potez-63 avec les lieutenants Neuman, tué le 22 octobre 1941 ; Jacob, tué le 8 novembre 1940 ; Choron, tué le 10 avril 1942 et Sandré, tué le 9 décembre 1941.

Cette énumération tragique signifie que les treize pilotes évadés de Toulouse le 22 juin 1940 (dont je cite le grade au jour de leur mort) quatre jours seulement après l'appel du 18 de De Gaulle, douze sont morts pour la France et n'ont pas vu la victoire. Sur les quatorze premiers pilotes FAFL du Normandie-Niémen arrivés en Russie, quelques mois plus tard, dix avaient été tués. Parmi les rescapés, deux « grands », Roland de la Poype et Marcel Albert, tous deux faits Héros de l'Union soviétique par Staline, qui se sont partagé une bonne trentaine de victoires !

Vouloir se battre dans l'aviation pour la France était cher payé !

Ainsi, malgré notre petit nombre, nous combattions sur tous les fronts, souvent éparpillés dans de nombreuses unités de la RAF, en réserve opérationnelle des escadrons purement français, baptisés du nom de provinces françaises, symboles d'une France qui respectait la parole donnée à ses Alliés – Alsace, Île-de-France, Bretagne, Lorraine et Normandie. Nous étions ainsi très visibles et eûmes une utile présence médiatique, un prestige exceptionnel et combien utile pour l'indépendance de la France Libre dans la presse et l'opinion publique anglo-américaine. Plusieurs pilotes Français Libres ont commandé des unités importantes de la Royal Air et nombreux aussi furent ceux qui reçurent les plus hautes distinctions britanniques : DFM, DSO et DFC.

La fatalité des statistiques nous condamnait chaque matin à la peine capitale. À chaque mission nous étions fusillés même si nous étions souvent manqués. Chaque vol opérationnel était une loterie, quel que soit leur nombre dans notre carnet de vol.

C'était, tous les jours de mission, la vie à pile ou face, le cœur entre les dents dans ces combats incertains, passifs contre la *flak*, actifs et furieux contre les Focke Wulf ou les Messerschmitt !

Rien ne venait contaminer notre action, ni ambitions politiques, ni luttes d'influence partisanes en vue de prises de places à la Libération. Pas de « comités résistants de scribouillards en cave » chez nous. Au bout du compte, il n'y avait pour nous que la France, rien que la France, avec ce refus primaire de la présence de l'Allemand vainqueur à Paris et à Strasbourg. Je ne pouvais accepter que mon Alsace ait été donnée dès octobre 1940 par Pétain à Hitler. Je me souvenais de la motion que les députés évadés de l'Alsace occupée – dont un de mes ancêtres – avaient fait voter en 1911 par l'Assemblée nationale et que le peuple français et ses représentants avaient oubliée en 1940 :

« *Livrés au mépris de toute justice et par un odieux abus de la force à la domination de l'étranger, nous déclarons nul et non avenu un pacte qui dispose de nous sans notre consentement. Nous proclamons par les présentes à jamais inviolables le droit des Alsaciens à demeurer membres de la Nation Française. Nous jurons, tant pour nous que pour nous enfants et leurs descendants de le revendiquer éternellement par toutes les voies envers et contre tous les usurpateurs !* »

C'était notre Bible !

Tenir ce serment justifiait notre action et nos sacrifices.

Nous ne sommes pas à plaindre, nos morts et les survivants ont vécu une aventure unique. Quand on aura gravé deux dates sur la pierre sous laquelle reposera le dernier d'entre nous, il faudra demander au marbrier d'ajouter simplement les initiales FAFL et la phrase de Churchill :

« CE FUT SA PLUS BELLE HEURE. »

Le 11 novembre 1945 je reviens à Strasbourg libéré.
Nous avons tenu le serment de Leclerc et celui de 1911 !
Notre Alsace qui avait été abandonnée par Pétain en 1940
était toujours restée fidèle à la Mère Patrie.

APPENDICE

NOTES SUR L'ORGANISATION DE LA RAF

La RAF était divisée en quatre « commandements » :

Fighter command (chasse).

Bomber command (bombardement).

Coastal command (commandement des côtes).

Training command (entraînement).

Avant le débarquement de Normandie, cette organisation fut légèrement modifiée par la formation de la Tactical Air Force.

Chaque *command* était composé de divisions aériennes ou *groups*. Dans la chasse, le 11 Group, par exemple, était chargé de la partie sud-est de l'Angleterre et de la défense de Londres.

Chaque *group* se divisait en escadres ou *wings*. Au début, et jusqu'en 1943 les *wings* appartenaient à un aérodrome, par exemple les *wings* de Biggin Hill, de Kenley, de Tangmere, etc.

Chaque *wing* comprenait trois ou quatre groupes de chasse ou *squadrons*. Ces *squadrons* avaient un numéro (le groupe « Alsace » par exemple s'intitulait, dans la RAF, 341 Squadron Free French) et ses appareils étaient identifiés par un groupe de lettres, ou matricule. Par exemple NL your l'« Alsace », LO pour le 602, JJ pour le 274, JF pour le 3, etc.

Chaque avion de chaque groupe portait en plus sa lettre personnelle d'identification. Mes différents appareils dans les différents groupes auxquels j'ai appartenu étaient par exemple : NLB, LOD, et le matricule de mon cher « Grand Charles » était JFE.

Chaque *squadron* se composait de deux *flights* ou escadrilles : A et B Flight. Chaque *flight* comprenait en général douze avions dans les *squadrons* de chasse.

Un *group* de chasse était commandé par un *vice-air marshall* (général de division aérienne). Un *wing* de monomoteurs de chasse était commandé par un *wing commander* (lieutenant-colonel), un *squadron* par un *squadron leader* (commandant) et un *flight* par un *flight lieutenant* (capitaine).

Les grades correspondant « grosso modo » aux grades français étaient les suivants :

Serjeant : sergent
Flight serjeant : sergent-chef
Warrant officer : adjudant
Pilot officer : sous-lieutenant
Flying officer : lieutenant
Flight lieutenant : capitaine
Squadron leader : commandant
Wing commander : lieutenant-colonel

Le *group captain*, c'est-à-dire le colonel, commandait une base ou un aérodrome de chasse.

Chaque *squadron* avait 24 avions en moyenne et 30 ou 32 pilotes, dont la moitié au moins étaient des sous-officiers pilotes. En plus il disposait d'un *adjutant* (officier des détails), d'un officier mécanicien, d'un sergent-chef mécanicien (traditionnellement appelé *chieffy* – personnage très important) ayant sous ses ordres un sergent armurier, un sergent radio et un sergent mécanicien. Ensuite il y avait environ une quarantaine de « rampants », entre mécanos, armuriers, spécialistes cellule, spécialistes moteur, spécialistes radio. Soit au total, entre personnel navigant et personnel au sol, une centaine d'hommes.

Chaque *squadron* possédait un indicatif d'appel radio. L'« Alsace » par exemple était Turban, et le 3 Squadron était Filmstar. Pour distinguer les appareils en l'air, dans les formations de combat, les indicatifs étaient les suivants :

Section Bleu	*Section Rouge*	*Section Jaune*
1	1	1
T 2	T 2	T 2
3T T4	3T T4	3T T4

Formation de combat

La formation de combat d'un *squadron* comprenait un dispositif de 12 avions divisés en trois sections de quatre. Le *squadron leader* avait comme indicatif : « *Turban leader Red* » – le chef de l'escadrille B : *Yellow leader Turban* et de l'escadrille A : « *Turban Blue leader* », ou « *Blue One* ». Les autres pilotes étaient appelés par l'indication de leur position : « *Turban Blue Four* », par exemple.

Pour les vols individuels, ou pour un appel strictement personnel, chaque pilote avait son indicatif propre ; par exemple, au groupe Alsace, mon indicatif était *Turban 25.*

Les divisions aériennes étaient divisées en secteurs, dont la direction tactique était confiée à un GCC (Group Central Control). Ce GCC avait son QG dans une grande salle bétonnée souterraine, surplombée par des balcons vitrés où se trouvaient les contrôleurs. C'était le centre nerveux du *fighter command*. Là aboutissaient tous les postes de radar, et les informations transmises étaient aussitôt indiquées sur une énorme carte couvrant tout le sol de cette salle. Au mur, de vastes tableaux montraient, minute par minute l'état des escadrilles, le nombre, le nom et l'indicatif d'appel de tous ses pilotes, sa position, le nombre d'appareils en l'air, au sol, en cours de ravitaillement ou de réarmement, etc.

Sur la grande carte, étaient placés des petits panneaux et des flèches de couleurs différentes indiquant 30 secondes par 30 secondes la position, l'altitude, la direction et la force des formations en l'air, amies ou ennemies.

*

Reproduction d'une des cartes de code utilisées par les contrôleurs et les pilotes de la RAF pour correspondre par radiotéléphonie. *Voir carte de code page 157.*

Les chiffres indiquent les altitudes en nombre de milliers de pieds.

Ainsi, par exemple, le contrôleur ordonnait à un pilote de se rendre au-dessus de W pour y rencontrer à l'altitude K cinq N. Cela signifiait :

— Rendez-vous sur Abbeville, altitude 20 000 pieds, cinq avions allemands patrouillent.

Une WAAF (personnel auxiliaire féminin) téléphone aux oreilles, en contact direct avec les stations radar, était affectée à chacun de ces petits panneaux qu'elle déplaçait sur la carte avec un long râteau de croupier.

Dans sa cage de verre, le contrôleur en chef pouvait ainsi, instantanément, avoir une vue d'ensemble de tout ce qui se passait dans son secteur, de Londres à Chartres et jusqu'au Danemark. Sur sa table, une dizaine de téléphones branchés sur secteurs radio à onde courte, lui permettaient de communiquer avec toutes les escadrilles, même loin à l'intérieur du territoire ennemi.

Les stations radar dont il disposait étaient de deux types : guet et couverture et stations d'interception, extrêmement puissantes, pouvant suivre avec une précision de quelques centaines de mètres un avion allemand au-dessus de Paris. Le contrôleur indiquait les positions des formations de la Luftwaffe à ses unités en l'air, les plaçait et les déplaçait comme des pièces d'échecs, et la liberté d'action ne leur était laissée qu'une fois le contact réalisé avec l'ennemi. Des haut-parleurs au mur permettaient d'entendre tout ce qui se disait en l'air, les réflexions des pilotes, les réponses aux ordres, et même leurs jurons au cours d'un combat.

Le contrôleur réglait l'état d'alerte des *squadrons* au sol :

Alerte renforcée (« *Immediate readiness* ») – c'est-à-dire, quatre, six ou douze avions, en position de départ, pilotes assis, sanglés, moteurs chauds. Ainsi douze avions devaient prendre l'air *30 secondes* après le signal du « *scramble* ».

Alerte immédiate (« *Stand-by readiness* ») – quatre, six ou douze avions, moteurs chauffés, prêts à décoller en une minute.

Alerte (« *Readiness* ») c'est-à-dire six avions, pilotes prêts, moteurs chauds, ayant deux minutes pour décoller.

Alerte 15 minutes. C'est-à-dire pilotes sur l'aérodrome même, à portée des haut-parleurs (soit au mess, soit dans leur chambre), soit un groupe capable de décoller quinze minutes après l'alerte.

Alerte à 30 minutes ou « *available* », c'est-à-dire un groupe dont les avions viennent de se poser et sont en cours de ravitaillement, mais qui seront prêts à reprendre le vol dans les 30 minutes.

Au GCC étaient préparés les *sweeps* (opération de balayage contre la chasse ennemie, menée exclusivement par des chasseurs), les *circus* (bombardement avec puissante escorte de chasse, destinés à obliger la chasse allemande à donner le combat) et les *rhubarbs* (sorte de chasses libres menées par des sections de deux ou quatre chasseurs, en rase-mottes, en territoire ennemi).

Les ordres étaient transmis aux officiers de renseignements des différents *wings*, par télétype, et un ordre d'opérations s'appelait « Form D ».

Au GCC siégeaient les commissions d'homologation, qui disposaient de projecteurs spéciaux pour examiner les films de combats, d'experts en tactiques, d'ingénieurs aéronautiques, etc., chargés de décider de l'attribution des victoires.

Était considéré comme *destroyed*, tout appareil ennemi, vu dans le film explosant en l'air, dont le pilote (si c'est un monoplace) était vu et filmé sautant en parachute ou dont les débris étaient filmés au sol.

Était considéré comme *probably destroyed* l'appareil filmé en feu, ou sévèrement touché dans des parties vitales, donc détruit, mais que, pour une raison ou une autre, le pilote n'avait pu filmer détruit au sol.

Était considéré comme endommagé, un appareil ennemi sévèrement touché, et mis hors de combat, sans présomption de destruction complète.

Dans l'aile de tous les avions de chasse de la RAF, il y avait un appareil de prise de vue cinématographique, branché sur la détente des armes, et soigneusement aligné par des vis micrométriques sur le point d'intersection des projectiles des armes d'ailes. Ainsi, le pilote ramenait une preuve indiscutable de son tir, de son habileté tactique et des résultats obtenus. Cela était précieux pour l'identification des objectifs.

Les décorations anglaises étaient très parcimonieusement accordées[1]. Pour la chasse, on donnait une Distinguished Flying Cross après cinq ou dix victoires obtenues en environ cent missions. Une « Bar » à la DFC était donnée entre la dixième et la vingtième victoire, et finalement le Distinguished Service Order donné aux commandants de *wing* ou de *squadron* après vingt victoires ou trois cents missions.

La Victoria Cross, suprême honneur militaire britannique, n'a été accordée, pendant toute la durée de la guerre, qu'à un seul pilote de chasse, le *squadron leader* Nic Nicholson.

Les pilotes français détachés dans la RAF recevaient ces décorations au même titre que les sujets britanniques. Avec le fair-play habituel des Anglais, une extraordinaire impartialité présidait à ces attributions, contrôlées par le roi lui-même, et, pour ces raisons, nous attachions, nous Français, une très grande valeur à ces distinctions.

La devise de la RAF était, et est toujours : *Per ardua ad astra*.

La 2e armée de l'air tactique de la RAF avait été organisée pour suivre et soutenir directement l'effort du 21e groupe d'armées britanniques sous les ordres du maréchal Montgomery, ainsi que pour assurer le *close support* de la 1re armée américaine.

La II TAF était divisée en cinq groupements ou divisions aériennes :

— Le 83 Group, sous les ordres du *vice-air marshall* Broadhurst composé principalement de chasseurs.

---

1. L'auteur a reçu sa première DFC après 11 victoires homologuées et près de 300 missions. Sa seconde DFC, après 370 missions et 12 nouvelles victoires, et finalement le DSO après 420 missions, 33 victoires et un commandement effectif de *squadron*.

— Le 84 Group, composé principalement d'escadres de chasseurs-bombardiers.

— Le 85 Group, représentant les réserves stratégiques, avec quelques escadres de chasse, et des escadrilles de chasseurs de nuit.

— Le 2 Group, composé de deux escadres de bombardiers moyens et d'une escadre de bombardiers légers (Mosquito).

— Le 1 Group, chargé des communications et moyens de transport, équipé de Dakota et d'Anson. (Ce *group* changea de matricule fin 1944, devenant le 38 Group.)

Cela représentait en première ligne (sans compter les avions de réserve de chaque unité).

— 70 Mitchell de bombardement moyen.

— 38 Mosquito de bombardement léger.

— 1764 chasseurs et chasseurs bombardiers (Tempest, Spitfire et Typhoon).

— 156 Spitfire de reconnaissance tactique et stratégique.

*

TRADUCTION D'UN RAPPORT D'OPÉRATIONS

3/12214/83 H.Q./OR 17

from :

3.0973 Acting squadron leader P.N. Clostermann DFC et Bar

Detached from French Air Force for active service, as officer commanding n° 3 (F) Squadron RAF

to :

Vice-air marshall H.J. Broadhurst KBC DSO DFC.

Air officer commanding 83 Group – II TAF H.Q.

— Squadron Operational Report number 17 –

J'ai l'honneur de soumettre à votre appréciation les observations suivantes concernant les activités du *squadron* n° 3 sous mon commandement :

I. Personnel volant.

Le niveau du personnel fourni à cette unité en remplacement des pertes par le 83 Group Support Unit a considérablement baissé. Il semble que GSU soit incapable de fournir plus d'un pilote sur dix ayant déjà à son actif un tour complet d'opérations. Cela est contraire aux règlements régissant les affectations de pilotes sur avion Tempest-V.

La plupart des nouveaux pilotes arrivent avec un total de 350 heures de vol en moyenne, dont à peine 5 sur Tempest. Faute de moyens matériels suffisants pour les entraîner sur place, les pertes sont très élevées en combat aérien et par accidents.

D'autre part, la fatigue de vol est très forte chez mes pilotes qui font parfois une moyenne de deux missions quotidiennes. (1 pièce jointe : rapport officier médical attaché au *squadron* n° 3.)

II. Matériel.

L'unité est complètement rééquipée de Tempest-V, type B, à moteur Sabre VI-B et hélice Rotol en remplacement des types A, hélice De Havilland, depuis le 1/2/45.

Les performances à basse altitude et l'accélération sont nettement supérieures. Cependant il serait souhaitable d'introduire rapidement en première ligne le Tempest II à moteur Centaurus en étoile, pour les quatre raisons suivantes :

a) Vulnérabilité trop grande à la *flak* du Sabre VI refroidi par liquide.

b) Consommation d'huile trop élevée de ce moteur sans soupapes après trente heures de vol, ce qui réduit notre rayon d'action.

c) Le système de filtrage à la prise d'air des carburateurs est trop fragile, et de plus les filtres Vokes enlèvent trop de puissance pour le décollage

d) L'essence à 130 d'octane obligatoire pour le Sabre VI-B est une source sans fin d'ennuis d'approvisionnement et d'allumage. Les manœuvres de roulement au sol sont très ralenties par le fait que les pilotes sont obligés de dégorger les moteurs toutes les minutes et avant le décollage pour éviter la formation de plomb sur les électrodes.

Ces considérations mises à part – qui concernent d'ailleurs uniquement le groupe moto-propulseur – le Tempest-V a une cellule très robuste et facile à entretenir. Les pneus du type T 17 Mark III s'usent trop vite et ne supportent que dix atterrissages en moyenne.

Contrairement aux autres types de chasseur (P-47, P-51 ou Spitfire), les performances pratiques sont nettement plus élevées que les performances calculées. En piquant à deux degrés seulement sous l'horizon la vitesse de 700 km/h est atteinte en moins de 30 secondes. La maniabilité qui laisse à désirer en dessous de 400 km/h est remarquable au-dessus de 510 km/h. Les ailerons sont très sensibles à haute vitesse, et la souplesse de la profondeur compense une certaine instabilité longitudinale à basse vitesse.

Le Tempest-V-B est stable en piqué rapide et offre une excellente plate-forme de tir. La puissance de feu est très grande avec quatre canons de 20 , mais ces canons Hispano type V à tube raccourci ont des enrayages trop fréquents. Une mise au point du dispositif d'alimentation est nécessaire.

L'adoption du Gyro Sight VIII (Collimateur gyroscopique à correction de tir automatique) ne semble pas répondre à une nécessité urgente. De plus la visibilité en avant serait trop réduite du fait de son volume. Le personnel, peu entraîné à son emploi, l'utilise en fixe.

III. Tactiques et opérations.

Voici les réponses au questionnaire 147 d'OPS-2 :

A. – Pour fournir trois missions quotidiennes de reconnaissance armée dans les conditions actuelles de *flak* et d'opposition, les effectifs normaux d'un groupe ne permettent que des sorties de deux sections de quatre (huit Tempest) soit vingt-quatre sorties par jour.

Nous avons en permanence : deux appareils en inspection générale, quatre appareils en inspection hebdomadaire, et entre deux et six appareils en réparation pour avaries légères de *flak*.

Douze à quatorze avions restent ainsi disponibles en moyenne.

Pratiquement il est difficile, même avec les inspections quotidiennes échelonnées sur 24 heures de demander plus de deux sorties par appareil et par jour.

Aussi donc, nous suggérons que l'on adopte dans les circonstances présentes deux sections de quatre comme « *squadrons strengh* » (effectif en ligne de groupe).

B. – Pour les missions d'interdiction de rail, les effectifs ne doivent pas dépasser deux paires, opérant de la façon suivante :

— Passage des lignes à 3 000 mètres, et ensuite redescente à 1 000 mètres, vitesse de croisière de 520 kilomètres à l'heure.

— Il n'est pas utile de larguer les réservoirs supplémentaires.

— Une seule paire doit attaquer chaque locomotive en ciseaux pour diminuer les effets de la *flak*, et surtout pour éviter les ricochets des projectiles, très meurtriers quand quatre avions exécutent une passe en file indienne serrée et que la dernière paire tire avant que la première soit hors de portée.

— Les locomotives doivent être abordées en léger piqué, trois quarts arrière, en visant surtout la partie très vulnérable comprise entre la cabine et le premier dôme. Ainsi les avions dégagent après l'attaque sous couvert des jets de vapeur et de fumée qui les dissimulent aux postes de *flak* du train qui se trouvent derrière la locomotive.

— Depuis le début de l'année, les trains circulant de jour dans la « zone pourpre » (200 kilomètres du front) sont généralement protégés par trois wagons de *flak* ; un 37 en queue, un affût quadruple de 20 au milieu du convoi, et un autre quadruple de 20 accroché immédiatement derrière ou parfois même devant la locomotive.

— Dans la « zone rouge » (200 à 350 kilomètres du front) les convois disposent de deux wagons de *flak* (2 x 4 x 20) – un en tête et l'autre à la queue.

— Dans la « zone blanche », entre l'Elbe et l'Oder on rencontrait souvent des convois non armés. Mais il est évident que, désormais, ils sont équipés progressivement de *flak*.

— Le système de guet et d'alerte allemand est très efficace. Toutes les locomotives attelées à un convoi sont équipées de postes radio-téléphoniques, par lesquels les chefs de train sont en liaison avec les dispositifs de défense passive et de contrôle de la Luftwaffe qui les préviennent de la présence de chasseurs alliés dans leur secteur.

— Les pertes importantes que nous avons subies en attaquant des locomotives (1 pilote pour 20 locomotives attaquées) sont causées pour les deux tiers par la *flak*, et, pour le reste, par les débris et les ricochets.

C. – Les aérodromes sont aujourd'hui les objectifs les plus dangereux et les plus difficiles à attaquer efficacement.

L'attaque d'un aérodrome ne se justifie que comme :

1° « opportunity target » (objectif d'opportunité).

2° « Form D target » (c'est-à-dire, mission montée avec plan d'action établi soigneusement à l'avance).

L'« opportunity target » se présente à une patrouille se trouvant par hasard dans le circuit d'un aérodrome et surprenant une formation ennemie roulant au sol, se posant ou décollant. La décision doit être prise immédiatement et le chef de patrouille fera sa passe à la vitesse maximum. La section doit prendre d'elle-même une formation très ouverte. Tout avion de la patrouille gêné dans son départ, mal aligné ou incapable de larguer son réservoir supplémentaire devra rompre la formation sur-le-champ et prendre de l'altitude sans chercher à attaquer.

En principe, ces opérations sont rarement « payantes » et doivent être évitées dans la mesure du possible.

L'attaque d'une « Form D Target » doit être minutieusement préparée. S'assurer du concours indispensable d'un *squadron* de Typhoon anti-*flak*.

Une formation de 8 Tempest est suffisante. Les appareils volent à 150-200 mètres l'un de l'autre, parallèlement, couvrant ainsi la largeur moyenne d'un aérodrome, et conservant aussi la faculté de dévier *in extremis* de quelques degrés pour choisir un objectif.

L'approche doit se faire dos au soleil, en piqué à 60° de 4 000 mètres à 1 000 mètres, de façon à ce que la patrouille soit en position deux kilomètres avant le périmètre de l'aérodrome, à une centaine de mètres d'altitude et une vitesse de 700 km/h.

Chaque pilote doit choisir un objectif droit devant lui – un avion ou un hangar – piquer doucement, tirer de très loin une rafale continue en corrigeant le tir d'après les éclatements d'obus au sol. Ensuite il doit se coller au ras du terrain, attendre au moins dix secondes puis enclencher la surpuissance et reprendre de l'altitude le plus rapidement possible en léger zigzag. Les avions ne quittent ainsi la protection du sol que hors de portée des 20 millimètres.

Prévoir un dégagement en éventail, avec les appareils extrêmes obliquant vers l'extérieur de la formation afin de disperser le tir de la *flak*.

Il est essentiel de régler l'attaque anti-*flak* à quelques secondes près. Les Typhoon arrivent à 3 500 mètres, doivent piquer sur l'aérodrome en repérant les postes de *flak*, et lâcher leur salve de huit fusées en redressant au-dessus de 1 000 mètres. À la seconde exacte où les fusées explosent, les Tempest doivent déboucher en rase-mottes sur le terrain, avant que les servants de *flak* puissent réagir.

Cette méthode d'attaque est préférable au système dit « de saturation de *flak* ». En effet il est impossible matériellement de contrôler une formation de 24 ou 36 appareils débouchant en désordre aux quatre points cardinaux d'un aérodrome. Les pilotes se préoccupent beaucoup plus d'éviter les collisions que de choisir et tirer un objectif utile. L'expérience a démontré que la *flak* allemande est très disciplinée, et se contente généralement de couvrir un angle d'approche, concentrant son tir sur les appareils qui l'utilisent. Les pertes sont très élevées, et le rendement moindre. Dans ces conditions il est inutile de mobiliser toute une escadre pour ce genre d'opérations.

*

ATTAQUE PAR LES CHASSEURS DE LA RAF D'OBJECTIFS AU SOL EN PAYS OCCUPÉS

L'attaque d'objectifs divers en pays occupés par l'ennemi (France, Belgique, Hollande) était très sévèrement réglementée dans la RAF et des sanctions sévères prises contre les pilotes fautifs. Plus tard, lorsque les forces aériennes américaines commencèrent à opérer partant de bases britanniques, le ministère de l'Air britannique exigea que les pilotes américains se soumissent aux mêmes règlements, mais sans succès.

Voici un document assez intéressant, qui répond aux plaintes que j'ai souvent entendu formuler « d'avions de la RAF mitraillant des femmes et des enfants ».

SECRET

À insérer immédiatement dans le Livre d'Ordres des Pilotes.

From : Headquarters number 11 Group.

To : All fighter sectors.

Ref : 11 G / S.500/39/OPS 1.

Date : April 17th 1943.

(Exp. : Quartier général chasse.)

(Dest. : Tous les secteurs de chasse.)

*

RÉGLEMENTATION D'ATTAQUES AÉRIENNES

Divers manquements à la discipline ont eu lieu récemment, quand certains pilotes engagés dans des opérations offensives ont attaqué des objectifs interdits par les termes de la note 53/1942 du QG de la Chasse, et par la note 96 du 12 novembre réglementant les opérations « Rhubarb ».

Bien que l'on puisse comprendre que certains pilotes revenant d'opérations offensives ou engagés dans des opérations « Rhubarb » se sentent inclinés à attaquer tous les objectifs qui semblent présenter un intérêt militaire – il est impératif de rappeler à ces pilotes que la priorité et le choix de ces objectifs sont établis avec un très grand souci pour le bien-être des populations qui habitent ces territoires. Il est nécessaire que les pilotes observent ces règlements sous peine de sanctions graves. De plus il ne faut pas oublier que ces populations opprimées donnent une aide très grande à ceux de nos pilotes obligés de sauter en parachute ou de faire des atterrissages forcés en zone contrôlée par l'ennemi.

Aussi donc, une fois de plus, nous rappelons à l'attention de tous, l'appendice « A 3 », IIe partie de la note 96, qui donne une liste facile à retenir des objectifs prohibés.

signé : *Air commodore E.H. Stevens*
Senior air staff officer
No 11 Group, Royal Air Force

Appendice A 3

Les objectifs suivants ne doivent à aucun prix être attaqués :

Territoires occupés par l'ennemi.

1. Objectifs non militaires (usines non individuellement spécifiées et indiquées par ordre écrit pour l'attaque – villages, maisons, animaux, civils et propriété privée en général).
2. Campements et baraquements – sauf s'ils sont occupés par des forces ennemies, et que la permission écrite de les attaquer soit obtenue du ministère de l'Air.
3. Phares.
4. Châteaux (sauf ordre spécial du commandement de la chasse).
5. Moulins à vent.
6. Objectifs et installations électriques en Hollande.

7. Châteaux d'eau.

8. Trains de passagers et locomotives attachées à des trains de passagers

sauf :

a. En France la nuit.

b. En Hollande et en Belgique entre 23 heures et 4 heures et au sud de la rivière WaalRhine.

9. Bateaux de pêche.

10. Stations de radio et pylônes – y compris stations de radar (sauf ordre spécial du commandement de la chasse).

11. Objectifs dans les îles de la Manche (sauf ordre spécial du commandement de la chasse).

12. Bouées et autres signaux de navigation maritime.

13. Usines à gaz.

14. Distilleries d'alcool.

Territoires allemands et italiens.

Tous les objectifs interdits par les conventions de la Croix-Rouge.

*

FICHES DE VOL

Au GQG de la RAF, dans l'ancien couvent de Bentley Priory, près de Stanmore, sont conservées les fiches individuelles de tous les pilotes, britanniques ou alliés ayant servi dans la RAF.

Ces fiches, tenues soigneusement à jour, étaient extrêmement détaillées, et suivaient jour par jour – presque heure par heure – la vie et les actions en service des pilotes. En plus des notes, observations, fiches médicales, résultats d'examens, de cours techniques, on y trouvait un rapport complet de chacune des missions de guerre accomplies individuellement.

Voici par exemple quelques-unes des 117 fiches traitant du troisième tour d'opérations accompli dans la RAF par P.H. Clostermann :

5 mars.

Mission de chasse libre dans la région de Nordhorn. Le lieutenant Clostermann attaque 4 Messerschmitt-109 et en détruit 1 au cours du combat.

6 mars.

Le lieutenant Clostermann mène une patrouille de 8 Tempest en *sweep* dans la région de Rheine. Attaque avec sa patrouille une raffinerie de pétrole à Gadesbuden. Les installations sont mitraillées, et quatre réservoirs mis en feu, d'une contenance de 150 000 gallons d'essence d'aviation. Ensuite il détruit personnellement 4 locomotives et en endommage 3 autres.

13 mars.

Le lieutenant Clostermann mène une section de 4 Tempest sur la gare de triage de Hamm, il détruit 3 locomotives. Grosse réaction de *flak* (Le *flight officer* MacCulloch est abattu.)

14 mars.

Le lieutenant Clostermann mène un *sweep* de 8 Tempest dans la région de Hanovre. Combat contre 40 Messerschmitt-109. Personnellement il en détruit 1, en détruit probablement un autre et en endommage un troisième. 3 Tempest et 3 pilotes perdus au cours de ce combat : le *wing officer* Alexander, le *flying officer* Park et le *flight lieutenant* Cresswell.

21 mars.

Le lieutenant Clostermann mène 4 Tempest en *sweep* dans la région de Niembourg et Verden. Il détruit personnellement 3 locomotives, 2 Tempest sur 4 descendus par la *flak* : les *flight lieutenants* Stark et Kennedy.

23 mars.

Le lieutenant Clostermann mène une patrouille en interdiction de rail à l'aube dans la région est de Brême. Détruit personnellement 6 locomotives et 2 camions. Son avion est touché par un 37 dans l'aile gauche. Flak très dense. Quatre avions sur les six de la patrouille sont descendus par *flak* : les *flight officers* Long et Vasyl, le *serjeant* Sheperd et le *pilot officer* MacLaren.

26 mars.

Le lieutenant Clostermann mène une reconnaissance armée dans la région du lac Dummer. Flak très violente. Six avions sur huit sont touchés, mais un seulement est perdu (*flight lieutenant* Joe Payton). Le lieutenant Clostermann détruit personnellement 2 locomotives et en endommage plusieurs autres, ainsi que 3 camions-citernes sur l'autostrade d'Osnabruck.

28 mars.

Reconnaissances armées par paires à l'occasion de la traversée du Rhin. Le lieutenant Clostermann poursuit un Fieseler-156, l'endommage, et l'oblige à un atterrissage forcé, le détruisant ensuite au sol. Il attaque une batterie tractée de 155 qu'il met hors d'action par trois passes de mitraillage en détruisant les deux fourgons à munitions et les trois tracteurs.

— Même mission l'après-midi. Le lieutenant Clostermann attaque seul une colonne de 11 blindés type SP-MK-III-75. Il en détruit un et en endommage quatre autres, et reste, malgré la *flak*, à tourner autour de l'objectif afin de guider les Typhoon antichars alertés. Il rentre à sa base son appareil touché à plusieurs reprises. Cette action fait l'objet d'un télégramme de félicitations de la part du colonel chef d'état-major G2 Air de la 2e armée canadienne.

À la nuit tombante le lieutenant Clostermann effectue une autre mission, menant une patrouille de 4 Tempest en surveillance de Rheine Hopsten et de ses aérodromes satellites. Il abat un Junker-88 chasseur de nuit est blessé à la jambe droite, son appareil est très endommagé, et, sans radio, il revient à sa base. Son avion s'écrase et il est blessé à la face.

28 mars au 2 avril.

Du 28 mars, 22 heures, au 2 avril, 12 heures, le lieutenant Clostermann séjourne à l'hôpital nº 18 à Eindhoven. Par ordre 714/83/II, TAF, H.Q. il est affecté au commandement du *squadron* nº 3 de la 122ᵉ escadre.

2 avril.

Prise de commandement du *squadron leader* P.H. Clostermann DFC au 3 Squadron.

Il mène dans l'après-midi une patrouille dans la région du lac Dummer. Il attaque 2 Focke Wulf-190-D9 qui viennent de décoller d'Aldorn, et en descend un en flammes, puis il mitraille une rangée d'avions de bombardement, endommageant 2 JU 188 au sol. Son appareil est touché par la *flak*. Pendant cette attaque sa section détruit un convoi routier de trente camions-citernes.

3 avril.

Le *squadron leader* P.H. Clostermann mène une patrouille en interdiction de rail dans la région de Hanovre. Il détruit 4 locomotives. Un coéquipier est abattu par *flak* : le sergent Brown.

Il mène une deuxième patrouille en reconnaissance armée dans la région du lac Steinhuder. Il détruit 2 locomotives et 2 camions. Un avion perdu par *flak* : W.O. Tuck.

Au crépuscule il mène une troisième patrouille au nord d'Enshelde. Il tombe dans un *flak-trap* (piège à *flak*). 1 avion descendu (sergent Hale).

5 avril.

Le *squadron leader* P.H. Clostermann mène une patrouille à l'aube. Un Junker-88 est descendu en flammes au-dessus de l'aérodrome de Wunstorf. La patrouille mitraille ensuite l'aérodrome, endommageant trois JU88 au sol. Les quatre avions de la section sont touchés par la *flak*.

L'après-midi, il mène un *sweep* dans les environs du lac Dummer. Combat contre 12 Focke Wulf et 4 Messerschmitt-109. Il endommage 2 FW-190 et participe à la destruction de 2 Me-109. Son appareil est trois fois touché.

19 avril.

Le *squadron leader* mène 8 Tempest en reconnaissance armée dans la région de Hambourg. Il détruit personnellement 7 camions. Flak violente. 3 avions sur 8 endommagés et un avion descendu.

Au crépuscule, il mène deux volontaires pour mitrailler l'aérodrome de Rottembourg. Personnellement il détruit 2 Heinkel-177 et en endommage 2 autres. Un de ses coéquipiers touché par *flak* a un pneu crevé et se tue à l'atterrissage (le *flight officer* Reeds).

20 avril.

Le *squadron leader* Clostermann mène 12 Tempest en *sweep* sur la Baltique. Détruit en coopération un quadrimoteur Junker-290 au-dessus du Skagerrak. Détruit également 4 locomotives et 12 camions.

Le soir, il mène 3 Tempest en patrouille de nuit le long de l'autostrade Brême-Hambourg. Il engage 10 Focke Wulf « long nez » sous une pluie battante. Il est touché par la *flak* au début du combat, puis un Focke Wulf endommage son appareil qui prend feu. Il continue le combat quand même, et détruit personnellement 2 Focke Wulf, puis ramène à la base distante de 320 kilomètres son Tempest en feu. Atterrit sur le ventre.

3 mai.

Le *squadron leader* Clostermann mène une reconnaissance armée sur Kiel. Il détruit un Focke

Wulf-190 en combat aérien, et en endommage deux autres au sol.

Le soir, il mène au crépuscule 24 Tempest sur un objectif spécial, la base aéronavale de Grossembrode où sont réunis plus de 100 gros multimoteurs de transport. Il se heurte à une couverture de près de 100 chasseurs ennemis. Il détache 20 Tempest pour engager cette chasse adverse, et mène au mitraillage une section de quatre Tempest. Ses trois coéquipiers sont descendus au cours de la première passe (deux par la *flak* : *flight lieutenant* Bone et sergent Crow, et un troisième par cause inconnue : *flight lieutenant* Dug Worley).

Le *squadron leader* Clostermann abat alors un Junker-252 qui vient de décoller, puis deux Dornier-24 au-dessus du détroit de Fenhmarn. Il refait ensuite seul une passe de mitraillage, endommageant au sol 2 Arado-232 et 2 Blom et Vhoss au mouillage. Il contrôle ensuite le combat contre les chasseurs, dont 14 sont descendus pour la perte totale de 17 Tempest et de 10 pilotes (3 par *flak*). Il participe à la destruction d'un Messerschmitt-109 et d'un Focke Wulf-190.

*

RAPPORT DE COMBAT 122/3347/83/II TAF

Flight lieutenant P.H. Clostermann DFC.

Squadron 56 – Tempest-V – décollage : 11.15 – atterrissage : 13.18 – lieu du combat : Hameln – altitude : 4 000 pieds – pertes ennemies : 2 Foche Wulf hors de combat.

Rapport personnel :

Je menais la section Vert du *squadron* 56 dans une patrouille de la région Osnabruck-Uchte. À 12 h 10 approximativement, dans la région de Osnabruck, nous entendîmes par la radio que le *squadron* dont l'indicatif d'appel était « MacDuff » engageait des avions ennemis dans la région de Rheine.

Quelques minutes plus tard, alors que nous tournions sur 180 degrés, je vis sept Focke Wulf-190 « long nez », volant à 3 700 pieds dans une direction est.

Il y avait 6/10e de nuages à environ 3 000 pieds et nous volions juste en dessous. Je renversai immédiatement mon virage, suivi de ma section, et nous larguâmes les réservoirs supplémentaires. Je me retrouvai au-dessus des nuages, 2 000 mètres derrière la formation ennemie. Pleins gaz, je réussis à me rapprocher jusqu'à 1 000 mètres. Les FW m'aperçurent alors et dégagèrent à gauche. Je fis une passe frontale suivie d'un virage cabré qui m'amena à 200 mètres et 25° du chef de patrouille ennemi. Je tirai trois rafales et à la troisième des explosions se produisirent aux raccords d'aile et le long du fuselage de cet appareil. Ce FW dégagea en piqué sous moi et je le perdis de vue. Je fis un demi-tonneau et piquai à 90° sur un autre FW. Je tirai une longue rafale continue en réduisant la correction de 80° à 50°, et le touchai sur l'aile droite. Une dizaine d'autres FW ont fait alors leur apparition venant de l'ouest, et j'ai décroché vers les nuages, suivi de mes trois coéquipiers.

— La caméra cinématographique a fonctionné.

— Les quatre canons ont tiré respectivement 82, 84, 81 et 83 obus de 20 millimètres.

*

RAPPORT DE COMBAT 122/3475/83II TAF

Squadron 3 – Tempest-V – décollage : 18.08 – atterrissage : 20.08 – lieu de combat : aérodrome d'Aldhorn – altitude : 0 – pertes ennemies :

1 Focke Wulf-109-D9 détruit en l'air, deux Junker-188 hors de combat au sol.

Rapport personnel :

Je menais la section Filmstar Jaune dans une reconnaissance armée sur la région Brême-Hanovre. Nous attaquions les transports automobiles sur la route principale entre les aérodromes de Cloppenhurg et Aldhorn. Comme je redressais après ma première passe de mitraillage, je vis deux chasseurs ennemis décollant d'Aldhorn tandis qu'un barrage de *flak* s'élevait.

Je prévins ma section, et de 4 000 pieds je piquai sur le deuxième avion qui relevait son train d'atterrissage. Rasant la piste, je l'attaquai 5 degrés arrière à moins de 30 pieds. Je tirai une rafale de trois secondes, ouvrant le feu à 400 mètres et terminant à 50. Je vis les impacts de mes obus sur la piste en ciment dessous et autour de l'avion que j'identifiai comme étant un Focke Wulf-190-D9 « long nez ». Sévèrement touché, l'avion ennemi dérapa sur la gauche et s'écrasa sur l'aérodrome, semant des débris en feu sur une grande distance. Mon avion fut couvert de l'huile projetée par les réservoirs crevés du FW.

L'autre appareil ennemi était encore dans le circuit, mais je ne pus tourner suffisamment serré pour le rejoindre et l'engager. La *flak* étant violente je décidai de rester au ras du sol, et au passage je mitraillai un groupe de 5 Junker-188 parqués dans un petit bois au bout de la piste. Je concentrai mon attaque sur les deux premiers. Mes obus explosèrent sur les moteurs et les cabines, mais aucun ne prit feu.

Mon avion fut alors touché par un obus de 20 de *flak*. Je mis le cap sur la base, et détruisis 3 camions et remorques sur le chemin du retour.

— La caméra cinématographique a fonctionné.

— Les quatre canons ont tiré respectivement 146, 185, 184, 150 obus de 20.

*

Aspirant P.H. Clostermann.

Squadron 602 – Spitfire-IX-B – décollage 11.05 – atterrissage 11.57 – lieu du combat : région de Caen – altitude : de 2 100 pieds à 7 000 pieds – pertes ennemies : 1 Messerschmitt-109G probablement détruit, 1 Focke Wulf-190 détruit.

Rapport personnel :

À 11 h 05 la section Rouge du *squadron* 602 décollait en alerte menée par moi.

À 11 h 07 la DCA de Longues ouvrait le feu sur douze chasseurs allemands patrouillant notre base au-dessus des nuages à environ 3 000 pieds. Suivi de mon numéro 2, *pilot officer kid* (RCAF), je montais tout droit au travers des nuages.

À peine sorti, un Messerschmitt-109 exécuta une passe frontale sur nous. Mon numéro 2 engagea alors 2 Me-109, 500 mètres à ma droite au-dessus, tandis que j'attaquais 4 Messerschmitt qui nous menaçaient sur la gauche. Après quelques passes préliminaires j'ouvris le feu sur un de ces Me-109, et, après deux rafales de 20 et mitrailleuses, l'avion ennemi piquait dans les nuages, émettant une épaisse fumée noire et une pluie de débris. Je le suivis à l'intérieur du nuage, tirant à la mitrailleuse seulement. Soudain le Me-109 exécuta à moins de 700 pieds un violent retournement et disparut. Pris dans son remous, je perdis momentanément contrôle de mon appareil en PSV. Je remontai ensuite seul jusqu'à 6 000 pieds suivant les indications du contrôleur annonçant une forte formation allemande se concentrant derrière Caen.

À peine arrivé au-dessus de Caen Carpiquet, je fus engagé par 4 Focke Wulf-190, dont le chef de patrouille m'attaqua en chandelle par-dessous. Je fis face, ouvrant le feu à 800 mètres d'une rafale continue jusqu'à ce que la portée fût réduite à 40 mètres. Une série d'explosions se produisit sur le bord d'attaque de l'aile gauche du FW. Le capot du moteur se détacha, fracassant le gouvernail de direction. L'appareil ennemi entra en vrille, et malgré les efforts apparents du pilote s'écrasa près du hangar sud-ouest de l'aérodrome. Je réussis à me débarrasser des trois autres.

— La caméra cinématographique a bien fonctionné : 1,75 m de film.

— Les deux canons ont tiré respectivement 75 et 76 obus de 20 .

— Les quatre mitrailleuses ont tiré 299, 300, 300 et 300 balles de 7 7

*

RAPPORT DE COMBAT 125/612/830I TAF

Aspirant Clostermann.

Squadron 602 – Spitfire-IX-B – décollage 15.20 – atterrissage 16.35 – lieu du combat : région de Saint-Lô – altitude : 1 200 pieds – pertes ennemies : 1 Messerschmitt-109 probablement détruit.

Rapport personnel :

Je volais comme numéro 2 du *flight lieutenant* Charney DFC dans la région de Saint-Lô vers 16 heures. Après avoir attaqué deux camions, nous avons été surpris par quatre Messerschmitt-109. J'ai dégagé face à l'attaque et après quatre virages 360° j'ai réussi à me placer derrière un Me-109 que j'ai tiré de 200 mètres à 120.

J'ai observé des impacts sérieux sur le moteur et la cabine du pilote. D'un des radiateurs crevés s'échappait un épais nuage de glycol. À deux reprises il se produisit sous le moteur une sorte d'explosion, suivie de chute de débris.

Avant que je puisse l'achever, j'ai été touché par deux balles incendiaires tirées par un deuxième Me-109 et j'ai dû dégager et tirer trois quarts avant sans résultats.

— La caméra cinématographique a bien fonctionné.

— Les deux canons ont tiré respectivement 60 et 60 obus 20 millimètres.

— Les quatre mitrailleuses ont tiré 223, 14 (enrayée), 222, 223.

*

QUELQUES CITATIONS CONCERNANT L'AUTEUR

Parmi les citations dont Pierre Clostermann a été l'objet, l'éditeur a détaché celles qui suivent et qui se rapportent à certains événements mentionnés dans le texte.

Sgt-chef Pierre Clostermann – Groupe de chasse « Alsace ».

« Pilote de valeur, doué de qualités remarquables de virtuosité. Chasseur ardent et très enthousiaste.

« A participé à vingt-deux missions offensives au-dessus du territoire occupé par l'ennemi.

« Par un acte d'une détermination hardie s'est adjugé deux victoires au cours d'un combat contre des Focke Wulf 190 le 27 juillet 1943.

« Cette citation comporte attribution de la Croix de guerre avec palme. »

Ordre général 13 du 15/9/43.

Sgt-chef Pierre Clostermann – Groupe de chasse « Alsace ».

« Jeune pilote plein de feu et d'allant. A remporté sa troisième victoire officielle le 27 août 1943, après avoir attaqué seul une formation ennemie de FW-190.

« Cette citation comporte attribution de la Croix de guerre avec palme. » Ordre général 19 du 22/10/43.

Aspirant Clostermann Pierre – détaché dans un G.C. de la RAF.

« Pilote de grande classe, remarquable d'allant et de virtuosité, aspirant de réserve de valeur.

« Totalise plus de 184 heures de vol de guerre en 125 missions dont 105 offensives sur les territoires occupés par l'ennemi et 5 très réussies de bombardement en piqué sur des batteries côtières particulièrement bien défendues.

« A à son actif 3 FW-190 détruits en combat aérien, 2 Me-109 et un FW-190 endommagé en combat aérien, une locomotive détruite et de nombreux objectifs endommagés.

« Cette citation comporte attribution de la Croix de guerre avec palme. »

Décision 14.344/S/DPM/I.

Aspirant Clostermann Pierre – Esquadre 602 de la RAF.

« Pilote remarquable. Par son courage et son adresse maintient au plus haut point le prestige français dans le groupe anglais dont il fait partie depuis dix mois.

« Le 7 janvier 1944, attaqué seul au-dessus d'Abbeville par une formation de 3 FW-190, a endommagé l'un d'entre eux.

« Cette citation comporte attribution de la Croix de guerre avec palme. »

Décision 8/9/44.

Aspirant Clostermann Pierre – détaché dans un G.C. de la RAF.

« Brillant pilote de chasse qui, dès le 15 juin 1944, au cours d'une mission de chasse libre, a détruit sur le front de Normandie un FW-190.

« Cette citation comporte attribution de la Croix de guerre avec palme. »

Décision N° 109 du 30 octobre 1944.

Aspirant Clostermann Pierre – détaché dans un G.C. de la RAF.

« Jeune chasseur courageux et réfléchi qui vient à nouveau de se distinguer sur le front de Normandie en détruisant le 26 juin 1944 un Focke Wulf-190 après avoir détruit probablement un Messerschmitt-109 au cours du même *sweep*.

« Cette citation comporte attribution de la Croix de guerre avec palme. »

Décision n° 109 du 30 octobre 1944.

Aspirant Clostermann Pierre – détaché dans un G.C. de la RAF.

« Jeune officier pilote qui vient encore de se signaler par ses brillantes qualités de chasseur en abattant en flammes un FW-190 le 29 juin 1944.

« Le 30/6/44, au cours de sa 200e mission offensive, a attaqué et probablement détruit un Me-109 et mis en feu trois véhicules ennemis dont deux camions-citernes.

« Cette citation comporte attribution de la Croix de guerre avec palme. »

Décision N° 109 du 30 octobre 1944.

Aspirant Clostermann Pierre – détaché dans un G.C. de la RAF.

« Excellent officier, pilote de chasse dont les remarquables qualités d'adresse et de courage n'ont d'égales que l'ardeur combative.

« Dans un combat particulièrement violent et prolongé contre une force ennemie bien supérieure en nombre, a réussi à détruire un FW-190 et à en endommager 4 autres, portant ainsi le nombre total de ses victoires à 6 FW-190 et un Me-109 détruits, 2 Me-109 probables, 6 FW-190 et 2 Me-109 endommagés.

« Cette citation comporte attribution de la Croix de guerre avec palme. »

Décision n° 109 du 30 octobre 1944.

Sous-lieutenant Clostermann Pierre – détaché dans un G.C. de la RAF.

« Officier pilote dans un groupe de chasse depuis plus de deux ans, fait preuve d'une hardiesse et d'un courage remarquables.

« Animé du plus pur patriotisme, a su par sa virtuosité maintenir très haut le prestige de l'aviation de chasse française dans les rangs de la chasse britannique.

« Totalise 8 victoires officielles, 4 victoires probables, 6 avions ennemis endommagés et de nombreux objectifs au sol détruits.

« Cette citation comporte attribution de la médaille militaire et de la Croix de guerre avec palme.

« Signé : C. de GAULLE. »

Sous-lieutenant Clostermann Pierre – détaché dans un G.C. de la RAF.

« Officier pilote d'une ardeur incomparable au combat. Pénétré des plus hautes traditions de l'aviation française, vient de reprendre la lutte comme chef d'escadrille dans un groupe d'élite de la RAF équipé d'avions Tempest.

« Le 5 mars, au cours d'une patrouille dans la région de Hanovre, a attaqué 4 Messerschmitt-109, réussissant à abattre l'un d'eux en flammes. Pendant la période du 1er au 6 mars a en outre détruit un grand nombre de locomotives.

« Cette citation comporte attribution de la Croix de guerre avec palme. »

Décision 950/17/7/45.

Sous-lieutenant Clostermann Pierre – détaché dans la RAF.

« Officier de grande valeur et pilote remarquable d'un dévouement inlassable. Payant de sa personne en toutes circonstances et méprisant le danger, il continue la lutte contre l'ennemi avec une extrême détermination.

« Le *squadron* 274 ayant été envoyé en repos à la suite de grosses pertes, a demandé à rester en première ligne et de ce fait est affecté au *squadron* 56 de la Royal Air Force.

« Le 14 mars, au cours d'un combat acharné contre 40 chasseurs ennemis dans la région de Hanovre, a obtenu les résultats suivants :

« 1 Me-109 détruit, 1 Me-109 probablement détruit, 1 Me-109 endommagé.

« Cette citation comporte attribution de la Croix de guerre avec palme. »

Décision 950/17/7/45.

Sous-lieutenant Clostermann Pierre – détaché dans la RAF.

« Brillant officier pilote d'un allant et d'un sang-froid exceptionnels qui continue à donner le plus bel exemple de courage héroïque.

« S'est particulièrement distingué au cours de nombreuses missions de mitraillage rendues périlleuses par la densité de la DCA.

« Notamment les 21, 23 et 26 mars, a détruit personnellement 16 locomotives et en a endommagé plusieurs autres, ainsi que plusieurs camions-citernes.

« Le 28 mars, lors d'une reconnaissance aérienne sur le Rhin, a abattu un Fieseler-156, puis a mis hors d'usage une batterie d'artillerie lourde tractée.

« Ce même jour, au cours d'une nouvelle mission, a attaqué une colonne de tanks, en a détruit un et endommagé quatre autres. Pendant cette action a été blessé par une balle à la jambe droite et a eu son appareil endommagé à plusieurs reprises.

« Cette citation comporte attribution de la Croix de guerre avec palme. »

Sous-lieutenant Clostermann Pierre – détaché dans la RAF.

« Officier pilote de grande valeur, remarquable par son adresse et son mordant.

« Continuant son action de destruction, s'est particulièrement distingué le 31 mars à la tête de sa patrouille dans la région de Hambourg, a détruit personnellement 6 locomotives malgré une *flak* très précise.

« Pendant cette action, deux de ses coéquipiers ont été abattus et son appareil fut sérieusement touché.

« Le 2 avril, au-dessus de l'aérodrome d'Aldhorn, attaque 2 Focke Wulf qui viennent de décoller, en descend un en flammes, et endommage gravement 2 Junker-188 au sol. Son appareil est touché à quatre reprises par la *flak*.

« Le 3 avril, au cours de trois missions, détruit personnellement 6 locomotives et 7 camions dont 1 citerne, perdant à ses côtés 4 coéquipiers.

« Cette citation comporte attribution de la Croix de guerre avec palme. »

Sous-lieutenant Clostermann Pierre – détaché dans la RAF.

« Magnifique entraîneur d'hommes ayant une haute conception du devoir.

« S'est tout particulièrement distingué le 5 avril 1945 à la tête de ses patrouilles.

« À l'aube a personnellement abattu en flammes un chasseur de nuit Junker au-dessus de l'aérodrome de Wunstorf malgré une violente réaction de *flak*.

« A mitraillé ensuite l'aérodrome et endommagé trois autres Junker-88. Pendant cette opération, les quatre avions de la patrouille sont touchés par la *flak*.

« Le même jour, au cours d'une nouvelle mission avec sa patrouille, a engagé le combat contre seize chasseurs ennemis. A endommagé seul 2 FW-190 et participé à la destruction de 2 Messerschmitt-109.

« Son appareil, successivement touché par trois obus de 20 et de 30 , réussit à le ramener à sa base. Se pose train rentré et s'écrase le visage contre son collimateur, puis l'appareil prend feu.

« Cette citation comporte attribution de la Croix de guerre avec palme. »

Lieutenant Clostermann Pierre – détaché dans la RAF.

« Officier pilote hors de pair. Continue toujours par sa conduite à donner le plus bel exemple de courage et d'allant.

« S'est encore particulièrement distingué le 19 avril, au cours d'une reconnaissance armée dans la région de Hambourg. Malgré une *flak* violente a détruit personnellement 7 camions. Sur huit avions de sa patrouille engagés, trois furent endommagés et un abattu.

« Le même jour, avec deux volontaires, au cours d'une nouvelle mission effectuée au crépuscule, mitraille l'aérodrome de Rottembourg et détruit seul 2 Heinkel-177 et en endommage 2 autres.

« Le 20 avril détruit, en collaboration, un Junker-290 au-dessus du Skagerrak.

« Le même jour dirige une patrouille de nuit dans la région de Hambourg où il engage le combat contre 30 Focke Wulf-190.

« Touché par la *flak*, le feu à son appareil, continue le combat aérien et abat 2 FW-190. Rentre ensuite à sa base distante de 320 kilomètres, ramenant son appareil toujours en feu, qui est détruit à l'atterrissage.

« Cette citation comporte attribution de la Croix de guerre avec palme. »

« Officier pilote de très grande classe, alliant à ses connaissances aéronautiques approfondies les plus belles qualités de chef et de combattant.

« Toujours volontaire pour les missions périlleuses, conduit son groupe au combat avec une ardeur infatigable.

« S'est tout particulièrement distingué le 3 mai. Au cours d'une mission de reconnaissance aérienne, à l'aube, dans la région de Kiel-Lubeck, a détruit seul un Focke Wulf-190 en combat aérien et en a endommagé deux autres.

« Dirige une autre reconnaissance sur les côtes du Danemark, et après sept passes consécutives effectuées avec sa patrouille, oblige un sous-marin de 500 tonnes à s'échouer complètement désemparé.

« Cette citation comporte attribution de la Croix de guerre avec palme. »

Le lieutenant Clostermann Pierre – détaché dans la RAF – est promu commandeur dans l'ordre de la Légion d'honneur avec la citation suivante :

« Officier pilote de chasse, incarnant les plus belles traditions de patriotisme, dont l'action au combat méritera toujours d'être citée en exemple.

« Détaché dans la RAF, a brillamment contribué à la grande renommée des ailes françaises.

« A conduit une escadrille, puis un groupe d'avions Tempest avec une rare audace.

« S'est particulièrement distingué au cours de la troisième mission effectuée le 3 mai 1945.

« Au crépuscule, à la tête de la 122e escadre de la RAF, attaque la base aéronavale de Grossembrode au Danemark malgré la couverture de 200 chasseurs allemands.

« Abat personnellement un Junker-252 qui vient de décoller, puis 2 Dornier au-dessus du détroit de Fenhmarn.

« Au cours d'une nouvelle passe de mitraillage, endommage gravement au sol 2 Arado-232 et 2 Blom et Vhoss au mouillage. Participe ensuite à la destruction en combat aérien d'un Messerschmitt-109 et d'un Focke Wulf-190.

« Pendant cette action, 14 chasseurs ennemis sont descendus pour une perte de 10 de ses coéquipiers.

« Le 4 mai 1945, lors d'une opération sur la base aéronavale de Schleswig, détruit seul 2 Dornier-18 au mouillage, et deux vedettes lance-torpilles.

« Termine cette prestigieuse campagne âgé de 24 ans, en totalisant plus de 2 heures de vol dont près de 600 de vol de guerre, après avoir remporté 33 victoires aériennes, ce qui lui donne le titre de Premier Chasseur de France.

« Cette citation comporte l'attribution de la Croix de guerre avec palme. »

*

AVANT-PROPOS
(édition de 1947)

Enfant unique, 10 000 kilomètres m'ont séparé pendant quatre ans, de mes parents, Français Libres comme moi.

De Londres à Brazzaville, la correspondance était difficile, les lettres sévèrement censurées sur tout ce qui touchait les activités militaires.

L'espace restreint de la carte-lettre aérienne mensuelle autorisée, ne se prêtait guère à la description de ma vie en Angleterre avec la RAF et les Forces Aériennes Libres. Et pourtant je voulais évoquer pour mon père et ma mère, cette vie nouvelle, si pleine d'émotions, d'imprévu – ingrate, mais très belle. Je voulais qu'ils puissent la revivre, minute par minute – même si je ne revenais pas pour la raconter... C'est ainsi que, par le truchement de gros cahiers d'ordonnance de l'Air Ministry, frappés du chiffre du roi d'Angleterre, G.R., tous les soirs je leur ai décrit ma journée. Une vieille enveloppe collée à la couverture contenait mon testament – un peu ridicule, car les « mercenaires » du général de Gaulle n'avaient à coucher sur le papier, en guise de biens temporels, que

Enfin la paix.
Je puis enfin construire des avions plutôt qu'en détruire !

leur foi dans la France et leurs rêves précaires d'avenir. Sur la page de garde du premier, j'avais écrit :

« In case something should happen to me (either to be killed or posted missing) I want this book to be sent to my Father, capitaine Jacques Clostermann French Headquarters, Brazzaville – 10-3-194. » (« *Au cas où je serais tué ou porté disparu, je désire que ce cahier soit envoyé à mon père, le capitaine Jacques Clostermann, Quartier général, Brazzaville – 10-3-1942. ») avec l'espoir qu'au cas où je serais tué ou porté disparu, ces cahiers leur parviendraient. Et je voulais que mes parents, en le recevant, en le lisant, retrouvent ma présence et ma voix, comme une consolation.*

À toute heure de la journée ces gros cahiers m'ont accompagné – froissés par le poids de mon parachute dans mon casier de pilote, tachés de thé sur la table du mess, ou couchés à mes côtés sur l'herbe du dispersal pendant les longues et monotones heures d'alerte.

Des îles Orcades à la Cornouaille, du comté de Kent à l'Écosse, de la Normandie au Danemark en passant par la Belgique, l'Allemagne et la Hollande, ces cahiers – car à la fin de la guerre ils étaient trois – m'ont suivi partout.

Le destin, qui a été si cruel pour tant de mes camarades, a voulu que je survive à 400 missions de guerre.

Un beau jour, la tragédie terminée, j'ai pu conter de vive voix à mon père l'histoire de ces quatre années.

Deux ans ont passé.

J'ai eu, avec les rares survivants des FAFL, l'ingrate mission de visiter les familles de nos amis qui n'étaient pas revenus – de chercher à leur donner l'amère consolation du récit de la vie de leurs enfants.

Mais nous n'avons pas pu les toucher tous.

Nous avons aussi rencontré beaucoup de Français qui n'avaient pas la moindre notion de ce qui s'était passé de l'autre côté de la Manche – ou qui préféraient continuer à l'ignorer...

Mais nous sentions également que d'autres Français cherchaient, eux, à le savoir, pour y trouver peut-être de quoi soutenir leur foi dans l'avenir.

C'est pour eux tous que ces pages sont publiées. Avec mélancolie, nous les avons relues, mon ami Jacques Remlinger et moi.

Changez les dates, quelques circonstances accessoires, et c'est l'existence quotidienne de trois cents jeunes aviateurs français que vous revivrez. N'importe lequel de mes camarades des Forces Aériennes Françaises Libres retrouvera les mêmes épisodes en feuilletant son carnet de vol.

Je demande au lecteur de ne pas y chercher une œuvre littéraire. J'ai simplement consigné, au jour le jour, des impressions, des instantanés photographiques, des images gravées au passage dans ma mémoire.

Il aurait fallu un bien grand talent pour faire revivre sous une forme à la fois littéraire et vraie la carrière d'un pilote de chasse de cette guerre ! Et c'est justement parce que c'était vrai, parce que c'était tout chaud de l'action, que je n'ai pas voulu retoucher ces cahiers.

J'ai tenu à conserver les expressions anglaises, certains mots qui frisent le barbarisme – je ne pouvais quand même pas les renier, puisque nous les avons eus dans la bouche quatre années durant !

L'anglais était de rigueur à la radio, avec toute sa floraison si pittoresque de mots de code et d'argot de la RAF. Comment traduire, autrement qu'entre parenthèses et à la suite, ces conversations radio téléphoniques, sans leur faire perdre leur vigueur et leur concision ?

De par leur origine et leur conception, ces pages sont une sorte de reportage.

Mais il y avait une autre difficulté.

La vie d'un pilote de chasse est monotone dans l'action – les sweeps, *les longues heures d'alerte, les missions de bombardement en piqué, de chasse libre, d'escorte ou de mitraillage se succèdent, toutes sem-*

blables. Rien ne ressemble plus à un combat aérien – à part quelques détails géographiques ou tactiques secondaires – qu'un autre combat aérien !

Aussi a-t-il été nécessaire de faire un choix parmi des actions typiques de chaque époque de cette guerre. Je me suis contenté simplement, pour les lier entre elles de façon intelligible, de résumer rapidement les faits et les périodes intermédiaires.

Certaines réflexions ou descriptions choqueront peut-être par leur franchise ou leur cruauté. Mais il ne faut pas oublier que ces pages ont été écrites pour mon père et ma mère qui étaient mes amis et mes confidents auxquels je pouvais exposer à cœur ouvert mes faiblesses, mes amertumes, mes joies... Évidemment, j'ai longuement hésité devant certaines pages, par une sorte de pudeur intime – mais la vérité eût souffert de ces suppressions.

Et puis, après tout, nous étions tous des gosses, avec les mêmes réactions devant le danger, les victoires et les injustices... Ce que j'exprime, nous tous, les FAFL, nous l'avons vécu, senti ou pensé.

À la fin de ce livre, j'ai ajouté des notes qui permettront de suivre plus facilement – sur un plan purement technique – les récits. Les statistiques, les données numériques, les documents en général, proviennent tous de source officielle, et sont pour la plupart inédits. Puissent ces pages et ces photos aider celui qui entreprendra de conter en détail l'histoire de cette longue guerre.

Puissent-elles aussi amener certains à plus de discrétion ou de pudeur dans leurs jugements, à se rappeler que même si les aviateurs Français Libres n'ont pas de monuments, ils n'en ont pas moins inscrit dans le ciel beaucoup de gloire très pure et accru de beaucoup le prestige de la France chez les Alliés et dans le monde !

Puissent-elles enfin enlever à d'autres ce complexe d'infériorité qui les porte à honorer les victoires de nos alliés, et à ignorer complètement les nôtres.

C'est mon seul désir, et ce sera ma fierté.

11 novembre 1945.

Pierre Clostermann
N° Mle 30.973
Des Forces Aériennes Françaises Libres.

Crédits photographiques

Les photographies et documents reproduits dans cet ouvrage viennent de l'US Air Force, de l'Imperial War Museum, de l'Ordre de la Libération, de la collection Charles Brown, de Claude de Boislambert et, pour l'essentiel, de la collection personnelle de l'auteur.

Table

6433

Achevé d'imprimer en Slovaquie
par NOVOPRINT
le 7 novembre 2017

EAN 9782290324301
OTP L21EPLNJO1940C007
1er dépôt légal dans la collection : avril 2011

ÉDITIONS J'AI LU
87, quai Panhard-et-Levassor, 75013 Paris

Diffusion France et étranger : Flammarion